JN418752

# 월곡한담月谷閑談 1

# 월곡한담 1

2006년 2월 27일 초판 1쇄 발행
2006년 4월 5일 초판 2쇄 발행

지은이 : 이철주
엮은이 : 박기아
펴낸이 : 김영애
편 집 : 윤금선
펴낸곳 : 다할미디어

등록일 : 1999년 11월 1일
등 록 : 제20-0169호

주 소 : (우) 135-010
서울시 강남구 논현동 20번지
광윤빌딩 3층
전 화 : (02) 3446-5381~3
팩 스 : (02) 3446-5380
http://www.dahal.co.kr
e-mail : dahal@dahal.co.kr
ISBN : 89-89988-25-X
89-89988-28-4(전2권)

값 10,000원

# 월곡한담月谷閑談 1

이철주 글 | 박기아 엮음

다할미디어

## † 책을 펴내며

'걱정 말고 있어~'

그 말만을 남기고 황망히 떠난 그가 어딘가에 작별인사를 남겨 놓았을 것 같아 노트며 컴퓨터를 뒤적였습니다.

아직도 찾지는 못했지만, 언젠가는 어느 책갈피에서라도 불쑥 그의 목소리가 튀어나올 것이라고 믿고 있었는데 이번에 책을 내느라고 그의 글을 읽고 또 읽다가 문득 깨달은 것이 있습니다.

'월곡한담' 이 내가 찾던 작별 인사이고, 사랑의 고백이었습니다.

코앞에 두고도 보지 못하는 어리석음을 2년이나 계속하고 있었습니다.

힘들어하는 남편을 지켜보느라 가슴 졸이며 살다가 종종걸음하며 살아야 할 대상을 잃은 뒤 상실감은 그리움보다 더 무서운 고통이었습니다.

남편의 울타리 안에서 길들여진 편안함에서 튕겨져 나온 뒤 막막함이란 평범한 일상 모두가 힘에 겹기만 했습니다.

모든 걸 얼른 잊고 싶기도 했고, 그의 흔적이라면 먼지라도 서랍속에 다 담아두고 싶기도 했습니다.

상실감, 적막감, 그리움은 자신감마저도 사그라지게 하였고, 점점 초라하게 느껴지는 내 모습은 바깥으로 향하는 내 안의 문을 조금씩 닫게 하였습니다.

그가 나에게 얼마나 큰 존재였는지 그를 잃고야 절감했습니다.

걱정스런 주변의 눈길도 부담스러웠습니다.

그럴 즈음 그의 산재 결정은 나의 자존심과 자신감을 돌려주었고, 나는 당당해지려고 마음먹을 수 있었습니다.

'그럼 그렇지… 우리 남편이 얼마나 열심히 살았는데…….'

다시 한번 그 일을 위해 애쓴 많은 분들께 진심으로 감사의 마음을 전합니다.

지나간 순간은 절대로 다시 돌아오지 않는다는 당연함이 내 머릿속에 들어오기까지 참 많은 시간이 필요했습니다.

본인에게 다가오는 이별의 고통과 생의 아쉬움을 특유의 글발로 기록하고 정리해 놓은 그의 글을 읽노라면,

내가 사랑했던 그는 과학도가 아니라 예술가 아니었을까 하는 생각이 점점 더 진해집니다.

그런 그를 과학자의 잣대로만 보았으니 사는 동안 얼마나 외로웠을까…… 가끔 보이던 허허로운 웃음의 의미를 이제야 알 것 같으니 가슴이 더 아픕니다.

천상의 이력서엔 과학을 사랑하는 예술가로 적고, 끼를 맘껏 발산하며 지내고 있기를 바랍니다.

사는 게 팍팍할 때면 그의 영혼이 육신을 떠나며 가장 아쉬웠던 것이 무엇이었을까를 생각해봅니다. 그러면 아직 땅 위에 남겨진 내가 해야 할 일이 무엇인지가 뚜렷이 보입니다.

당연히 사랑하는 사람들과의 이별이었을 겁니다.

그의 능력, 재기, 유머, 두뇌를 닮을 수는 없겠지만, 그의 가슴은 닮을 수 있습니다.

내 가슴 한 켠에 그의 가슴도 담아서 두 배로 그가 아쉬워했을 모든 것을 열심히 사랑하며 살렵니다.

또 내가 세상을 떠나게 될 때 어떤 모습으로 삶을 마무리해야 하는 지를 생각하게 합니다.

혼자 남으면 어쩔 거냐며 늘 걱정하던 찔찔이 아내가 담담하고 깔끔하게, 그이보다 더 멋있게 삶을 마감해서 그를 깜짝 놀래주고 싶습니다.

훗날 그를 만나면, 책 내느라고 수고했다는 말 대신 뭐 이런 것을 책으로 엮었냐며 민망해할 그의 모습이 눈에 선하지만, 남편을 보내며 그의 글을 책으로 엮겠다고 한 나와의 약속을 이제야 지키게 되어 기쁩니다.

미사 때마다 그의 영혼을 위해 기도해주신 신부님과 수녀님,
더구나 생전의 그를 한 번도 본적이 없는 신부님도 계십니다.
남은 가족을 걱정하셔서 여태껏 도움주시는 후원회원님,
본인의 아픔은 덮어놓고 남은 자식 걱정만 하시는 양가 부모님과 혈육,
꼭 잡은 손을 한시도 놓지 않고 있는 '월곡한담' 까페 가족들,
특히 책 발간을 위해 애써준 고마운 얼굴들,
아침마다 내 안색을 살피며 마음써주는 착한 직장 동료들,
출판을 계기로 알게 된 또 다른 소중한 인연,
쳐다보기도 아까운 소중한 그의 분신 동현, 동엽.

머릿속을 떠나지 않는 얼굴들이고, 제가 건강하고 행복하게 살아야 할 존재의 이유입니다.

고맙고 또 고맙다는 말을 꼭 전하고 싶습니다.

그러나,

저는 아직도 그가 휴일 아침의 달콤한 늦잠에 취해 있는 것만 같습니다.

빙긋이 웃으며 깨어날 잠을…….

2006년 2월… 2주기에 즈음하여

박 기 아

† 목 차

## 컴鬼에게서 자식 구하기

# 쪼다의 아내 이야기

# 쪼다의 아내 이야기

## (1)

부부란

생각할수록 참 묘한 관계이다. 나이도 어린 내가 이런 소리를 하려니 인생의 선배들한테 송구스런 마음이다. 한 20년 더 살고 나면 뭐라고 정의가 바뀔지 모르겠으나, 굳이 있어 보이도록 말을 하자면 '부부란 유사성과 상반성의 절묘한 조화' 라고나 할까?

흔히 '오래된 부부는 닮아 있다' 고 한다(참고로 이 말은 내 아내가 싫어하는 말이다. 어찌 감히 '기마약탈민족' 이 '농경문화민족' 과 닮을 수 있냐는 말인데……. 그래! 난 여진족이다!).

정말 그렇다. 그래서 부부가 모두 잘못된 쪽으로 닮아버리면 대책이 없다. '자기 자식만 최고' 라는 것에 부부가 닮아서는 애를 개고기로 만든 부부도 보았다. 부부가 안팎으로 모두 지독히 돈만 아는 사람들도 보았다. 그래서 닮으려면 좋은 걸 닮아야 빛이 난다. 또 재미있는 것은, 살아가면서 닮아가고 '타협' 하는 것이 부부라지만, 본래부터(inherently) 품성이 닮아 있는 경우도 많다는 것이다. 그 꼼꼼하고 차분한, 절대로 안 뛰는, 우리의 '또박이' 의xx 연구센터의 ㄱ책임은 부인이 더 꼼꼼하다고 한다. 어떻게 그 자보다 더 '책' (교과서적)일 수가 있는지 난 이해가 안 된다. 사람 좋고, 남에게 베풀기 좋아하는 고분자부의 내 후배는 부인도 똑같다. 만나면 항상 즐겁다. 그들 부부가 하는 이야기를 들으면 내 맘이 더 편하다. 언제나 남의 좋은 점만을 보고 말하는 저 부부는 다른 데에서 나에 관해서도 저렇게 좋게 말하겠지……. 좋은 일이다.

그러나 부부간의 이런 '유사성' 보다 더 인류의 진화에 기여한 것은 '상반성의 조화' 라고 보이는데, 예를 들어 술도 안하면서 사납고, 까다로운 의xx 센터 ㅊ책임의 부인이 만약 그와 비슷한 품성이라면……. 현대인류의 고결한 품성이 어찌 진화로 이루어졌다고 하겠는가? 나는 그 부인을 못 뵈었으니 잘 모르겠지만 틀림없을 것이다. 또 전술한 대로 고기 구워먹는 게 레저생활의 거의 전부인 내 후배가 고기, 특히 굽는 것에 대해서는 거의 panic 상태가 되어버리는 ㅅ여대 출신 부인과 기가 막힌 조직력을 보이는 것은 부부간의 끈이 꼭 유사성으로만 이어지는 것이 아니라는 것을 보여준다.

이 대목에서는 나 또한 자유롭지 못한데……. 성품(내 아내의 말로는 '성질', 그 뒤에 '머리'가 더 붙을 때도 있다)은 제쳐두고라도 최소한 외관에 대해서는 할 말이 없다.

우리 부부의 morphology는 많은 해프닝을 유발했는데……. 나는 '대머리성'의 이마에다('죽어도 대머리는 아니다'라고 나만 생각한다. 지금도……. 게다가 흰머리도 없다), 강팍해 보일 정도로 삐쩍 마르고 꾸부정한 모습이고, 게다가 疾風怒濤(질풍노도)의 사춘기 시절에 진리 탐구에 너무 시간을 빼앗겨 피부 관리를 등한시한 것이 결정적 패착이 되어 나이가 훌쩍 들어보인다. 반면에 아내는 워낙 나이가 들어보이지 않는 얼굴인데다 내가 좋아한다고 항상 짧은 생머리를 하고 있고, 무엇보다 남편이 잘 해주니 늙지를 않아서 자기 나이보다 한참 젊어 보인다(그런데 요즘 자세히 보면 피부가 많이 늙었다. 마음이 아프다. 이건 순전히 우리 집의 저 두 놈들 때문이다. 헐렁이와 둘리……. 복수를 다짐한다).

아내와 난 3살 차이인데 외관은 10살 정도 차이가 나 보인다고 한다. 어느 과장하기 좋아하는 '떠벌이 아줌마'는 나도 함께 있는 자리에서 우리의 나이 차를 15살까지 보았다(그 아줌마는 별별 노력을 다 하는데도 살이 안 빠진다고 투덜댄다. 하늘이 무심하지 않다). 언젠가는 새로 이사간 동네에서 한동안 동네사람들이 이상한 눈으로 쳐다보는 시선을 느꼈다. 나는 단순히 새로 온 주민에 대한 호기심으로만 치부했었는데, 후에 동네사람들과 친해지고 나서 들은 말로는 아내가 정실부인이 아닌 줄 알았단다. 아내에게 조심스럽게 물어보았을 때까지 그들은 얼마나 수군댔을까? 이러한 난처한 일은 다른 곳에서도 있게 마련인데……. 일전에 아내와 둘이만 지방에 간 적이 있었다. 저녁에 숙박을 하려고 깨끗해 보이는 장급 여관을 찾았는데 방이 없단다. '이 동네는 주택 보급 사정이 안 좋은가보다' 하며 나오는데, 여관조바의 눈초리가 얄궂다. 몇 곳을 다닌 끝에 한 군데에서 숙박은 할 수 있었지만, 가는 곳마다 조바들의 눈치가 기분 좋지는 않았다. 실제로 부부간의 나이 차가 많은 분들은 살기 힘든 세상이라는 생각이 들었다(조바란 여관 종업원을 말한다. 어원은 모른다).

(이래서 우리는 선진국을 본받아야 한다. 일본을 보라. 일부 여관의 '조바less system' 야말로 소비자를 배려하는 상업적 마음의 발로가 아닌가? 여관이라는 곳은 우리 부부같이 정상적인 사람들도 들어가기 껄끄러운 곳인데……. 일반 소비자야 조바가 없으면 얼마나 편하겠는가? 소비자의 입장에서 생각하는 것, 서비스의 1장이다)

어쨌건 부부라는 건 참으로 엄청난 인연의 산물이다. 불가의 윤회설에 의하면 길거리에서 옷깃만 스치는 정도의 만남도 어마어마한 인연의 결과라고 하는데, 하물며 같은 이불에서 맨몸으로 부딪치는 사람들의 인연이란 전생에 어떠했겠는가? 우리 집에서는 가끔 전생의 이야기를 한다. 나는 아내가 전생에 우리 집 소였다고 우긴다. 그 죄 값으로 지금 내가 이렇게 열심히 뛰는 것이라고 생각한다. 물론 아내는 그 반대라고 한다. 서로 당신의 소였다고 우기는 우리 부부도 조금은 이상하다.

(어떤 종교에서는 윤회설을 부인한다. 물론 내가 다니는 종교에서도 그렇다. 윤회설에 얽힌 역사 한 마디 : 서기 330 몇 년인가 '니케아 공의회' 가 열렸다. 교황 콘스탄티누스 대제의 소집으로 모인 이 공의회는 그때까지 각지에서 자기 멋대로 해석한 그리스도교의 교리를 정리하여 하나의 일치된 교회로 나가자는 취지였다고 한다. 엄청난 토의를 거친 후 교리가 정리가 되었고, 그 이후 로마가톨릭과 동방정교들이 갈라졌다고 한다. 이때 그 유명한 교리,

'삼위일체' 가 정리되는데, 이 교리를 이해하기 어려운 사람들은 그냥 믿으라고 권고되었고, 한편으로 이 교리는 또 세상사를 너무 따지지 말라는 숨은 경고의 뜻이 있다는 설도 있다. 난 지금도 알쏭달쏭하다. 이때까지도 상당히 많은 교파에서 윤회설을 믿었다고 한다. 그런데 공의회를 소집한 동로마제국의 황제이자 교황이신 콘스탄티누스 대제의 부인은 출신이 비천하였단다. 그래서 이 황후는 '과거' 라는 말에 관련된 사항은 극히 싫어했는데, 황후의 압력이 유 · 무언으로 작용해서 그 당시의 윤회설 · 윤회교리는 채택이 되지 않았다고 한다. 내가 어디선가 읽었던 것인데……. 권위있는 신부들과 목사 앞에서는 거론하지 않는 것이 좋을 것 같다)

*1999. 7. 8.*

(2)

우리 부부의 morphology 차이는 나에게 억울하게 작용하는 경우가 많은데, 사람들은 아내는 무조건 착하고 나는 무조건 못된 ㄴ으로 생각한다. 그럴 때는 외모로 사람을 판단하는 데 지친 나는 할 말을 잃는다. 사실 아내는 나보다 짓궂고 장난도 심하다. 가끔은 몽니도 부리고……. 역시 안 믿겠지만…….

그래서 나의 몇몇 후배가 나에게 몹시 혼이 난 적도 있었다. 한 놈은 노래방에서 노래를 하면서 우리 부부를 흘낏거리다 나한테 치도곤을 당했다. 그때 그 자는 '선녀와 나무꾼' 이라는 노래를 하고 있었다. 또 한 놈은 우리 집 집들이 자리에서 우리 부부를 'The Beauty and The Beast' 라고 평했다가, 우리 집안의 자랑 '38구경 놋쇠 요강' 이 허공을 가른 적도 있었다. 나야 어릴 때부터 너무 예쁘다는 소릴 많이 들어서 The Beauty라는 표현이 어색하지 않았지만, 감히 선배의 부인을 Beast라고 하는 놈을 내 어찌 용서하겠는가? 나쁜 놈!(내가 어릴 때부터 예뻤다는 것은 우리 집안에서는 모르는 사람이 없다. 내가 중학교 때, 그 질풍노도의 시기에 얼굴에 버짐이 핀 적이 있었다. 탐구심 많은 내가 버짐에 관하여 공부를 해본 결과 버짐의 원인 중에 침(타액)이 있다는 것을 알았다. 그래서 다시 탐문조사를 해본 결과 우리 큰어머니한테서 결정적 증언을 확보할 수 있었다. 내가 갓난쟁이 때 너무 예뻐서 동네 아가씨, 아줌마들이 서로 안고 다녔단다. 그리고 수없이 뽀뽀를 해댔단다. 그렇게 아기 얼굴에 침을 잔뜩 발라놓았는데 어떻게 버짐이 안 피겠는가? 미모를 가진 자의 아픔이었다. 그러한 비밀을 털어놓으시면서 회한이 가득하시던 큰어머니의 모습은 지금도 내 가슴에 있다. 큰어머니의 명복을 빈다.)

나는 연애결혼을 했다. 살아가면서 많이 받는 질문이 어떻게 결혼했느냐? 라는 것인데(역시 인간사에서 짝짓기는 굉장한 일인가보다), 연애결혼이라고 하면 대개가 놀라는 눈치이다. '아니 당신 같은 ㄴ이 어떻게 연애를 할 수 있었느냐?' 하는 눈치인데, 곧 이어

나오는 질문은 거의 다 어떻게 만났느냐?라는 것이다. 예전에는 구구절절이 사연을 읊었다. 나도 한때는 괜찮은 젊은이였다는 것, 또 아내도 나를 좋아했었다는 것을 상대에게 인식시키기 위해 무진 애를 썼었다. 그러나 그들이 바라는 정답은 그것이 아니었다. 그들은 마치 내가 고인돌시절같이 지나가는 처자를 몽둥이로 때려서 기절시켜가지고는 끌고 가서 아내로 삼았다는 말을 기대하고 있는 듯했다. 그래서 요즘은 그런 질문 받으면 간단하게 말한다. '응, 내가 꼬셨어.'

아내와 나는 눈이 맞아서 사귀고 결혼했다. 물론 아내는 다른 이론을 내세운다. 강압이었다는 둥, 선배라서 어쩔 수 없었다는 둥(아내와 나는 모 서클의 선후배 사이였다.). 그러나 요즘이 어느 땐데 강압이 통하겠는가? 그리고 단언하건대 나의 설법이 있을 때면 가장 앞자리에서 경청하던 사람이 아내였다. 요즘 아내는 말한다. 그때는 내 말이 다 진리인 줄 알았는데 지금 보니 아니라는 것이다. 아내는 모른다. 진리도 시간이 가면 바뀐다는 걸, 즉 진리는 시간의 함수이다(지동설을 보라. 또 대단한 사상가였던 Kierkegaard도 『죽음에 이르는 병』이라는 책에서 제시한 그 유명한 명제 'Was ist Mensch?' 의 결론을 '주체성이 진리다(Subjektivität ist Wahrheit' 라고 맺었다. 그거 봐라. 어디에 진리가 시간에 불변이라고 했는가?(여기서 이게 왜 나오나? 그리고 지금 내가 맞는 소리를 하는 건가?) 그리고 아내가 모르는 것이 하나 더 있다. 예쁜 여자가 코앞에서 듣고 있는데 진리인지 확인할 시간이 어디 있었겠나.

예쁜 후배를 발견한 뒤에는 세월이 살같이 흘러갔다. 나는 아직도 그 예쁜 후배(너무 심하다는 생각이 든다. 말끝마다 자기 마누라 예쁘다고 한다. 그래서 이 글의 제목에 '쪼다'가 들어간 것이다)를 제대로 꼬시지도 못 했는데 덜컥 영장이 나왔다. 그것도 무슨 행정착오가 있었는지 다음 주 월요일에 입영하라고 목요일에 영장이 나왔다. 담담했다. 우리 집의 유전이다. 할머니와 어머니는 조금 서운해하시는 기색이셨지만……. 나도 다른 건 걱정이 되지 않았다. 우리의 해병 친척들도 다 겪었을 텐데 군대가 뭐 그리 대단하겠는가? 마음에 걸리는 건 그 후배뿐이었다. 후배는 내가 갑자기 군대 간다고 하니까 조금은 동요된 듯도 하였지만, 나는 아무 확신도 가지지 못하고 그 늦가을의 아침에 입영열차를 탔다. 왕십리역이었던가? 아침에 출근 준비하시는 아버지께 "다녀오겠습니다"라고 했을 때, 아버지는 '어, 그래. 갔다 와라!' 라고 하셔서, 나는 아버지께서 오늘 내가 입대하는 걸 모르시는 것이 아닌가 하는 생각을 하며 논산까지 기차를 탔다.

여러 관문을 거쳐 본격적으로 훈련에 돌입했을 때는 이미 초겨울이 되어 있었는데, 나뭇잎마저 다 떨어져버린 을씨년스러운 산야를 박박 기었다. 거기에 비마저 올 때는 온통 회색의 천지가 뼛속까지 한기를 밀어넣는 듯했었다. 전혜린씨도 슈바빙 거리의 회색조 말고 논산의 회색을 보았어야 한다. 훈련은 힘들지 않았다. 그러나 쉬는 시간은 힘들었다. 그 짧은 시간에 담배를 피우며 수첩에서 사진을 꺼내보는 동료들을 부러워했다. 나는 사진마저 없었다. 사실 그때는 내심 그 후배를 포기했었다. 찜을 해놓고 와도 어찌될지 모른다는데 내가 무슨…….

교육을 마치고 특수공병부대에 배치를 받고, 편지를 주고 받으며 선후배 관계를 유지했지만, 그때까지도 그 후배가 나를 어떻게 생각한다는 아무런 확신이 없었다. 나는 워낙 숫기가 없는 샌님이라 상대방의 의중도 모르면서 마구 밀어붙이는 짓은 할 수 없었다. 그러던 중 여름방학에 그 후배가 자기 친구들과 P시로 놀러 온 일이 있었다. 저녁에 만나기로 하였고, 일과가 끝나고 외출을 나가려고 하는데 두 달 빠른 고참이 우리 동기만 집합을 시켰다(그때 나는 일반전화와 외출만큼은 자유로운 보직을 맡고 있었다). 고참은 말도 안 되는 트집으로 패는데, 그때 처음으로 그 고참이 죽이고 싶었다. 예쁜 후배를 만나러 가야 하는데……. 짝사랑의 힘은 그 정도인가보다. 정말 나는 모든 내공을 총동원해서 사고치는 걸 피했고, 이미 늦어진 약속시간 때문에 그들이 묵고 있다는 여관을 찾아가게 되었다. 반가운 맘에 후배와 그 친구들과 함께 이야기를 나누고 있는데, 그 중 누군가가 "가슴에 그게 뭐예요?"라고 물었다. 내 가슴을 보니 군복 가슴 왼쪽 주머니 밑으로 시커먼 자국이 있었다. 그때 우리 부대는 주먹으로 가슴을 때리는 전통(?)이 있었는데, 아까 맞으면서 만년필이 부러진 것 같았다. 그 만년필은 나의 필기습관에 잘 맞았고, 특히 그것으로 후배에게 편지를 쓰면 문장도 괜찮아서 아끼던 물건이었다. 나는 그 순간 아끼던 만년필이 부러졌다는 생각보다는 아까 맞았다는 사실에 너무나 당황했다. 나는 후배에게 부대에서 중요한 일이 생겨서 그걸 처리하느라 늦었다고 했었고, 그것도 마치 내가 아니면 안보가 위태롭다는 식으로 풍을 늘어놓았던 터였다. 당황해서 얼버무리는 나에게 후배는 군복 윗도리를 벗어보라고 강요하였고, 친구들마저 동조하는 분위기여서 어쩔 수 없이 벗었다. 그 날 따라 아무 생각없이 입고 있던 '포제 런닝' 차림으로 나간 나는 더욱 당황했다('포제 런닝'은 메리야스, 즉 니트 런닝이 아니고 뻣뻣한 국방색 천을 잘라 만든 런닝 셔츠이다. 평소에는 부대에서 그걸 입어야 했고 외출 때나 한 벌뿐인 메리야스를 입었다. 그래서 연말에 위문푸대가 오면 메리야스 내의가 제일 반가웠었다). 이미 흉측한(적어도 그 젊은 여성들의 눈에는 그렇게 보였을 것이다) 포제 런닝은 온통 검은 잉크 투성이였다. 나는 어째 이것도 못 느끼고 여기까지 왔는가? 회한이 들었다. 그러자 이번에는 그 런닝마저 벗어보라는 아우성에 나는 모든 걸 포기했다. 여성들 앞에서 비록 윗몸이지만 알몸을 보인다는 수치심 따위는 오히려 행복했다. 그래도 죽어도 버텼어야 했는데……. 런닝을 벗은 나의 가슴은 온통 벌겋고 퍼런 '피멍' 투성이였다. 고개를 숙이고 돌리는 그들 앞에서 나는 아무 말도 할 수 없었다. 그래도 그때 나는 그 후배의 눈에 보이는 아픔을 놓치지 않았다. 아……. 저 애도 나를 좋아하는 것 같다는 생각과 가능성이 있다는 생각을 했다. 어떻게 부대에 돌아왔는지 모른다. 그리고 후배와 친구들이 어떻게 서울로 돌아갔는지도 모르고……. 나는 한동안 편지도 하지 않았다. 수치스러움과 가능성을 생각하면서 한참의 시간을 보냈었다.

*1999. 7. 9.*

(3)

## 몇 해 전

정월 초이튿날이었다. 지금도 그 날짜가 정확히 기억나는 것은, 내가 전날(설날)의 피곤함 때문에 점심 때쯤 느지막이 일어나면서 사건이 벌어졌기 때문이다. 참 명절은 힘들다. 여기저기 다녀야지, 낮부터 술 마셔야지, 해병대 무용담 들어야지, 간간이 아내 분위기도 맞춰줘야지……. 물론 여자들은 남자보다 훨씬 더 힘들 거다. 평소에는 아내를 잘 신경 써주던 남자들마저도 명절 때는 시형제들과 모여 앉아서 술상 차려내라는 둥, 출출하다는 둥 하녀 부리듯 하고, 대화 내용도 대개가 자기네 집안이 얼마나 양반인가 뭐 그런 내용들이다. 이 나라의 남편들을 대신해서 사과하고 싶다.

어찌 되었건 항상 일정한 패턴의 명절 보내기를 무사히 치르고 난 다음 날, 늘어지게 자고 나니 점심 때였다. 배도 고프려고 하고……. 이때 난데없이 머리에 떠오르는 음식이 있었다. 집에는 아직 명절 치르고 남은 음식도 많은데 주책없이 '곱창구이'가 먹고 싶은 것이다. 나는 한번 먹고 싶은 음식이 떠오르면 통제가 안 된다. 여자들이 애를 가졌을 때도 이런지 모르겠다. 아내에게 곱창구이를 해먹자고 하니까 황당한 표정을 짓는다. 그동안 집에서 곱창을 구워 먹은 적도 없었고, 또 곱창구이라는 음식은 가정용이 아니라는 선입견을 갖고 있던 아내는 처음엔 황당해하더니, 이내 곱창의 이상한 모양을 상상했던지 잔뜩 겁먹은 표정이 되었다. 아내는 잠시 생각하더니 나가서 사먹고 오라는 제안을 했고, 나도 그것이 더 현명하겠다는 생각으로 아내가 쥐어준 돈을 꼭 쥐고는 종로통의 맛있는 곱창구이집으로 갔다. 물론 그 집에서 곱창구이를 먹으려면 주인 아주머니의 장황한 딸, 사위 자랑을 들어야 하는 불편함은 있지만, 곱창구이의 묵직한 맛을 생각하면 큰일도 아니었다. 가보니 문을 닫았다. 바보. 정월 초이튿날 문 여는 곱창구이집이 대한민국에 어디 있겠는가? 나는 '빠가야로'를 연신 되뇌면서 허탈하게 집으로 왔다. 곱창구이의 맛에 현혹되어 사리판단을 못한 나의 '본능지상주의'가 싫었다. 자초지종을 들은 아내는 그 집이 문을 안 연 것이 마치 자신의 잘못인 양 자책하는 듯하더니, 이내 떨치고 일어선다. 동네 정육점엘 가보겠다고 한다. 정육점도 문을 안 열었을 것이라고 말리는데도 아내는 밖으로 나갔다. 그래서 나는 다시 이상의 「날개」의 남자주인공같이 뒹굴고 있었다. 한참의 시간이 흐른 후(설날 특집 지상 최대의 서커스를 다 볼 정도의 시간이 흐르고 난 후) 초인종 소리에 문을 열어보니 아내가 사과상자보다 조금 작은 상자를 들고 서 있다.

아내는 여러 정육점을 돌아다녔다는데 문 연 집에도 곱창은 없더란다. 하긴 정초에 곱창 사가는 사람이 얼마나 되겠나? 한참을 헤메다 축협xx라는 조금 큰 정육점엘 갔더니, 아…… 꿈에 그리던 곱창이 있다는 것이었다. 그런데 문제는 조금씩은 못 판다고 튀기더란다. 아내는 그래서 10kg짜리 직육면체 포장 냉동곱창을 통째로 사서 가지고 온 것이다. 아내의 남편 사랑에 감격도 잠시…… 이건 보통 일이 아니었다. 우선 식욕을 채우자는 생각으로 직육면체의 한쪽 끝을 폭 2cm 정도 썰어내기로 했다. 꽝꽝 언 곱창塊(괴)를 차마 톱으로 썰 수는 없어서 식칼을 들고 난리를 쳤는데, 나중에는 등 줄기를 따라 땀이 흘러내렸다. 이미 곱창구이의 환상적인 맛은 나의 관심의 대상이 아니었다. 커다란 식칼을 들고 굿을 하고 있는 나의 모습을 '둘리' 가 물끄러미 바라보고 있었다(〈주〉 둘리 : 내 작은아들의 '거의 이름(almost name)' 이다. 담임선생님도 둘리라고 부른단다).

소주를 곁들여 곱창을 구어먹는데 맛이 별로 없었다. 그러면 그렇지……. 곱창구이집은 아무나 하겠는가? 아내가 보고 있어서 무척 맛있는 척하며 썰어낸 것을 먹고 났는데……. 남아 있는 9kg이 넘어 보이는 저 곱창은 다 어쩌나? 공포가 엄습해왔다.

입맛이란 것은 한없이 간사한 것이었다. 난 다시는 곱창이 보기도 싫어졌다. 그후 아내는 유 · 무언의 시위로 곱창의 처리를 종용했지만, 오히려 나는 연일 계속되는 사회활동으로 인해 집에서 밥 먹을 기회마저 없었다. 보름쯤 지난 후 아내에게 곱창의 안부를 물었다. 눈을 흘기며 하는 말을 들으니, 그 곱창으로 인해 처가 식구들의 인생관과 음식문화가 바뀌었단다. 시집 안 가고 있던 나이 많은 처제는 채식주의자가 되기로 하였다고 하고, 복학생이던 처남은 밤마다 곱창에 가위눌리는 악몽에 시달린다고 했고, 점잖으신 장인께서는 곱창을 재료로 하는 모든 음식을 총정리할 수 있었던 좋은 기회였다고 하셨고, 장모님께서는 이게 다 해결사 맏사위 덕이라고 즐거워하셨단다. 처제는 그후 채식주의의 원산인 인도지방을 여행하면서 채식을 연구하다 그만 철학을 연구하게 되었고(그곳은 주민이 다 철학자란다), 그 후유증으로 지금은 법국法國(프랑스)에서 수녀가 되어 있다. 다 이 형부의 덕이라며 고마워한단다. 아내는 그때 곱창의 공포 때문에 여자들 '곱창머리끈' 만 봐도 현기증이 난단다. 난 아내의 이런 '잘해 주려고 하는 마음' 이 좋다.

피멍 든 알몸을 보인 후 한동안 나는 침잠의 시간을 보냈다. 생각도 의욕도 없었다. 마음의 갈등도 없었다. Ground state라는 게 그런 건가보다. 항상 화기애애한 내가 갑자기 조용해지자 참모부가 술렁거리기 시작했다. 언젠가는 언급을 하겠지만, 군에서의 나의 보직은 참으로 중요했다. 특수공병대의 지휘부를 좌지우지하는 직책, 즉 비서실의 당번병이었다. 군의관이 무슨 일로 왔다가 나를 진맥해본 후 내린 결론은 '알코올 부족' 이었다. 그리고 생각해보니 한동안 술을 안 마시고 있었다. 그러니 excited state가 될 수가 없지……. 그 날 저녁 바로 군의관과 나가서 술을 마시며 이야기를 하였다. 군의관은 나보다 학번이 하나 위인 사람이었는데, 우린 술

을 마시면 형, 동생하면서 지냈다. 특별한 방안이 나오진 않았지만 그 날의 술자리는 참으로 유익했다. 가만 있는 것보다는 무엇이든 움직이자는 결론을 내렸다. 그래서 그때부터 나의 길고 긴 애정공세가 시작되었다. 때로는 강하게, 때로는 연하게……. 나는 만약 내 예쁜 후배가 거절의 뜻을 밝히면 따지려고 했었다. '비록 상반신이지만 남의 알몸을 보고 책임을 지지 않는다는 것은 용서할 수 없다. 나를 거절하려면 너도 벗어라. 최소한 본 만큼……. 더도 괜찮다…….' 그러나 이런 추한 말은 입에 담지 않아도 되었다. 후배는 여전히 속내를 드러내지는 않았지만 관계는 유지되었기 때문이다.

나는 이 필생의 사업을 성공시키기 위해서 많은 시간을 작전 구상에 할애했다. 사실 군생활의 장점이 무엇인가? 일과가 끝나면 남는 게 시간인데……. 상대방이 냉정하게 나를 평가하고 남들하고 비교할 여유를 주지 말자. 어찌 되었건 현재의 나는 떨어져 있는 군바리 아닌가? 만약 또 다른 남자가 있다면 그 자는 머리도 기른 서울에 사는 잘 생긴 ㄴ 일 것이 아닌가? 나는 부지런히 썼다. 책도 무지하게 읽었다. 편지를 잘 쓰려면 아는 게 많아야 할 것 아닌가? 만약 학교 다닐 때 우리 과의 나쁜 동무들하고 어울리지 않고 이 정도로 공부를 했으면 다른 과 공부해서 과학원도 가고 군대도 안 갈 수 있었는데……. 내 눈에는 나의 나쁜 동무들이 차례로 나타났다. '너희들, 기다려라. 만약 내가 이 후배와 이루어지지 않으면 너희는 다 죽은 줄 알아라.' 내 친구들에게 내 아내는 생명의 은인이 되었다.

휴가를 나오게 되면 더욱 쉴 틈 없이 몰아붙였다. 그 날 함께 나의 알몸을 본 후배의 친구들은 그 죄값으로 보름이나 되는 휴가기간 내내 대리출석을 불러야 했고, 우리 어머니는 휴가 온 아들 얼굴도 제대로 볼 시간이 없었다.

그렇다고 내가 이런 강공으로만 나간 것은 아니었다.

*1999. 7. 14.*

## (4)

이번 시리즈의 글을 보고 많은 사람들이 심하다는 반응을 보였다. 물론 그 중에는 자기 집에 악영향을 미치지 않을까 우려하는 사람도 있는 듯하다. 나는 개의치 않기로 했다. 아내 자랑하는 ㄴ은 팔불출이라고 한다. 그 소리 들을 각오로 제목도 "쪼다……"라고 했다.

미국에 가기 전에 나의 외가쪽 '떼 사촌' 들이 회의를 했다. 철주가 미국을 가면 가장 애로사항이 무엇이겠는가? 결론은 개고기였다. 가기 전에 실컷 먹여 보내자는 결의를 하고는 통보가 왔다. 나에게 해병의 고장 K고을의 큰이모네로 오라고 한다. 우리는 모여서 동네 '식용견 사육가' 에게 35근 짜리를 근당 5천원씩을 주고 샀다. 나의 사촌들은 알고보니 상당한 허풍쟁이들이었다. 이야기할 때 들으면 개를 수십 마리씩 도살해본 경험이 있는 듯했지만, 막상 개를 끌고 뒷동산에 올라가니 그게 다 주워들은 말인 것이 뽀롱나고 말았다. 나는 애당초 개를 잡는 방면에는 취미도, 경험도 없다고 선언을 했으므로, 멀찌감치 물러나서 보고 있자니 참으로 난리도 그런 난리가 없었다. 식용견의 비명에 동네 개는 다 짖어대지……. 뜻대로는 안되지……. 결국 우리가 못 미더워서 따라 올라오신 8순의 이모부께서 나서신 후에야 사태를 수습할 수 있었다. 그러나 그 후의 닥달도 결국 이모부께서 하시게 되었는데……. 이건 도대체가 체면이 말이 아니었다. 주워들은 말들은 있어서 사촌들은 손에 손에 torch며 일회용 면도기며 하나씩 들고는 우왕좌왕 하는 모습을 보니 웃음이 나왔다. 한바탕의 소란 끝에 우리의 식용견이 커다란 가마솥으로 들어간 것을 보고 우리는 술을 마시며 기다렸다. 한참 후 된장국물에 적당히 삶아진 고기를 삶은 대파와 함께 먹기 시작했는데, 한마디로 그 동안 내가 먹어봤던 고기와는 차원이 달랐다. '역시 누렁이구나. 내 다시는 수입견은 먹지 않으리라.' 이런 다짐을 하며 나에게 개고기의 새로운 차원을 제시해주신 이모부님께 재삼 감사를 드렸다. 초저녁부터 시작한 술자리가 새벽 5시까지 이어졌는데도 우리는 그렇게 취하지도 않고 즐겁게 담소하며 환송회를 했다.

이런 개고기의 추억은 미국에서의 어느 여름 나를 거의 미치도록 만들었는데…… 또 예의 나의 '식욕지상주의' 가 시작이 되었다. 갑자기 개고기가 막 먹고 싶은데 정말로 미칠 지경이었다. 아마 뽕하는 사람들도 이래서 뽕을 못 끊나보다. 그때 나의 그 괴로워하는 모습을 보고 우리 '헐렁이' 는 개에 대한 관념이 바뀌어버렸다(〈주〉 헐렁이 : 우리 집 큰아이이다. 항상 싱글거리고 야물지 못해서 그렇게 부른다. 그리고 우리 집에선 방이나 거실 바닥에 나사가 굴러다니면 꼭 모아둔다. 혹시나 헐렁이한테서 빠졌으면 어쩌나 하는 마음에서…….)

별 생각이 다 들었다. '바로 I-80 고속도로로 올라가서 개 비슷한 사슴이라도 한 마리 치어서 실어 올까?' 하는 생각까지 들었다.

혹시 교민이 많이 사는 동네에는 있지 않을까 하는 생각에서 New York의 Flushing에 이민 와서 사시는 선배한테 전화를 했다. 한밤중에 전화해서 안부도 생략한 채 개고기 파는 집 있냐는 후배의 다급한 물음에 당황하신 선배는 말을 다 더듬으셨다. 잠시 후 안정을 되찾은 선배의 말씀은, 당신이 10년 넘게 뉴욕에 살아왔지만 개고기 파는 집은 못 보았다는 것이다. 그러면서 혹시 LA에는 있을지 모르겠다고 하셔서 이번엔 LA에 이민 와서 사는 친구에게 전화를 했다. 그 친구의 말은, 히스패닉들이 멕시코에서 개를 잡아와서 베트남계 같은 동남아계 사람들한테 파는 집이 있다는 말은 들은 적이 있다고 한다. 그렇지만 그런 집들은 찾기도 힘들고 찾아낸다고 해도 위험하다고 하면서 나를 설득했다. 하긴 생각해보니 빠듯한 타국 살림살이에 나 혼자 맛 있자고 거금 들여서 LA까지 가서 그러한 모험을 벌여야 하나 하는 회의가 들었다. 그래서 특공정신으로 그 식욕을 잠재우기로 하였다.

그런 몸살을 앓고 난 며칠 후 오랜만에 외식이나 하자고 식구들과 한국식당을 찾았다. 주인과 반갑게 안부를 교환하고 자리에 앉아 메뉴를 보고 있는데, 갑자기 아내가 작지만 다급한 목소리로 나를 부른다.

“여보! 여보! 이 집에서 보신탕 파나봐…….”

이번에는 내가 당황했다. 혼란스러웠다. 아니…… 이런 말도 안 되는 일이 있을 수 있나! 한편으론 '아, 이제 미국도 깨어가는구나…….' 하는 생각까지 들었다. 나의 어리둥절한 표정에 아내는 내 뒤쪽을 가리켰다.

"저기 봐. 개장국 한다고 써 있잖아."

나는 내 뒤에 붙은 그 메뉴판을 보았다. 그것은 포스터였다. 그리고 그 포스터에는 틀림없이 커다란 글자로 '개국' 이라고 씌어 있었다. 자세히 보니 Chicago인지 어디서 한국어 유선방송국을 '개국' 한다는 내용이었다. 정말로 커다란 글자로 'TBS 개국' 이라고 쓰여 있었다.

나는 한편으로 웃음이 나오는 것을 참으며 그때까지도 포스터를 뚫어지게 바라보고 있는 '귀여운 후배' 에게 사정을 설명했다. 내용을 파악한 아내는 당황한 표정이 되어 어쩔 줄 몰라했다. 그런 아내의 모습이 너무 사랑스러웠다. 그리고 개고기가 먹고 싶다고 몸부림을 쳐서는 아내의 판단력마저 흐려놓은 내가 미웠다. 얼마나 남편에게 개고기를 구해주고 싶었으면 총기어린 아내가 포스터의 다른 글자를 못 보았겠는가?

나는 내 아내의 '잘해주려고 하는 마음' 이 좋다.
(이 대목에서 의xx 센터의 ㅊ 책임의 얼굴이 떠 오른다.)

나는 전술한 대로 편지로 융단폭격을 해서 '예쁜 후배' 를 정신없이 만들어 군바리의 약점을 보완하기로 하고 써대기 시작했다. 사실 이 편지공세는 조금 무식하긴 하지만 매우 효과적이었다. 요즘이야 전화로 하겠지만, 글로 마음을 전하는 것은 또 다른 묘미가 있다. 마치 '영화와 소설'의 차이와 같지 않을까 생각한다. 나는 편지를 계속 보내면서도 절대로 직설적으로 고백을 한다든가 하지는 않았다. 오히려 부담스러워할 수 있고, 그로 인해 웅크리면 다시 시작하기는 더 어려울 것으로 생각했다. 그런데 문제는, 처음에는 1쪽 정도이던 편지의 분량이 점점 늘어나기 시작하더니 어느새에 7, 8쪽씩 되기 시작하는 것이었다. 물론 이것은 우리들의 편지왕래가 궤도에 올라섰다는 의미이기도 하지만, 일이 커지기 시작하였다. 후배네 집에서는 중량 초과로 벌금을 내기도 하였고, 우린 편지지에 쪽번호를 매겨야 하는 지경이 되었다. 게다가 매일 써대다

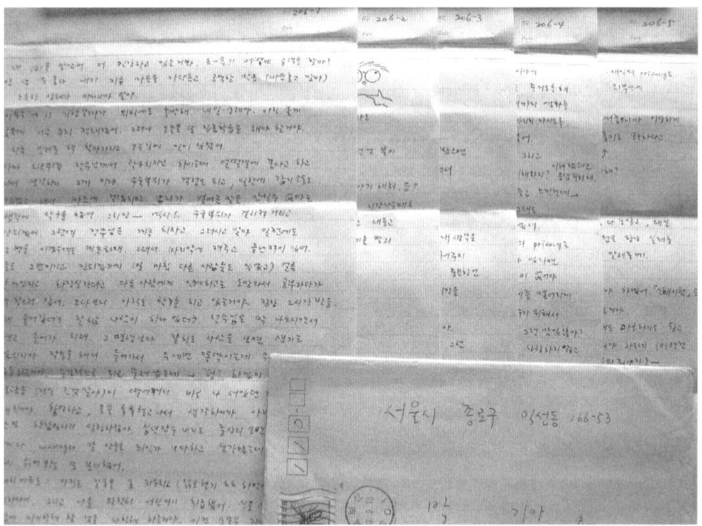

시피하니까 내가 받은 편지가 어떤 편지의 답장인지 혼란이 일어났고……. 결국 우리는 「편지 왕래에 관한 조례」를 만들기에 이르렀다. 그래서 '124-5' 라면 '124번째 편지의 5쪽' 이라는 식의 일련번호와 쪽번호를 명기한 편지를 주고받게 되었다. 나중에는 이건 편지왕래가 아니고 '일기왕래' 가 되어버렸다. 제대 후 둘 사이에 오간 편지를 정리해보니 700통이 넘어 있었다. 초기의 번호 없는 편지도 있어서 정확한 수는 파악이 안 되었다. 언젠가 이 편지를 정리해야 할 텐데…….

*1999. 7. 16.*

## (5)

세월은

또 살같이 지나가서 나도 어느덧 흰머리가 희끗희끗하게 되고, 제대를 눈앞에 두게 되었다. 눈앞이라는 것은 6개월 이내를 말하는데 그때쯤부터는 떨어지는 낙엽도 조심해야 하는 시기이다. 이미 그 기나긴 계엄도 해제가 되었고, 영감님도 진급하셔서 서울로 올라가셨다. 가실 때 같이 올라가지 않겠느냐고 하셔서 고민을 했다. 서울로 가면 '예쁜 후배' 를 만날 기회도 많아질 것이고, 나의 활동무대였던 무교동과 명동도 가깝지만 나는 P시에 남기로 했다.

군에는 '전입고참' 이라는 말이 있다. 즉 '먼저 온 사람이 고참'

이라는 뜻인데, 흔치는 않지만 가끔 신병이 아닌데도 불구하고 부대에 나중에 전입 오는 사병이 있다. 아파서 입원했다가 자기 원부대로 복귀 못 하고 다른 부대로 간다든가 하는 경우인데, 이때도 엄청난 불이익을 받는다. 전입을 오면 고참들이 동기를 끊어주는데, 대개 자기보다 군대생활을 한참 적게 한 애들과 동기를 맺어준다. 예를 들면 20개월 군대생활을 한 사병이 무슨 연유로 다른 부대로 전입을 가면, 그 부대의 17개월짜리들과 동기가 되기도 한다. 그러면 19개월짜리가 더 고참이라고 패도 대항을 못하는 것이다. 게다가 한참 졸병들도 우습게 안다. 그래서 '똥개도 자기 집에선 50% 먹고 들어간다' 는 격언이 생겼다고 한다.

나야말로 제대가 얼마 안 남았는데, 여기 있으면 대접 받을 텐데, 아무리 서울이라지만 남의 부대에 가서 말년을 어떻게 보내게 될지 모르는데, 모험을 하기 싫었다. 서울에 영감님 이사해 드리는 것으로 파란만장의 콤비는 아쉬운 작별을 했다. 새 단장이 부임을 했는데, 나도 이젠 쉬자는 생각이 들어서 업무를 대부분 조수를 시켰다. 나는 필요한 물건 구입 등의 핑계로 주로 바깥으로 돌았다. 그때 많이 간 곳이 ㅌ종대라는 유명한 천혜의 요새이다. 나는 쉴 때도 국가의 안위를 생각했다(ㅊ책임! 인상 쓰지 마쇼).

그곳에서 난 여러 생각을 했다. 그래서 제대말년이 되면 다들 심각해진다.

1) 예쁜 후배 : 꺼진 듯했던 불씨를 잘 살려서 여기까지 왔는데, 이제는 마무리를 할 때였다. 정지작업도 어느 정도 된 것 같은데……. 서로 이미 심정적으로 동의하고 있는 것을 어떤 방법으로든 공론화해야 하는데…….

2) 복학 : 내가 과연 복학을 해야 하나? 별로 공부가 재미있지도 않은데……. 게다가 나 없는 동안에 학교가 이사를 갔다는데…….

부대에서도 나는 거처를 아예 내무반으로 옮겼다. 그동안은 비상연락에 대비한다고 CP에서 잤지만, 말년은 내무반이 재미있어 좋았다. 조수는 신이 났다. 이제 CP는 자기 세상이 되었으니……. 불과 며칠도 지나지 않아서 난리가 났다. 조수가 신이 난 나머지 자기 동기들을 데려다 밤에 술 파티를 한 모양인데, 남들 다 간 뒤에도 계속 퍼마시다가 뒷처리도 못하고 잠이 들었고, 아침에 주임상사 출근할 때까지 퍼질러 자다 걸렸다. 빠져도 정말 너무 빠졌다. 군장 지고 연병장 도는 조수 덕에 오랜만에 당번 일에 복귀했다. 사실 나는 때를 봐서 주임상사에게 서울에 출장 좀 다녀오겠다고 하려고 했는데, 저 인간이 분위기를 엉망으로 만들었다. 이번에 서울에 가게 되면 후배네 집에 인사를 가려고 했었다. 그동안 밤도 보내고 하면서 정성을 기울였고, 지난번 휴가 때는 그 집의 opinion leader인 바로 밑의 여동생(이 등장인물은 후에 수녀가 된다. 처가 식구 중 나와 대화가 가장 잘되는 착한 처제다)과 안면도 익혔고, 이제는 직접 핵심부를 공격할 생각이었는데……. 저 '삽자루' 때문에 부득이 연기할 수밖에 없게 된 것이다.

(그때가 어떤 의미에서 보면 황금기였다. 마음대로 드나들지, 건드리는 사람 없지, 술 한잔 하고 늦게 들어오면 불침번 서던 졸병이 발 씻을 물까지 갖다 주지……. 정말 말뚝 박으라는 소리만 안 하면 영원히 그리 사는 것도 좋겠다는 생각이 들었다. 우리 특수공병대는 구타가 횡행하는 분위기였지만, 그 대신 고참이 되면 그 보답을 확실히 해주는 곳이었다. 특공정신과 노가다정신이 결합하다 보니 그런 풍토가 되어버렸나보다.)

노는 것도 지겨워져서 사무실에 앉아서 책을 보는 것으로 소일하면서 눈치를 보고 있는데, 찬스가 왔다. 밖에 나가지도 않고 틀어박혀서 책만 보고 있고, 평소같이 웃고 농담하는 모습도 안 보이고, 아무래도 이상해보였는지 주임상사가 무슨 고민 있냐고 묻는다. 이때다. 그러나 이때 오버하거나 직설적으로 부탁하면 안 된다. 그래서 나는 그냥 시큰둥하게 "말년에 고민 없는 사람 어디 있습니까?" 하고 대답했다. 우리의 '청주 양반' 주임상사. 당신이 직접 행정과를 다녀오고, 중대장, 행정과장한테 전화하고 하더니, 1주일간 서울에 출장 다녀오라고 출장증명서를 데꺽 끊어왔다. 아니 이렇게 고마울 데가……. 나는 그 이후로 청주라는 고장을 좋아하게 되었다. 또 그동안 충청도를 '멍청도' 라고 놀렸던 나의 무지도 뉘우쳤다. 어디가 멍청한가? 저렇듯 눈치도 빠르거늘…….

나는 후배에게 전화해서 "올라간다! 이번에 부모님들께 인사를 드리겠으니 날을 잡으라."고 전한 후 득달같이 서울로 올라갔다. 서울역에 내리니 공기가 달랐다. 어째 졸병 때보다 더 서울냄새가 좋아질까? 으음, 이 粉 냄새, 이 사교계의 향기……. 으…음. 나는 후배부터 만나서 신나게 술을 마시고(맨날 마시는 술인데 '예쁜 후배' 랑 같이 마시면 훨씬 맛있는 이유가 뭘까?), 통행금지 시간이 다 되어서 집에 들어갔다.

이제는 내가 문득 나타나도 식구들이 별 감동이 없다. 아버지야 이 장남이 군대 갈 때도 별다른 내색이 없으셨던 분이시니 그렇고, 내 동생은 무서운 형 나타났으니 당분간 공포에 떨어야 할 테니 반가울 리 없고, 심지어 어머니마저도 이제는 별로 반가운 기색이 없으시다. 하긴 집에 왔다고 오순도순 대화가 있길 하나, 매일 돈 달라고 해선 휙 나가고 통금 직전에 술 냄새 풍기며 들어와 자고, 그러길 며칠 하다간 뭉칫돈 챙겨서 부대로 돌아가고……. 내가 지금 생각해도 심했다.

보통 어머니들이 아들을 장가보낼 때 몇 번의 정을 떼는 절차를 밟아야 한다고 한다. 아마 그때가 우리 어머니에게는 첫번째 정 떼는 단계였었나보다. 아들 놈 애지중지 키워놓으면 뭐하나?

날짜가 잡혔다. 모든 식구가 편안하도록 일요일로 날을 잡은 모양이었다.

난 마음이 분주해졌다. 요즘이라면 메이크업이다 뭐다 하겠지만, 그때는 그런 개념도 없었고 또 나는 군인이니까 특별하게 신경 쓸 머리도 별로 없었다. 요즘은 안 그렇지만, 그때는 군인은 휴가 때도 군복을 입어야 했다. 내가 법을 잘 지켜서가 아니고, 군복을 그냥 입고 가는 것이 더 좋을 것 같다는 생각을 했다. 군인이 뭐 잘못된 건가? 대한민국 남자는 다 가는 건데……. 또 그 집에서도 내가 지금 군인인 거 뻔히 아는데……. 양복을 도로 넣어두었다. 대신 어머니께 요염하게 아부를 해서 군복을 칼같이 다려놓았다(그래도 군복 다림질은 우리 부대 세탁실 방우가 더 낫다). 군화도 들고 나가서 전문 딱새에게 웃돈 주고 광을 냈다(그래도 군화 광내는 건 우리 부대 장교식당 주방장 방우만 못하다). 자, 이제 출동이다.

나는 후배네 집으로 가는 차에서 자리에 앉지도 않았다. 군복 줄 잡은 것 망가질까봐……. 가면서 머리 속으로 도상연습을 했다.

'문 앞에 선다. 초인종을 울린다. 한 번만 가볍게. 문이 열린다. 첫인상이 중요하다. 거수경례는 하지 않는다. 너무 딱딱하게 비칠 수 있다…….'

대문이 열리고, 안을 보니 온집안 식구가 다 나를 쳐다보고 있다. 잘생긴 신랑감이라는 풍문이 돌았으니 얼마나 궁금했겠나. 식구들의 얼굴에 역시 듣던 대로구나 하는 기색이 스쳐 지나간다. 나는 모자를 벗어 들고 고개 숙여 인사를 했다. 군화의 끈을 푸는 시간이 왜 이리 긴가? 지네들, 특히 지네 군인들은 어떻게 사나 싶었다.

신을 벗고 마루로 올라서니, (우리 처가는 한옥이다) 마루 가득 상이 차려져 있다. '아니 이 집이 오늘 무슨 날인가? 아니면 평소에도 이렇게 먹나? 그것도 아니라면, 혹…시… 오늘 아예 식을 올려 주시는 건 아닐까? 그…으…렇다면… 저기 저 방에서 오늘 밤에 신방을……. 푸 하 하 하.'

누가 옆구리를 푹 찌르는 바람에 즐거운 상상에서 깨어났다. '예쁜 후배' 가 눈짓을 하고 있었다. 멀쩡하던 남자가 상 위의 음식을 보고, 다시 눈을 들어 건넌방을 보고 히죽거리며 웃으니 겁이 덜컹 나더란다. 군대에서 너무 부실하게 먹어서 그런 줄 알았단다.

어쨌든 정신을 차리고 주위를 돌아보는데, 아니 저 깐깐하게 생기고 눈빛이 형형한 할아버지는 누구신가? 예정에 없던 등장인물이 상석에 앉아 계시는데, 나는 순간적으로 당황했다. 후배도 아무런 정보를 주지 않았는데……. 그분은 후배의 할아버지이셨다. 다른 데서 사시는 것으로 알고 있었는데, 아마 연락 받고 오셨나보다. 예상문제에 차질이 생겼다.

우리는 식사를 하면서 이런저런 이야기를 했다. 이미 나에 대한 일반적 정보는 다 알고 계신 듯했고, 우리의 화제는 일상적인 대화와 나의 장래에 대한 것이었다. 전체적으로 괜찮은 분위기로 가는 것 같았다. 그래도 경계를 게을리하지 않았다. 술도 사양하지는 않았다. 조심은 했지만…….

상을 물리고 났는데, 할아버지께서 어디를 가야 하신다고 서둘러 일어나신다. 이게 무슨 의미일까? 흉조인가, 아니면 아무 의미가 없는 것일까, 할아버지께서는 아버님한테 "나는 태싯 agreement 다." 하시고는 나가셨다. 이게 무슨 소리인가! 솔직히 나는 그때 '태싯' 이라는 단어를 몰랐다. 송성문 저 『정통종합영어』에도 없는 단어인가보다. 내가 모르는 걸 보면……. 당황스럽지만 여쭈어볼 수도 없고……. 어쨌든 agreement가 있으니 좋은 뜻이겠지 하고 생각했지만 찝찝하였다.

조금 더 이야기를 하다가 돌아왔다. 어차피 그 자리에서 도장을 꽝 찍는 것도 아니니까 즐거운 기분으로 돌아왔다. 오자마자 사전에서 '태싯' 을 찾았다. 'Tacit : 무언의…' 할아버지도 참……. 좋으면 좋다고 하시면 되지, 왜 이런 이상한 단어를 써서 나를 당황시키시는지……. 어쨌든 기분이 좋았다.

다음 날 후배를 만나서 어제의 시험 결과를 들었다. '착하고 건실해보인다' 고 하셨단다. 역시 사람 보는 안목이 탁월하시다. 그런데 그 다음 말이 걸작이었다. '요즘 젊은이답지 않게 머리도 단정하더라' 고 하셨단다. 보수적이라 장발을 싫어하시는 것은 알고 있었지만……. 내가 군인이라는 것을 잊으셨나? 허, 참. 어쨌든 군인 덕을 본 셈이었다.

나는 즐거운 마음으로 복귀를 했다. 그리고 다시 국가의 안위를…….

*1999. 8. 11.*

## (6)

〈지난 주에는

부산에 아주 중요한 사람이 많이 다녀갔다. 주말에는 나까지 거기에 있었으니까……. 나는 학회 때문에 거기에 있었다. 무슨 공원

개원식에는 초대를 받지 못했다. 아마 내가 부마사태 때 계엄군이었던 것이 초대 자격에 하자로 작용했나보다. 민주 발전의 적이었으니까…….

금요일 저녁에 민락동으로 출동했다. 회를 먹으러……. 가는 도중, 택시기사는 우리에게 많은 질문과 이야기를 했다. "서울은 경기가 좋아졌어요?" 부터……. 그분의 말을 들으니 부산 경기가 생각보다 많이 침체해 있는 듯했다. 그런데 어느 순간 갑자기 택시기사 아저씨가 "Y2K 문제를 해결하지 않으면 큰일입니다." 라고 한다. 뜬금 없이 웬 Y2K?

'밀레니엄 버그가 택시의 운행에도 영향을 미치나보구나' 하고 생각하며 그분의 높은 과학적 식견에 탄복을 하였는데, 자세히 들어보니 그분이 말씀하시는 Y2K는 다른 것이었다. YS와 두 K를 이르는 말이었다. "비행기 하나 떨어지면 몇백명 죽고 말지만, 이 Y2K를 해결하지 못하면 우리 민족은 다 죽는다"고 했다. 그런데 그분이 여러 승객들한테 물어본 바로는 이 Y2K의 해결에는 앞으로도 20년 이상이 걸릴 것이란다. 우리가 오래 살아야 할 이유가 생겼다. 그런 시대를 보고 죽어야지…….

조선 말기에 백성들은 매국노들을 '송사리' 라고 부르며 조롱하였다고 한다. 송씨 하나와 이(리)씨가 넷이라는 뜻이었단다. 언제나 백성의 입에 회자하는 농에는 기막힌 우연과 비수가 담겨 있다.

'송사리'를 비웃으며 시작했던 우리 민족의 20세기는 Y2K를 걱정하며 저물고 있다. 새 백년도 이러할까……. 〉

우리가 가끔 지인들과 어울려 옛날 이야기를 하다보면, 서로가 정식으로 통성명 하기 전에 이미 우연히 조우했던 일이 밝혀지곤 한다. "이야, 그때 그 뻰대가 너였구나." "어머머… 머머… 그때 그 폼 나는 킹카가 바로 ㅊㅈ씨였군요." 뭐 이런 식으로 호들갑을 떨고는 그것을 신기해하고, 서로의 인연이 정말 우연이 아니라고 다짐하며 비장해지곤 한다.

대학 4학년 때였다. 졸업반이라는 말 때문에 공연히 조급하였고, 결국 무엇을 한 지도 모르게 한 학기를 보냈다. 여름방학이 되었다. 특별한 계획이 없었다. 그러던 어느 날 공대 KUSA모임에 갔던 나는 솔깃한 것을 보았다. '조국순례대행진' 참가 신청. 내 1학년 때부터 시작되었던 그 행사에 우리 학교 지회에서는 거의 참여하지 않고 있었다. 아마도 1회 행사 때 지나친 언론의 관심과 군관민의 지원 때문에 논란이 되었던 '관제' 시비를 의식해서인 듯했다. 그러나 그 즈음에는 그런 지원과 민폐를 배제하고 순수 학생운동 차원에서 잘 운영된다는 소리도 들렸다. 갑자기 그 행사에 가고 싶어졌다. 희망자를 수배해보았다. 2학년 후배 셋이 가겠다고 했다. 보통 남녀대원이 적당히 안배된 5인 1조가 기본 참가단위인데, 우리 학교는 남녀공학이 아니었으니 방법이 없었다. 남자만 4인. 지극히 우려되는 조가 될 것 같았다.

우리 도정은 김천의 직지사에서 출발하였다(그 해는 모두 4개의 도정이 있었다). 그때의 조국순례대행진은 이미 행진이 아니었다. '관제' 니 '어용' 이니 하는 소리의 반작용이었는지는 몰라도, 코스는 정말 산으로 들로……. 반듯한 곳이 없었다. 그렇게 고행을 해야 그 산야가 조국이 되는 것인지……. 정말 힘든 여정이었다. 또 이 땅에는 '말티고개' 가 왜 그리 많은지……(그 후에도 여러 번 그 행사에 참가했었는데 조금 가파른 고개는 다 말티고개였다). 길 자국만 희미한 말티고개를 넘을 때면 여학생들은 픽픽 쓰러졌다. 그 여학생들의 배낭까지 짊어지고 가는 남학생들……. '조국' 이전에 membership과 우정이 아름다웠다.

문제는 숙영지에 도착한 뒤이다. 보통 국민학교 운동장을 빌어 텐트를 치고 숙영을 하는데, 저녁식사 후에는 또 여러 가지 프로그램이 있었다. 저녁 때는 항상 텐트 치고, 저녁식사 준비하고, 식사하고, 프로그램 준비, 참가까지는 몹시 힘들고 바쁘게 마련이었다. 그런데 이 대목에서 여자들의 행동은 참 묘하다. 낮의 행진 때, 거의 초죽음이 되어 쓰러지던 그 여자들이 숙영지에만 도착하면 반짝해서는 수건 들고, 비누 들고 씻으러 간다. 그 배낭 대신 지고 오느라 지친 같은 조의 남학생들은 텐트 치랴, 밥 하랴 더 바쁘게 돌아 가는데, 자기들은 가서 씻고 뽀얗게 나타난다. 아무리 그 나이의 여학생들이 캠프생활에 도움이 안 되긴 하지만(대부분 잘하는 것이 없다. 심지어 라면 못 끓이는 애도 보았다. 보통 취사도 남자가 낫다), 참 심하다는 생각이 들었다. 아무래도 membership 이건 우정이건 이런 건 남자들의 몫인 모양이다. 우리는 남자만 넷이니까 그런 것은 없었다. 조금 투박하긴 해도…….

별의 별 산과 언덕을 오르내리며 10일의 일정도 후반으로 접어들 무렵, 우리는 청주에 진입하고 있었다. 상당산성을 돌아본 후 초정약수를 향해 산길을 걷고 있을 때였다. 저만치 앞에서 비명이 들리더니 울음소리가 났다. 달려가 보니, 우리 앞 조의 ㅅ여자대학교 학생이 주저앉아 울고 있었다. 후에 자초지종을 들으니, 한참 앞의 행진 선두에서 누가 실수로 땅벌 집을 건드렸다고 한다. 그래서 여럿이 쏘이고 피하는 난리가 있었는데, 그 난리의 뒤끝에 그 여학생이 쏘인 모양이었다.

울면서 아프다고 하는 여학생을 진정시키면서 찾아보니, 벌은 무슨 재주인지 그 학생의 등산용 긴 양말 속에 들어가 있었다. 그래서 조심스럽게 그 학생의 양말을 말아 내리는데, 그만 그 벌이 그곳에서 나와서 내 옷 속으로 들어갔다.

그때는 대부분 학생들이 반바지를 입지 않았다. 여학생들도 어지간하면 긴 바지를 입고 다니던 때였는데(정말 옛날이구먼……), 그날 나는 다른 바지들이 마르지 않아서 부득이 테니스 반바지를 입었었다. 조금은 창피하기도 하였지만, 시원한 것이 좋았었는데 그것이 화를 자초한 것이었다. 그때 반바지는 요즘같이 길지도 않았다. 나의 짧은 테니스 반바지 틈으로 날아 들어온 벌은 대뜸 '연약한 부분'을 쏘았는데……. 나도 모르게 이를 악물게 되고 관자놀이에 힘이 들어갔다. 후배들과 여학생들이 없었다면 그대로 나뒹굴고 싶었다. 그래도 벌이 많이 힘이 빠진 상태였으니 망정이지, 하마터면…….

쪼그리고 앉아서 괴로운 표정을 짓는 나를 보고 후배들이 달려들었지만, 내놓고 어디를 쏘였다고도 못하는 나는 더욱 죽을 지경이었다. 벌을 잡아내지도 못하고……. 후배들에게 서둘러 벌에 쏘인 여학생을 데리고 내려가라고 했다. 걱정스러운 얼굴로 뒤돌아보며 일행들이 사라지자, 나는 얼른 바지를 내리고 벌을 찾았다. 숲속으로 들어갈 시간도 없었다. 벌을 던져버리고 났는데, 길 위쪽에서 두런두런 소리가 난다. 뒤에 처진 팀인 모양이었다. 다시 정신없이 의관을 정제하고 나자마자 한 조의 학생들이 나타난다. 뭐가 이리 바쁜지……. 큰 망신 당할 뻔했다.

그들 중 남학생 하나가 나를 보더니 무슨 일이냐고 묻는다. 벌에 쏘였다고 하자, 자기 일행들에게 약을 수소문한다. 그러자, 웬 곧 쓰러질 것 같은, 파리하게 생긴 여학생이 힘겹게 배낭을 내려서 약을 찾아 준다. '鷄冠(계관)'이었다. 벌레 물린 데 바르는 당대 최고의 베스트 셀러! 나는 고맙다고 거듭 인사를 했는데, 그 학생들은 왜 빨리 안 바르나 하는 눈치였다. 딴 핑계로 억지로 먼저 내려보내고, 나는 숲으로 들어가 약도 바르고 뒷수습을 하였다. 어기적거리며 산을 내려오니 줄 서서 초정약수를 맛보고 있었다. 난 소주에 사이다를 탄 줄 알았다. 희한한 물맛이었다.

문제는 '계관'을 돌려주어야 하는데 그 학생들이 누군지 도무지 기억이 나질 않았다. 그렇다고 찾아오지도 않고……. 결국 그 계관은 우리 집 상비약이 되었다.

훗날, '예쁜 후배'와 이야기를 하다보니 후배도 그해 조국순례에 그 도정으로 참가했었단다. 기막힌 인연이라는 둥 하면서 더 짚어보니, 그 '계관'의 주인이 바로 후배였다. 정말 인연인 듯했다. 그러니까 서방 될 사람이 '중요 인접 부위'를 다쳤을 때 '짜–잔' 하고 나타난 것이 아니겠는가? 후배는 계관 도둑을 그제야 잡았다고 신이 났는데, 나는 계관을 돌려받으려면 우리 집에 들어와 살아야 한다고 우겼다. 그래서 그 파리한 여학생이 지금의 나의 아내가 되었다. 그 계관은 한동안 또 우리 집의 상비약이었다.

의문이 생겼다. 그때는 그 후배가 왜 단지 파리해보인다는 생각만 들었지, 전혀 감동적이지 않았을까? 불과 1년 후 내가 먼 발치에서 그녀를 처음(?) 보았을 때의 감동을 나는 지금도 잊지 못하는데……. 굳이 해답을 찾자면 '세련'됨일 것이다. 1학년 때 남학생들 촌스럽다고 다 차버리고, 1년 후에 다시 본 남학생의 모습에 가슴을 치던 여학생들을 많이 봤었다.

이제는 그 '계관'은 어느 덧 없어지고 '鷄安(계안)'이라는 약이 우리집 상비약이 되어 있다. 무슨 차이인지…….

(벌은 한번 쏘고 죽는다는데, 그때 그 벌은 어떻게 그렇게 여러 번 쏠 수 있었을까……. 이런 의문은 얼마 전에야 풀렸다. 아내는 아까워서 한꺼번에 못 읽겠다는 『섬진강 이야기』라는 책에 보니, 땅벌은 '연발침' 을 가졌단다. 어쩐지…….)

(이번에 부산에서 만난 어느 분이 내 글에 '鷄冠' 이 나오는데, 그것이 무엇에 연관된 것이냐고 물었다. 이 글이 그 답이다.)

*1999. 10. 20.*

# 엄마와 아들

아버지가

돌아가신 지도 십수년이 되었다. 아버지 장례를 치르고 난 며칠 후 둘리가 태어났다.

Day 1 : 아버지께서 돌아가셨다.

Day 3 : 장례를 치렀다.

Day 5 : 삼우제

Day 7 : 둘리가 태어났다. 정말로 정신이 없었던 한 주일이었다.

집안에 큰일이 있으면 아기가 태어나질 않는다는 옛말이 있단다. 아내는 만삭의 몸으로 시아버지상을 치렀다. 이미 출산예정일은 한참 지났는데. 덕분에 나는 친구들에게, 심지어 선생님한테도 힐난을 들었다. "아니… 저런 몸으로 일을 하면 어떻게 해요?" 그러나 어쩔 것인가? 맏며느리가. 게다가 시동생은 아직 장가도 안 갔으니……. 그래서 그럴까? 지금도 둘리를 보면, 문득 아버지가 떠오르곤 한다. 그렇게 무서웠던 아버지가, 저렇게 귀여운 까불이와 오버랩이 되다니…… (내 새끼니까…….)

아버지는 아침에 큰 소리가 나는 것을 몹시 싫어하셨다. 그런 날은 하루 종일 기분이 안 좋다고 하셨다. 일도 잘 안 풀리고. 그런데 언제나 그 '아침의 소란'은 내가 원인이었다. 학교 준비물 목록을 갑자기 아침에 내놓고, 각종 잡부금, 등록금 고지서도 아침에 내밀고……. 왜 아침에 내놓았을까? 그리고 또 지금 우리 애들은 왜 그런 걸 아침에 내놓을까? 어쨌든 꼭 일을 만들어서 아침에 큰 소리를 듣곤 하였다.

아버지가 워낙 아침의 큰 소리에 민감하게 반응하시니까, 어머니도 크게는 야단을 못 치셨지만, 나의 그 병은 다 클 때까지 고쳐지지 않았다. 그런데 그런 나쁜 버릇이 없어지며(아침에 내놓을 것이 없어진 것이지만), 나 또한 '아침의 소란'을 아주 싫어하는 사람이 되어갔다. 결국 우리 집은 한 세대 전과 같은 풍경이 되어버린 것이다. 그러고 보면, 나의 그 나쁜 버릇을 아이들에게 넘겨줘버려서 내가 그런 병이 없어졌을까?

나는 새벽잠이 많다. 나는 잠자리에 누우면 쉽게 잠이 들긴 하는데, 작은 소리에도 잠에서 깨어난다. 그렇게 어설프게 자다가 4시가 넘어야 깊은 잠에 드는 것이다. 그래서 나는 '마무리 잠'이 아주 보약과 같다. '마무리 잠'이란 아침에 한 번 깼다가 다시 조금 더

자는 잠을 말한다. 십분만 더, 오분만 더……. 그 꿀맛 같은 잠.

그런데 애들이 크면서 이런 '마무리 잠'을 방해하는 일이 잦아진다.

아침의 첫 소음은 언제나 헐렁이를 깨우는 소리이다. 이놈은 잠이 질기다. 벌떡 못 일어나고, 질질 끌어서 어느 때는 결국 나까지 뛰어나가야 일어나곤 한다. 그것으로 끝이 아니다. 화장실에 들어가서는 또 자는지 도통 나올 생각을 않는다. 다시 아내의 잔소리. 심할 때는 또 내가 뛰어나간다. 이쯤 되면 나의 보약 '마무리 잠'은 이미 물 건너간 송아지가 되어버린다.

그런데 요즘은 상황이 조금 달라졌다. 첫 소음은 '도꾸'가 아내에게 야단맞는 소리일 때가 많다. 종이류를 식탁에 잘못 두면 밤새 도꾸가 다 찢어놓곤 한다. 그러면 아침부터 혼이 난다. 아마 도꾸는 글을 못 읽는 것에 대한 콤플렉스를 그런 파괴적 행동으로 나타내는가보다. 내가 책이라도 보면 그 틈새로 비집고 들어와서 방해를 하는 것을 보면, 확실히 도꾸는 문맹에 대한 자격지심이 있다.

행여 애들 소풍이라도 있어서 김밥이라도 싸는 날이면 아내와 도꾸는 거의 전투를 벌인다. 호기심 많고, 먹는 것 밝히는 도꾸는 아내의 방어를 이리저리 뚫으며 김밥 재료가 널린 마루를 끊임없이 침범한다. 맞아도 소용없다. 이런 싱갱이는 아내가 김치를 담글 때도 벌어지는데, 아내의 말은 기어다니는 아기를 데리고 김치 담그는 것과 같다고 한다. 게다가 도꾸는 배추를 아주 좋아한다. 저놈이 염소와의 잡종이라 저리 멍청한가?

도꾸와 동현이의 소란이 지나가면, 둘리 차례이다. 그래도 둘리는 깨우면 발딱이다. 에구~ 이쁜 것. 아버지 닮아서(이건 사실이다. 어머니께서는 지금도 수시로 내가 아침에 얼마나 잘 일어났는지 손주들에게 설명하신다. 헐렁이는 듣기 싫어하지만). 그러나 둘리는 아침에 책가방을 싸고, 준비물 챙기고, 그리고도 한동안 자기 방에서 무언가를 하느라 시간을 끈다. 결국 다시 아내의 큰 소리가 나야 어슬렁대며 학교를 간다. 뭐를 가지고 다니길래 주머니는 그렇게 불룩한지…….

이제는 아내 차례이다. 아내는 조심조심, 그러나 부산하게 준비를 해서 출근한다. 나는 이때쯤 완전히 일어나 내 준비를 시작한다. 그러나 아주 피곤할 때는 아내가 출근한 후에 마무리 잠을 자기도 한다. 직장 가까운 사람의 이점이다.

이런 아침이 매일 반복되면서, 나도 어지간한 소리에는 무감각해져가고 있었다. 그런데 며칠 전에는 제법 소리도 크고, 평소에 못 들어보던 멘트가 등장해서 나를 긴장시켰다. 아내의 야단치는 소리는 들리는데, 대답은 없다. 현장 중계!

*아내 : 이동현! 어제 저녁에 샤워를 하고 왜 또 아침에 샤워를 해?

(나는 웃음이 나왔다. 작년, 중3 때까지만 해도 씻어라, 씻어라 해도, 알았어, 조금 있다 하면서 피해 다니다, 결국은 안 씻던 놈이

요즘은 물에서 산다. 아무리 봐도 남녀공학의 영향인 듯하다. 틀림없이 어제 저녁에 목욕을 하고 잤는데, 아침에 일어나자마자 다시 샤워한다며 시간을 끈다)

* 헐렁 : …….(물소리만 난다)

* 아내 : (결국 참다 못해) 야! 너 학교 안 갈 거야?

* 헐렁 : …….(잠시 후 헐렁이가 욕실에서 나오는 소리. 잠시 조용. 그런데 이번엔 갑자기…….)

* 아내 : 도대체 머리를 몇 시간씩 주무르는 거야? 학교 안 갈 거야?

* 헐렁 : …….(조용. 헐렁이가 준비를 다 마치고 제 방에서 나오는 모양이다.)

* 아내 : 밥 안 먹어?

* 헐렁 : (웅얼거리는 목소리로) 안 먹어도 돼요.

* 아내 : 야! 니네 학교는 옷 벗고 공부하냐? 무슨 목욕을 그리 자주 해?

(이 대목의 아내 표정이 상상이 간다. 히히… 밥을 안 먹고 간다는 것이 더욱 아내를 약올린 것이다. 그렇다고 밥에 시비할 수는 없고, 계속 목욕을 시비한다.)

* 헐렁 :…… 다녀오께요……. 쿵!(현관문 닫히는 소리)

* 아내 : 궁시렁 궁시렁……. (갑자기) 야! 둘! 안니러나?(우리 집에서는 둘리를 줄여서 '둘' 이라고 한다. 이제 표적은 둘리로 바뀌었다.)

* 둘 : …….

* 아내 : 너 학교 안 갈 거야?(잠시 후, 둘리가 방에서 나오는 소리. 도꾸가 펄쩍대는 소리. 둘리가 욕실에 들어가는 소리. 이제 잠시 고요…….)

내가 잠시 잠이 들었었나보다. 마무리 잠. 꿀맛. 그런데…….

* 아내 : 아니 어제 밤에는 뭐 하고 아침에 가방을 챙겨? 그리고, 방이 이게 뭐야? 도꾸도 이런 방에는 안 살겠다!

* 둘리 : …….

내가 일어나 거실로 나갔다. 아내는 소란 때문에 내가 깬 줄 알았나보다. 약간 미안한 얼굴로, 왜 벌써 일어났어? 으응~ 잠이 깼어. 하면서 아내를 보았다. 아침마다 치르는 전쟁에 정신이 하나도 없는 표정이다. 사내 셋. 아니 도꾸까지 넷. 불쌍해라. 그런데, 어쩌나?

요즘 '아침의 소란'은 아내와 헐렁이의 신경전이다. 아주 재미있다.

우선 헐렁이가 변했다. 남자중학교를 다니다 남녀공학으로 진학을 한데다, 그 학교의 교풍이 매우 독특해서 마치 대학과 같다. 씻으라고 등을 떠밀어도 안 씻어서 나까지 비난을 받게 하던 놈이, 정말 요즘은 너무 씻는다. 그것도 아침에 그 바쁜 시간에 씻어대니 아내가 열이 날 수밖에. 게다가 헐렁이의 목욕소리를 들어보면 씻는 소리는 없이, 물 끼얹는 소리만 난다. 샤워꼭지도 안 쓰는 것 같다. 아내는 이것도 얄밉다. 왜 이태리타올로 빡빡 밀고, 비누질하고, 샤워로 헹구면 될 것을, 아까운 물만 끼얹느냐는 것이다. 이런 시비에 헐렁이는 대답도 안 한다. 헐렁이는 '완전 비탄성체' 이다. You bark. I do!

그리고, 다음에는 머리 손질에 10분을 보낸다. 그냥 평범하게 가리마를 타면 될 것을 굳이 그 반곱슬머리를 아래로 늘어놓느라고 시간을 보낸다. 전화 선전에 나오는 사람 같다고 말려도 묵묵부답. You bark. I do!

헐렁이가 곁을 지나가면 스킨로션 냄새가 확 끼친다. 아내는 여지없이, 넌 무슨 스킨을 이렇게 많이 발라? 스킨으로 세수 해? 하고 시비를 건다. 쬼뿐이 안 발랐어! 하고 피해버리는 헐렁이. 끝없는 시비와 무반응.

아내는 어느 사이에 훌쩍 커버리고, 자꾸 자기의 그늘을 벗어나는 것 같은 큰아들이 못내 서운하다. 질투도 섞인 것 같다. 내가 그렇게 지적하면, 아니라고 하지만. 게다가 헐렁이는 은근히 여자친구의 존재를 흘린다. 선물 받았다며 얄궂은 것들을 꺼내놓기도 하고, 수학여행 사진에는 어느 여학생과 둘이만 찍은 사진이 끼여 있고……. 이럴 때 아내는 가만 안 있는다. 여학생에 대해 뭔가 트집을 잡는다. 한번은 인물이 좀 없다 하길래, 내가 크게 웃은 일도 있었다. 시위와 트집.

아내는 저녁에 나와 둘이 식사를 하면서도 큰아들 트집을 잡는

다. 분이 덜 풀렸나? 목욕물을 많이 쓴다는 둥 하다가 갑자기 남자들이란 다 그래 하는 것이다. 왜? 남자가 뭐? 했더니, 아내의 고등학교 때 선생이 해준 말이 꼭 맞는다는 것이다. 그 선생의 말이, "여자는 데이트가 있으면 화장을 하는데, 남자는 목욕을 한다. 그것은 다 '꿍꿍이속'이 있어서 그러는 것이다." 라고 했단다(허~참! 그 선생. 이상하게 가르치셨구먼……. 남자를 짐승으로 만들었구먼).

* 나 : 꿍꿍이 속? 뭔 꿍꿍이? 듣자니 남자의 늑대성을 거론하는 것 같은데, 나는 여자랑 데이트할 때 한 번도 목욕하고 나간 적 없어.

* 아내 : 그건 당신이 워낙 목욕을 싫어해서 그런 거야.

* 나 : 그럼 당신 아들은 꿍꿍이속이 있어서 목욕을 하고?

* 아내 : ……. 그래도 그 선생님 말이 맞아. 그렇게 열심히 목욕을 하다가, 볼장 다 보면 그땐 아예 안 씻고…….(그러면서 나를 흘겨본다.)

* 나 : (뜨끔!) 지금 나를 왜 쳐다 봐? 내가 목욕을 조금 등한시하는 것을 '볼 장 다 봤다'는 그런 천한 표현에 결부시키는 거야?

* 아내 : 뭐~~ 그런 건 아니지만 …….

(큰아들 트집잡다가 나를 시비하고……. 아내는 바쁘다. 사실 목욕에 대해서는 나도 할 말이 있다. 아내는 자꾸 wet process만 고집하는데, 나는 내 고유의 dry process로 충분히 깨끗한 피부를 유지하고 있다. '풍화작용'이라는 것인데…….

그리고, 꿍꿍이? '꿍꿍이' 땜에 목욕을 하고 데이트를 간다? 이게 도대체 어느 시절 이야기인가? 요즘 문제되는 러브호텔까지는 안 돼도, 웬만한 '꿍꿍이터' 에 욕실 없는 곳이 있나? 그 선생 때는 그랬나? 아니면……. 욕실 없는 곳에서 꿍꿍이를……. 그럼, 물방앗간? 아니지. 거긴 물이 있지. 그럼 한강 둔치? 아니지. 거기도 물이 많지. 그럼……. 숲속? 잔디밭? 우! 하! 하! 상상된다. 우. 하. 하…….)

* 아내 : ……. 갑자기 왜 웃어?

* 나 : 아니, 그냥. 상상돼서……. 우. 하. 하…….(아내는 나를 이상한 눈으로 본다) 우. 하. 하.

큰아들은 엄마의 영원한 연인이라고 한다. 목이 하나 더 큰 아들과 엄마의 신경전. 자란다는 것은 저런 시기어린 애정이 필요한 것인가보다.

우리 집 '아침의 소란' 의 두 주인공. 송곳과 비탄성체. 저 두 연인의 싱갱이가 언제까지 갈지 몰라도, 한동안 나의 '마무리 잠' 은 큰 지장을 받을 것 같다.

*2000. 10. 18.*

# 장 발

〈『섬진강 이야기』란 책이 있다. 그 고장에서 나서 자라고, 지금도 그곳에서 선생님을 하는 시인이 쓴 그 고장에 관한 글이다. 2권이다. 그 책을 보면서, 글로 그리는 그 고장이 보이는 듯한 착각이 들었다. 아내가 보는 책을 도둑질하듯 보느라 아직 다 못 보고 있다.

아내와의 이야기를 정리하려고 했더니 background가 너무 장황해지고 있다. 그래서 이 참에 새로운 시리즈 '옛날 이야기' 를 만들었다.〉

장발 단속. 내 대학시절 있었던 잊지 못할 풍경이었다. 나도 숱하게 걸리고 깎이곤 했었다. 도대체 기준이 너무 빡빡하였다. 한동안은 귀만 덮으면 잡았다. 유행이라는 것이 무섭기도 했지만, 오히려 단속을 안 했으면 젊은이들이 그렇게 기를 쓰고 머리를 기르지는 않았을 것이라는 생각도 든다. 어쨌든 머리가 짧으면 사교계에서 사람 대접을 안 해주니 어쩌겠는가……. 길러야지.

머리를 길러서 어깨까지 내려오는 사람들 가운데 그것이 잘 어울리는 사람들이 있다. 인물도 그렇고, 분위기도 잘 어울리는 사람이 있다. 지금 생각해 보면 '너는 장발이 안 어울린다'는 내 어머님의 말씀이 백번 지당하다. 나같이 나무꾼같이 생겨서 무슨 장발이 어울린다고 그리 길게 하고 다녔을까……. 지금도 그 생각을 하면 낯이 뜨겁다. 하긴……. 차라리 조금 다른 모양으로 make-up을 했으면 임꺽정이나 그런 역으로 어울렸을 수도 있었겠다.

재미있는 것은, 친구네 집에 놀러가면 항상 친구 어머니들 말씀이 똑같다. 자기 애는 장발이 안 어울린다는 것이다. "너희들은 보기가 괜찮아. 그런데 우리 재는 어울리지도 않으면서 기르고 다닌다니까……." 긴 머리가 마땅치 않아 하시던 어머니들……. 그때 지독하게 말 안 듣던 우리가 지금은 자식들을 보고 마땅치 않아 투덜댄다. "너는 그런 바지가 어울리지 않아……. 다리도 짧은 게……." 애 가슴에 못까지 박고 있다.

내가 장발 때문에 겪은 일 가운데 기억에 남는 것들이 있다.

천방지축 뛰어다니던 대학 신입생의 1년, 까불다 혼나고……. 그리고 접하게 된 넓은 세상. 그 겨울에 나는 KUSA협회의 몇 프로그램을 참가해보았고, 우리 교내 KUSA의 '농촌봉사' 활동도 다녀왔다(세월이 한참 지난 후에는 이름이 '농촌활동'이라고 바뀌었단다. 뭔가 이유가 있던데, 나는 그런 건 잘 모르겠다. 애당초 '의식화' 와는 거리가 먼 사람이니까……. )

그런 혼란스런 경험이 뒤죽박죽이던 1학년 겨울방학의 끝 무렵, 불현듯 외갓집 생각이 났다. 사람은 한 단계씩 철이 들 때마다 자신의 추억과 관계 있는 곳을 돌아보나보다. 아가들이 한 번씩 아프고나면 훌쩍 크듯이…….

긴 머리에, 시커멓고 긴 그리고 무거운 아버지 코트를 입고……. 영락없이 세상과 떨어져 사는 사람의 모습을 하고 김포를 찾았다. 그때도 여전히 접근하기 어려운 그곳. 전방… 해병대의 고장.

털털이버스의 종점, 차부 근처에는 면사무소, 파출소가 있고, 장이 서는 너른 마당이 있었다. 차부에서 외가로 가기 위해서는 되짚어 조금 걸어 내려와야 하는데, 그러면 내 어머니를 비롯한 나의 외가붙이들이 졸업한 ㅎㅅ국민학교가 있고, 그 옆의 가게에서 왼쪽으로 뻗은 꽤 너른 신작로를 따라 30분 정도를 가야 하였다. 보통 외가를 갈 때는 그 가게 앞에서 내린다. 그러니까 그 가게 앞이 정류장인 셈이다.

그 날도 그곳에 내렸다. 정류장에는 황토를 뒤집어 쓴 표지가 서 있었는데, 외가로 가는 차가 하루에 3번 있다고 되어 있다. 많이 발전했다. 기다리기도 귀찮고, 그보다 내가 어릴 때 걸어 들어갔던 길이라는 생각에 걷기로 했다. 마침, 날도 아주 보드라웠다. 철커덕, 철커덕 걸어 들어가는 길, 머리가 기니까 귀도 안 시립다. 두꺼운 코트가 덥다고 느낄 때 쯤, 한 모퉁이가 나타났다. 아주 낯이 익은 첫 모퉁이.

(이 김포의 시골길이라는 것은 Nevada사막의 관통도로와 비슷하다. 규모가 작지만……. 논과 밭이 양 쪽에 있고, 드문드문 민가가 있는 길을 얼마간 걷다보면 언덕이 나타난다. 솔직히 언덕도 아니다. 동산이라는 말을 쓸까 했지만 동산도 산이라, 언덕이라는 어휘를 생각해보았는데, 이것은 언덕이라기보다는 그냥 '모퉁이' 이다. 이 모퉁이들에는 나무가 제법 많이 서 있고, 보통 방앗간이 있어 '푸식…푸식…' 하고 있고, 뽀얀 구멍가게가 있고, 그 벽에는 아직 뜯어내지 못한 선거 포스터가 붙어 있곤 했다.)

5학년 때쯤이던가. 빨리 시골에 가서 놀고 싶은 마음에, 아침에 '몸의 정리' 를 조금 게을리하고 버스를 탔나 보았다. 이 점이 내가 의xx의 ㄱ을 못 따라가는 이유이다. 정류장에 내려 신나게 뛰다가 이 첫 모퉁이에서 변의를 느꼈다. 그것도 아주 급격한……. 어기적거리며 사람의 왕래가 많은 이 모퉁이를 겨우 지나자, 밭이 있는데, 모퉁이와의 경계 부분이 제법 우거져 있다. 뛰어들었다. 野便

(야변)을 처음 해보는 사람은 엉덩이를 간지럽히는 풀들의 움직임에 신경이 쓰인단다. 사실은 풀이 아니고 지나가는 사람이 신경 쓰이는 것이지만……. 그러나 야변의 묘미를 아는 사람은 집의 화장실을 개조한다고 한다. 풀도 심고……. 그것도 키 크고 털 많은 '강아지풀' 로…….

정신없이 급한 불을 끄고 나니 휴지가 없다. 내 보따리에는 방학 숙제만 있는데 감히 그것을 훼손할 수는 없고……(학문을 숭상하는 것이 집안 내력이다). 옆에 우거진 호박잎을 쓸 수밖에 없다. 호박 잎의 뒷면은 매우 까칠하다. 나는 호박잎, 그것도 내 얼굴 두 배만한 떡잎을 사용했는데, 그 후 며칠간 참으로 불편했다. 가죽이 벗겨진 줄 알았다. 내 사촌들 말이 그 호박잎 뒷면을 좋아하는 사

람은 그것만 쓴단다. 그래야 개운하단다. 가죽이 다른가보다.

호박잎 생각을 하며 그 모퉁이를 지나니, 다음 모퉁이까지 꽤 먼 신작로가 보인다. 그래서 보통 여기서는 지름길로 밭두렁을 이용하곤 했었는데, 그 밭두렁을 보면 아랫말의 봉사아저씨가 생각난다. 그 봉사아저씨는 자전거를 타고 다니셨는데, 그 자전거는 늘 큼지막한 개가 인도하고 있었다. 모양은 똥개였다. 그런데, 그 아저씨도, 개도 신작로를 놔두고 꼭 이 지름길인 밭두렁으로만 다녔다. 밭두렁이란 게 논두렁보다 별반 넓지도 않은데, 그곳을 인도하는 개나, 또 그 좁은 길을 자전거 타고 유유히 신작로 다니듯 하시던 봉사아저씨나, 나에겐 다 경이로웠었다. 우리가 보는 사물이 진짜 모습이 아닐 수도 있다는 생각이 들었다.

(역시 김포는 영리한 똥개의 고장이다. 그 봉사아저씨의 인도견과 그때가 2대째이던 우리 외가의 메리를 보면……. '김포견' 을 발굴해 볼까…….)

*1999. 10. 6.*

# 간첩 리철주

(1)

그 지름길의

끝 모퉁이에는 그 동네에서 제일 큰 방앗간이 있어서 늘 푸식대고 있었고, 그곳을 지나면 항상 파를 심어 놓았던 큰 밭이 있었다. 물론 다른 것도 심겠지만, 내가 여름에 그곳을 지날 때면 항상 파, 그것도 커다란 꽃이 머리에 달린 파만 보였다. 누가 이렇게 파를 좋아하나 하고 생각했었다.

그 파밭이 끝나는 모퉁이는 그래도 제법 언덕스러웠다. 그 언덕을 넘으면 바로 외가가 보이기 때문에 늘 가슴이 뛰던 곳이었다. 언덕을 오르는 오른 쪽으로는 무슨 사당이 있었는데 늘 조금은 껄끄러웠다.

6학년 때라고 기억한다. 겨울이었는데, 중학교 1차 입시에 실패를 하고, 자포자기의 심정으로 과외선생님과 어머니 손에 끌려 2차 시험을 치르고, 내 동생이 태어나고……. 갑자기 외갓집에 가고 싶어졌었다. 내일 가라는 것을 나쁜 성질머리에 떼쓰고 나온 것이 시간이 조금 늦었다. 깜깜한 밤길을 걸어 외가로 가는데 참 무서웠다. 깜깜한 시골길을 걸어 바로 이 마지막 언덕을 넘었을 때였다. 사당집도 무사히 지났다는 안도감과 멀리 외가의 불빛이 주는 위안에 방심했었나보다. 갑자기 뒤에서 말이 뛰어온다. 다리가 그 자리에 얼어붙었다. 너무나 가까운 곳에서 달려드는 말발굽 소리에 어찌할 바를 모르다 그대로 길 옆의 풀섶으로 쓰러지듯 뛰어들었다. 한참 머리를 처박고 있는데 아직도 말은 뒤에서 뛰어오고 있었다. 머리를 들고 가만히 뒤를 보니 아무 것도 없다. 아직도 말은 뛰는데……. 정신을 차리고 보니 길 옆집에서 다듬이질을 하는 소리였다. 참, 다듬이질. 2인 1조의 다듬이질을 보면 예술이다. '난타'라는 공연이 호평을 받고, 사물놀이도 인기가 좋은 걸 보면, 우리도 두드리는 재주가 있나보다. 그래서 서방 두드린 북어로 끓인 해장국이 첫째인가보다. 이제는 다듬이돌도 보기 어렵지만, 두드릴 줄 아는 사람도 없다. 하기는 아파트에서 그걸 두드렸다간 볼 만할 거다. 요즘 시험 땐데…….

그 무섭고 깜깜한 겨울 밤 시골길에서 만난 다듬이질소리. 그 현장을 지나면서 쓴웃음이 나왔다. 외갓집이다.

외갓집에 들어서니 두 번씩 놀란다. 메리만 한 번 놀라고……. 메리 2세이다.

처음엔 거지나 탁발승이 들어선 줄 알고 놀라고, 다음엔 그게 그 총기발랄하던 나라는 것을 알고는 놀란다. 특히나 외숙모님은 기가 막히신 모양이었다. 1년만에 보는 조카놈이 상거지가 되어서 들어섰으니…….

외삼촌은 출타중이셨다. 머리 때문에 야단 맞을 걱정을 많이 했는데 잠시나마 위안이 되었다. 오랜만에 시골 냄새도 맡아보고, 음식도 맛보고, 이른 저녁을 물리고 사촌들과 술상을 마주했다. 이런 저런 이야기꽃을 피우고 있는데 '호랑이 비상' 이 내렸다. 호랑이는 우리 외삼촌 별명이다. 오죽하면 내가 아버지보다 외삼촌을 더 무서워할까. 우리 집안의 호랑이, 외삼촌이 돌아오셨다. 피해 갈 수 없는 길, 내 머리는 더 이상 네 것이 아니다.

절을 올렸더니, 대뜸 "너희 놈들은 왜 그렇게 데모들 하고 난리냐?" 하신다. 이게 무슨 소리인가? '파마' 라고 하셨나? 난 생머린데……. 곧 이어, "네놈들이 데모를 해대니까 나라가 혼란한 거야." 그제야 이해가 갔다.

김포, 특히 우리 외가 동네 사람들은 반공의식이 강하다. 거의 알레르기성이다. 요즘은 모르지만, 그때는 밤에 조용해지면 북에서 하는 확성기 소리가 들렸다. 아침에 나가보면 북에서 날려보낸 '삐라' 가 논에, 길에 널려 있었다. 87년 대선 때인가, 내가 그곳에 들렸는데 외삼촌께서 "야, 그 xxx은 정말 빨갱이더구나!" 하신다. 이유를 여쭸더니, 북에서 확성기로 매일 그 xxx을 찍으라 한단다. 그래서 그 동네에서는 아무도 안 찍었단다.

그런 지리적 위치와 6 · 25 때의 경험, 바로 강 건너 북에서 피난 내려온 사람들을 통한 간접 경험 등으로 사상적으로 중무장한 외삼촌께서, 그 유신시대의 학생데모를 어떻게 보실지는 불문가지였다. 나는 그 날, 반공교육과 함께 '나라 살리는 길' 에 대한 특강을 두 번씩 들어야 했다. 결국 사촌형님이 나서고 나서야 풀려날 수 있었다. 그 호랑이 외삼촌도 장남 말은 잘 따르신다. 아, 유교의 고마움. 학생데모 덕에 나의 장발은 온전할 수 있었다. 나는 최악의 경우 잘릴 것까지 각오하고 있었는데, 역시 어른은 통이 크시다.

정작, 문제는 다음 날 발생했다. 아침 일찍 외삼촌과 한 상에서 식사를 하고, 잠시 머물다 서울로 돌아오기 위해 다시 길을 나섰다. 오토바이로 차부까지 태워 주겠다는 형님의 제안을 거듭 고사하고, 또다시 철커덕거리며 걸었다. 다듬이고개, 파밭터, 방앗간, 지름길, 호박밭 옆 야변터, 그리고 여기저기 보이는 삼포들, 따뜻한 늦겨울의 햇살 아래 들판을 가로지르는 내 마음은 편안하였다. 이제는 1학년의 혼란도 정리가 될 것 같았다.

어느덧 어머니의 모교를 지나고 차부가 가까워지고 있었다. 사람들도 많이 오가고, 나를 흘끔거리고, 그때였다.

"어이, 이봐. 이봐." 나는 무심하게 걷다가 재차 부르는 소리에 돌아보았다. 아뿔싸! 젊은 순경 하나가 지소를 나와 내게 다가오고 있었다. 내가 내 기분에 취해서 이 파출소 생각을 못했다. 나는 그냥 -1 정류장에 기다리고 있다가 버스를 탔어야 했는데, 무슨 생각으로 이 종점까지 걸어 왔을까. 나는 속절없이 지소 안으로 끌려들어갔다.

"머리가 이게 뭐야? 신분증 내놔봐." 지소 안에는 나이 지긋한 소장과 '차석' 정도로 보이는 경찰도 있었는데, 이들은 나를 아주 호기심어린 눈으로 보고 있었다. 할 일도 없던 차에 웬 건이냐는 눈치다. 나는 학생증을 내밀었다. 예나 지금이나 우리나라는 학생에게 너무 관대하다. 요즘은 학교가 많아서 조금 덜 하지만 그 시절에는 학생증이면 어지간한 건 다 봐주었다. 처음 가는 술집에서도 외상을 주었으니까.

"학생야?" 하는 젊은 순경의 어투에는 '웃기고 있네. 네가 학생이면 나는 교수겠다' 는 느낌이 풍겼다. 그는 이번에는 내 가방을 뒤졌는데, 그 속에서 나온 것이라곤 책 두 권과 양말, 칫솔 정도였다. 그는 무얼 찾는지 이제는 가방을 거의 털고 있었다. 장발 잡아 놓고 뭐 하는 건지. 아무래도 빨리 여기서 나가는 게 상책이다 싶어 내가 말했다. "저, 아저씨. 죄송합니다. 제가 빨리 가서 머리를 깎고 오겠습니다."

"아, 이 사람아. 지금 머리가 문제가 아냐!" 아니, 이게 무슨 소리냐? 어리둥절해 있는 나에게 이젠 차석까지 다가와서는, 내 소지품마저 검사하고 있었다. 이제야 감이 잡혔다. 이들은 나를 '거수자'(거동수상자라는 뜻이다. 한 마디로 간첩 용의자이다) 내지는 수배자로 보고 있었다. 아이쿠, 애당초 이 젊은 순경에게 내가 학생이라는 것은 통하지 않았나보다. 아, 인간의 편견, 선입관의 폐악. 그가 가지고 있는 '학생' 이라는 이미지는 나하곤 거리가 먼 것이었다. 나의 모습 가운데 그의 '학생' 에 맞는 것은 안경뿐이 없었다. 내가 왜 아버지의 옛날 오바를 입고 와서 이 고생을 하나 싶었다.

그 젊은 순경은 득의만만해하고 있었다. 운이 좋으면 간첩, 아니면 지명 수배자, 최소한 그 시절 심심치 않았던 '가짜 학생' 을 하나 확보한 것이니까…….

나는 황당했다. 학생이라는 걸 안 믿어주는데, 더 이상 할 것이 없었다. 주민등록증도 안 가지고 다니는데……. 나는 '간첩 리철주' 로 만들어지고 있었다. 그 순경은 20 몇 년 뒤에나 나올 '간첩 리철진' 이란 영화를 예견하고 있었나보다. 그럼 나는 김포, 그것도 ㅎㅅ면의 특산 '수퍼 똥개' 를 데리고 월북하러 남파된 건가…….
메리 2세와 맹인 인도견의 모습이 오락가락한다.

'슈퍼 똥개'의 본고장 ㅎㅅ면, 간첩이 자주 드나드는 전방, 그리고 생포된 장발 간첩 리철주…….

*1999. 10. 7.*

## (2)

그들은

이것저것 물었지만 나의 진술은 일관되었다. 결국 여기에 왜 출몰했느냐는 질문에서 내가 실수를 했다. "친척집에 다녀가는 중입니다." 아이쿠, 이제는 여우 피하려다 호랑이를 만나게 생겼다. 그러자 여태 조용히 바라만 보고 있던 소장이 물었다. "누구네 집이야?" 조용히 깔리는 목소리. 도대체 뉘 집 일가에 저런 놈이 다 있나 호기심이 나는 모양이었다.

난감했다. 여기서 외삼촌 이름을 댔다간 엄청난 일이 벌어질 것 같았다. 호랑이 외삼촌께서는 그 동네의 유지시니까 나의 누명이야 벗겨 주시겠지만, 아마 나는 집안의 망신으로 기록될 것이다. 버텼어야 했는데……. 신원 확실한 내게 무슨 일이야 일어났겠나, 머리나 잘리고 말았겠지……. 그러나 이제 와서 번복했다간 일만 복잡하게 될 판이었다.

'슈퍼 똥개'를 동반 월북하려 했던 공작원 생포! 그 옆에는 순경의 무용담이 실리고, 격투 끝에 잡혔다는 둥 기사의 사실성을 위해 내 눈티를 밤티로 만들지도 모른다. 신문기사가 눈에 어른거린다.

지금 내가 '간첩 리철주'가 아니라는 증거가 될 수 있는 것은 유창한 남반부 사투리뿐인데……. 결국 불었다. "권자 ㅇ자 ㅇ자 쓰시는 분이 제 외삼촌입니다." 반응은 즉각 왔다. 소장과 차석은 외삼촌을 알고 있는 듯했다.

"뭐야? 저기 ㅅㅌ리 사시는 그 어른?" "예." 젊은 순경은 두리번거리고 있었다. 분위기가 이상하게 흐르는 감을 잡았나보다. '아니, 그럼 이 기괴한 장발이 간첩이 아니란 말인가. 그럴 리가 없는데…….' 나를 째려 보았다.

소장의 채근으로 차석이 외삼촌댁으로 전화를 했다. 안 계신 모양이었다. 차석은 전화로 몇 가지를 묻더니, 외삼촌을 찾아 지소로 연락 줄 것을 부탁하였다. 전화로 확인했으면 머리나 깎고 돌려보내면 되지, 굳이 외삼촌은 왜 찾나. 이럴 때 자신들의 공로를 한번 확인하려는 것이겠지.

나는 연락이 올 때까지 하릴없이 기다리는 수밖에 없었다. 간첩 내지는 수배자 생포의 공을 놓친 젊은 순경의 적의에 찬 눈초리를 의식하며, 소장의 몇 가지 질문과 간간이 머리를 가지고 시비하는 차석 사이에서 불편한 시간을 보내고 있는데, 밖에 오토바이 소리가 나더니 외삼촌이 들이닥치셨다. 그냥 전화만 하셔도 되는데……. 나는 이제 죽었구나! 남한테 아쉬운소리 하는 걸 싫어하시는 양반인데……. 그렇지 않아도 조카놈 꼬라지가 맘에 안 드셨을 텐데……. 외삼촌 뒤로 사촌형님이 걱정스러운 얼굴로 들어오고 있었다.

놀라긴 소장도 마찬가지였다. 화들짝 일어나서 "아이구, 어르신 나오셨어요? 전화 하시지 않으시구……." 외삼촌은 엉거주춤 서 있는 나는 쳐다보지도 않으시고 소장과 차석과 순경까지 반갑게 악수를 하셨다. 그리곤 소장이 내준 자리에 앉자마자 대뜸 나에 대한 자랑을 늘어놓으시는 것이었다.

'이놈이 시방 것들과는 달라서 속이 깊다'는 둥(의xx의 ㅊ, 미안하오) 하시면서 내가 어릴 때 방학 때마다 와서 열심히 일한 것들을 열거하신다. 민망하였다. 어린데도 농약 펌프질을 기가 막히게 잘했다는 둥, 소도 얼마나 잘 뜯기는 줄 모른다는 둥, 다른 애들은 놀기 바쁜데 얘는 자진해서 일을 돕더라는 둥, 나중엔 개구리, 뱀, 게를 잡는 솜씨가 신기에 가깝다는 둥, 도대체 내 이야기인지, 내 사촌동생 이야기인지 헷갈리기 시작했다. 소장과 차석은 과장된 감탄의 표정을 짓고 있었고, 젊은 순경은 아직도 눈에 불만이 있었다.

열이 오른 외삼촌. 갑자기 화제를 바꿔서 내가 공부를 잘했었다는 대목으로 옮겨갔다. "얘가 네 살 때 놀러왔다가 지 누이 책을 등

너머로 보고서 언문을 깨친 아이야. 대단한 아이지……." 낯이 뜨거워졌다. 그리고 언문이 뭔가? 한글이지. 사실 한글이야 우리 집안의 대표 선수 세종할아버지 작품이니 우리야 유전적으로 쉽게 깨치게 되어 있다. 외삼촌은 한참 동안 나의 神童性(신동성)을 예를 들어가며 설명하셨는데 점점 escalate 되면서 오버하시기 시작하셨다. 소장과 차석은 이제 정말 감탄한 얼굴이 되었고, 점점 젊은 순경을 쏘아보는 눈이 사나워지고 있었다. '저놈이 우리 김포를 빛낼 인물을 몰라보고 잡아오다니…….'

이제는 순경마저 최면에 걸려 감탄하기 시작하면서 나를 흘끔거린다. '저 모습이 부랑자의 모습이 아니고 도사의 모습이구나……. 맞아. 도사들도 다 머리가 길지……. 큰일날 뻔했구나.'

(이러한 분위기의 반전은 아무 고장에서나 가능한 것이 아니다. 예로부터 김포는 학문을 숭상하는 풍토가 생활화되어 있었기에 가능한 것이다. 김포를 빛낸 '학문숭상가'는 참으로 많지만, 최근의 예를 보면 ㅅ대 총장과 문교부장관을 지내신 권ㅇㅎ이라는 분도 김포, 그것도 바로 이 ㅎㅅ면 출신이다. 우리 외삼촌과는 같은 항렬이다. 또 한때 아시아를 주름잡던 '아시아의 표범' 이ㅎㅌ선수도……. 아, 미안. 내가 잠시 오버했다)

분위기가 많이 돌아선 것을 느끼신 외삼촌께서는 다시 화제를 돌리셨다.

"아, 지난번에 서울에 가보니 젊은 애들이 머리가 다 저 모양이데. 저게 무슨 꼴이람……." 혀를 차신다. 이제 올 것이 오는구나. "애들이란 게 제 나이 때는 다 저 모양인 법이야." 소장이 맞받는다. "아무렴요. 다들 한때쥬." 분위기가 다시 한번 바뀌더니, 애들이 유행을 따르는 것을 어떻게 하느냐는 것이 화제가 되어버렸다. 소장의 애도 머리를 기른다는 둥, 젊은 순경은 자기도 기르고 싶다는 둥, 엉망이 되어가고 있었다. 외삼촌은 어젯밤 당신이 무지 야단을 많이 치셨다고 하셨다.

아직도 고개를 숙이고 서 있는 나에게 외삼촌께서 갑자기 "너는 빨리 가서 머리 좀 단정하게 깎고 와라." 하시며 돈까지 내미신다. 그러자 소장과 차석이 벌떡 일어나서, 마치 음식점 카운터에서 서로 돈낸다고 싸우는 식으로, 외삼촌의 손을 잡고 말리기 시작했다. "아이구, 이러시면 안 됩니다." "오히려 저희가 송구스럽죠." "서울 가서 깎아도 돼요." 그때나 지금이나 대한민국의 법집행은 참 이상하게 되는 경우가 많다.

몸싸움을 하면서, 서로 미안하다고 하면서, 정신없이 파출소에서 밀려나왔다. 소장과 차석, 순경의 배웅과 '공부 열심히 하라'는 격려까지 받으며 차부를 향해 걸었다. 외삼촌께는 정말로 죄송했다. 이런 폐를 끼치다니…….

차부에 와서 버스를 타려는데 외삼촌이 한 말씀하신다. "서울 가면 머리 깎거라." "예." "노자는 있냐?" "예, 있어요." 아마 외삼촌은 아직도 내가 상거지가 아닐까 하는 의구심이 드시나보다. 형이 뒤에서 빙긋이 웃고 서 있었다.

(외사촌형, 그 빙긋한 웃음, 형이 중학교 다닐 때, 이ㅎㅌ이라는 걸출한 김포 출신 축구선수가 있었다. 그의 인기와 영향으로 많은 학생이 축구를 했다. 형도 그래서 축구선수가 되었는데, 무릎에 부상을 당하게 되었다. 결국 서울에 와서 무릎 수술하고 우리 집에 묵으면서 통원치료를 오랫동안 받았다. 축구선수의 꿈은 접은 채……. 형이 우리 집에 계실 때는 내가 국민학교 3학년 때쯤이었다. 형제가 없었던 나는 매일 그 형을 졸라서 놀았는데, 윷놀이를 많이 했단다. 그런데 내가 이기면 그렇게 좋아하다가도, 행여 질라치면 떼거리가 대단하였단다(안 믿어진다. 지어낸 말일지도 모른다). 그러면 할머니께서 '총각이 져 줘' 하고 귓속말을 하시고……. 형은 내 기분이 풀어질 때까지 실컷 져주었단다(나는 기억이 없다. 할머니께서 생전에 자주 말씀하신 내용이다. '사돈총각만한 사람 없어' 하시면서…….)

형님은 후에 그 무릎 때문에 군대를 못 갔다. 그것도 가겠다고 막 우겨서 훈련소까지 갔다가 결국 쫓겨왔다. 군대 총 체류일 14일. 그런데 우리 형제들이 모여서 군대 이야기를 하면 그 형이 혼자 다 한다. 14일 동안 군대생활한 것이 나의 특공대생활, 또 우리 형님 아우들의 해병대생활을 다 합쳐놓은 것보다 더 화려하다. 지금도 군대 못 간 것을 아쉬워하는 형님, 항상 빙긋이 웃는 착한 형은 요즘도 벼 베어낸 겨울논에서 동네 학생들과 축구를 하신다. 끝나면 꼭 혼잣말을 하신다. "이렇게 잘 뛸 수 있는데……")

외삼촌과 형님의 배웅을 뒤로 버스는 떠났다. 이젠 검문소가 다가와도 겁도 안 났다. 깎으면 되지……. 간첩으로 몰리는 것보단 낫겠지…….

그렇게 '간첩 리철주'는 서울로 잠입하고 있었다. 형님의 웃음과 말이 생각났다. "또 와." 또 와야죠. 그래서 '슈퍼 똥개'도 탈취해야죠…….

(나는 오늘 저녁 설악산으로 간다. 가을을 가지러……. 돌아오면 또 훌쩍 커 있을 거다.)

*1999. 10. 8.*

# 암흑기

## (1)

### 처녀

노상방뇨사건까지 겪으며 지켜온 나의 그 폼나는 장발은 엉뚱한 일로 사라지게 되었다. 내가 다니던 그 시골공대는 4 · 19 때도 데모를 안 했다는 무풍지대였다. 당시 그 대학교는 단과대학별로 여러 곳에 흩어져 있는 일종의 연합대학이었다. 그래서 단과대학별로 매우 다른 특성을 가지고 있었고, 역시 그 시골공대도 묘한 특징이 있었다. 공대생들은 상당히 개인적이고 남을 별로 상관하지 않는다. 인간관계도 단순하다. 수식을 풀어 답이 나오면 되니까 이리 저리 꼬아서 생각하지도 않는다. 또 이상한 깔끔을 떠는 버릇들이 있다. 예를 들면, 날이 더울 때 긴 팔 남방을 접어 입고 다녔는데, 문과생들은 소매를 그냥 쓰윽 올려붙이고 다니지만, 공대생들은 정확하게 차곡차곡 접어 입는다. 한 마디로 정해진 틀 안에서 내 일만 깔끔하게 잘 하겠다는 식이다. 硏究員(연구원) 가운데도 공대생이 꽤 많이 있는데, 연구원들이 법조인이나 의사, 약사 같은 다른 직업의 종사자들에 비해 결속력이 떨어지는 것도 공돌이들의 특성과 관계가 있는 것 같다.

지금은 전부 뒤섞여서 그런 단과대별 특징이 없어졌다고 한다. 그 대신 공대생들은 문과생들의 하수인이 되어서 데모할 때 맨 앞에서 짱돌 던지다 잡혀서 군대 간단다. 꼬임에 잘 넘어가고 부추김에 잘 흥분하는, 불쌍한 단순무식형 공대생들……. 그냥 우리끼리 시골교정에 있었으면 좋았을 것을…….

내가 1학년 때는 교양과정부를 다녔다. 그때 교양과정부는 마침 공대와 같이 시골 교정을 쓰고 있었다. 교양과정부에는 문과의 신입생들도 있었다. 문과생들은 신입생도 말을 잘하고, (그러니 문과대 졸업생들은 얼마나 말을 잘하겠나? 지금 우리나라의 골칫덩어리 여의도사람들이 그렇지 않은가…….) 또 데모가 자신의 훌륭한 이력이 될 수 있어서 그런지 데모에 적극적이었다. 그들 문과생들은 데모를 initiation하고는 그 반응을 propagation하기 위해, 행렬을 지어서는 공대 교정을 돌며 부추긴다. 결국 공대생들은 귀찮은 것을 무릅쓰고 마지못해 같이 돌을 던지곤 했다. 그런 마지못한 공대생들의 반응은 문과생들로부터 비난을 받곤 했지만, 그건 문과생 그들의 편견이다. 문과생 그들이 배우는 paradigm이라는 것은 인간세상이 바뀜에 따라 계속 바뀌는 것이고, 심지어 현재의 불법이 어느덧 합법으로 바뀌기도 하지 않는가…….

(얼마 전에 나라님이 한 말이랑 너무 비슷하구먼……. 그래도 그건 나라님이 너무 무리한 요구를 하셨다. 법은 지켜야지……. 나라님이 먼저 현행법을 어기겠다는 사람들을 처벌하지 말라고 하면 어떻게 되나……. 그러니 '양돈협회' 까지 총선시민단체에 끼려고 하지. 아, 나는 어쩔 수 없는 공대인이다.)

그러나 공대생들은 '절대 진리' 에 관심이 있지, 그런 세속(?)의 일, 인간사라는 또 다른, 변화무쌍한 variable이 들어가는 수식에는 본능적으로 거부감을 보이기 때문에, 데모에 적극적이지 않은 것이다. 실제로 교양과정부가 없어지고 공대생만 남았을 때에는 공대에 특별한 데모가 없었다.

하여간 내가 교양과정부를 마치고 2학년이 되었고, 내 동업자 K1이 과대표가 되었고, 나는 장발에 연두색 바바리를 휘날리며 진짜 공대생 기분을 내며 교정을 휘저었던 4월의 어느 날이었다. 얼마 전까지 교정에 같이 있었던 교양과정부의 영향이 아직 남았던지, 아니면 관성이 작용했던지, 희귀하게도 공대에서 데모가 있었다.

과대표 K1이 점심 때 1호관 앞 잔디밭으로 전부 모이라고 했다. 잔디밭에서 도시락을 까 먹은 후 집회가 시작되었는데, 역시 공대생들답게 모인 숫자도 얼마 안 되고 열기도 별 볼일 없었다. 간부 같은 학생이 나와서 한 마디씩 하고 청중은 시큰둥한 분위기가 이어지고 있었는데, 돌연 K1이 연단으로 올라가고 있었다. 나는 경악했다. '야, K1. 우린 '놀자표' 야. '데모파' 가 아니라고!' 망연자실하고 있는데, 이미 K1은 마구 연설을 하고 있었다. 아니 재가, 저런 말도 할 줄 아네……. '방언' 인가? 교회 다닌다는 소리 안 했는데.

그렇지만 분위기가 썰렁하기는 마찬가지였다. 그리고 문제는 그 다음이었다.

썰렁한 분위기가 나를 자극했음인지, 아니면 K1의 연설이 나를 감명시켰음인지, 내가 K1의 뒤를 이어 연단으로 올라갔다. 나도 모르게 갑자기 열을 받았었나보다. 마침 그때는 나의 출신고등학교 고3들이(나의 2년 후배들) 수양회 끝난 후 영락교회에서 동아일보사 앞까지 가두시위를 한 죄로 백수십명이 잘린 직후였다. 나는 내가 무슨 소리를 했는지 지금도 잘 기억을 못한다. 단지 고등학생들도 나라 걱정에 데모를 하는데, 우리가 이럴 수 있느냐는 투의 말을 했던 것 같다. 그때 누군가가 나를 덮치듯 끌어내렸다.

나를 끌어내린 것은 나의 고교 선배였다. 그 형의 말은 '지금 네가 사람들 앞에서 떠들면 후배들의 데모와 연관시켜 일이 무척 커질 것이다' 라는 것이었다. 나는 흥분한 나머지 거기까지는 잘 모르고 행동했던 것이다. '고교 선후배가 얽힌 반국가단체 적발.'

이런 식으로 몰아가면서 학교의 선생님들까지 끌고 가서 주리를 틀겠지. 생각해보니 참 황당한 짓을 한 것이었다. 왜 나는 이렇게 충동적 행동을 했을까. 생각도 없이…….

나는 무엇을 생각할 틈도 없이 선배들과 친구들에게 이끌려 학교 뒷산을 넘었다. 학교 뒷산을 넘으면 하계동 옛날길이 나왔다. 그곳에서 다시 형들에게 야단과 함께 앞으로의 행동요령을 들은 후 집으로 갔다. 어머니에게 간략히 사정을 말씀드린 후 간단히 옷 몇 벌을 들고 김포로 떠났다. 그 길었던 머리를 깎고.

*2000. 1. 25.*

## (2)

나는 김포의 초입에 있는 큰이모네 집으로 갔다. 그곳은 내가 힘들 때마다 가던 곳이다. 고등학교 때, 세상에는 대학입시뿐이 없던 시절, 피곤할 때 불현듯 생각나면 찾던 곳이었다. 지금은 김포대교가 연결이 되어 접근이 한결 용이해진 '고촌' 이라는 곳에서 '천둥고개' 라는 언덕을 넘으면 이모네 집으로 가는 정류장이 있다. 이름 하여 '장골.' 일본 사람들이 우리나라 정리한다고 우리 토종 호칭을 漢字화시켜서 바뀌었는지, 공식적으로는 '장곡리.' 그러나 나는 일부러 한 정거장 전 '천둥고개' 에서 내리곤 했다. 그 천둥고개는 많이 깎아내려서 지금은 나지막한 언덕에 불과하지만 옛날에는 무척 가팔랐다. 비포장도로이던 시절, 비가 많이 내리면 버스가 못 올라가고 손님들은 모두 내려서 차를 밀던 제법 큰 언덕이었다.

그 천둥고개는 내가 듣기로 강화도령(철종)과 관계가 있다고 한다. 철종을 강화에서 모셔올 때 행렬이 문제의 그 고개를 넘었더란다. 그때 그 고개를 터로 삼고 있던 도적떼가 덮쳤고, 다들 혼비백산해서 도망을 갔는데, 우리의 강화도령이 '천둥'과 같은 소리로 질타하여 도적떼를 물리쳤단다. 대한독립만세! 그로부터 그 고개를 천둥고개라 하였다는 전설이 있다. 내가 아내와 그 고개를 지나다 그 전설을 이야기해 주었더니 아내는 처음에는 어이가 없다는 표정을 짓더니 이내 나의 인간 됨됨이마저 의심을 하는 눈치였다. 그도 그럴 것이, 지금 그 고개의 몰골은 통 산적이 살았음 직하지 않다. 그리고 아무리 세상이 막 가도 그렇지, 임금 후보를 모시고 가는 행렬을 산적이 덮친다는 것이 말이 되느냐는 것이다. 맞다. 그래도 그 고개는 천둥고개이다.

내가 굳이 한 정거장 앞 천둥고개에서 내렸던 첫째 이유는, 그곳에서 이모네까지 가는 길은 정말 외지고 호젓하였기 때문이다. 우스운 말이지만, 심신이 지쳤던 내가 지나기는 그만큼 아늑한 길이 없었다. 또 다른 이유는, 그 길가에는 언제나 산딸기가 지천이었다. 그 달기도 하고 시기도 한 산딸기를 따 먹으며 언덕을 두어 개 넘으면 바로 이모네였다(그 마지막 언덕은 바로 내가 미국 가기 전 내 사촌들이 나를 위해 개를 잡던 곳이다).

내가 그 많은 김포의 일가 중에도 그 집을 좋아했던 이유는 이종사촌형과 그 형수 때문이기도 했다. 형님은 김포농고를 나오셨는데, 참으로 고집스럽게 농사에 매달리셨다. 그 동리의 다른 젊은이들이 서울로 인천으로 나갈 때 그 형님은 끔찍이도 공부를 하며 그곳을 지키셨다. 심지어 꽃까지 심어 내셨다. 형수님은 형님이 군에 있을 때 '꼬셨다' 는 설이 있었는데, 외지 사람이 결혼해서 시골에 살며 살림을 한다는 것 자체가 신기해보였다. 참 인생을 적극적으로 사시는 분이셨다(지금 그 형수님은 1년에 한 번은 꼭 전시회를 하는 동양화가가 되셨다). 그런 부부의 인생관과 자연관은 나를 다시 힘이 솟게 하곤 했는데, 하나의 단점은 그 집은 밥을 공짜로 주지 않는다는 것이었다. 그 집을 가면 아침부터 밤중까지 형님과 같이 밭으로 산으로 다니며 일을 해야 했다. 아마 내 얼굴이 까맣게 된 또 다른 사연일 것이다. 고3이 되기 직전 그 집에 머물 때, 저녁에 고개 넘어 밭에서 배추를 뽑아 오라는 명령(?)을 받았었다. 배추는 왜 그리 큰지 한 지게에 5개를 싣고 나니 지게가 꽉 찼다. 나는 그 지게를 지고 눈이 깔린 그 고개를 넘으며 수도 없이 넘어졌다. 결국은 울면서, 기면서 그 고개를 넘었다. 물론 배추들은 크기가 반으로 줄어 있었다. 그 집은 그렇게 일하는 즐거움도 있는 집이었다.

4월의 산야는 참 기가 막힌 풍광을 보여준다. 아직 산야는 누렇고 황량하지만, 논두렁 밭두렁, 그리고 길가에는 작고 푸른 풀들이 올라온다. 그리고 바람은 포근하다. 나는 그 4월 김포벌에서, '단정한 머리' 로 형님과 함께 열심히 일을 했다. 조금 떨어진 곳의 양

계장으로 소달구지를 몰고 가서 닭똥을 잔뜩 실어 와서는 밭에다 뿌리는 일을 며칠간 했다. 천지가 온통 닭똥 냄새였다. 그리고 잠시 일을 쉴 때는 형님이 권하는 막소주를 마시고 필터 없는 '새마을' 담배를 피워 물곤 했다. 지금 서울은, 학교는 어떤 일이 벌어지고 있을까, K1은 어떻게 되었을까, 그런 데모 자리에서 한 마디 한 것이 이렇게 도망까지 다녀야 하는 일인가……. 누런 동산들을 바라보며 회한에 잠겨 있었다. 자초지종을 알고 있는 형은 그런 나를 안쓰러워하셨다. 더러운 세상…….

보름이 지나 거의 농군이 다 되어갈 즈음, 서울로 와도 된다는 연락을 받았다. 학교에 돌아가보니 K1은 잡혀서 제적이 되었단다. 썩

을 세상……. 그것이 제적까지 당해야 하는 죄인가……. K1도 처음에는 어디엔가 숨어 있었단다. 그런데 형사가 와서 그 부모를 꼬시기를, 자수하면 불문에 부친다고 했단다. 순진한 그 부모들은 애를 불러 들여 자수를 시키고, 그렇게 제적이 되어버렸단다. 후에 알고 보니, 그 날 집회의 죄인은 5명이라는 T/O가 있었다고 한다. K1이 잡히면서 T/O를 채우고 되었고, 사건은 종결되었단다.

나는 그때부터 혼란스러워졌다. 내가 그동안 알던 세상은 무엇이고, 이번에 겪어본 세상은 무엇인가. 또 나는 K1이 나 때문에 제적당하고 군대를 가야 하는 것 같은 자책감마저 들었다(그때는 데모에 관련하여 제적당하면 바로 영장이 나왔다. K1도 6월에 군에 입대하였다). 그때부터 나는 학교에 대한 밥맛을 잃어버렸다. 공부? 그동안 내가 앞만 보며 죽자고 해왔던 공부, 개똥과 다름이 없었다. 나는 제적당한 K1의 후임으로 과대표가 되었다. 실컷 놀아 보기로 하였다. 그리고 그 후의 나의 대학생활은 유흥과 서클활동, 음주가무로 뒤범벅이 되었다. 4학년의 가을, 기숙사에서 과로 향하는 황량한 길을 지나며 불현듯 대학원을 가야겠다는 결심을 했을 때까지 나의 방황은 계속되었다. 그것은 남은 모르는 나만의 복수였다. 대상도 뚜렷이 없는…….

나는 그렇게 암흑 같은 대학시절을 보냈다. 그리고 그렇게 어른이 되어갔다.

(K1은 곧 군에 입대를 하였고, 제대 후 모 회사에서 사회인을 하다가 복적이 되었다. 후배들과 힘들게 공부를 하더니 무사히 졸업하였다. 지금은 오퍼상을 경영하고 있다. 나에게 첫번째 흥행 실패와 빚을 안겨준 친구, 그 놈은 늙지도 않는다.)

*2000. 1. 26.*

# 입석캠프장

## (1)

〈우리집

큰애가 이번에 고등학교에 진학한다. 그런데 그 학교가 유난을 떤다. 신입생 orientation이 있다고 해서 나를 갸우뚱하게 만들더니, 그 오리엔테이션을 김포의 해병대로 간다고 해서 나를 어이없게 만들었다. 우리 집이야 김포와도 인연이 많고, 또 해병대라 하면 우리 집안의 default 군대니까 친근감도 들긴 하지만, 고등학교 신입생을 해병대에 집어넣고 극기훈련을 시킨다는 것은 참……. 그런 닭스러운 발상을 하는 학교를 3년간 다녀야 하는 자식놈이 불쌍하기까지 하였다. 그런데 며칠 전 오리엔테이션의 일정이 확정되었는데 다행히 해병대가 아니고 경기도 이천에 있는 '유네스코청년원' 이라는 곳으로 가기로 했단다. 뒤늦게라도 극기훈련식 행사를 철회한 학교의 처사가 반가웠다. 사실 겨울철에 얼음을 깨고 들어가서 소리를 지르거나, 잠 안 재우고 굴리거나 하는 군대식 정신 교육을 민간인들이 하는 것도 이제는 지양해야 한다. 게다가 군사 문화 청산을 외치는 대학생들이 MT 가서 후배들 굴리고 때리고 하는 것은 더 웃기는 일이다.

사실 오늘 이야기는 극기훈련에 관한 것이 아니다. '유네스코청년원' ……. 나의 꽃다운 청년기의 상당 부분을 바친 곳이다. 나는 대학 때 별로 공부를 하지 않았다. 건방진 이야기지만, 그때 내게 공부란 의미가 없는 것이었다. 그렇다고 학교를 때려치는 용기도 없었다. 그저 entropy 높은 착한 학생이었다.

1학년 가을축제가 끝나고 가입한 서클이 '유네스코학생회' 였다. 줄여서 KUSA라고 하였는데, 이름이 화투 용어와 흡사하긴 하지만, 화투 치는 서클은 아니었다. 2학년 초 나의 동업자이자 친구 K1이 제적당하고 군대 가는 난리를 치른 후, 나는 본격적으로 학업을 멀리하기 시작하였다. 학교에서도 열심히 놀았지만 KUSA활동도 열심히 하였다. 그런데 이 KUSA라는 조직은 다른 서클과 사뭇 달랐다. 학내에서는 여느 서클과 마찬가지이지만, 전국 거의 대부분의 학교마다 KUSA가 있는, 일종의 연합서클이기도 하였다. 그 전체를 관장하는 곳을 '협회' 라고 하였는데, 명동의 유네스코빌딩에 있었다. 그래서 나도 자연스레 그 협회를 드나들게 되었고, 그곳에서 많은 사람들을 만날 수 있었다. 자칫 고교동창과 대학동창뿐이 없을 뻔했던 나의 인간관계가 폭발적으로 확장된 계기가 되었다. 그리고 그 협회를 통하여 수 없는 怪物과 奇人과 才人을 만날 수 있었다. 그것도 전국 각지의 학생들을…….

KUSA를 통해 알고, 지금까지도 만나는 많은 사람들, 나에게는 큰 부분이다. 지금도 이불 속에서 매일 부딪치는 '예쁜 후배' 도 그 중 하나니까…….

이제 생각나는 대로 그 선수들을 생각해보려 한다.〉

지겹도록 놀기만 하다가, 어느 가을 날 교정의 억새를 보고 깨우침을 얻은 나는 파렴치하게도 대학원을 지원했다. 비록 공부를 열심히 하지는 않았지만 천부적인 '시험 감각' 을 유감없이 발휘한 나는 많은 내 친구들의 예상을 깨고 대학원에 차석(?)으로 합격하였다. 아주 근소한 차이로 차석을 하는 바람에 다시 어머니께 손을 벌려야 했지만, 매일 술독에 빠져 살던 자식이 학문에 뜻을 두었다는 것에 감격하신 어머니는 흔쾌히 뒤를 밀어주셨다. 그리고 새 학기 시작과 더불어 사귀고 있던 여자에게 차인 나는 공부에 전념하라는 하늘의 뜻을 알아차리고 글하는 재미에 빠져들었다(사실 그때 차이고나니 더 이상 여자를 사귀기도 지겨워졌다. 더 이상 차이는 것도 싫었고……. 일일이 비위를 맞춰야 하고, 고상해야 하고, 너무나 스트레스 쌓이는 일이 여자 사귀는 일이라는 생각이 들었다. 노력에 비해 소득도 별로 없고…….) 한 달쯤 지나니 동기들이 줄줄이 군대에 들어갔다. 그들이 남기고 간 여자들을 정리하는 것도 큰일이었다. 다행히 대형사고 친 놈은 없었지만, 쓸데없이 미련을 남기고 간 놈들 때문에 내 돈이 꽤 축이 나기도 했다. 달래느라고…….

그 여름에는 나의 수행이 제법 궤도를 잡아가고 있었다. 집이 학교에서 그리 멀지 않았기 때문에 자전거로 통학을 하고, 시간이 나면 학교 테니스장에서 sun-tan을 하고, 저녁엔 가끔 어떤 선배(지금은 모 그룹 연구소장인 ㅇ상무)와 원자력연구소 초입의 개고기 집에서 보신을 하고, 그런 평화로운 날을 보내고 있었다.

그 더운 여름날 테니스를 한판 치고 실험실로 돌아오면, 나는 그냥 그 차림에 가운을 걸치고 실험을 하였었다. 긴 바지로 갈아 입기 싫어서. 지금은 반바지가 일반화되어서 연구소 복도에서도 흔히 보이지만, 그때는 학교에 반바지 입고 다니는 사람이 없었다. 아마 입고 다니면 무조건 F였을 것이다. 어느 날인가, 그 날도 테니스 반바지 위에 가운을 걸치고 실험을 하다 다른 실험실에 갈 일이 있었다. 나는 아무 생각 없이 다녔는데, 마침 문을 열어놓고 책을 보시던 K교수님이 흘낏 나를 보셨던 모양이었다. 선생님께서는 우리 과 대학원에 저렇게 '키 크고 잘 빠진' 여학생이 있었던가 하는 의구심에 복도로 나와 보셨단다. 그 문제의 '알다리 가운' 이 나인 걸 아시고서는 몹시 실망하셨다고 한다. 굉장히 늘씬한 여학생을 기대하셨었는데…….

가을이 되었다. 한때 미국 LA 모 한인방송의 인기 DJ였고, LA의 모든 한국어 CF의 남자 목소리였고, 지금은 대학로의 연극판에 살고 있는 내 친구 '와리 박' 이 기발한 camp를 기획하였다.

(그 친구는 고등학교 때부터 방송반을 한 경력이 있었고, 음악에 대한 재능과 함께 모임의 사회를 보는 데 천부적인 재주가 있었다. 나와 한동안 붙어 다녔는데, 둘 다 키 크고 말랐다고 남들이 우리에게 붙여준 별명이 '와리바시' 였다. 그 젓가락을 둘로 갈라서, 그 친구는 朴가니까 '와리 박' 이 되고, 나는 李가라서 '바시 리' 가 되었다. 이 homepage의 방명록에 나의 친구 하나가 글을 남겼는데, 그때 '바시 리' 라고 한 것은 이런 연유가 있어서이다.)

이름하여 'Recreation Camp' 였다. 수많은 camp가 주제별로 있었지만 노골적으로 레크리에이션을 표방한 camp는 처음이었다. 각 대학 KUSA의 레크리에이션 담당 임원을 교육시킨다나? 그 당시 이미 우리 '사교계' (그때 같이 몰려다니던 우리 패거리를 그렇게 불렀다)의 구성원은 막강하였다. 학구적이고 조용한 나를 제외하고 나머지 '사교계' 멤버들은 전부 한 가락씩 하였는데, 이들을 주축으로 레크리에이션 캠프를 한다는 것이다. 나는 그것도 괜찮다는 생각이었다. 무거운 주제만 다루는 것이 캠프는 아니라는 생각이었다. 아마 그 시절 대학의 서클에서 '논다' 는 개념을 겉으로 내세우기는 우리가 처음이었으리라. 나는 대학원생활이 상당히 벅찼기 때문에 적극적으로 그 캠프를 준비할 수는 없었고, 가끔 '사교계' 모임에서 진행 정도를 들을 뿐이었다.

그러던 어느 날, 敎主님에게서 연락이 왔다. KUSA의 초기 멤버였으며, 그때(지금도) 유네스코에서 청소년 문화를 담당하셨던 전설의 강 선배를 우리는 '교주'라 불렀다. 대단한 소신과 해박한 지식, 그리고 거칠 것 없는 해학, 정말 그 선배는 교주라 할 만했다. 좀 못생기기는 했지만……. 達磨같이.

나는 교주의 부름을 받고, 운명의 그 날, 명동 유네스코회관으로 갔다. 7층의 청년협회 문을 열고 들어서니 웬 여학생 하나가 눈에 띄었다. 레크리에이션 캠프에서 쓸 장식을 제작하는 모양이었는데, 붓질을 하다가는 뒤로 몇 걸음 물러서서 바라보곤 하는 모습이 나에게 충격으로 다가왔다.

*2000. 2. 2.*

## (2)

'아… 재다!'

절대적 미인이라고는 할 수 없지만, 너무나 나의 마음을 빼앗아가는 모습이었다. 적당히 차갑게 생기고, 꽤 창백하고, 나는 넋을 잃고 바라보고 있다가 사교계 후배들의 인사를 받고서야 깨어났다. '와리 박'에게 그 여학생이 누구냐고 물었더니, 이번 레크리에이션 캠프의 staff인데, 모 여대 2학년이란다. 나하고 3살 차이……. 우와 죽인다!

곧이어 교주 선배를 뵈었다. 나를 부른 이유는 교주님이 하시기로 했던 레크리에이션 캠프의 강연을 사정상 못 하게 되었다고 나보고 대신하라는 것이었다. 겨우 대학원 1학년인 내가 뭘 안다고 청년문화, 대학문화에 대해 1시간짜리 강연을 할 수 있겠나……. 그렇지만 나는 하기로 했다. 그 문제의 여학생도 그 캠프를 갈 것이고, 이는 하늘이 주신 기회라는 생각이 들었다.

학교일이 바빠서 캠프 준비도 못 한다던 내가 강연을 맡기로 했다니까 '와리 박'은 어리둥절한 모양이었다. 학교일보다 여자일이 더 급하니까…….

그 캠프는 입석캠프장에서 열기로 되었다. 입석은 경춘국도의 마석이라는 곳에서 갈라져 들어간다. 지금은 지척이지만, 그때만 해도 마석을 가려면 시외버스나 기차로 꽤 가야 했다. 그 마석에서 또 비포장 국도를 이삼십분 가야 입석리가 나오고, 입석캠프장이 있었다. 요즘은 그 뒤의 수동리 계곡이 꽤 알려져서 많이들 찾는 모양이고, 그 고장産 생수가 꽤 많이 팔리고 있기도 하다.

캠프는 토, 일요일에 걸쳐 1박 2일로 진행이 되었다. 요즘은 선진국화되어서 대학생들이 MT를 가도 금요일부터, 심하면 목요일부터 가지만, 그때만 해도 개발도상국이었던 시절이라 토, 일이 보통이었다. 나의 강연은 토요일 저녁이었다. 시간에 맞춰 캠프장에 도착해보니, 그 사이에 얼마나 레크리에이션 실습들을 했는지 몰골들이 가관이었다. 그러더니 나의 金科玉條(금과옥조)와 같은 강의가 시작되니 앞다투어 졸기 시작한다. 놀기만 좋아하는 무지몽매한 중생들……. 나는 아무러나 좋았다. 대학문화와 청년문화를 떠들고 있는 나의 눈은 거의 대부분 그 '문제녀'를 보고 있었다. 볼수록 나의 구미를 돋우는 그녀……. 어떻게 강연이 끝났는지도 모르겠다. 그 후, 나는 새벽에 잠들 때까지 의도적으로 그녀의 5m 이내에 머물렀다. 그런 나와는 달리 그녀는 전혀 나를 의식하지 않는 눈치였다. 안타깝지만 어찌하겠나.

다음 날 오전에 캠프 참가자들을 모두 돌려보내고, 10여명의 staff들만 남아서 뒷정리를 하였다. 나는 초조해지고 있었다. 여기서 헤어지면 다시 만나기가 쉽지 않은데…….

그러나 하늘은 무심하지 않았다. 평소에 착한 일을 많이 한 보람이 있었다. 정리를 다 마치고 다음 버스를 기다리며 강당에 앉아 노닥거리고 있는데, 갑자기 일행 중의 하나가 말타기를 하자는 제안을 하였다. 입석캠프장의 강당은 마루였다. 아주 커다란 대청마루를 생각하면 된다. 그 너른 대청마루 강당에서 우리는 '운명'의 말타기를 시작하였다. '말타기'라면 바로 나 아닌가. 내 별명이 바로 '신당동 rodeo' 아닌가.

우리는 민감한 신체 접촉이 있는 경기인 점과 연약한 여성이라는 점을 고려해서, 여학생들은 올라타는 역할만 하기로 하고, 엎드리는 역은 면제해주었다. 참으로 오랜만에 하는 말타기였는데, 말타기가 그렇게 재미있는 줄은 몰랐다. 가지가지 해프닝이 벌어지고……. 우리는 죽도록 깔깔대며 말타기를 하였다. 결국 체력이 다해서 말타기를 그만 두었을 때는 버스가 다 끊어진 뒤였다. 어떻게 열댓명이 버스시간마저 잊고 그리 놀았을까.

노는 데 관성이 붙은 '와리 박' 과 남자 애들은 내친 김에 하루 더 놀다 가겠다고 하였다. 나는 눈치를 보고 있었다. 그 '문제녀' 의 결정을……. 사실 그 다음 날 아침에 시험 감독을 들어가야 했는데, 새벽 첫차로 가면 시간을 충분히 맞출 수 있기 때문에 나는 아무래도 좋았다. 그런데 그 '문제녀' 를 포함해 4명의 여학생들이 전부 집에 가야 한다는 것이었다.

그래서 나도 집에 가야 한다고 했다. 시험 감독 때문에……. '와리 박' 과 사교계의 후배들은 모두 어이가 없다는 표정이었다. 여학생들이야 그렇다 해도, 어떻게 '바시 리, 네가 갈 수 있느냐?' 는 표정이었다. 나는 속으로 말했다. '와리야. 미안하다. 하지만 나도 장래를 설계해야 하지 않겠니?'

결국 거의 삐진 와리와 다른 일행들을 남겨놓고 나는 네 여학생을 데리고 서울로 돌아가기로 하였다. 입석에서는 이미 버스가 끊어졌지만, 마석에 가면 버스도 기차도 있을 것 같았다. 버스정류장에서 한참을 기다리니 웬 자그마한 고물트럭이 하나 왔다. 짐칸에는 이미 여러 사람이 타고 있었다. 우리도 태워 달라고 사정을 했다. 어렵사리 얻어 탄 것까지는 좋았는데, 이미 만원인 그 짐칸이 여간 불편한 것이 아니었다. 비포장 길을 달리는 차에 서 있을 수도 없고, 앉을 공간이라고는 한 명분 정도이고……. 결국 4명의 여자 후배들의 간절한 눈치를 외면할 수 없었던 나는 차의 바닥에 앉고 양 허벅지에 둘 씩, 네 여자를 내 다리에 앉혔다. 사정을 모르는 사람들은 웬 복이냐고 하겠지만, 이건 완전히 '엉덩이 고문' 이었다. 나는 여자들이, 정확하게 여자의 엉덩이가 그렇게 무거운지 그 날 처음 알았다. 그리고 아무리 예쁜 엉덩이도 한 번에 하나면 족하다는 진리도 그 날 깨우쳤다. 나는 잠시 죽기로 하였다.

그러나 이 여자 후배들은 불만이 대단하였다.

"아니, 형은 왜 이리 말랐어? 엉덩이가 배겨서 불편해 죽겠네……."

"아이, 좀 가만있어."

어느덧 고통도 마비되고, 이제 엉덩이들의 토실함을 느낄 만큼 내공이 모아졌다. 네 놈의 엉덩이를 비교할 수준에 이를 즈음, 갑자기 내 엉덩이가 '찌리릿' 하였다. '으….' 나는 진저리를 칠 수밖에 없었다. 갑작스런 나의 경련성 요동에 네 여자 후배들의 원성이 터져나왔다.

"형! 가만히 못 있어?" "음흉하기는!" "어째 좀 생겼다 했더니, 인물값 하는구나……." 나는 졸지에 성추행범이 되고 있었다.

"야, 그게 아니고, 이 차에 전기 통해!" 그 차의 적재함 바닥은 어찌 된 일인지 전기가 통하고 있었다. 그것도 꽤 강력해서 내 바지를 통해서도 전기가 오르고 있었다. 나는 미칠 지경이 되어갔다.

괜찮을 거라고 조금만 참으라는 후배들에게 눈물로 호소해서 잠시 일어나게 했다간 이내 다시 앉히고……. 이제 그놈들의 엉덩이는 더 이상 엉덩이가 아니었다. 그것은 그냥 '덩어리'였다. 골치덩어리, 납덩어리……. 그제야 다른 승객들을 보았다. 그들은 모두 무슨 모래 푸대 같은 것을 깔고 앉아 있었다. 그럼 그렇지. 그리고 몇몇 아줌마들은 나를 보고 웃고 있었다.

결국 깜깜한 밤중에 마석에 도착했을 때는 나는 식은땀으로 범벅이 되어 있었고, 혼자서는 일어설 수조차 없었다. 아직도 깔깔거리고 있는 그 여자 후배들의 도움으로 겨우 차에서 내려서는 비척비척 걸음을 옮겨 차부로 가보았지만, 서울행 버스는 이미 그곳에도 없었다. 기차도 끊어졌다. 어떻게 하겠나, 그 넷을 다 데리고 여관을 들어갈 수도 없는 노릇이고……. 다시 알아보니 입석으로 들어가는 버스는 있단다. 내일 아침 첫차로 나올 버스인 모양이었다. 우리는 입석캠프장으로 돌아가기로 하였다.

우선 나는 후배들을 인솔해서 시외전화를 할 수 있는 곳을 찾았다. 일요일 밤인데도 우체국 비슷한 곳에서 시외전화를 할 수 있었다. 전화로 전부 외박 허가를 받은 여자애들은 태도가 돌변하였다. 다시 들뜬 분위기가 되어가고 있었다. 참 이해 못할 것이 여자로구나 하는 생각이 들었다. 어쨌든 우리는 신이 나서 장을 보았다. 캠프장의 웬수들에게 주려고 술과 안주와 간식을 사서는 캠프장으로 돌아갔다. 의외의 귀환병을 반기는 분위기도 잠시, 술을 한 잔씩

하던 남자애들이 픽픽 쓰러지고 있었다. 캠프 준비한다고 하루 전에 왔으니, 그 날이 삼일째인데 잠을 거의 못 잤단다.

결국 조금 더 놀아보려는 욕심은 일찍 쓰러져 자는 것으로 마감되었다.

그렇지만 나는 꽤 늦은 밤까지 '문제녀' 를 포함한 여자 후배들과 많은 이야기를 나누었다. 나는 열심히 설을 풀었다. 가끔씩 눈치 못 채도록 하면서 내가 얼마나 괜찮은 남자인가를 선전하였다. 일이 잘 풀리려 그랬는지, 다음 날 시험 감독 때문에 첫차로 올라가야 한다는 내 말에 그 '문제녀' 도 그때 가야 한다는 것이었다. 야…호!

*2000. 2. 3.*

## (3)

새벽에 일어나 서울행 첫차를 탔다. '문제녀'와 둘만 있으니 정작 쑥스러워 말을 할 수가 없었다(나는 예나 지금이나 숫기가 없는 것이 큰 문제이다). 게다가 그녀가 피곤해 보이길래 깨워 줄 테니 자라고 하였다. 까딱까딱 조는 모습은 예술에 가까웠다. 어떻게 다음에 만날 수가 있을까……. 그 생각에 나는 잠도 오지 않았다. 단단히 병이 났다.

그러나 역시 하늘은 나를 도왔다. 그 며칠 후에 서울여대 KUSA에서 무슨 행사가 있을 예정이었다. 그리고 그 행사에 우리 '사교계'의 멤버들이 대거 참여해서 사회부터 sing-along까지 진행을 맡아 하기로 되어 있었다.

서울여대는 우리 시골공대와 매우 가까이 있었다. 그래서 어느 해인가는 호기심 많은 우리 학교 기숙사의 '속옷 동호회' 멤버들이 서울여대의 생활관(그들은 기숙사를 그렇게 부른다. 그리고 기숙사라고 하면 모욕으로 받아들인다)에 멋있게 침투하고, 빨랫줄에 널린 속옷을 대량으로 탈취하여 무사히 귀환한 적도 있었다. 그 후 한동안 우리 기숙사의 여러 방에 여자용 '아랫런닝구'가 걸려 있었다. 확인되지 않은 소문으로는 우리 학장이 서울여대 학장에게 사과를 하였다고도 한다. 호기심 많은 제자를 둔 덕분에……. 하여간

지리적으로 가깝다보니, 우리는 평소에 서울여대까지도 우리의 '나와바리' 라고 생각하고 살았었다. 강의가 빈 시간에는 학교 앞에서 자전거를 빌려서 서울여대 안에까지 들어가서 돌아다니기도 했었다('나와바리' 라 함은 세력권을 뜻한다).

나는 그 '문제녀' 후배에게 서울여대의 행사에 꼭 오라고 신신당부하였다. 그리고 우리 '나와바리' 의 특산물인 먹골배가 얼마나 맛있는지를 장황하게 설명하였고, 내가 원 없이 사주겠다고 행사보다 일찍 오라고 하였다. 생각해보겠다는 '문제녀' 와 헤어진 후 나는 그 날만을 손꼽았다.

가끔 사람의 일 가운데에는 훗날 뒤집어 실제상황을 알아보면 아찔한 일도 있게 마련이다. 만나기로 한 그 날의 상황이 그랬던 모양이었다. '문제녀' 는 무슨 학교 일이 있어서 나와의 약속시간을 넘겨버렸고, 결국 너무 늦었다는 생각에 포기하기로(즉, '나를 바람 맞히기로' ……. 아, 울분이 솟는다. 단지 남자라는 이유로 이렇게 쉽게 '바람' 의 대상이 되다니.) 하였는데, 학교 앞에서 같은 과의 선배언니를 만났단다. 그런데 마침 그 언니가 서울여대에 급히 간다고 하면서 택시를 태워 주더란다. 결국 그녀는 40분이나 늦게 나타났다. 하지만 눈에 껍데기가 덮인 나는 그래도 좋다고 허허대었다(속도 없는 놈…).

나중에 그 이야기를 듣고 참 이상한 것이 사람의 일이구나 하는 생각이 들었다. 그리고 살다보니, 어느 때는 그 선배언니는 참 고마운 분이구나 하다가도, 또 어떤 때는 그 주책맞은 선배언니는 왜 택시를 태워주었나 하는 생각도 들었던 적이 있다.

많은 사람이 모이기로 한 줄 알고 온 그녀는 나와 단 둘이 배를 먹으러 가게 되자 당황스런 표정이었지만, 그래도 맛있는 배 맛에 이내 즐거움을 되찾았다. 나는 배를 먹으며 다시 설을 풀어대었다. 참, 여자 하나 꼬시려고(?) 기울이는 남자의 노력과 허풍은 정말로 눈물겨운 것이다. 결국 그런 나의 피나는 노력과 협박 끝에 우리는 다음 약속을 잡을 수 있었고, 배를 다 먹은 후 우리는 서울여대의 행사에 참여했다. 남들에게는 우리가 사생활을 즐긴 것을 눈치 못 채도록 하면서……. 난 그제야 겨우 그 '문제녀'를 같은 서클이라는 틀에서 끌어낸 것이다. 다른 '사교계' 멤버들은 모르게 우리만의 비밀이 시작되는 것이었다. 참 힘든 여정이었다.

그 후의 행각은 여느 커플과 다르지 않았다. 영화도 보고, 물론 요즘 같이 「거짓말」 같은 영화가 있었으면 그것을 보았겠지만, 그 때는 그런 '옷 안 입은' 영화는 없었다. 결국 차선으로 공포영화를 보러 갔다. 「캐리」라고 하는……. 마지막 부분의 깜짝 쇼가 압권인 영화였지만, 나의 기대와는 달리 그녀가 나에게 안기거나 하진 않았다. 공포영화는 그냥 수컷 인간들의 기대인 것이었다.

그리고 몇 번의 데이트, 잘 되는 것도, 안 되는 것도 아닌 데이트의 가을이 그렇게 한 달쯤 지났다.

갑자기 영장이 날라왔다. 참, 대한민국의 행정이라는 것은……. 특히 병무행정은……. 다음 월요일에 입영하라는 통지서가 목요일에 왔다. 그 목요일 저녁, 아무 생각 없이 집에 돌아왔던 나는 어이가 없었다. 흡사 남의 일 같았다.

나는 입대만큼은 품위있게 하고 싶었다. 미련 없이……. 많은 사람들이 군에 가면서 집착과 미련 때문에 가슴아파하는 것을 보았었다. 그래서 나는 군대만큼은 웃으며 가고 싶었었다. 그런데 이건 뭔가? 이 '문제녀'와 이별할 시간조차 없지 않은가…….

나는 서둘러 그녀에게 연락을 했다. 며칠 후 군에 간다는 말에 별 반응이 없었다. 그녀도 어이가 없었으리라……. 뭐 저런 바보가 다 있나 싶었으리라……. 인생을 저렇게 생각 없이 사는 놈도 있나 했을 것이다. 토요일 오후, 나는 그녀와 인천의 송도유원지를 찾았다. 그곳은 섬이 아니다. 그러나 서울서 쉽게 가서 낙조를 볼 수 있는 그 곳은 참 매력 있는 곳이었다(지금은 단란주점과 여관으로 뒤덮인 그냥 그런 환락가일 뿐이지만…….)

송도유원지의 앞에는 작은 바위섬이 있었다. 가게가 있는. 물이 빠졌을 때는 징검다리를 걸어 건널 수 있었다. 나는 그 '문제녀'와 그 바위로 건너가, 그 바위에 앉아 술을 마셨다. 아무 말이 없이……. 누가 무슨 말을 하겠나? 만난 지 겨우 한 달 된 남녀가 무엇을 약속하겠는가? 또 어찌 미래를 알겠는가?

정신이 들었을 때는 밀물이 들기 시작한 뒤였다. 우리는 징검다리를 정신없이 뛰었다. 밀물이 그렇게 빠른 줄은 처음 알았다. 겨우 밀물과의 달리기에서 이긴 우리는 마주보고 웃었다. 그 웃음이 있는 얼굴은 지금도 나의 머리에 있다. 그리고 다시 우리는 말없음표가 되었다.

그 날 명동에서는 우리 과의 직원들과 대학원생들이 나의 입영 환송회를 하고 있었다. 결국 두 시간이나 지나서 '어떤 여자'를 데리고 나타난 나를 보고 선배들은 기가 막혀 하였다. 나는 그들에게도 큰 빚을 지었다.

일요일. 어머니는 시골공대의 교정에 와서 놀기로 한 우리 '사교계' 멤버들을 위해 김밥을 잔뜩 만들어 주셨다. 나는 종일 '문제녀'를 자전거 뒷자리에 태우고 교정을 돌았다. Rain drops keep falling on my hat…….

시간이 갈수록 나의 시야가 흐려졌다. 품위 있게 입대하기로 하였던 나에게도 현실과 아쉬움의 괴리는 안개로 찾아오는가……. 저녁 때, 학교 앞의 라면집에서 저녁식사를 하며 술을 마셨다. 평소 재기발랄하고 팡팡 튀던 우리 '사교계'의 후배들도 점점 말을 잃어갔다. 평소보다 훨씬 이른 시간에 우리들은 헤어졌다. 입대 전날은 가족과 보내야 한다던가…….

다음 날 아침 한영고등학교에서 '문제녀' 에게 전화를 하였다. 잘 지내라고……. 그리고 나는 논산행 열차를 탔다.

그녀는 후에 '예쁜 후배' 로 호칭이 바뀌었고, 지금은 매일 저녁 나에게 '다리 안마' 를 강요하는 무서운 내 아내가 되었다. 내가 KUSA 활동을 하며 사귄 사람 가운데, 나에게 가장 크게 다가온 후배……. 나의 사랑이었다.

*2000. 2. 3.*

# 술이 있는 그림들

# 종교 따라잡기

## (1)

〈며칠 전

급히 길을 가는데 무언가가 내 발 밑에 떨어졌다. 나에게는 왜 이리 하늘에서 떨어지는 것이 많은지……. 주워 와 분석을 해보니 영화 CD였다. 엄청난 '폭력영화' 였다. 곡괭이 자루가 날라다니는……. 얼굴이 보이는 배우라고는 고작 3명. 거의 공짜로 찍었을 것 같다. 배우들의 어설픈 연기 또한 가관이다. 하긴 연기가 필요없는 영화이기도 하다. 벗고 비틀다가, 가끔 엉덩이 치켜들고 매만 맞으면 되는 영화에 무슨 연기가 필요할까?

참, 이런 걸 만들어 놓고 영화로 상영하겠다는 도둑놈들. 판매금지된 책을 원전으로 하였으니 선전은 충분히 되었겠다, 대박으로 목돈 벌려고 했겠지. 그걸 작품이라고 그 영화에 즐겨 출연한 딴따라 지망생. 그걸 찍어놓고 예술, 표현의 자유 운운 하는 감독과 제작자… 그런 예술은 우리 '도꾸' 도 하겠다.

불법으로 복사판이 돌아다니는 것은 그들에게 벌을 주려는 것이리라.

나는 다시 그것을 집어던졌다. 아무나 주워 보겠지…….〉

(그렇게 이웃들과 어울려) 살면서 나는 천주교에 대한 무지에서 많이 벗어날 수 있었다. 그 종교가 그렇게 생각만큼 나쁜 종교가 아니라는 생각도 들었다. 특히 술을 마실 수 있다는 것과 담배를 피울 수 있다는 것이 마음에 들었다. 이웃 남자들 가운데 거의 유일하게 성당을 열심히 다니던 '장락 아빠' 의 이야기를 들어보면, 천주교가 오히려 신교보다 자유로운 생각을 하는 것 같았다. 그래도 나는 성당에 다니지 않았다. 종교를 다시 가질 필요성도 못 느꼈고 아무도 나에게 성당에 나가자는 말도 안 했다. 아내조차도…….

아내는 그저 '관면혼' 을 올려서 자기의 '조당' 만 풀어주길 바랐지만 나는 차일피일했다. 그러던 중 둘째가 태어났고, 아내는 두 아이의 유아세례를 조심스럽게 거론했다. 유아세례야 나쁜 일도 아닌데 내가 막을 이유가 없었다. 장락 아빠가 두 아이들의 대부가 되어주셨다. 아이들의 본명이 '베드로' 와 '바오로' 란다. Peter와 Paul. 딸을 하나 더 낳아서 '마리아' 라는 세례명을 붙여주면 내가 좋아하는 Folk Group인 Peter, Paul and Mary가 될 수 있었을 텐데…….

작은애가 세 돌 가까이 되었을 때, 일찍이 아버지의 병환으로 포기했었던 미국 이주의 기회가 왔다. 나는 소주 40팩을 가지고, 가족을 모두 이끌고 신대륙으로 향했다. 역시 소주는 무거웠다. 이민 가방의 바퀴가 떨어져나갔다.

Akron. 인구 25만의 작은 도시. 오대호의 하나인 Erie호에 접한 Cleveland, 그 늙은 도시에서 40분 남쪽의 도시 Akron. Erie호 덕분에 11월부터 4월까지는 맑은 날이 거의 없는 Snow Belt에 있는 도시. 차로 1.5시간 거리 안에 골프장이 256개가 있는 동네. 영어사전에 'Rubber Capital of the World' 라고 나와 있는 고무산업의 메카. 세계 3대 타이어 회사의 본사가 모두 있는 도시.

나와 우리 식구는 그 도시의 한 귀퉁이에 둥지를 틀었다. 미국생활의 시작은 그리 어렵지 않았다. 학교도 가까웠고, mall도 가까워서 아내도 흡족해했다. 우리 가족이 무엇보다 편안할 수 있었던 것은 고등학교, 대학교의 선후배만으로도 20명이 넘는 그곳의 독특한 이민 환경이었다. 가끔 못된 친구(현재 H사 중앙연구소의 ㅈ이사 같은)나 후배(현재 고분자xx센터의 ㅇ모 책임 같은)들이 쳐들어와서 새벽 4시까지 퍼마시고는, 애국가를 부른 후에야 집에 돌아가는 일이 있어서 아내를 황당하게 만들었지만, 나는 즐거웠다. 그때, 그곳에서 많은 일화가 있었지만, 이 글의 주제를 벗어나는 일들이라 후에 기회가 있으면 거론하기로 한다.

Cleveland에는 한인천주교회가 있었다. 조금은 낡았지만 자체 성당도 있었다. 그곳에는 대구교구에서 신부를 파견하여 한국 신부가 상주하고 있었다. 그러나 우리 동네 Akron에는 신자의 수가 많지 않았기 때문에 좀더 남쪽의 도시 Canton의 교민들과 함께 미국 성당을 빌려 공소를 운영하고 있었다. 공소는 신부가 상주하지 않는 성당을 말하는데, 평소에는 토요일 저녁에 Cleveland의 한국인 신부가 와서 미사를 드리곤 하였다.

아내는 성당을 다니고 싶어했다. 그런데 자기는 길을 잘 모른다고 나에게 운전을 해달라는 것이었다. 먼 데 있는 Shopping Mall까지도 운전해서 잘 다니면서 굳이 나에게 운전해달라는 것이 귀찮기는 했지만, 토요일 저녁에 나 혼자 집에 있어 보았자 재미도 없고 해서 그러기로 하였다. 우리 집에서 약 30분 가량 가야 그 미국 성당이 있었다. 성당에 도착하면, 아이들은 유치원으로 들어가서 놀고 아내는 미사를 보러 들어갔다. 나는 할 일이 없어서 차 안에서 자기도 하고, 책도 보다가, 때론 골프채와 골프공을 가지고 풀밭에서 short game 연습을 하기도 했다. 그러다 보니 어느덧 나는 성당의 '주차관리인' 이 되어가고 있었다. 미사가 끝나면 신자들이 작은 방에서 다과를 나누며 담소를 하였는데, 그때만큼은 나도 당당하게 참석하였다. 조금 팔리긴 하였지만…….

그때 그곳에 계시던 강 신부님은 연세가 꽤 되신 분이셨는데, 무척 꼬장꼬장한 첫인상이었다. 강한 경상도 사투리, 약간 대머리에 곱슬머리도 그분의 꼬장꼬장함을 잘 보여주는 듯했다. 그런 나의 선입견을 증명해주는 그 신부님에 얽힌 일화 하나.

그곳 Akron과 Canton 지역은 대도시의 근처에 있는 중소도시라 문명과 자연이 가까이 공존하는 살기 넉넉한 지역이었다. 그곳의 교민들은 의사가 많았는데, 한때 의사 이민이 활성화되었던 시절에 이민 오신 분들이었다. 그분들이 번잡하지 않고, 외지지도 않은 이곳에 병원을 열고 터전을 잡은 것은 당연한 일이었으리라. 충분한 벌이도 있으면서 삶을 즐길 수 있는 지역이니까. 그런데 이 의사 교민들은 대부분 우리 식으로 보면 '가정의'와 비슷해서 24시간 고객의 부름에 준비하고 있어야 했는데, 그런 고객의 부름에 성실하게 답하기 위해 늘 beeper 즉 삐삐를 차고 가지고 다녔다. 요즘같이 휴대전화가 활성화되기 전이어서 대부분 beeper를 다녔는데, 그러다 보니 미사 도중에 가끔 삐삐가 울리곤 했단다. 그럴 때마다 그 신부님은 참지 않고 야단을 치시곤 하셨다는데, 하루는 정말로 몹시 분개하셔서는 "미사 드릴 때 beeper 소리 나게 하는 놈들은 골프채로 대갈빡을 뿌사버려야 한다"고 설파하셨다는 것이다. 그 뒤부터 많은 신자들이 가끔씩 머리를 만져보고 부서지지 않은 것을 확인하고야 성당을 드나들었다는 전설이 생겨났다.

*1999. 12. 28.*

(2)

그 깐깐하신

강 신부님은 여러 가지 재주를 가지고 계셨다. 나중에 안 일이지만 신부들은 대부분 재주가 많았다. 혼자 살아야 하기 때문에 무엇엔가 몰두하게 되기 때문이란다. 그래서 'mania'가 되어버린 신부가 많다. 그림, 음악, 오디오 등등……. 또 신부들은 대개 雜技와 운동에 강하다. 고스톱, 포커…….

내가 듣기론 김수환 추기경께서도 고스톱을 잘 치신다고 한다. 관련된 일화를 누군가에게서 들었다. 언젠가 양동의 창녀촌에 위문을 가신 적이 있었는데, 그 윤락녀들이 고스톱을 치자고 하였다고 한다. 그래서 점 10원짜리 고스톱을 치셨는데, 3천원 정도를 따셨다고 하니 상당한 고수의 수준이다. 더구나 상대는 항상 고스톱을 갈고 닦는 시간 많은 선수들 아닌가? 추기경께서는 자리에서 일어나시며 그러셨단다. "이건 내가 딴 돈이니까 내가 가져간다." 나는 그 일화를 듣고 그때부터 김수환 추기경이 좋아졌다. 그 전에야 그분이 누구이며 어떤 분이신지 전혀 알 수 없으니 좋고 싫고가 없었었다.

이 강 신부님도 대단하셨다. 가끔 일이 있어 Akron으로 내려오시면 신도들이 모였다. 교민들, 학생들이 한 집에 모이는데, 강 신부님은 부인네들이 음식 장만하는 사이에 고스톱이나 한번 치자

하시곤 돈을 다 따버리신다. 정말 잘 치셨다. 학생 중엔 유학 오기 전에 회사에서 고스톱으로 날리던 '타짜' 들도 꽤 있었지만, 상대가 안 되었다. 역시 고스톱은 독신자의 운동이다.

교민들이야 괜찮지만 학생들에게 5불, 10불은 적은 돈이 아닌데, 강 신부님은 그 돈을 다 따서는 그 자리의 학생 부인들에게 나누어 주신다. 당연히 부인네들은 환호성을 지르고……. 결국 우리는 골프 한 번 칠 거금을 고스란히 마누라에게 빼앗긴 꼴이 된 셈이었다. 그러나 어쩔 것인가, 실력 차가 확연한데!

나는 성당도 나가지 않으면서 그런 자리엔 꼭 끼었다. 아마 남들은 속으로 흉을 봤을 것이다. 뻔뻔스럽게, 노는 자리, 먹는 자리에는 꼭 낀다고…….

강 신부님은 가을 사냥철이면 사냥도 다니셨다. 커다란 사슴을 잡아와서는 Cleveland의 신도들과 동네잔치를 했다는 소리도 들렸다. 또 강 신부님은 골프도 잘 치시는 모양이었다. 교민들이 하는 소리를 들으면 그랬다. 특히 내기에 강하신 모양이었다. 어련하시겠나, 신부인데.

그렇게 성당 안에는 안 들어가면서, 그 패거리 노는 곳에는 '주차관리인' 자격으로 끼기를 근 1년이 되어갔다. 가끔은 성당 주최 골프대회에도 참가해서 일제 이찌방一番 라면도 타 오고, 쌀도 한

푸대 들고 오기도 했다(절대로 내가 골프를 잘 쳐서 탄 것이 아니다. 거의 참가상 수준이었다).

그런 호시절의 어느 날, 나는 나의 正體性에 대한 의문이 들었다. 쉽게 말하면 '내가 왜 이 사람들과 어울려 다니는가?' 하는 의문이었다. 그러면서 지난 1년 가까이 있었던 그 '천주학쟁이' 들과의 일을 돌이켜보니, 희한한 것이 아무도 나에게 성당에 들어오라는 말을 적극적으로 하지 않았다는 것이었다. 아주 추운 겨울에 '추우니 안으로 들어 오라' 는 상당히 형식적인 말을 맘씨 좋은 교포 아주머니한테서 듣긴 했어도, 그 말이 결코 미사에 참가하라는 소리는 아니었다. 아니 이런 동네가 다 있나……. 쌀쌀맞은 것은 이미 듣고 봐서 잘 알지만, 참 인심 사나운 동네구나 하는 생각이 들었다. 사실 나도 그런 것이 마음 편하긴 했다.

가톨릭은 차별이 심한 종교이다. 세례를 받은 정식 신자가 아니면 미사의 뒷 절반은 참석할 이유가 없다. 실제로 예전에는 미사의 앞 절반인 '말씀의 전례' 가 끝나면 세례를 받지 않은 신자들은 성당에서 나가라고 했다고도 한다. 또 아내가 나와 같은 비신자와 결혼을 했다 해서 '조당' 이 걸린 상태라는 것도 그와 같은 상황이었던 것이다. 좀 대승적이지 못한 느낌도 들긴 하지만, 그것이 오랜 세월을 거친 교회 법이라는 데야 어쩔 것인가. 그러니 사실 그때 내가 성당에 들어가봐야 아무 의미가 없는 것이었지만, 그래도 조금은 섭섭한 기분이 들었다. 내가 지금 주차관리나 하고 있지만,

이래봬도 교회에선 엄청난 스카우트의 표적인데…….

그 여름의 어느 무지하게 더운 날이었다. 그 근방에서 험하기로 소문난 Sleepy Hollow라는 골프장에 골프를 치러 가게 되었다. 그 곳은 골프장이라기보다는 유격장 같은 곳이었는데, 더울 때는 중간에 포기하고 가는 사람도 많은 악명 높은 곳이었다. 나는 시간이 있느냐는 전화에 따라나섰는데, 가보니 강 신부님도 계셨다. 그러고 보니 신부님하고는 처음으로 같이 쳐보는 것이었다. 얼마나 잘 치시길래 소문이 자자할까. 그런데 스윙하시는 것을 보니 영 아니었다. 폼도 이상했지만 공은 지독한 slice(목표보다 오른쪽으로 크게 휘는 타구)가 나는데, 아무리 골프 점수가 폼과는 상관없다지만, 도저히 저 분의 핸디캡이 14정도라는 것이 믿어지지 않았다.

우리는 날이 너무 더워 차를 타기로 했고 나는 신부님과 한 차를 타게 되었다. 우리는 간단한 돈내기를 하며 그 무더위 속을 헤쳐 나갔다. 어느 홀에선가 순서를 기다리느라 차를 나무 그늘에 세워 놓고 있을 때, 나는 갑자기 의문이 들었다.

"신부님은 왜 성당 나오란 말을 안 하세요?" 그러자 기다렸다는 듯이 나오는 대답. "지 영혼 지가 구제해야지. 남이 어떡카노?" 나는 충격을 받았다. 그렇구나!(사실은 그건 신부님의 직무유기이다.) 조금 황당해 있는 나에게 강 신부님은 마침 잘되었다는 투로 내기를 걸어오셨다. 지금 하고 있는 돈내기와 별도로 당신과 내기를 하자는 것이었다. 그때 나는 무엇을 걸었는지 기억이 나지 않지만, 신부님은 자기가 이기면 나 보고 '교리'를 받으라고 하셨다. '교리'는 새 신자가 되기 위해, 즉 세례를 받기 위해 교리에 대해 공부하는 것을 말하는데, 보통 6개월에서 1년씩 교육을 받기도 하고, 아주 엄한 신부님은 2년씩 시키기도 한다. 그러니 그 신부님의 내기 조건은 내가 지면 교회에 정식으로 나오라는 뜻이었다. 나는 내기에 응했다. 그 홀까지의 성적도 내가 더 좋았고, 충분히 이길 수 있을 것이라고 생각했다.

그러나 그런 내 생각은 엄청난 오해였음을 곧 알았다. 그때부터 도저히 설명이 되지 않는 골프가 벌어지기 시작하였다. 강 신부님이 거의 반대쪽으로 대고 때린 공도 slice가 나서는 좋은 자리에 턱 떨어지고, 대충 툭 건드린 공도 똘똘똘 구르다 뗑그렁! 들어가고……. 나는 어이가 없다 못해 완전히 홀린 기분이었다. 당신의 slice를 감안한 타격이었겠지만 미국이 자랑하는 크루즈 미사일도 그렇게 휘어 들어가지는 않을 것이다. 신부님의 그런 신들린 골프에 나는 반대로 쭈그러들고 있었다. 잘 맞은 것도 가보면 개울가, 계곡…….

결국 엄청난 악전고투 끝에 대패하였다. 화씨 90도가 넘는 날씨에.

그 날 저녁 집에서 나는 곰곰이 생각에 빠졌었다. 어떻게 그럴 수가 있는가, 그런 상상을 초월한 골프가 어떻게 가능했을까, 어떻게 목표의 왼쪽으로 45도쯤 돌아서서 치는 공이 원을 그리며 목표로 날아가는가, 어떻게 20 발짝도 넘는 곳에서 퍼팅을 한 것이 홀컵에 들어갈 수 있는가.

장고 끝에 나는 결론을 내렸다. 나는 혼자 치는 골프였지만 신부님은 아무래도 혼자가 아니었다고. 성령이 함께하셨을 거라고……. 그것은 엄연한 반칙이라고 결론을 내렸다. 내 생각으로는 반칙이 분명한데 이를 증명할 수 없는 것이 너무 안타까웠다. 아, 이 음모! (잠깐. 발음에 주의. 毛가 아니고 謀.)

그러나 나의 이런 conspiracy theory는 주위의 동의를 전혀 구하지 못하였다. 심지어 그 날 그 신부님의 골프를 같이 보고 돈을 잃었던 일행들도 전폭적으로 동의하지는 않았다. 그렇게 맞을 수도 있다는 둥 하면서, 몇 년도 어느 대회에서 누가 마지막 라운드를 그렇게 쳐서 역전승했다는 둥, 자기도 잘 맞을 때는 그 정도라는 둥 이상한 소리와 거짓말만 하고 있었다.

그래서 더 이상 그 음모론에 집착하다간 치사한 놈이 될 것 같아서 포기하고 교리를 받기로 하였다.

*2000. 1. 3.*

## (3)

〈며칠 전 나라의 시무식을 세종문화회관에서 하였다. '민관합동 시무식'이라나? 그런 전례가 없었던 것으로 알고 있다. 내년에는 올림픽 체조경기장, 후년에는 잠실 주경기장에서 하겠구먼……. 전 국민은 의무적으로 라디오, TV로 생중계를 듣도록 하고……. 어느 ㄴ의 아이디어인지, 참…….〉

그 일이 있은 얼마 후, 강 신부님은 한국으로 돌아가셨다. 그리고 새 신부가 부임했는데 예상을 깨고 젊은 분이 오셨다. 원래 미국 사목은 어느 정도 포상의 성격도 있어 연세가 드신 신부님이 주로 오셨다고 한다. 이 새로 오신 청년 신부님은 미국에 와서 골프를 처음 배우셨는데, 한 달만에 14 오버라는 신동적 재질을 보여주었다. 자리잡은 교포 신도들은 새 신부님이 오시면 억지로라도 골프를 치도록 유도한다. 골프채도 좋은 것 사드리고 하면서……. 신부님이 골프를 치시면 아무래도 성당생활이 편안해지기 때문이다. 이국생활의 외로움을 무엇인가로 달래야 하는데, 골프라는 운동은 교민들에겐 좋은 놀이거리이다. 도박보다 훨씬 건전하고, 비싸지도 않고. 주말에는 그런 놀이를 해야 스트레스가 풀리는데, 신부님이 종교생활을 너무 빡빡하게 몰아붙이면 골프치기 힘들어 지니까 신도들은 서둘러서 신부님을 골프쟁이로 만드는 것이다.

어쨌든 이 청년신부의 놀라운 골프실력에 신부님에게 골프를 전도한 신도들이 낙담하기 시작했다. 골프친 지 한 달밖에 안 된 사람에게 맞놓고 치자고 할 순 없고, 몇 개는 잡아주어야 하는데 정작 이 신참은 더 잘 치고 있었다. 성공한 교민 신도들은 돈을 잃기 시작하더니, 슬슬 골프를 멀리하기 시작했다. 아울러 성당의 봉헌금도 줄어들기 시작했다는 확인되지 않은 전설마저 생겼다.

어느 날 내가 그 청년신부님께 여쭸다. 어떻게 그렇게 골프를 잘 칠 수 있느냐, 신부님이 생각하는 골프의 tip은 무어냐고. 신부님의 말씀, "그거 별거 아니데, 시골서 도리깨질하는 거하고 똑같두먼." 이햐! 정곡을 꿰뚫는 말이었다. 지금 우리의 여성동지들이 세계에서 날리는 이유는 역시 '도리깨질의 유전형질' 때문이 아닐까 싶다. 그리고 다음 말씀, '내 사촌동생이 프로야구 선수라던데, 혹시 이xx라고 아세요?" 으악! 우리는 모두 입을 다물 수 없었다. 몇몇은 입에 피를 물고 쓰러지고 있었다. 그 이모라는 선수는 그 전 해의 leading hitter였다. 그럼 그렇지! 치는 데는 일가견이 있는 집안이구나. 모두 고개를 끄덕였다. 몇몇 교민들은 호랑이에게 고기맛을 들인 자신들의 쓰라린 실수와 앞으로 잃을 돈 걱정 때문인지 표정이 죽어 있었다. 그리고 그들 가운데 많은 수는 그 후 골프를 끊고 신앙생활에 전념하였다(역시 확인은 안 된 이야기이다. 골프 이야기를 하려고 한 것이 아닌데…….)

그 청년신부님이 오신 후 바로 예비자 교리반이 생겼다. 나는 그 사기 골프에 말린 죄로 교리를 배우게 되었다. 그 사이 성당의 주차장에는 나 말고도 관리인이 둘 더 생겨 있었다(그 중 하나는 지금 고분자xx센터의 ㄱ선임연구원이다). 나는 그 불쌍한 영혼들을 그냥 놓아 둘 수 없었다. 내가 알아듣도록 부드럽게 이야기를 했더니, 그 관리인들은 순순히 교리반에 들어오겠다고 하였다. 물론 약간의 압력(?)을 행사하긴 했지만, 그들을 진리의 길로 인도하려는 나의 순수성을 감안한다면 충분히 오차의 범위 안에 있는 것이었다.

우리 주차장 관리원들은 그 후 6개월 동안 '스빠나 교육' 을 받았다. 갓 온 신부, 젊은 신부가 의욕적으로 하는 교리반이라 융통성도 없었다. 내가 예전에 그렇게 공부를 하였다면 세계 3대 물리학자로 등록이 되었을 것이다. Issac Newton → Albert Einstein → 리철주…….

('스빠나 교육' : 나의 특공대시절 — 영화 「쉬리」에서 약간 보여주었던 — 우리 '인사계' 가 즐겨 쓰던 말이었다. 인사계란 중대의 살림을 책임지는 어머니 같은 존재인데, 대개 고참상사가 맡아 하였다. 우리 중대 인사계는 '옛날 하사관' 답게 무식했는데, 어디선가 '스파르타 교육' 에 대해서 말을 들었던 모양이다. '스파르타' 가 무엇인지 모르는 인사계는 그저 자기가 들은 대로 '스빠나 교육' 이라고 하였는데, 그 인사계의 생각에는 볼트를 풀고 조이는 '스패너' 의 강인함을 연상했을 것이다. 우리 중대는 집합이 있을 때마다 인사계의 그 '스빠나 교육' 이라는 말을 들어야 했다. 이런 식이다.

"니들 계속 이따우로 하면 내가 스빠나 교육을 시킬꺼야. 응?" 우린 기합의 공포보다 웃음을 참아야 하는 극기가 더 힘들었었다. 그때 내 얼굴이 조금 변형이 된 것 같다.

그런데 문제는 거기서 그치지 않았다. '무식의 전염' 이랄까, 우리 중대의 방위 분대장. 이 친구도 만만치 않았다. '구두 광내기' 부터 총검술까지 뭐든지 잘하는 방위였는데, 불행하게도 국졸이어서 방위가 되었다. 사실 전투력은 성적순이 아닌데, 참 아까운 병력이었다. 이 선수가 인사계의 설교에 감명을 받았던 모양이었다. 그래서 방위들을 집합시켜 놓고 똑같이 '스빠나 교육' 을 들먹이면서 협박을 하곤 했다. 역시 중졸 이상의 방위들은 웃음을 참아야 했다.)

그 스빠나 교리교육은 한 겨울을 완전히 나고서 시험까지 보고야 끝났다. 역시 총명한 나는 피교육생 셋 가운데 수석을 차지하였다 (나의 추측이다). 그 교리교육 내내 내가 느낀 것은 신학자라는 사람들은 참 대단하다는 것이었다. 어떻게 저런 이론을 만들어낼 수 있을까……. 어떤 부분은 아무리 노력해도 이해가 안 되었다. 예를 들면 '삼위일체' 같은 것이다. 신부님의 설명을 들으면 맞는 것 같기도 하고, 아닌 것 같기도 하고……. 그래서 그냥 그러려니 하기로 했다. 사실 가톨릭의 교리 가운데 내 맘에 쏙 드는 것이 있었는데, 바로 '믿을 교리' 라는 것이다. 예를 들면, '예수의 어머니 마리아가 평생 동정이었다' 와 같은 것들이 그에 해당된다. 확인하기도 어렵고 이해도 잘 안 되는 내용은 '그냥 믿으라' 는 것이다. 구구절

절이 설명하려고 애쓰는 것보다 그렇게 '이런 것은 그냥 믿어라' 하는 것이 훨씬 간결하고 멋이 있었다.

이런 우여곡절 끝에 교리를 마쳤으니 나도 세례를 받게 되었다. 개신교에서는 세례명을 안 쓰니 크게 중요하지 않지만(세례명이 있는 교파도 있다), 가톨릭에서는 꽤 중요한 것이 이 本名, 세례명이다. 이 본명은 성인들 가운데 한 분을 선택하여 그분의 신앙과 삶을 본받자는 취지에서 비롯되었단다. 보통 새 신자들은 성인들이 누가 있는지 잘 모르니까 성인의 축일이 자신의 생일과 비슷한 성인을 고르거나, 대부모나 신부가 정해주는 대로 본명을 정하게 된다. 나는 그러기는 싫었다. 그래서 나에게는 참으로 드문 현상이

지만 진지해 질 수밖에 없었다. 며칠간을 성인들의 목록을 봐가며 생각했지만 마땅치가 않았다. 하긴 나와 완전히 혈액형이 다른 부류인 성인들 목록을 봐봤자 삘이 올 리가 없지……. 갑자기 중학교 때 성경시간에 구약을 배울 때, 교목 선생님이 다윗을 강조했던 것이 생각났다.

다윗. 영어로 David. 투수 출신의 선지자. 기가 막힌 마구를 던져서 골리앗을 한 방에 보내 버린 강속구+기교파 투수. 운동선수에서 반군 게릴라 지도자를 거쳐 끝내는 왕이 된 정치적으로도 성공한 사람. 지혜의 왕 솔로몬의 아버지. 졸병의 아내와 사련을 불태우느라 졸병을 죽음으로 내몰았던 나쁜 왕. 말년을 자신의 죄를 빌며 주를 찬미하는 시를 지으며 참회했던 운동선수 출신 시인. 그는 시편의 대부분을 지었다. 나는 나의 본명을 다윗으로 하기로 했다. 돌팔매질을 잘하고 싶어서가 아니었다. 내 아들이 솔로몬과 같은 지혜를 갖기를 원했던 것도 아니었다.

몇 년 후, 대구 쪽엘 여행할 일이 있었다. 강 신부님이 보고 싶어서 수소문을 해서 성당을 찾았다. 성당 마당에서 밀짚모자를 쓰고 인부들과 열심히 땅을 파고 계시던 신부님을 뵈니 영락없는 시골 농군이었다. 반가워 펄펄뛰시던 신부님은 나와 아내를 대뜸 술집으로 이끄셨다. 소주를 한잔하는 자리에서 신부님은 나의 세례명을 물으셨다. 다윗이라고 말씀을 드리니 누가 지었냐고 물으셨다. 내가 지었다고 말씀드리니 빙긋이 웃으셨다. 이심전심. 염화시중의 미소. 그 날 나는 그 사기 골프의 주인공 강 신부님과 오랫만에 대취하도록 마셨다.

*2000. 1. 6.*

# 새해 복많이 받으세요

## 연말에 생각나는 몇 가지 일들……

1. 내 아내의 친구는 페루에 살고 있다. 그 안데스의 나라에 젖과 꿀이 흘러서 간 것이 아니고, 남편인 목사가 그곳으로 선교를 하러 가게 되어서 세 딸을 데리고 같이 간 것이다. 그들 부부가 결혼하고, 남편이 목사가 되고 하더니, 포천 근처의 어느 시골에서 첫 교회를 열었다. 다들 서울에서, 그것도 사람 득시글한 변두리에서 개척교회를 하는데, 그 목사 내외는 왜 사서 고생일까 하고 생각했었다. 몇 년 후 그 가족이 서울로 왔단 소리를 들었다. 강남의 이름있는 교회에 부목사로 '취직'이 되었는데, 아파트도 주고, 차도 주고, 월급도 많단다. 결국 그들도 못 견디고 도회로 나오는구나 하는 생각에 나는 마음이 아팠다. 그런데 그들은 불과 두 달도 못 되어 다

시 시골로 돌아갔다. 그런 도회의 큰 교회가 체질에 맞지 않더란다. 아내의 친구는 특히 '사모' (목사의 아내를 이르는 말) 행세 하는 것이 너무 힘들더란다.

소박하고, 조용하고, 가식없는 시골의 목회자로 돌아간 그들은 행복해 보였다. 몇 년 후 그들은 강원도 동해시 외곽으로 옮겨갔다. 어느 여름, 동해안으로 여행을 다니던 우리 가족이 그 교회를 찾았다. 사방이 파밭으로 둘러싸인 한 가운데 그 교회와 살림집이 있었다. 그 동네의 특산이 파라고 했다. 대파, 쪽파……. 파같이 예쁘게 자란 세 딸과 그 부부는 아주 행복해 보였다. 그리고 몇 해 후 그들 가족은 안데스의 인디오 고장으로 선교를 하러 떠났다.

인디오에게 기독교를 전파하는 것이 그들을 더욱 행복하게 하는 것인지는 모르겠다. 그리고 그것은 내 글의 주제도 아니다. 그러나 안락할 수 있는 길을 버리고 자신의 종교에 대한 신념과 사명에 따라 그 험한 오지에 몸을 던진 그 목사와, 세 딸을 데리고 같이 가서 남편과 함께 하는 그 부인. 그들은 진정 용기 있는 사람들이다. 아름다운 사람들이고. 대형화되고, 기업화되어가는 도회지의 교회들을 보면 그들이 생각난다.

2. 지금 천주교 ㅊ교구 교구장이신 ㅈ주교님을 가까이서 뵌 적이 있었다. 나의 처가는 종로구 익선동에 있는데, 그 집이 ㅈ주교님의 생가라 하셨다. 하루는 ㅈ신부님께서(그때는 주교가 되기 전이었고 근처에 있는 ㅅ본당의 주임신부로 계실 때였다) 어렵사리 기억을 되집어 당신의 생가를 찾아오셨다. 그때 그 집에는 나의 아내와

처제(지금은 수녀가 된)가 있다가 신부님을 맞았다. 오랜만에 찾은 생가가 마침 가톨릭 교우의 집이라고 무척 대견해하시더란다. 그 후 몇 번 더 집에 들리시어, 그 집의 한옥 특유의 문살 등을 보시며 옛 기억을 떠올리시곤 하셨고, 사진도 많이 찍으셨다.

그러던 어느 때였다. 어느 토요일, 아내가, 오늘 ㅈ신부님께서 전화를 하셨는데, 내일 아침에 라면이나 끓여 먹자고 하셨다는 것이다. 라면도 당신이 가져오신다는 것이다. 나는 도대체 무슨 소리냐고 되물었고, 아내도 어리둥절해 있기는 마찬가지였다. 우리는 긴가 민가 했는데, 다음 날, 주일 아침 8시에 정말 오셨다. 우리는 당황해서 경황이 없었다. 겨우 수습해서 가져오신 '우리 밀 라면'을 끓여서 같이 아침식사를 하였다. 나중에 알고 보니, 그 날이 바로 그 신부님의 진갑이었다. 신부님은 본당 신자들이 당신의 생일을 알면 소란을 떤다고 일체 알리지 않으시곤, 그래도 생일날 국수는 드셔야겠다고 생각하셨는지 당신의 생가로 라면을 들고 오신 것이었다.

우리는 라면을 맛있게 먹으며 그분의 생신을 축하 드렸고, 많은 말씀을 들을 수 있었다. 그렇게 대화하는 도중 나는 그분의 바지를 보게 되었다. 그 곤색바지는 마치 짜깁기를 한 듯이 꿰매고 덧대어 있었다. 양말도 마찬가지였다. 아무리 신부 월급이 20 몇만원인가 하는 박봉이라, 하지만 그럴 수가……. 나는 소문으로만 듣던 그런 청빈한 수도자들이 있다는 것을 알았다. 그것은 나에게 희망과 같은 것이었다. 그 신부님은 본당 신도들이 차를 사드린다고 해도 필요 없다고 마다하시다, 어느 신도가 차를 바꾸며 낡은 프라이드를 드리겠다고 하니, 그제사 그 고물차를 인수하셔서 타고 다니셨다고 한다.

그 날 아침식사를 마치고 돌아가신 후 우리는 다시 깜짝 놀랐다. 상을 치우다 보니 백세주 한 병이 남아 있었던 것이다. 아마 신부님께서 생신을 자축하시려고 가져오신 듯한데, 우리는 그것도 모르고 대접을 못해 드렸었다.

그 날 오후 평화방송의 뉴스로 우리는 그 신부님이 주교가 되셨고 ㅊ교구의 교구장이 되셨음을 알았다.

그분은 언어의 귀재라고 알려져 있다. 교황을 수행하며 동시에 6개 국어로 통역을 하였다고 한다. 제2공화국 내각수반의 아들이고 유체공학의 거두와 유명화가를 삼촌으로 둔 명문가의 자제이지만, 그분을 언급하는 데 그런 수식은 전혀 필요치 않다는 것을 느꼈다. 오히려 그런 배경은 그 분 자체를 가릴 수 있다는 걱정마저 들었었다.

항상 열심히 공부하고, 넓은 시야로 세상을 보며, 극기와 자제를 실천하는 그런 성직자가 아직도 우리 곁에 있다는 것이 행복하고, 경이로웠다.

호반의 도시를 가면 일부러 시간을 내서라도 주교좌 성당에 한번 들러볼 일이다. 혹시 아는가? 한 번쯤 뵐 수도 있을지…….

3. 구세군의 자선남비를 보면 나는 혼란스럽다. 돈을 내고 싶다는 마음과 공연히 창피하다는 마음이다. 왜 창피할 것 같을까? 아직 수양이 덜 된 것일 거다. 언젠가 구세군 대원들의 회고에서 들

은 이야기 하나.

하루 종일 서서 종을 쳐도 별로 돈이 안 모이더란다. 옆에는 탁발스님이 목탁을 치며 시주를 하고 있었다는데, 그분도 비슷했을 것이다. 저녁 무렵, 어스름해지는데 스님은 자리를 걷으시더란다. 그리곤 그 날의 시주돈이 모인 통을 들고 오더니 구세군 남비에 쏟아부으며 "에라, 너나 먹어라." 하시곤 뒤돌아 휘적휘적 가시더란다. 그 구세군 대원은 그 일을 두고두고 못 잊고 있었다.

여의도 어느 길거리, 시주를 하는 한 스님이 몇 명의 아주머니에 둘러싸여 있었다. "마귀야, 물러가라!"며 악을 쓰는 아주머니들, 때릴 듯이 달려드는 그 아주머니들은 가슴에 무슨 굵은 띠를 하고들 있었다. 둘러서서 구경하는 사람들의 표정도 가지가지였다.

그 아주머니들은 '마귀'가 무엇인지 알까……. 大慈大悲라는 말이 무엇인지 알까? 묵묵히 목탁을 두드리던 그 스님의 모습을 보며, 나는 그 옛날 십자가를 질질 끌고 형장으로 향했을 예수의 얼굴을 그려보려 했다. 실패했다. 역시 수양이 부족했나보다.

신문 방송은 온통 새천년 이야기이다. 오죽하면 그런 날 집 밖에 안 나가는 나도 뒤숭숭해진다. 그러나 지금이 그렇게 들썩거릴 때인지 모르겠다. 지는 해, 뜨는 해를 그것도 꼭 산 위에서, 바닷가에서 봐야 새천년의 각오가 서는가? 나는 만약 잠이 일찍 깬다면 아파트 옥상에 올라가서 새해를 보겠다. 어차피 내가 함께 살아야 할 이 도시를 보면서……. 그러나 늦게 일어난다면 가족들을 하나씩 껴안아 주련다. 새해의 인사를 하며…….

새천년. 이건 나에게 너무 무거운 말이다. 그보다 이미 시작된 대희년의 의미나 새기고 싶다. 대희년에는 빚도 감해주고 죄도 용서해 주었단다. 그래서 나도 나에게 술빚, 밥빚 남은 사람들을 다 탕감해 줄 예정이다. 그리고, 그런 사람이 있는지 모르겠지만, 나에게 죄진 사람이 있다면, 그도 용서할 것이다. 그래야 내 빚도, 내 죄도 다 용서받을 테니까…….

(이 글을 읽고 계신 분들께도 새해의 인사를 드립니다. 우리 모두 더 넓은 마음을 가집시다. 특히 종교가 있는 분은 그 종교로 인해 배타적이지 맙시다. 그러면 적어도 올해보다는 나아지겠지요. 다시 한번 대희년을 맞이함을 축하드리며 평화가 항상 함께 하시기를 빕니다.)

*1999. 12. 30.*

# 선생님들

## (1)

〈아내는

아직 완전히 회복되지 않아 집에서 쉬고 있다. 아내는 아는 이들의 문병에 반가우면서도 송구한 모양이다. 며칠 전에 아내의 직장에서 여러 분의 아주머니들이 문병을 오셨다. 그 중의 한 아주머니는 가끔씩 황당한 소리를 해서 주변 사람들을 당황시키곤 하시는 분이시란다. 그 날, 과일을 먹으며 이런저런 이야기가 오가다 문득 우리 집 '도꾸' 이야기가 나왔다.

황당 아줌마 : "저 강아지는 똥 오줌을 어떻게 하나?"

아내 : "화장실에 가서 봐요."

그러자 그 아줌마는 정색을 하며, "그럼, 얘가 물도 내려?"

어떤 아줌마는 말을 잊었다고 하고, 어떤 아줌마는 거의 기절이었다고 하고, 아내는 수술 부위가 터질까봐 온몸을 뒤틀어야 했단다.〉

(출장을 다녀왔다. 출장이라는 말이 주는 business적인 느낌이 싫어서, 비록 가서 하는 일은 업무이더라도 오가는 과정은 여행이라는 말을 쓴다. 보통은 자유롭고 싶다는 맘에 힘이 들어도 차를 가지고 다녔는데, 이번에는 근력이 부쳐서 그냥 기차와 버스를 이용했다. 몸의 근력만 부치는 것이 아니고 마음의 모난 것도 깎였는지 눈꼴 사나운 여러 모습도 쉽게 대할 수 있었다. 그리고 남이 운전해주는 좋은 점을 마음껏 즐겼다. 비록 황색신문이지만 신문도 읽고, 차에서 졸기도 하고, 차 안의 남들을 비교도 해보고…….

대구 시내에 있는 게시판에는 왜 그리 간호학원 선전이 많을까? 대구에 간호사가 많아야 하는 특별한 이유라도 있는 것일까? 덩달아 구미에도 간호학원 선전은 많다. 모를 일이다. 그 지방만 간호사의 인기가 좋다는 것인가.

대구 사람들이 '표' 라는 발음을 못 한다는 것도 이번에 알았다. 버스 기사아저씨가 "가서 '포' 를 끊어 오소." 라고 하는 소리가 재미있었다.

기차여행의 즐거움은 그러나 상경기차 안에서 끝이 났다. 몹시 소란해서 눈을 들어보니 어느 꼬마가 의자를 넘어다니고, 바닥에 누워 딩굴고……. 조용하던 다른 꼬마들을 선동하고 있었다. 그래도 많이 民度(민도)가 높아진 승객들이 자신의 관리하에 있는 꼬마들을 잘 통제하고 있어서 더 이상 개판이 되지는 않았다. 배달민족은 정치만 빼고는 참 잘한다(정말 1년 전보다 기차 안의 전화 벨소리가 많이 줄었다). 나는 그 '개판 소년' 의 어머니가 보고 싶었다. 화장실 다녀오는 듯이 지나쳐 보았다. 예상과 다르지 않게 그 엄마는 자기 새끼가 뭘 하는지 상관없이 흐드러지게 자고 있다. 그런 엄마들이 그러하듯이 적당하게 입을 벌리고……. 물론 피곤해서이겠지만…….

갑자기, 저렇게 자는 모습을 그 남편이 보고도 性慾이 일어날까 하는 생각이 들었다. 남의 寢室事(침실사)에 내가 끼어들 일은 아니지만……. 아이를 동반한 사람이 늘 긴장해야 하는 것은 내 아이가 남에게 폐를 끼칠 우려 때문이기도 하지만, 그 아이의 안전 탓도 있다. 참 딱한 엄마였다.

그래도 이번 여행은 참 좋았다.앞으로도 남이 운전하는 것을 즐겨야겠다.)

(이제 다시 하던 시리즈를 계속해야겠다. 좋은 학교란 무엇인가? 좋은 선생님이란 어떤 선생님일까? 내 아이들의 경우를 보면 어렴풋한 답이 보인다.)

우리 집 큰놈은 미국에서 초등학교에 입학하였고, 3학년 때 귀국하여 한국의 2학년이 되었다. 그 애가 미국의 초등학교 시절, 인종적 편견과 문화적 차이에 맞서 저항한 혁혁한 전과를 거론하고 싶지만, 이 글의 주제와 무관하므로 넘어간다. 그렇지만, 그애가 다시 한국에 와서 겪은 이질감도 만만치 않았다. 귀국 한 달만에 그 애의 영어는 독일식 발음이 되어버렸다.

큰애는 귀국한 후 내 직장 근처의 사립학교로 전학하였다. 그 애를 그 학교로 전학시킨 것은 여러 가지 이유가 있었지만, 사립초등학교는 무엇이 달라도 다를 것이라는 기대 또한 있었다. 그런데 지금 돌이켜생각해보면 나의 자기 만족이 더 큰 원인이었던 것 같다. 특이하게도 (지역 상권의 원인에 의한) 돈 많은 부모가 많은 이 학교를 보내면서 월급쟁이 연구원 부모의 한계를 느꼈던 일도 있었지만, 반대로 '나는 선비' 라고 자위하며 그런 시류를 못 본 척도 하였다. 그 사립초등학교의 좋은 점 하나는 다양한 특별활동을 쉽게 접할 수 있다는 것이었다. 물론 그런 특별활동에도 엄마들의 치맛바람은 예외가 아니었지만, 그래도 아이에게 많은 도움이 되었던 프로그램이었다.

얼마 후 작은애가 초등학교에 가게 되었다. 그때 우리는 종로에 살고 있었는데 아직 너무 어린 애를 버스로 통학시키기에는 무리가 있다고 판단하여, 자기 형이 다니는 사립초등학교 대신 동네의 공립인 교동초등학교에 입학시켰다(둘리는 몇 년 후 우리가 이사를 하면서 자기 형과 같은 학교로 전학하였다). 그 교동초등학교는 역사가 아주 오래되었고, 많은 훌륭한 인물을 배출한 유서 깊은 공립 초등학교였다.

그런데 요즘 이 종로라는 지역은 이제 더 이상 주거지역이라 하기에 무리가 있는 곳이 되어버렸다. 낮과 밤으로 사람은 들끓어도 그곳에 사는 사람은 별로 없는 소위 '도심 공동화' 의 대표적 지역인 것이다. 그래서 예전에는 학생이 그리 많았다는 그 학교가 이제는 한 학년에 두 반, 그것도 한 반에 스무 명 정도인 작은 학교가 되어버렸다. 하긴 이미 시내의 많은 학교가 문을 닫는 형편이었고,

그나마 그 교동초등학교는 역사와 전통 때문에 살아 남았다고도 한다. 그 학교의 교장의 말대로 시설이 낡긴 했지만 미국 학교 부럽지 않은 인원 현황이었다.

두 아이가 서로 다른 환경의 학교를 다니게 되면서 흥미로운 사실이 많이 눈에 보였다. 큰애가 다니는 사립학교는 일단 고급화를 추구한다. 과외활동도 그런 맥락에서 기악을 한다든가, 무용을 한다든가, 스키를 탄다든가…….

작은애 학교의 과외활동은 참 재미있다. '외발 자전거반' (내가 이것을 듣고 너무 웃어서 작은애의 마음에 상처를 남길 뻔하였다)과 같은 독특한 활동이 많았다. 결코 돈이 많이 들지 않으면서 독특한…….

그런데 베란다의 화초 자라는 것을 보듯이 그들이 크는 것을 보니 작은애가 전체적으로 학교에 더 재미를 느끼는 듯했다. 시설과 여건은 상대가 안 되는 학교를 다녀도 항상 학교 생각과 선생님 생각…….

이유는 선생 대 학생의 비율이었다. 스무 명의 학생을 가르치는 작은애 학교의 선생은 산술적으로 두 배의 관심을 아이들에게 쏟을 수 있는 것이다. 초등학교에 컴퓨터실이 있고, PC 통신이 연결되어 있고, 호주에 자매학교가 있고……. 그런 brochure에나 나오는 자랑거리는 선생님의 관심과 사랑에 미치지 못하는 것이었다. 학부모, 특히 어머니들의 돈과 시간이 훨씬 많고, 그러니 외견상 자녀에 대한 관심과 애정이 n배는 더 많아 보이는 이 사립학교에서는 학부모가 오히려 담임선생이 아이들에게 베풀어야 할 관심과 애정마저 빼앗고 있었다.

방학이 되었다. 큰애의 학교는 방학숙제도 컴퓨터 통신으로 내준다는 둥, 방학 중에도 선생이 학생을 통신으로 관리한다는 둥 요란을 떨었다. 나도 그들의 컴퓨터 통신에 들어가 보았지만, 애들끼리 말도 안 되는 장난만 하고 있었다. 일부 애들은 호주의 자매학교에 다녀온다고도 했다. 글쎄…….

작은애의 담임은 전교조 출신 선생이었다. 나는 학기 초에 그 소리를 들었지만, 걱정이 되지는 않았다. 내가 아는 어느 전교조 출신 선생의 진지함과 열정을 알기 때문이었을 게다. 방학이 되자 선생은 자기 반의 애기들에게 선생님한테 편지 쓸 것을 숙제로 내주었고, 둘리는 숙제에 충실하느라 편지를 썼다. 애의 편지에 선생은 매번 너무나 진지하고 자상하게 답장을 보내주었다. 어린아이들의 가슴에 선생은 언제나 자기가 지켜주고 있음을 심어준 것이다. 디지털적이지는 못해도 얼마나 아이들을 기쁘게 해주는가!

아이들은 무엇인가? 그들은 관심을 먹고 자란다. 결손가정의 '결손'이라는 뜻은 부모가 없다는 뜻이 아니라, 그들에 대한 '관심'이 없다는 뜻이다. 학교가 좋다는 것은 컴퓨터 몇 대 더 있고, 인터넷이 연결되어 있고 하는 것이 아니다. 한 선생이 관리하는 학생이 몇 명인가, 선생이 아이들에게 얼마나 관심을 보여 주는가 하는 아날로그적인 것이다.

좋은 선생, 좋은 학교, 모든 부모들의 바람일 것이다. 그러나 그것은 절대로 문명적이거나 첨단적이지 않다. 작은 학교, 따뜻한 마음……. 그것이 답일 게다.

내가 어릴 때 그런 학교를 나왔으면 지금은 훨씬 따뜻한 사람이 되었을 텐데…….

*2000. 3. 4.*

(2)

〈나는

여성을 상대하는 재주가 영 없다. 쉽게 말해서 꼬시는 재주도, 분위기를 이끄는 재주도 없다. 그래서, 자세한 戰績이 기억나지도 않지만, 차이기도 무지 차였다. 차이면 기분도, 마음도 아프지만 나는 굳건한 정신력으로 그 난관을 극복하곤 곧 바로 공부를 계속하곤 하였다. 참으로 대견한 일이 아닐 수 없다(이 부분은 아내가 꼭 봐야 하는데……. 이놈의 '두루넷'은 언제 개통되는 거야?) 모든 일에는 遠因과 近因이 있는 법. 나는 나의 안에 있는 냉철한 이성을 동원하여 나의 對女性 문제점의 이유를 곰씹어보았다. 역시 먼 원인으로는 집안 내력이다. 여진족 시절부터 우리 집안은 학문을 숭상하고(특기는 엉뚱하게 무술에서 나타났지만……), 여색을 멀리하며, 오로지 '어린 백성'을 어여삐 여기지 않았던가? '태정태세문단세…….'를 보면 알 수 있다.

그런데 가까운 원인은 아무래도 내가 겪었던 환경 탓인 듯하다. 우선 집안에서도 동년배 여자와 접할 기회가 없었다. 그것이 나의 여성에 대한 필요 이상의 공포심의 주된 원인일 것이다. 여성에 대한 환상의 원인이기도 하고…….

더욱 결정적인 것은 국민학교 4학년 때부터 남자끼리만 공부한 환경일 것이다. 대가리에 소똥도 안 벗거진 그 어린 4학년짜리 들을 어른들은, 행여 있을지 모르는 돌발사태에 대비해서, 남녀 분반을 단행했다. 오호 애재라! 그때 강제로 헤어진 아픔을 못 이겨 폐인이 되다시피 한 내 친구 CC들……. 그들의 빼앗긴 청춘은 무엇으로 보상받나…….

그 후 고등학교까지는 당연스레 남녀가 유별하였다. 물론 일부 발랑 까진 '날나리' 들과 활발한 종교활동을 빙자하던 독실 남녀들은 이성과의 접촉이 빈번히 있었지만, 여염집 학생들이야 꿈도 꾸지 못했었다. 일단 남녀 학생이 같이 다닌다는 것이 범죄 같았던 시절이었다. 그래서 대학은 우리에게 꿈이 있는 신세계였다. 우리 또래에 유달리 '드보르작' 을 좋아하는 사람이 많은 이유는 교향곡 「신세계로부터」의 애잔, 소박, 원만한 선율도 좋지만, 무엇보다 그 이름, '신세계' 가 그리웠기 때문이다. 그런 신세계 '대학' 마저도 나에게는 꿈이었다. 나도 시골공대에 시험을 보기 전에 어렴풋이 짐작을 했었지만, 그 학교는 좀 심했다. 1700:3인가 하는 남녀의 비율. 이러한 비율은 이웃한 교정을 쓰고 있던 육군사관학교보다 더욱 처절한 것이었다.

게다가 나를 혼란시킨 것은 입학시험장에서였다. 그때 학교별로 원서를 일괄 접수시켰는데, 아마 명문 K여고와 비슷한 때 접수가 되었나보다. 우리 학교 애들과 K여고 애들이 '콩팥콩팥' 으로 앉아 시험을 보게 되었다. 나는 아주 반가웠다. '이 정도의 숫자면 나쁘지 않구먼……. 조금 외관적으로 떨어지지만 가꾸면 달라지겠지……. 아이구, 귀엽구먼…….' 나는 기대를 갖고 시험을 보았다. 그러나 정작 합격자 발표날에 보니 합격 수험번호가 홀수만 적혀 있었다. 우리 사이에 '콩콩콩…….' 으로 앉아 있던 그 여학생들은 다 떨어진 것이었다. 나는 분개했다. 그 K여고의 선생들은 진학 지도를 어찌 하고 있는가? 순진한 남학생들을 이리 농락할 수 있는가? 그 여학생들 때문에 잡념이 생겨 首席을 놓친 나의 억울함은 누가 보상할 것인가? 나는 배신감마저 느꼈다.

결국 나의 공대생활은 어찌할 수 없는 삭막함이었다. 시간 날 때마다 신촌으로, 명동으로 떠돌았던 불쌍한 나의 청춘……. 그만 해야겠다. 서러움이 복받친다. 어쨌거나 극히 비정상적인 單性생활을 했던 관계로 나의 對女性 외교가 그리도 형편없었다고 나는 생각한다. 또 하나, 내가 여성을 무서워하는(?) 이유가 있다. 국민학교 1학년 때의 나의 담임. '방xx' 라는 선생. 처음 학교에 들어가서의 선생님, 1학년 때의 담임 선생이란 아이들에게 무조건 좋은 사람이 아닌가 싶다. 나도 집에 오면 선생님 자랑을 그렇게 하였단다. 사건이 있기 전까지는…….

언젠가도 이야기했듯이 우리 집은 세종할아버지의 피를 이어 받아 글 하나는 빨리 익힌다. 할아버지가 만든 글이라 유전적으로 친근한 모양이다. 나 또한 그랬다. 그것이 문제였다. 진한 곤색 상하복에 흰 칼라, 가슴에는 명찰과 수건을 달고 입학한 국민학교 생활은 참 재미있었다(내가 다니던 학교는 공립이었지만, 그 당시 많은 아이들은 입학 때 그런 교복을 입었었다. 부모들도 당연히 그런 걸 사서 입히고 대견해하셨다). 그런데 문제는 국어시간이었다. 요즘과 달리 그때는 유치원도 흔치 않았고, 미리 국어를 익히고 학교에 입학하는 아이들도 드물었다. 그래서 수업시간에 국어를 기초부터 가르치는데, 나는 재미가 없었다. 마침 벽 옆에 앉았던 나는 크레용으로 벽에다 그림을 그렸다. 맞아도 싸다. 게다가 그때는 한 반에 100명 가까이 되던 시절이었으니, 신경이 날카로웠을 선생에게 나의 그런 대역죄는 용서될 수 없었다.

나는 불려나가 맞기 시작하였다. 손과 매로 번갈아 맞았는데, 몇 대를, 어디를 맞았는지 기억이 없다. 단지 뺨을 무수히 맞으며 흘낏 보았던 담임의 그 무서운 얼굴만이 기억난다. 나는 코피가 터지고, 가슴의 흰 수건과 흰 칼라는 온통 피투성이가 되었다. 그리고 나는 교실 밖으로 쫓겨났다. 우리 교실은 건물의 1층 끝에 있었는데, 교실 밖에는 바로 건물 밖으로 통하는 문이 있었고, 그 문을 나가면 마른내를 건너는 다리가 있었다. 나는 무서웠다. 다리 밑으로 들어가서 쪼그리고 앉았다. 손에는 얼마 전 봄소풍 때 찍은 사진값으로 가지고 온 5원짜리 동전을 꼭 쥐고…….

담임은 얼마 후 교실 밖의 나를 찾았던 모양이었다. 결국 찾지 못

하고 헤매다 다리 밑의 나를 발견하고는 또 때렸다. 허락 없이 다리 밑에 들어갔다고.

실컷 패서 분이 풀렸는지 담임은 사진값을 가져왔느냐고 물었고, 나는 꼭 쥐고 있던 5원을 냈다. 그리고 집에 왔다.

집에는 마침 어머니가 안 계셨고 할머니가 와 계셨다. 어린 손주가 피투성이가 되어서 학교에서 돌아온 모습을 보신 할머니는 부들부들 떠셨다. 싫다는 나를 끌다시피 해서 학교를 찾아가 따지는 할머니가 나는 너무 창피했다. 그리고 할머니에게 싸우듯 따지는 선생님의 얼굴은 더욱 무서웠다. 시장 아줌마들이 소리지르며 싸우는 얼굴보다 더 무서웠다.

할머니는 돌아가실 때까지 이따금 그 일을 거론하셨다. 이야기 끝에는 늘 "아휴! 그 어린 걸 그렇게 피범벅을 만들어 놓고……. 머리카락까지 피가 묻었었어……. 독한 ㄴ." 하시곤 하셨다.

참 희한한 것은 나의 기억에 그 사건은 언제나 뿌옇다. 간유리 바깥의 세상으로 기억난다. 그러나 아직도 기억나는 모습, 내 뺨을 때리려고 손을 치켜든 그 여선생의 얼굴……. 나는 화내는 여자가 무섭다(그래서 나는 김수현씨가 지은 TV 드라마는 가급적 안 보려고 한다).

·

교실 벽에 낙서를 하지 말자.

*2000. 3. 7.*

(3)

〈굳이 선거를 해야 한다면, 후보 가운데 가장 어린 사람을 뽑아보는 것도 좋을 것 같다. 꼭 괜찮으리라는 보장은 없지만, 그래도 때는 덜 묻지 않았을까? 窮餘之策(궁여지책)이던가……. 같은 반응 조건이면 오염은 시간의 함수일 테니까…….〉

오랫동안 기억되는 선생은 대개 아주 어릴 때나, 고등학교 졸업할 때쯤의 선생일 것이다. 그래서 이 시리즈를 끝내면서 나의 고2, 고3 때 담임 선생님 두 분을 회고하고자 한다. 이 분들에 대해 언급하기 전에 당시의 배경을 아는 것이 중요할 것이다. 당시 내가 다니던 학교는 생긴 지 얼마 안 되는 '신흥사립명문' 이었다(하.하.하……. 남들이 다 그렇게 불렀다. 히히…….). 학교를 설립한 재단 이사장의 의욕도 엄청나서 전국의 이름난 선생들을 많은 돈을 주고 스카우트 해왔단다. 그러다보니, 입시 위주로 선생 인선이 되었었다.

나의 고2 때 담임은 수학 선생이었다. 당시 우리에게는 수학이 세 과목 있었는데, 이 분은 수열, 미적분을 가르치던 '수학B' 선생이었다. 미적분에 관한 한 모르는 것이 없었던 분이다. 그러나 문제는 학교의 선생으로는 적합치 않다는 것이었다. 물론 그 당시의 고2, 3은 입시를 앞둔 戰士이지 학생이라고 할 수 없었다. 그러나 아무리 당면과제가 입시이지만, 학생들은 선생에게 단순한 '지식 전달자' 이상의 역할을 기대하는 것이다. 의지하고…….

이 선생은 탁월한 수학 지식을 가지고 있었지만, 아이들, 심지어 자기 반의 아이들에 대해서도 전혀 관심이 없었다. 소문에 의하면, 주수입도 저녁에 자기 집에서 하는 과외수업에서 얻는단다. 그때 우리 학교에는 그 선생 이외에도 전국적으로 소문난 여러 과목의 족집게 선생들이 많이 있었다. 후에 대학을 들어오니 다른 고등학교 출신들이 우리 학교 선생들을 더 잘 알고 있는 경우가 많았다. 과외를 받았는데……. 어쩌구…저쩌구… 우리가 모르는 것을 더 많이 알고 있을 정도였다.

그렇게 학생에 대해 관심이 없는 선생에게 입시 전사들의 고민과 생각은 사치스런 것이었다. 그저 학교의 전달사항이나 전해주는 그런 담임과 우리의 관계였다. 이 선생이 얼마나 학생에 대해 관심이 없는가에 대한 일화 하나.

나의 친구 가운데 머리도 좋고, 중학교부터 6년간 首席만 한 놈이 있었다. 언젠가 거론한 교수질하는 Y라는 친구이다. 6년간 수석을 안 놓친다는 것은 쉬운 일이 아니다. 그리고 담임이면 자기 반의 1등이자 전교 1등인 학생을 모르기도 쉽지 않을 것이다. 고2 말경, 그러니까 우리를 담임한 지 1년이 다 되어가는 어느 날, 그 선생은 내 친구 Y를 보더니 문득 언제 우리 반에 왔는가고 물었다(그때 우리는 우열반 제도였고, 수시로 성적과 본인의 희망에 따라 반이 바뀌곤 했었다). 옆에서 듣는 내가 다 민망하였다. 내 친구 Y의 기분은 어떠했을까? 아무리 학생에 대해 관심이 없어도, 자기 반의, 아니 학교의 영원한 1등을, 1년이 다 되어가는데, 언제 보았느냐는 식이니…….

서로 철저히 지식의 전달자와 수혜자로 보낸 고2였다. 그런 담임 선생이 가끔은 담임의 역할을 한 적이 있었는데, 그때 내가 당한 사건이 있었다.

고2의 가을에 아버지가 부도를 내고 잠적하셨다(연속극 같은 스토리인데……. 왜 부도를 내면 잠적을 할까? 그리고 그 사건은 '사업을 하지 말라' 는 우리 집의 또 다른 지침을 만들었다). 어쨌든 나와 할머니와 내 동생, 셋만 남게 되었는데 가끔 어머니가 들르셔서 생활비를 일부 주시고 가시곤 했다. 당연히 등록금을 못 내고 있었다. 그러던 어느 날의 종례시간이었다. 그 당시의 종례시간이라는 것은 지친 학생들의 나른함이 극에 달한 몹시 늘어지고 퇴폐적인 분위기였는데, 갑자기 담임이 나를 부르면서 분위기가 반전되었다. 물론 담임이 나를 알 리가 없다. 반의 모든 애들은 본능적으로 긴장하였다. 나라는 아이가 선생에게 거명당할 일이 없다는 것은 내 친구들도 잘 알고 있었기 때문이리다. 나는 엉거주춤하며 앞으로 나갔다. 담임은 다가가는 나를 향해 굵직한 몽둥이를 내리쳤는데, 나는 그대로 정수리로 받아내었다. 디~잉~ 평소에 무협소설을 많이 읽었으니 망정이지 아니면 큰일 날 뻔했다. 약간 휘청하던 자세를 겨우 가다듬는데, 뒤이어 날라오는 담임의 욕설은 몽둥이 보다 더했다. "야, 이 쌍놈의 새꺄! 니 아버지 뭐 해?"

평소 가정교육을 잘 받았으니 망정이지 사고 칠 뻔했다. 나는 속으로 그랬다. '씨x, 나도 아버지가 어디서 뭐 하는지 모르겠다.' 그 뒤로 담임이 뭐라고 하였는지 기억도 나지 않는다. 그저 '니 아버지 뭐해…….' 라는 소리만 귀에 울리고 있었다. 종례가 끝나고 나의 단짝들이 나를 위로하려 하였지만, 그들도 당황하고 있었다. 나는 그들을 먼저 가라고 하고, 빈 교실에 한참을 앉아 있었다. 창 밖으로 보이는 인수봉, 백운대와 북한산의 능선……(연구소를 정문서 들어올 때 그 능선이 보인다. 지금은 이웃한 아파트의 sky line이 일부 가리고 있지만. 이놈의 나라의 풍수지리는 아파트가 다 버려놓고 있다. 머지 않은 장래에 '아파트 헐기 국민운동' 이 벌어질 것이다.) 마음이 가라앉으며, 그 잘생긴 능선이 편안히 다가왔다. 내가 할 일이 뭐 있겠나…….

결과적으로 나는 그 선생에게 감사해야 한다. 그 해 겨울을 나는 아무 생각도 없이 기계적으로 공부만 했으니까……. 그러나 지금도 그 선생을 담임이라고 생각하지는 않는다. 그저 미적분을 가르치던 학원선생이랄까…….

해가 바뀌어 고3이 되었다. 새로운 담임은 국어선생님이었다. 국어선생답게 입이 상당히 큰 선생님이었는데, 몹시 수줍어하시는 듯한 표정이 재미있었다. 이 선생님은 그 살벌한 고3 학생들을 참 잘 어루만져 주셨다.

시간이 지날수록 선생님의 국어수업은 우리에게 안락함을 주었다. 그 당시 고3 교실의 전형적인 풍경은 시간이 나면 책상에 엎어져 자는 것이었다. 담임선생님의 국어시간은 졸기에 딱 알맞았다. 책을 들고 교실 여기저기를 다니시면서 설명하시는 수업방식과 조용한 말투는 많은 학생들을 침몰시켰다. 선생님은 조는 학생을 보면, 그 학생 옆으로 가셔서 평소보다 조금 큰 소리로 수업을 하셨다. 대개의 학생들은 그 정도면 깨어났지만, ㅅㅊ이와 같은 중환자들은 그 정도로 깨어나질 않았다(ㅅㅊ이는 용유도 을왕리에서 나의 첫 이성교제를 무산시킨 그 '설사맨'과 동일 인물이다). 그러면 선생님께서는 왼손으로는 책을 들고 읽으시면서, 오른손으로는 학생의 책상을 톡톡 두드리셨다. 침을 질질 흘리며 깨어나 민망해 어쩔 줄 모르는 학생을 슬며시 피하시며 학생의 입장을 세워주시던 그 선생님…….

나는 계속 한 분기 정도의 등록금이 밀려 있었지만, 선생님은 언제나 그 크신 입으로 미소만 지으셨다. '야! 힘내.' 라는 말만이 용기를 불어넣는 것은 아니었다. 그런 미소는 누군가에게 위로를 받고 싶던 그 고3의 추위를 덮어주었다. 우리 반의 누구에게나 그런 미소를 지으실 수 있었던 선생님…….

하루는 선생님이 종례를 들어 오셨는데 ㅅㅊ이가 완전히 뻗어 자고 있었다. 우리가 깨우려 하자 막무가내였다. 선생님께서 "얘…얘…" 하며 깨우려 하시는데도 팔을 휘저으며 뭐라고 투덜대며 막무가내였다. 선생님께서는 웃으시면서 놔두라고 하셨다. 선생님은 언제나 그러하듯이 간략하게 종례를 마치고 나가셨다. 고3의 피곤함을 잘 이해하시는 분이셨다. 우리는 선생님의 말씀에 충실하느라 ㅅㅊ이를 깨우지 않고 전부 집으로 돌아가버렸다. 다음 날 ㅅㅊ이에게 물으니, 잠에서 깨어보니 한밤중이더란다. 자기 말로는 아니라지만, 우리 욕을 했을 것이다.

(그 ㅅㅊ이는 잠에 관한 많은 일화를 가지고 있다. 언젠가는 집에 가는 버스에서 잠이 들었단다. 그 버스는 수유리에서 우리 학교를 지나 종암동, 고대를 지나고, 신설동, 청계천, 퇴계로, 서울역을 거쳐 후암동을 돌아오는 노선이었다. ㅅㅊ이가 잠에서 깨어보니 차는 고대 앞을 지나더란다. 단지 방향이 다시 수유리를 향하고 있는 것이 문제였지만……. 그래서 다시 학교로 와서 도서관에서 '맑은 정신' 으로 공부하고 집에 갔단다.)

그 해 우리 반 아이들이 좋은 결과를 보인 것도 그 분의 관심과 배려 탓이었을 것이다. 선생은 실력 이전에 관심과 사랑이 있어야 한다.

나의 짧은 인생 역정으로 너무 힘든 이야기를 했다. 그러나 학교를 다니며 선생님이 되고 싶다는 꿈 한번 없었던 사람은 없을 것이다. 'Strum und Drang' 의 시절을 보내는 꿈 많은 학생들을 미소로 지켜주는 선생님이 그립다.

그리고 우린 잘 모르지만, 지금도 그런 선생들이 우리의 어린 학생들을 지켜주고 있을 것이다. 언제나 선생님들은 위대하다.

*2000. 3. 10.*

# 술이 있는 그림들

(1)

〈어제 일요일 아침. 성당에 가려고 문을 열고 나서니, 가을! 어느 새…….

알싸하고, 아리고, 아쉽고, 마렵고…….(의심의 여지가 있는 부적절한 표현이긴 하지만…….) 一事一言이라고 하였는데, 나는 아직 가을을 일언一言으로 나타내지 못한다. 능력이 없어서겠지. 절경을 보고 표현할 말을 찾지 못해 끝내 울어버렸다는, 先人의 안타까움을 쬐끔은 알 것도 같다. 그렇게 싸하고 상쾌한 날, 나는 불행하게도 종일 전전긍긍하였다. 아내가, 어찌 감히 황순원 선생과 비교를 할 수 있느냐며, 지난 '한담'을 시비하였다. 도표까지 그렸다고 더욱 몰아세웠다. 그렇지 않아도 약간 오버라고 생각했었는데……. 에구 민망시러버라.

아내의 말은 언제나 옳다. 그렇지만 나는 또 쓴다.〉

Akron 대학의 구내에 E.J. Thomas Hall이라는 공연장이 있다. 내 동기 BC의 말에 의하면 그 hall이 Ohio주에서 가장 좋은 공연장이란다(BC의 말은 47%만 믿으면 된다). 진짜 그 hall이 좋아서 그런지 많은 공연이 있었다. David Copperfield와 같은 마술사가 공연을 한다고 했을 때는, 나는 내심 그 hall이 사라지면 어쩌나 걱정도 했었다. 우리 식으로 보면 나훈아, 조용필, 패티김, 또는 이미자 쇼 같다고 할까? 하여간 그 비슷한 분위기의 Peter, Paul and Mary의 공연이 열릴 때는, 그 동네 월남전 참전용사들이 대거 몰려들었다. 그들은 눈물을 흘리며 Blowing in the Wind를 따라 부른단다.

내가 실험을 하던 방은 9층에 있었다. 그 실험실 벽의 두 면이 유리였다. 바닥에서 천장까지. 나는 가끔씩 그 유리벽 밖을 물끄러미 내다보곤 하였는데, 바로 앞으로는 E.J. Thomas Hall이 손에 닿을 듯 보였고, 멀리로는 Erie호까지 이어지는 끝없는 숲이 보였다. 가을이 되면 점점 파래지는 하늘과 함께 그 숲의 색이 다양하게 변하는 것이 너무나 아름다웠다.

시도 때도 날아드는 학교 우편에는 언제나 E.J. Thomas Hall의 공연 안내가 들어 있었지만, 나는 바로 던져버리곤 하였었다. 지금보다 문화에 대한 욕구가 적었기 때문이기도 하였지만, 돈도 없었다(으~~ 거짓말! 골프는 거의 매일 쳤으면서……). 그렇게 안내장은 던져 버렸어도 유리벽 밖의 E.J. Thomas Hall에는 언제나 공연을 알리는 현수막이 길게 늘어져 있었기 때문에, 조만간 무슨 공연이 있는지는 늘 알 수 있었다. Cleveland Phil.의 공연이 있구나, Nutcracker를 하는구나(발레광인 아내는 언제나 발레공연을 가보고 싶어했지만, 내가 여러 가지 핑계로 막았다. 너무 비싸다, 정장이 없다 하면서. 발레? 사실 난 졸립던데…….)

가을이 깊었던 어느 날, E.J. Thomas Hall의 벽에 아주 묘한 그림이 그려진 현수막이 내 걸렸다. 가면과 장미. The Phantom of the Opera의 공연 안내 현수막이었다. 그 현수막의 그림이 주는 강렬함 때문이었을까? 아니면 그 뮤지컬의 대표곡인 동명의 노래 'The Phantom of the Opera' 의 강렬함 때문이었을까? 그 공연에 자꾸 미련이 가는 것이었다. 그런데 그 공연의 관람료가 너무 비쌌다. 아내와 둘이 가면 한 달 집세에 육박하는 돈이 나가야 할 정도였다. 결국 매일 E.J. Thomas Hall에 걸린 그 강렬한 'mask 와 장미' 의 그림을 내려다보면서 궁금증만 키워갔었다. 훗날 그 CD를 꽤 어렵게 구해서 지금도 듣고 있다.

Andrew Lloyd Webber. 그의 이름만으로도 작품의 수준이 증명된다고 할까? 나는 Webber를 Mozart보다 낫다고 생각한다(이번엔 고전음악 전공한 사람들한테 혼나겠네…….). 그의 대표적인 뮤지컬 제목만 봐도 입이 벌어진다. 〈The Phantom of the Opera〉 외에도, 브로드웨이에서의 수십년 공연을 얼마 전에 끝낸 〈Cats〉, 'Don' t Cry for Me, Argentina' 의 에바 페론의 이야기 〈Evita〉, 경쾌하고 즐거운 뮤지컬 〈Jesus Christ Super Star〉. 이런 걸작

들 외에도 조금 덜 알려졌지만 〈Requiem〉, 〈Aspects of Love〉 등도 그의 작품이다. 거봐라! 모자르트에 비해 한 치도 모자름이 없지 않은가? 그는 천재다. 그의 동생 Julian은 유명한 첼로연주자라고 하는데, 솔직히 나는 잘 모른다. 그의 집안은 천재다.

사람의 취향에 따라 좋아하는 노래가 다르지만 나는 이 뮤지컬의 많은 노래 가운데, 〈Angel of Music〉과 〈The Phantom of the Opera〉를 좋아한다. 한때 Webber의 아내였던 Sarah Brightman이 부른 것이 압권이라는 것이 중론이고, 내가 가진 CD도 그렇다. 그런데 이 노래들은 맨정신으로 듣는 것보다 약간 알딸딸한 상태에서, 불을 거의 끄고 들어야 제격이다. 상대적으로 쉬운 선율과 비트가 강한 것이 더욱 매력있는 노래이다. 그런데 아내는 이 노래들을 별로 좋아하지 않는 것 같다. 표면적인 이유는 이웃집에 방해가 된다는 것이지만(음악은 크게 들어야 제격인데……), 아마 왈츠적인 아내의 취향에는 별로인 모양이다.

어제 후배가 상을 당해서 그 상가엘 다녀왔다. 돌아가신 분에겐 죄송하지만, 덕분에 많은 '역전의 용사들' 을 만날 수 있었다. 오랜만에 벗들을 만나다보니 술도 여러 잔 받아 마셨다. 한밤중에 집에 돌아왔는데, 갑자기 그 〈The Phantom of the Opera〉가 듣고 싶어졌다. 예의 '옆집 생각하라' 는 아내의 저지를 뚫고, 그 비수 같은 노래를 몇 번 반복해 들었다. 가슴을, 아니 심장을 찌르는 그 노래. 역시 Webber는 천재다. 그리고 역시 그 노래는 '술' 이 알딸딸해야 제 맛이 난다.

서론이 길어졌다. 뮤지컬도, Webber도 오늘의 주제는 아닌데……. 병이다, 병.

내가 '한담'을 쓰면서 너무나 많이 나오는 단어가 있다. 오죽하면 요즘은 창피한 생각마저 들어서 피해가려고 하는 단어. 바로 '술'이다. 어제 그 노래들을 들으며, 그 몽롱한 상태에서 갑자기 생각이 떠올랐다.

도대체 술이란 나에게 무엇인가? 정말 술 없이는 이야기가 안 될 정도인가?

그래서 내 기억 속에 있는 '술이 있는 그림들'을 하나씩 꺼내보기로 하였다. 물론 창피한 것이 더 많겠지만…….

술. 이것도 집안 내력인가? 우리 집은 놀이나 낚시 등과는 거리가 멀다.

낚시. 잘 잡고 있던 사람도 우리 아버지가 옆에 가시면 고기가 안 문단다. 나도 별로 낚시를 좋아하지 않는다. 먹기는 좋아해도. 홍수가 나고 있는데, 그 급류에서 낚시하는 사람들이 TV에 보이면 난 몹시 분개한다. 낚시의 맛을 몰라서 더 하리라.

놀이. 바둑이나 화투, 카드도 우리 집에서는 별로이다. 장기는 집안에 高手가 더러 있는데, 그래도 그리 많이 두지는 않는다. 명절이라고 집안 식구들이 모여도 그 흔한 고스톱 한번 치는 일이 없다. 덕분에 집안에 노름으로 망가진 사람이 없긴 하지만, 그래도 평범하지는 않은 것 같다는 생각이다. 나도 고스톱을 칠 줄은 알지만,

그렇게 적극적으로 달려들지는 않는다. 포커는 기본적인 '오디'는 치지만, 조금만 룰이 복잡해지면 이해가 안 될 정도로 머리가 안 돌아간다. 좋은 것인지, 아닌지……. 집안의 친척들이 다 이렇다.

우리 사촌들은 명절 때 만나면 술을 마신다. 처음엔 제사지내고 남은 청주부터 시작하게 마련인데, 어느 새 조카놈들은 부리나케 가게를 들락거리게 된다. 처음엔 무슨 애향심의 발로인지, '김포약주'만 사다 마시지만, 나중엔 '상표 불문'이다. 그러다 형님이나 형수님이 한번 바람을 불어넣으면, 우리는 모두 떨치고 일어나 김포로, 산소로 몰려다니며 계속 마셔댄다. 완전히 낮술에 절은 노숙자와 비슷하다.

어느 해 추석인가는, 한참 술을 마시고 있는데, 큰형수께서 낙성대가 좋다고 놀러가자고 하셨다. 추석날 저녁, 그 추울 때 우리는 돗자리를 깔고 낙성대에서 덜덜 떨면서 술을 마셨다. 나는 가게에서 폭죽을 2만원 어치나 사가지고 갔는데, 애들은 위험하다고 손도 못 대게 하고, 형님이랑 둘이서 그걸 다 터뜨리며 놀았다. 그때 조카놈들과 우리 자식놈들의 원망스런 눈초리가 지금도 기억난다.

요즘은 나도 별로 안 마시고, 형님들도 안 마시고 해서 많이 dry 해졌다.

가끔 아내가 저녁에 한잔 하자고 할 때가 있다. 술도 못하는 여자가 한잔 하자는데, 내가 어찌 거절하겠는가? 나는 그냥 스카치 위스키를 'on the rocks'로 마시지만, 아내는 조제가 필요하다. 콜라에, 코냑 한 뚜껑에, 얼음 몇 덩어리……. 아내는 항상 반 정도 마시면 꾸벅꾸벅거린다. 괜히 발동만 걸어놓고…….

내가 처음 술을 마신 것은 중3 때였다. 적어도 내 기억에는. 복날이었는데, 맥주를 드시던 아버님이 나에게 맥주를 주시며, 언제나 하시는 말씀 '술은 어른 앞에서 배워야 하느리라' 하셨다. 찝찔한 맛이 그다지 매력적이지 못했던 첫느낌이었다. 그렇다고 그 후에 상습적으로 술을 마시진 않았다. 가끔 친구들과 4·19탑 근처나 우이동 계곡에 놀러가서는 막걸리나 한 잔씩 하는 정도였다.

고3, 예비고사도 끝나고 대학시험을 얼마 앞둔 답답하던 시절에는 제법 술을 많이 마셨다. 그때 나는 독서실에 있었는데, 저녁이면 포장마차에 가서 막걸리 한잔하고 돌아와서, 막걸리 냄새 풀풀 풍기면서 엎드려 자곤 했다. 독서실 다른 식구들의 원성이 자자했었다. 그때마다 나는 지금 몇 자 더 본다고 달라질 것이 없다고 설득하였다. 정말 달라진 것이 없었다. 그 식구들은 거의 다 떨어졌다.

그리고 이제 묵시적으로 술을 마셔도 되는 대학생이 되었다. 짜~~잔!

(오늘은 너무 술 취한 글이 되어버렸다. 몇 번을 읽어봐도 도저히 고칠 수가 없다. 술 마시고 읽는 수밖에…….)

*2000. 9. 18.*

(2)

남북군사회담 후의 만찬에서 양측 대표 군바리들이 술을 경쟁적으로 마셨던 모양이다. 역시 武班답게 질 수 없다는 '곤조'(이거 왜말이던가?)가 발동했던 모양이다. 좋다! 같은 武將들끼리 심정적으로 통하는 기분도 있었을 것이고, 총칼 들고 마주보기만 하던 적과 건배하는 감개도 있었을 테니까. 그리고 서로간에 확실하게 계급질서를 지키면서 술을 마셨다고 한다.

절도 있는 군인의 모습. 좋다. 짝짝짝…….

그런데, 꼭 오버하는 선수가 있게 마련이다. 그 날 만찬의 술은 '허벅주' 였다고 한다. '허벅주' 를 상당히 마셨는데도 모두 말짱하였다는데, 그러자 우리 측 어느 인사가 폭탄주를 제의했단다. 끝장을 보자 이거지……. 게다가 폭탄주는 우리의 주종목이겠다. 다행히 북측에서 다음 날을 위해 그만하자고 했단다. 어휴~~ 망신살. 술 더 마시고 싶으면 비공식으로 방으로 찾아가서 마시든가, 그도 안 되면 혼자 나가서 마시든가, 공식 자리에서 끝장을 보려는 그 자세. 군바리…….

('허벅주' 는 제주의 명주이다. 나도 한번 마셔보았다. 독했다. 제주도의 학회에 다녀온 연구원들이 사와서 회식 때 같이 마셨는데, 그 술에 대해 여러 의견이 있었다. '허벅지' 로 어떻게 술을 담갔을까 고민하던 연구원. 그 엽기적 발상에 모두 진저리를 쳤다. 또 어

떤 연구원은, 두 무릎을 꼬옥 붙이면 양쪽 허벅지 사이에 계곡이 생기는데, 그곳에 부어놓고 마시는 술이라는 자신의 연구 결과를 발표했다. 당연히 젓가락이 날고, 심지어 광어회가 날라다니는 아수라장이 벌어졌다. 도대체 저놈은 밤에 뭐하고 다니는지……. 결론 : '허벅주'의 어원을 나는 모른다.)

군인 이야기가 나왔으니……. 군인과 술? 그림이 안 그려지네…….

〈육해공 방우〉

고등학교를 졸업하고 대학교에는 입학하기 전, 전환기의 썰렁함과 설레임 속에서 매일 당구나 치고 다닐 때였다(천하의 모범생인 내가 이상하게도 당구는 일찍 배웠다. 내 친구들이야 반은 양아치였으니까 일찍 배웠지만. 당구는 고1 때부터 쳤는데, 그러다 보니 졸업 때는 어느덧 200이 되어 있었다. 그렇게 공부만 하고 짬짬이 쳤는데도……. 쿡!). 매일 그렇게 당구나 치고, 막걸리나 마시고(가끔 종로-청계천 사이의 광장시장을 지나갈 때는 미제 캔맥주도 사서 마시곤 하였다), 아르바이트 하고……. 반건달이 다 되어갈 때쯤이었다. 친구들이 함께 뭔가를 도모하자는 전갈이 왔다. 나라를 구하자는 전갈인가? 유신체제를 무너뜨리자는 건가? 유신, 글마들 호락하질 않던데……. 비장하게 약속장소로 나갔다. 어느 놈이 정했는지 완전히 '꼰대 다방'을 정했다. 감각 없는 놈, 자기 딴에는 조숙하다고 생각하겠지…….

모임을 주선한 애의 취지문을 들었다. 이야기인즉슨, 친구는 고등학교 친구가 진짜라는데(주워 들은 소리는 있어서……. 겪어봐야 알지…….), 이대로 각자 대학에 다니기 시작하면 우리의 우정은 어쩌고 저쩌고……. 그러니 조직을 하나 만들자는 것이었다. 그래서 내 고등학교 동창들(대부분 중학교도 동창이지만) 가운데 이렇게 저렇게 연락되는 놈들을 끌어 모아온 것이었다. 놈들의 면면을 보니 가관들이었다. 웬수 Y도 있었고, SAVAGE도 있었고, 돌쇠도 있었고, 새치도 있었고, 짝배 1, 2가 다 있었고……. 그래서 그날 모임이 하나 만들어졌다. 이름하여 〈1 · 4회〉. 별 의미 없는 이름이다. 14명이라서 그렇게 했던가?

지금은 몇 안 모인다. 넷은 이민 가고(제일 현명한 놈들), 셋은 지방에 내려가서는 (다음으로 현명한 놈들) 아예 서울 쪽으로는 오줌도 안 눈단다. 일곱이 이 근처에 남았는데, 그나마도 요즘에는 자주 만나게 되질 않는다.

그 조직의 멤버들은 다양한 전공에, 다양한 미래를 추구하던 애들인지라 삶의 방식이 모두 달랐다. 군대문제도 그랬다. 누구도 피해갈 수 없는 그 문제. ROTC를 간 짝배 2를 제외하고는 대부분 현역 졸병으로 군복무를 마쳤다. 그런데 우리 안에는 3명의 '부선망 독자'가 있었다. '부선망 독자'라는 것은 아버지를 일찍 여읜 외아들을 말한다. 이들은 규정에 의해 방우로 6개월 근무하는 것으로 병역을 필하였다.

우선 HI가 6개월 방우를 갔다. 해군본부로 배치를 받아서 '해병대 방우' 가 되었다. 해병대 방우의 모자도 팔각이었다. 우리는 많이 웃었다. 워낙 재기 넘치고 바지런한 그는 6개월을 잘하고 나왔다(물론 고충이야 왜 없었겠냐만…….).

훗날 Y가 방우를 갔는데, 그는 평범하게 군부대 경비를 섰다. 육군이었다.

돌쇠. 이 선수는 공군본부에 배치를 받아서 공군 방우가 되었다. 훗날 애들 셋이 모이면 '우리는 육해공' 어쩌구 해대는 통에 우리 같은 정규군 출신들은 몹시 불쾌해하였었다. 노무자 주제에, 감히 육해공을 들먹이다니……. 그것도 6개월 짜리들이.

문제는 돌쇠였다. 언제나 그러했듯이. 돌쇠는 엉뚱하고 저돌적이다. 원래 성격이 그런데다, 막걸리학교 K대를 다니면서 더해진 것 같았다. 희한한 것은 성격이 그래서 그런지 무슨 일을 당해도 다 엉뚱하다. 언젠가는 돌쇠가 가스 폭발 사고를 당해서 세브란스에 입원했다는 전갈이 왔다. 우리는 서둘러 병원엘 가보았다. 복도에서 병실을 찾고 있는데 바로 그 병실에서 누군가가 나왔다. 우리가 여기다 하면서 들어가려는데, 방금 나온 사람이 어~ 너희들 왔구나 하는 것이었다. 우리는 모두 돌아보았지만 선뜻 누군지 알 수가 없었다. 그러자 그 환자가 "나야, 나" 하는 것이 아닌가? 얼굴에 화상을 입었다나……. 살 껍질이 너덜너덜해 가지고는……. 뱀이 허물 벗는 모습이었다. 자기 학교 서클 모임이 있었는데, 불고기를 먹었단다. 밥을 다 먹고 불을 껐는데도 돌쇠 앞의 레인지에서는 개스가 새고 있었던 모양이었다. 무심코 담배를 핀다고 라이터를 켜는 순간 눈앞에서 퍽! 하더란다. 그래서 얼굴을 한 꺼풀 벗고 있는 중이었다. 천만다행이었다. 며칠 후에 다시 가보니 껍질을 다 벗고, 발그스레한 돌쇠가 앉아 있었다. 환골탈태. 이제는 사교계에서도 먹어주겠다면서 좋아했는데, 얼마 후에 보니 다시 까매져 있었다. 그래서 우리는 많이 실망했었다. 우리도 껍질 한번 벗어볼까 했었는데……. 그 불고기집 약도도 구해 놓았는데.

이 돌쇠의 방우생활은 좌충우돌이었다. 자기 말로는 공군본부에서 자기가 맡은 일이 너무나 중요해서 자기가 빠지면 대한민국 공군이 안 돌아간단다. 물론 우리 가운데 그 말을 믿는 사람은 없었다. 단지 그의 나이 어린 조카 둘은 정말 자기 외삼촌이 팬텀기 조종사인 줄 알고 있었다. 어린애들을 상대로 그런 사기를 치는 놈은 국가반역죄 차원에서 다뤄야 하는데……. 그때 나라에서 그런 방우들 지명수배만 내렸어도, 우리들이 얼른 붙잡아다 헌병대에 납품했을 텐데…….

그렇게 국방의 간성이라고 뻥을 쳤지만 술이 한잔 들어가면, 그가 공군본부에서 하는 일이 은연중 드러나곤 했다. 예를 들면, 오늘 生徒 머리 잘못 깎았다고 맞았다는 둥, 그런데 알고 보니 그 짜아식이 고등학교 후배더라는 둥, 그래서 나중에 그 생도가 그걸 알고는 자기에게 무릎을 꿇고 백배사죄했다는 둥……. 그러면 우리는 그 소리를 듣고 속으로 '으응~ 너 오늘은 이발소에 사역나갔구나' 하고 생각했다.

돌쇠는 대학 재학중이었으니(그것도 자기들 말로 민족의 대학이라는 K대, 꽤 쳐주는 대학이었다), 어지간하면 행정일을 하는 것이 보통인데, 이 친구는 여기저기 끌려다니며 풀도 뽑고, 정원수도 다듬고, 이발사도 하고……. 원인은 정말로 참담한 그의 '글씨'였다. Time-dependent한 글씨. 군대에서는 角지고 일정한 글자를 선호하는데, 그의 자유분방하고 어찌 보면 전위적이기까지 한 그의 글씨를 군대에서 누가 써주겠나? K대 다닌다고 돌쇠를 뽑아갔던 사람은 땅을 쳤을 것이다.

이외에도 돌쇠의 황당한 기행, 아니 만행은 끝이 없었다. 집들이 때에 70명이 왔다던가, 그래서 마누라가 가출을 시도했다던가 하는 류의……. 그걸 언급하고 싶어도, 친구라는 나까지 같은 종류로 분류될까봐 자제하고 있다.

*2000. 9. 27.*

## (3)

〈오랫만에……

편안하다. 언제 들어도 편안한 노래. 언제 따라 불러도 어려운 노래, '향수'. 스위스 처녀를 한국 땅에 살도록 만들었다는 그 노래. 그 노래의 마력인가? 아니면 숙제하듯이 다녀온 정기검사 때문일까?

피 한 방울도 아까운데 검사한다고 왕창 뽑는다. 씨… 그동안 뽑은 것도 얼마나 많은데……. 병원에서 차례를 기다리며 여러 사람을 보았다. 科가 과니만큼 당황되는 환자들이 많다. 오늘의 그 환자. 털모자를 깊게 눌러쓰고, 마스크를 한 사람. 검은 얼굴과 푹 패인 눈. 그를 본 느낌에 화들짝 놀라고……. 그에게 미안하고……. 저만치 앉아서 뜨개질을 하는 여인. 요즘은 거의 볼 수 없는 뜨개질을, 병원대기실에서……. 환자? 보호자? 무엇을 뜰까? 무슨 생각일까?

병원을 드나들 때는 항상 가라앉는다. 수치 하나에 기분이 躁(조)해지고, 鬱(울)해지는 신세가 우습다. 그래도 오늘은 조금 편안하다. 'No Way Out'은 벗어난 걸까?

요즘은 '천천히……. 하나씩…….' 이라는 말을 자주 되뇐다. 나를 세뇌하듯이. 그러나 오랫동안 몸에 밴 버릇의 저항도 만만치 않다. 그래서 나도 모르게 예전 버릇이 나와 낭패를 맞곤 한다. 나갔다 돌아와서는 전화사서함 챙기면서, 서류를 뒤진다. 결국 둘 다 잊어버린다. 방금 전 일을. 에구, 아직도 청춘인 줄 알고…….

아침에 그 날 할 일의 순서를 매기는 버릇이 있다. 마치 도상훈련 하듯이.

치카치카, 면도, 머리 감고, 출근, 약 먹으면서 메일 체크, 커피, 실험실에 전화, 여행사에 일정 변경, 10시 회의……. 이런 식이다. 결코 좋은 버릇이 아니다. 며칠 전 아침. 치카치카 하려고 칫솔에 치약을 바르고, 입에 넣어다 멈칫하였다. 치약이 아니라 면도거품이 칫솔에 가득하다. 거품을 물로 씻어내고 보니, 칫솔이 둘리 것이다. 둘리의 칫솔과 내 칫솔은 같다. 색만 다르고. 내것은 연두색, 둘리는 초록색. 원인은 누가 칫솔통의 앞뒤를 돌려놓은 것이다. 그건 그렇다 쳐도, 나는 뭐가 급해서 양치질 준비를 하면서 면도할 생각을 했을까? 다시 '천천히… 하나씩…' 을 읊었다.

'빨리빨리… 한꺼번에…' 는 주문이다. 몸을 상하게 하는 주문.

출근하기 위해 옷을 갈아입는다. 늘 그렇듯이 도꾸가 방으로 따라 들어왔다. 납작 엎드려서, 두 발 위에 머리를 얹고 눈만 데룩데룩……. 나의 옷 갈아입는 모습을 훔쳐본다. 차아식, 명품 알아보는 눈은 있어서……. 몸매의 예술을 아는 놈이구먼…….

언제고 그런 도꾸 사진을 찍어야지 했지만 좀체 기회가 없었다. 사진기만 들이대면 벌떡 일어나서 자기 호기심을 먼저 채우려 하는 통에. 그러나 그 날은 전격적으로 찍었다. 저~~ 밑에 붙여 놓았다.〉

〈고래 代父, 술꾼 代子〉

얼마 전 세운상가에 나가 일을 보고는, 오랜만에 대부님의 치과를 찾았다.

나의 요셉 대부님은 치과의사이시다. 세운상가 바로 옆에서 병원을 하신다. 마침 손님도 없어서 한참을 즐겁게 보낼 수 있었다.

내가 대부님을 처음 뵌 것은, J성당에 다닐 때였다. 나는 그때 평신도의 안락함을 즐기고 있었다. 평신도의 안락함은 맛들이면 쉽게 빠져나오기 힘들다.

일이 있어서 주일 한 번 거른다고 크게 표날 일도 없고(설마 나 하나 빠진 것 아시겠어? 하면서 全知全能하시다는 하느님을 시험하기도 하고, 이렇게 좋은 5월의 셋째 주에 주일 한 번 거르는 것은 하느님도 이해하실거야 하기도 하고……), 미사 후 행사에 슬그머니 빠져도 부담 없고, 무엇보다 맡은 일 없으니 크게 신경 쓸 일 없고……. 성당 안에서도 그저 조용히 앉아서 묵상하는 편안함을 느낄 수 있는 것. 이것이 평신도가 누릴 수 있는 혜택의 일부이다(하느님의 배려는 참으로 사려 깊으시다. 평신도까지도 이렇게……).

'냉담 신자' 의 자유도 헤어나기 힘든 마약 같은 무엇이 있다고 하지만, 그래도 '성당에 나가면서' 누리는 평신도의 안락감이 한 수 높을 것이다.

열심히(?) 평신도생활을 즐기던 그 어느 날, 죄 많은 평신도 David은 신부님의 전화를 받게 된다. 오잉? 신부님이 불초 소생에게 무슨 볼 일? 내가 지난 번 고백성사 때 대충 넘어간 것을 아셨나? 그거 무효라고 하시면 어쩌지? 신부님은 새 사목회를 구성하고 있는 중인데, 같이 일을 하자고 하셨다. 어쩌겠나? J성당은 작아서 모든 게 다 좋았지만, 숨을 데가 없다는 단점이 있었다. 역시 평신도의 안락함은 큰 성당이 낫구나 하는 생각이 들었다. 내가 사목회의 일을 한다고 하자, 나의 영원한 비판자인 아내가 말렸다. 당신 하나만 망가지는 것으로 족하다는 둥, 신부님이 당신의 실체를 몰라서 그런 실수를 하신 거라는 둥, 이 죄를 어찌할 거냐는 둥……. 그러나 나는 그런 방해를 무릅쓰고 출사를 감행하였다.

그리고 나는 J성당을 떠날 때까지 참으로 좋은 시절을 보냈다. 많은 일이 있었고, 많은 경험을 했고, 많은 것을 새로이 알게 되었지만, 무엇보다도 많은 좋은 사람을 만났던 것이 나에겐 행운이었다. 그때 만난 분이 요셉 대부님이시다.

요셉 대부님은 거침없고, 엉뚱하고, 소탈한 성격에 재치가 넘치고 유머가 풍부하셨다. 그래서 성당에 어려운 일이 있을 때는 늘 그분이 힘이 되어 주셨었다. 인생의 경험과 넉넉한 성품이 일을 쉽게 풀어갈 수 있는 비결인 모양이다.

그 분의 성격을 보여주는 일들.

작년인가, 헐렁이가 이[齒牙]를 점검하러 대부님의 병원에 갔었다. 대부님은 헐렁이를 치과의자에 앉혀(뉘어) 놓고는, 이는 건드리지도 않으시고, 헐렁이의 여드름을 다 짜버리셨다. 평소에 집에서 지 엄마가 여드름 짠다고 하면 펄펄 뛰고, 도망다니던 헐렁이도 그 날은 임자를 만난 것이다. 벌개진 얼굴로 집에 돌아온 헐렁이를 보고 나와 아내는 죽도록 웃었다.

한참 전에 둘리가 이를 갈 때였다. 병원 문을 들어설 때부터 울상인 둘리를 뉘어놓고, 다른 이야기를 한참 하시던 요셉 대부님의 손에는 어느 새 둘리의 이빨이 있었다. 주사도 안 놓고, 마취도 안 하고 그냥 쑥! 거의 무림의 高手 수준이셨다. 둘리도 멍하니……. 씩 웃으시는 대부님의 미소는 진정 天衣無縫(천의무봉), 그것이었다.

요셉 대부님은 술을 참 좋아하셨다. 그리고 정말 술에 강하시다. 속된 말로 '고래' 과이다. 그에 비해 나는 술은 좋아하지만, 약하다. 굳이 분류하자면 '물개' 과라고 해야 할까?(몸매도 비슷하고……. 음, 어제 마신 술이 덜 깼나?)

〈주 : 가톨릭에서는 술 마시는 것을 금하지 않는다(내가 아주 좋아하는 부분이다. 히히…). 물론 그렇다고 술에 취해 망가지는 것까지 너그러운 것은 아니지만, 나 같은 親酒性(alcohol-o-philic? 단어를 만드는구먼……. 그래도 'liquorish' 라는 단어보다는 훨씬 과학적으로 보인다) 신도들에게는 정말 복음이 아닐 수 없다. 성당의 일이 끝나고, 회의가 끝나고, 함께 술잔을 기울이는 자리는 늘 '평화' 가 함께했었다(헉! 이런… 막가는구먼…….). 아니, 그냥 좋았었다.〉

내가 J성당을 떠나고 (이사를 가면 성당도 옮겨야 하기 때문이었다), 얼마 후에 요셉 대부께서 덜컥 입원을 하셨다. 그것도 듣기에도 겁나는 '심근경색' 으로. 병원에서 퇴원하신 얼마 뒤에 뵈니 훌쩍 살이 빠진 모습이셨다. 잠깐 사이에 병자 행색이 되어버린 대부님을 뵙고, 나는 이제 저 분과 술 한잔 하기도 힘들겠구나 하는 생각부터 들었었다(참, 철없는 놈. 이 대목에서 성호를 긋고……). 그래도 가끔씩 뵐 때마다 예전의 넉넉하신 모습으로 회복되시는 것이 반갑고 그랬었다. 여전히 숨이 차서 고생은 하시지만.

그러던 차에 이번엔 내가 병을 느꼈다. 외견상으론 숨차고, 힘든 증세가 같은, 비슷한 환자가 되어버린 대부와 대자. 대부님은 외관상 심근경색인데, 세 가지 약을 평생 먹어야 한다고 하고, 나는 겉으로 빈혈인데 특별한 치료방법이 없다고 하고……. 해결책이 보이지 않는 우리는 그저 가끔씩 서로의 상태를 물으며 걱정만 하였었다.

그러고 있던 참에 이번에 병원으로 찾아뵌 것이었다. 대부님은 많이 좋아 보이셨다. 나 또한 많이 좋아 보인다고 하시는 대부님과 서로의 이야기를 묻고 듣느라 시간 가는 줄도 몰랐다.

어느 이야기 끝에 대부님께서 문득 요즘은 술 좀 하나? 하시길래 아니요, 거의 안 합니다 라고 대답드렸다. 나도 그래, 하시면서 씁스레 웃으시더니, 당신 진찰 받으신 이야기를 하신다. 심근경색은 맞는데, 그 원인은 도통 밝혀낼 수가 없더란다. 그러자 의사가 '알코올성 심근경색' 이라고 결론을 짓더란다. 그래서 의문을 제기하

자, 의사는 교과서에도 있는 병이라며 책을 보여 주더란다. 물론 그런 병명이 있는 건 대부님도 알고 계셨단다. 그렇지만 선뜻 인정할 수가 없더라는 것이었다. 그 이야기 끝에 '술꾼들은 죄가 많아……. 뭐든지 다 술 땜이래…….' 하신다.

그렇습니다. 그 말이 맞습니다. 술꾼은 술 하나 땜에 죄인입니다. 흑흑……. 저보고도 술 땜이래요. 진짜로, 술꾼은 불쌍합니다. 나는 속으로 이렇게 대답하면서 웃고 있었다.

병원 문을 나서며, 서로를 마치 전쟁터에 나가는 군인 보듯 하면서, 대부와 대자는 악수를 했다.

빨리 쾌차하세요. 제가 한잔 받아드리겠습니다.

아냐, 내가 한잔 받아줄게. 건강 하자구.

돌아오는 길. 반사되어 거울 같은 지하철 창에, 그 독한 진도 홍주를 원샷 하시는 고래 대부님의 모습과, 그 앞에서 소주를 홀짝거리는 술 약한 술꾼 대자의 모습을 그려보았다. 술 좋아하는 죄인들의 술자리를…….

*2000. 11. 27.*

## (4)

흔히 남을 평할 때 '사람 좋아하고, 술 좋아하고…….' 라는 표현을 한다. 그건 그럴 수밖에……. 술을 혼자 마시나? 당연히 술 좋아하면 사람 좋아하게 마련이다. 만약 술은 좋아하는데 사람은 좋아하지 않으면 그건 아주아주 심각한 병이다. 정신과부터 찾아가 보는 것이 순서다. 뒤집어서, 사람은 좋아하는데 술은 좋아하지 않으면 본인이 고달프다. 몸이 축난다. 소화기내과에 찾아가 보는 것이 순서다. 나는 술을 좋아하고 사람도 좋아한다(정신과 가기 싫어서 거짓 자백을……).

그런 나를 두고 아내는 항상 '남자관계 좀 정리하라' 고 한다. 이젠 나도 나이가 적당히 들었으니, 아내의 당부를 받아들일까 싶기도 하다. 복잡한 남자관계를 정리하고 대신 여자관계 쪽으로 관심을 가져볼까 싶기도 하고……. 헉!

나는 그렇게 사람들 불러다 술판 벌이는 것이 좋은데, 문제는 남들도 다 그럴 것이다라고 오해를 하는 멍청함도 있다는 것이다. 그런 일 하나.

미국에 가서 어느 정도 지났을 때. 주변도 정리되고, 생활도 안정되었을 무렵. 도대체 사는 게 재미가 없었다. 학교에서는 엄청 바빴으니까 삶이 어쩌고 할 시간도 없었지만, 집에 오면 낙이 없었다. 그래도 여름엔 골프라도 치면서 시간을 보낼 수 있지만, 사방을 둘러봐도 눈밖에 안 보이는 겨울은 정말로 한심했다. 아무리 풍경이 크리스마스 카드 같으면 뭐 하나? 사는 맛이 있어야지……. 아내는(여느 한국여자가 다 그러하듯이) 신나게 american life를 즐기는 듯이 보였고, 상대적으로 난 아무 액센트도 없는 나날을 보내고 있었다. '디나니 한숨이었다.' 캬~~ 서울에서는 밤의 황태자

로 방방 날던 내가, 이 미국 촌구석에서 이렇듯 썩어가고 있다니……. 에이구, 학교나 가자.

미국에서 공부한 한국사람들이 다 잘했다고 하는 것이 이해가 갔다. 집에서 할 일이 없으니, 학교 가서 실험을 하든가 공부를 하든가 할 수밖에. 그러니 아무리 돌대가리라도 잘할 수밖에 없는 것이다. 만약 못했던 사람이 있다면, 그 사람은 뭔가에 한눈을 판 것이다. XXX급 뽀노 같은 데에. 각설하고…….

매일 낮밤으로 학교에 가서 실험만 해대니 교수는 무지 좋아한다. 아마 교수는 나를 공부와 실험밖에 모르는 훌륭한 과학자로 알았을 것이다(틀린 말은 아니지만…. ㅎㅎ……. 후에 교수와 같이 술 취해서 춤추고, 노래하고, 서로 이름 트고 지내기로 한 후에는 나의 실체를 알았겠지만, 이미 때는 너무 늦었지롱, ㅎㅎㅎ……). 무료해서 하는 실험은 또 왜 그리 잘되는 것일까? 교수는 나를 아주 skillful한 chemist로 오해까지 하기 시작했다. 이러면 안 되는데……. 이럼 나의 아메리칸 라이프 후반이 힘들어지는데……(나의 이러한 불길한 예측은 맞아 떨어졌다. 귀국 말년에도 걸핏하면 불려가서는 실험을 해야 하는 불상사가 있었다).

나는 그런 액센트 없는 삶이 정말 싫다. 액센트가 아니라 '이벤트'라고 해야 하나? 그래서 무언가 일을 꾸미기로 하였다. 머리를 쥐어짠 끝에 나온 아이디어. 집들이! 나의 영원한 취미. 집들이. OK!

나는 아내에게 집들이를 해야 한다고 말했다. 해야만 한다고…….

웬 집들이?

International 집들이.

……International?

응. UN 총회 같은 거…….

나는 아내에게 집들이를 꼭 해야만 하는 것처럼 말했다. 우리 lab의 유지들을 초대하는 것인데, 그러다보니 여러 나라 사람이고, 그러니 인터내셔널이라고 친절하게 설명을 했다. 아내는 그런 집들이가 적법한 것인지, 이민법에 걸리는 것은 아닌지, 아니 무엇보다 남들도 하는지를 물었다. 나는 그건 잘 모르지만, 상관없다, 우리는 배달민족이고, 특히 우리 집은 왕손이며, 집들이는 우리 집의 전통적 취미이다. 게다가 당신의 특기이기도 하지 않느냐? 아내는 '특기' 라는 말에 흐뭇한 표정을 짓더니, "응……. 내가 집들이는 쫌 하지……." 하면서 OK 하였다.

그때부터 나의 무료한 삶에 활기가 돌았다. 나는 실험실의 유지들(사실은 술 잘 마시게 생긴 놈들)에게 좌악 나의 거사를 통보했다. 그런데 초대를 받은 애들의 표정들이 이상했다. 하긴, 미국에서, 크리스마스도 아닌데 집들이 한다고 초대를 하니, 걔들 생각엔 내가 무지 이상했으리라. 그러거나 말거나, 드디어 거사일. 나는 낮에 mall에 술을 사러 갔다. 발걸음도 가볍게. 술 사러 가세~~ 술 사러 가세~~

5L 짜리 와인(종이박스에 들어있는 덕용. White Zinfandel 하나, 샤르도네 하나. 참고로, white Zinfandel이라는 와인은 거의 pink색이다. 그래서 white wine이라는 것을 강조하기 위해 white를 써 놓은 것 같다. Zinfandel이라는 품종의 포도가 워낙 검은 색이어서, 그걸로 만든 white wine도 핑크빛이 난다는 거다. 좋은 술이다), 오크통 모양으로 되어 있는 용기에 들어 있는 생맥주, 그리고 Bud를 12 pack으로 서너 개. 다시 차를 몰고 liquor store(참 번거로운 나라다. liquor store까지 만들어 놓고……)에 가서, 내가 가장 좋아하는 scotch whisky를 두 병, brandy는 내가 싫어하니까 세일 딱지 붙은 싼 걸로 한 병(으, 치졸함의 극치……). 집으로 돌아오는 내 마음은 뿌듯~~흐뭇~~ 차가 설 때마다 뒷자리의 술들을 바라보며 흐뭇~~

아내는 내가 풀어놓는 술들을 보더니 '긴 한숨'을 지었다. 술꾼 아내의 체념. 아내의 비애에 나도 마음이 아팠지만, 그래도 '손님 접대는 화끈하게'라는 나의 신념상, 사사로운 정에 연연하지 않기로 했다. 장하다!

시간이 되어 손님들이 착착 도착하였다. Lab에는 전부 30명 가량이 있었지만, 다는 못 부르고 유지들만……. 역사적 기록을 위해 등장인물들을 실명으로 밝히겠다.

* Jay Johnston(미국인. 나이도 어린 게 머리가 다 벗겨졌다. 착

한 순둥이)

* Fred Arnold(미국인. 아버지도 Fred이다. 아버지는 NASA에 근무하는 우리 분야의 대가이다. 아들은 좀 떨어지지만……. 반양아치…….)와 그의 칠레産 여친(얘들 끈적대는 게 눈꼴 셔서 안 부르려고 했는데, 이 시키가 어디서 정보를 알아가지고 칭얼대는 통에……. 술을 무지 좋아한다나……).

* Pat Gabori(뭐 이런 성이 다 있는지……. 조상이 헝가리계라던가. 여자. 매우 독립적이기도 하기만, morphology적으로 결혼과는 거리가 멀어 보인다. 책상도, hood도 내 옆 자리였는데 전혀 여성이라고 의식되지 않았다. 내가 의연한 건가? 음! 여자 보기를 돌 같이……. 지금 미시간 모처에서 교수를 하고 있다. 깐깐녀).

* Jody Boring(전형적인 통통, 아니 뚱뚱한 미국녀. 이 귀족적인 처녀가 어쩌다 반쯤 비루먹은 인도시키랑 눈이 맞아서 인도로 시집을 갔다. 불가사의였다. 캠퍼스의 최고 화제였다. 인도에서 결혼식을 올리고 돌아온 첫 마디. "다시는 인도에 안 간다." 전형적 아메리칸 워먼).

* Yuwey(성은 모르겠다. 그냥 그렇게 불렀으니까. 짱꿰들 이름은 이상해서리……. 대만녀. 공부도, 실험도 잘하는 녀. 워낙은 이순자 비슷한 두상이었는데, 크리스마스 휴가 때 얼굴에 칼을 댄 후 '왕조현' 이 되어가지고 나타났다. 현대의학의 개가. 지금 대만 모대학에서 교수한단다. 남편이 백수였던가……).

* Sunshine(역시 대만남. 이름의 발음이 이상해서, 비슷한 sunshine이라고 불러달란다. 짱꿰도 이런 착한 애가 있다는 것이

불가사의였다. 그의 아내는 쬐그만 중국인형같이 생겼다. 후에 그의 집에도 가봤는데, 둘 다 너무 귀엽고, 소꿉장난같이 살고 있었다. 지금 어딨나? 보고 싶네……).

* Hiro(원래 이름은 훨씬 긴데, 줄여서 히로. 일본 남. 회사에서 보내서 왔다. 왜인도 이렇게 순한 선수가 있다니……. 총각. 둘이 실험 걸어놓고 골프 땡땡이를 많이 쳤다. 지금 쿄토 근처의 모 회사 연구소에 있다. 좋은 왜놈).

* Shoji(으, 일본대표 음주선수. 골초. 그 독한 빨간 말보로를 하루에 두 갑 이상 핀다. 그의 아내는 동네에서 소문난 미인. 그렇게 잘생긴 왜녀는 처음 봤다. 그런데 왜 야쿠자같이 생긴 Shoji 랑 결혼했을까? 강제로 업어왔나? 그의 아들 Sho. 일본 개고기. 도대체 왜꼬마가 그렇게 개구쟁이라니……. 그러나 내 말은 잘 들었다. 워낙 내 인상이……. 미스이 도아츠에 근무).

* Miki(왜녀. 전형적 일본 안장다리에 뻐드렁니+송곳니. 나에게 일본말을 가르치려고 무진 애를 썼음. 왜인 가운데 유일하게 영어를 영어답게 하는 선수. 브릿지 스톤 근무. 너무 친절한 게 흠).

* Inoue 선생(일본 모대학 교수. 연가를 왔음. 취미 사진. 나만 만나면 사진 이야기. 내가 왜 사진을 아는 척 했는지……. 영어를 지독하게 못함. 어떻게 미국에 들어왔는지? 맘씨 좋은 중년 아저씨. 사진이야기만 빼면……. 사진은 잘 찍음).

이게 단가? 몇 명 더 있었던 것 같은데. 그렇다 치고…….

우리 집에서 차린 음식과, 그들이 one dish씩 가지고 온 음식을 나누어 먹으며, 테이블 가득한 각종 술을 마시며……. 정말로 즐거운 저녁을 보냈다. 아내도 사실 그런 모임을 참 좋아한다. 내가 너무 자주 저질러대는 통에 나에게 싫은 소리를 하긴 해도. 게다가 아내는 영어를 잘한다. 언어적 재능이 있는 모양이다. 아내도 손님들과 아주 재미있는 시간을 보내고 있었다. Shoji의 미인 아내와는 같이 수업도 받아서 아는 사이인지라 특히 둘이 아주 재밌어하고 있었다. 역시 집들이는 좋은 것이다. 밤이 늦어 하나 둘 손님이 돌아가고, 남은 사람은 Shoji네 식구. 역시 술 좋아하는 선수는 뭔가 다르다. 둘이 위스키를 마시며 한참을 더 놀았다.

참 사람살이란 다 같구나 하는 생각을 가끔 한다. 문화가 다른 사람들끼리였고, 술을 안 하는 사람도 있었지만, 집들이의 효과는 대단했다. 다음 주에 학교에 나가니 모두들 그렇게 친밀하게 굴 수가 없다. 마치 '우리는 형제자매야' 하는 분위기였다. 그 전에도 특별한 애로가 있었던 것은 아니지만, 집들이 후에는 실험실생활이 정말 즐겁고 편했다. 그리고 서로 초대해서 음식을 나누는 분위기가 형성되었다. 그렇게 집에서 같이 이야기를 해보니까 훨씬 더 서로를 이해할 수도 있었고…….

그 중 Shoji네 집 사건.

우리 집에 왔다 간 후 Shoji는 몇 번을 나에게 고맙다고 하였다. 내가 민망할 정도로. 그러더니 어느 날, 나에게 자기네 집에 오란다. Lab의 일본 사람들끼리 자기네 집에서 모이기로 했는데, 나를 특별히 초대하는 거란다(내가 왜놈 형상인가?). 어쨌든 why not? 낀수가 없어서 겨우살이가 무료하던 차에…….

당일 날, 식구를 다 몰고 Shoji네 집으로 갔다. Hiro, Miki, Inoue 선생까지 모두 모여 있었다. 인사들을 나누다 문득 거실의 소파테이블을 보고 나는 심장이 멎는 줄 알았다. 감격으로……. 아, 예쁜 Shoji, 착한 Shoji. 글쎄 테이블 위에는 맥주에서, 니혼슈(日本酒), 와인, 스캇치, 브랜디, 럼, 데낄라……. 그 동네에서 구할 수 있는 모든 종류의 술이 좌아악 깔려 있는 것이 아닌가? 착한 왜놈, Shoji!

정말로 마음놓고, 느긋하게 그 술들을 맛보기 시작했다. 손님이 망설일까봐 아예 모든 병의 마개를 다 따버리는 Shoji의 배려. 예

쁜 왜놈, Shoji!

그 날 따라 '일본 개고기', 그 아들 Sho도 예뻐 보였다. 그 잘생긴 마누라는 거의 천사로 보이고……. 취기가 오르니 천사가 셋이 보이는데 하나는 뻐드렁니였다. ㅋㅋ…….

밤늦게까지 좋은 술에 좋은 대화. 결국 아내의 채근에 마지못해 자리를 털고 일어섰다. 그런데……. 참으로 신기하게도 정신은 말짱한데, 몸이 남의 몸이었다. 일어서서 잘 놀고 간다고 목례를 하다, 그대로 앞으로 쿵! 나무토막 쓰러지듯이……. 일어서야 하는데, 몸이 말을 안 듣는다. 결국 어찌어찌해서 일어나 그 집을 나왔다.

당연한 수순이지만 집에 와서 아내에게 엄청나게 깨지고……. 기억이 너무 생생해서 잡아떼지도 못하고……. 남의 집에서, 그것도 외국인의 집에서 술 마시고 쓰러졌으니, 나라망신이 아닌가? 으~~ 왕가의 자손으로서 왜인 앞에서 추태를 보이다니…….

월요일 학교에 가자마자 Shoji에게 미안하다고 사과를 하였다. 그런데 Shoji가 정색을 하면서 고맙다는 것이었다. 이건 또 무슨 소리?

Shoji의 말은 미국 와서 처음으로 일본에서 술 마시듯이 술을 마셔보았다는 것이었다. 심지어 내가 인사하다가 쓰러지는 것을 보고는, 너무나 친근한(?) 모습에 일본인 줄로 착각마저 했단다. 이럴 수가……. 결국 내 한 몸 던져서 왜인의 향수병을 고쳐준 것이 아닌가? 나무아미타불!

하여간, 참 좋은 친구였다. Shoji도 Hiro도……. 술도.

*2000. 12. 26.*

(5)

〈새해가 시작되었다. 양력 새해가. 되풀이되는 것은 왜 이리도 빠를까?

부여하기 따라선 의미가 전혀 다른 이틀, 가는 해의 마지막 날과 오는 해의 첫날을 杜門不出(두문불출)로 보냈다. 사실 속내는 '閉門(폐문)' 이고 싶었는데……. 성당엘 다녀왔다.

같은 성당이었지만 이틀의 마음은 달랐다.

감회와 참회, 빛과 기대.

올해는 참 좋은 한 해가 되었으면……. 좋겠다.〉

새해의 간지는 '비얌' 이다. 줄여서 뱀. 한자로 蛇. '사' 자로 끝나는 것은 다 뱀종류라고 보면 된다. 예를 들어 살모사, 칠점사, 변호사, 순사, 검사…… 박사?

종류도 무지하게 많다. 살모사, 오보사, 무자치, 백사, 구렁이, 실뱀, 물뱀, 떼뱀에서 코브라, 아나콘다, side-winder…… 꽃뱀까지.

서식지도 다양하다. 바다, 강, 풀, 집, 사막, 동물원, 뱀탕집, 카바레?

무대 경력도 유서 깊다. 창세기에서부터 중요 배역이었으니까.

뱀은 외모부터가 친근감을 주지 않는다. 다 알 테니 자세히는 거론하지 않겠다. 그런데 이제는 이런 혐오스러운 뱀도 우리 산하에서는 귀하다고 한다. 이유는 (다 알겠지만) '정력' 때문이다. 사내들의 '정력 추구'는 가히 신앙적이며, 우리나라 사람도 예외는 아니다(난 우리나라 사람들이 특별히 유난스럽다고는 생각지 않는다. 여러 가지 기록이나 증거로 볼 때 그저 세상 남자들의 평균 정도일 뿐이다. 단지 물개의 무엇, 곰의 무엇, 개의 무엇과 같은, 남에 눈에 잘 띄는 정력제를 좋아하는 통에 세상 사람들의 비난의 표적이 되는 것뿐이다. 차라리 짱꿰들 같이 '뭐든지 먹는 민족'이라고 알려져 있으면 좀 덜할 텐데…….) 이제 얼마 후에는 뱀도 자연산과 양식을 따져야 할지 모르겠다.이런 뱀에 얽힌 이야기 하나. 이 글의 주제가 술에 얽힌 것이니까 뱀+술, '뱀술'에 얽힌 이야기. 역시 여느 '한담'답게 눈물 없이는 못 듣는다.

때는 198x년. 나는 연구원이었고, 아내와 헐렁이와 오붓하게 살던 시절.

그때 우리 연구소에 '善友會(선우회)'라는 단체가 있었다. 좋은 일하는 단체였다. 원래 기사들이 만든 모임이었는데, 문호가 개방되어 있어서 나도 가입을 하였다(솔직히 말하면, 폼으로 가입을 했다. 나도 좋은 일하는 모임의 회원이라고 폼 잡으려고. 내가 어디 남 도와주는 품성인가? 그냥 월급에서 천 원씩 떼어가기만 하고 다른 일은 안 시킨다고 해서 얼씨구 하면서 가입했다). 평소에도 여러 가지 좋은 일들을 하였지만, 그 모임에서 하는 가장 큰일은 1년에 한 번씩 벽지나 낙도의 어린 학생들을 초청하여 '서울 구경'을 시켜주는 것이었다.

서울 구경. 지금의 젊은 사람들은 무슨 뜻인지도 모를 수 있겠다. 그러나 그때까지도 깡촌의 아이들에게 서울은 '다른 세계'였다. 그리고 연고도 없이 서울 구경을 한다는 것은 상상도 못할 사건이었다. 선우회에서는 여름방학 때, 그런 깡촌의 아이들을 초청하고, 그 애들을 회원들이 둘씩, 하나씩 맡아서 민박을 제공한다. 아침에는 애들을 데리고 출근해서 집행부에게 맡겨 서울 구경을 시키고, 저녁엔 다시 애들을 데리고 집에 가서 재우고……. 그런 식이었다.

그해에는 저 전라도 영광의 법성포에서 배 타고 가는 어느 섬의 학생들이 초청되었다. 우리 집도 두 아이를 민박시키기로 하였다. 그 애들이 온다는 일요일, 서울역으로 애들을 데리러 나갔다. 우리 집으로는 6, 4학년 여학생 둘이 배정되었다. 애들은 정신이 없는 듯했다. 두리번두리번…….(좀 큰 처자들이 서울역 앞에서 두리번대다간 솔개에게 휙~ 채여서는 여기저기 팔려가곤 했었다). 애들을 데리고 가려 하니, 집행부에서 커다란 볼박스 하나와 됫병에 담긴 무엇을 하나씩 나누어주었다.

그것은 아이들을 민박시켜 주는 보답으로, 그 부모들이 보낸 선물이란다. 박스에 들어 있는 것은 마늘 한 접이었는데, 그 섬은 마늘이 특산이란다. 그리고 됫병에 들어 있는 찰랑찰랑한 액체는 꿀이란다. 꿀? 무슨 꿀이 이렇게 점도가 없을까?

애들을 데리고 전철을 타고 집으로 돌아왔다. 애들은 여전히 두리번두리번……. 집에 돌아와 아내에게 선물을 전해주었다. 아내는 꿀은 나중에 어머님 갖다 드린다고 장에 넣어두었다.

다음 날 아침. 애들을 데리고 출근해서, 회장단에 인계하기 위해 연못가에서 기다리는 동안 다른 사람들이 이야기하는 것을 들었다.

거, 애들이 가져온 그거 먹어봤어?

응. 그거 무지 세던데…….

나는 그 이야기를 듣고, 무슨 이야기지? 뭘 먹어보았다는 거지? 마늘? 꿀? 그런데, 세다니? 꿀이 독하다는 말인가? 아니면 마늘이? 잘 알아듣지도 못할 말이 이상하긴 했지만, 그냥 애들을 인계하고는 실험실로 돌아왔다.

우리 집에서 민박을 한 아이들은 친자매는 아니었다. 4학년짜리는 서울에 전혀 연고가 없다고 하였고, 6학년짜리 아이는 큰언니가 서울에 있다고 하였다. 큰언니는 서울에 돈벌러 올라왔는데, 뭐 하는지는 잘 모르고, 전화번호는 가지고 왔다고 했다. 다른 가족들을 위해 도시로 나와 돈을 벌어야 하는 큰언니들. 나는 어느 공장에서

고되게 일을 하고 있을 그 큰언니가 안쓰러웠다. 그래서 두 자매의 상봉을 이루어주리라 하고, 그 전화번호로 전화를 하였다. 몇 번의 전화통화를 이틀간이나 시도한 끝에 큰언니와 겨우 통화를 할 수가 있었다. 짧은 통화였다. 자기가 아주 바빠서 그러니까 나중에 전화를 하겠다고 해서 우리 집 전화번호를 알려주었다. 얼마나 바쁘고 힘들면 동생이 시골서 와 있다는데도 저리 서둘러 전화를 끊을까? 에이구…….

다음 날, 다시 애들을 인계하기 위해 연못가에서 기다리고 있었다. 또 이야기.

그거 먹어봤어?
응, 대단하던데…….

나는 궁금해서 그 중 한 사람에게 물어보았다. 무슨 이야기냐고. 그랬더니 그 애들이 가져온 됫병의 액체가 술이라는 것이다. 내가 꿀로 잘못 들은 것이었다.

술? 술이라구? 으윽! 그런 특산술이 집에 있는데, 시음도 안 해보다니……. 이래서야 진정한 술꾼이랄 수 있겠는가? 나는 내 실수를 뼈저리게 아파하면서, 그 날 저녁에 한잔하리라 굳게 마음먹었다.

그 날 저녁이 아이들에겐 마지막 밤이었다. 집에서 딴에는 성대한 저녁을 먹으며, 나는 그 술을 뜯었다. 확 끼치는 냄새. 비린내였다. 아내가 역겹다고 해서 한 잔만 따르고 병을 다시 닫았다. 자세히 보니 술의 표면에는 기름도 떠있었다. 이게 도대체 무슨 술이지? 하고 갸우뚱하는 나에게 4학년 애가 그거 뱀술이에요 한다. 6학년 애는 몹시 수줍어서 묻는 말에도 말을 못할 정도였는데, 4학년짜리는 붙임성도 있고 그 날 있었던 일, 느낀 것도 이야기를 제법 하곤 했다(모름지기 이래야 사랑 받는다. 여자건, 남자건……. 조금은 수다스럽게 재발재발~~).

뱀술? 뜨아! 우리는 눈이 동그랗게 되었다. 나도 공식적(?)으로는 뱀술을 처음 마셔보는 것이었고, 아내는 거의 첨 듣는 말이었다. 뱀술이라, 스르릅!

내가 아는 뱀술은 뱀을 소주나 고량주에 넣어 봉한 술이다. 그런데 이건 어떤 뱀술일까? 그 날 그 4학년 애가 들려준 이야기는 흥미로운 것이었다.

그 애가 사는 그 섬에는 뱀이 많단다. 방학 때는 뱀을 잡아오라고 어른들이 시킨다고 했다(아마 내다 파는 듯 했다). 그런데 정작 뱀을 가지고 술을 만드는 곳은 법성포라고 했다. 사실 그 뱀술은 법성포의 특산품이란다. 아는 사람만 아는.

그 애는 그 뱀술 만드는 것을 본 모양이었다. 그 애의 말에 의하면, 뱀들을 가마솥에 넣고 끓여서 솥뚜껑으로 받는다고 한다. 그것은 전통적으로 소주를 내리는 방법이 아닌가? 그럼 뱀을 소주 내리는 데 넣는다는 말인가? 아마 그 애의 표현으로 미루어 그런 것 같았다. 그렇다면 독특한 뱀술이 아닐 수 없다.

서울에서 돈 많은 사람들이 그 술 사러 좋은 차 타고 많이 와요!

그래? 그런데, 왜?

그 술이 정력에 좋대요. 그런데 법성포 사람들은 세 병 이상은 안 판대요.

(컥! 쬐그만 놈이 '정력' 이란 성인용어를……. 뜻도 모르는 것 같은데…….)

그건 또 왜?

그건요, 울 아버지 말은요, 법성포 사람들이 곤조가 있어서 그렇대요.

음, 그 애의 이야기를 다 듣고 종합해 본 결과는 이렇다.

그 동네가 뱀이 많은 고장인 모양이다. 그 섬도. 그리고 그 뱀술은 법성포의 특산품이다. 그래서 가끔씩 애들을 동원해서 뱀을 잡아들이기도 한다. 그리고 법성포의 뱀술은 통상적인 방법같이 뱀을 술에 담가 추출(extraction)하는 것이 아니고, 뱀을 술과 함께 증류(distillation)하여 高度酒로 만드는 것이다.

그리고 그 술은 정력에 좋다고 소문이 나서 (물론 아는 사람들 사이에서만), 외지인들이 사러 많이 오는데, 그 동네에서는 많이씩은 팔지 않는다. 이런 것이었다.

그 날 나는 그 애의 이야기를 들으며 뱀술 한 잔을 마셨다. 더 마시고 싶어도 웬지 아껴 먹어야 될 것 같아서 그만두었다. 많이씩 안 판다지 않는가.

6학년 애의 언니는 통 전화를 걸어오지 않았다. 내일이면 가야 하는데……. 결국 우리가 다시 전화를 해서 연결이 되었다. 그리고 두 자매가 잠시 통화를 하고 끊었다. 약간은 서운해하는 듯한 애를 달래주었다. 그러나 나도, 아내도 알 수 있었다. 전화를 통해 들려오는 소리들, 쓰는 말들, 취한 목소리들……. 그 언니가 있는 곳은 공장이 아니었다. 그저 좋은(?) 술집이기만을 바랄 뿐이었다.

다음 날, 아이들은 돌아갔다. 그런데, 문제가 생기기 시작했다. 정말로 그 술이 효과가 있다는 것이었다. 그러한 소문이 돈다는 소리를 들었는데, 어느 새 나에게도 전화가 오기 시작했다. 평소에 잘 알지도 못하는 사람들이 전화로, 때로는 우리 실 사람을 통해 나에게 연락을 해왔다. 나에게까지 연락해 올 정도면, 이미 다른 술 가진 회원들은 술이 다 떨어졌다는 이야기일 것이다. 왜냐하면, 나는 그때 연구소 내에 아는 사람이 별로 없는 초년병이었으니까…….

그 술이 약이라서, 불치의 환자를 고치는 것이라면 여러 사람에게 나누어주겠지만, 설령 효과를 인정한다 하더라도 기껏해야 그것은 정력제일 뿐 아닌가? 정력 때문에 정말로 큰일이 날 일은 별로 없을 것 같아서 나는 그런 부탁들을 완곡히 거절했다. 대신 우리 실 사람들에게 조금씩 나누어주고(왜 그런 황당한 생각이 들었는지 몰라도), 장인어른에게 소주 한 병 정도를 보냈다. 결국 내게 남은 것은 소주 한 병이 조금 안 되는 정도였다(사실은 계산을 잘못했다. 됫병이 소주 2홉들이로 10병인 줄 알고 이 사람, 저 사람 퍼주려고 보니 5병이 아닌가? 그래서 나중에는 박카스병에 담아 주기도 했었다. 공대 나온 놈이 부피도 모르고……).

그 술에 대한 술렁임은 그 후에도 꽤 오래 갔었다. 물론 쉬쉬하면서 떠돌았지만.

그 일이 잊혀질 때쯤 처갓집에 갔다가 그 술 생각이 나서 아버님께 여쭈었다. 술이 어땠어요? 그랬더니 한 잔도 못 드셨다고 도로 주시는 것이 아닌가? 술병 뚜껑을 여니 비린내가 워낙 심해서 도저히 못 드시겠더란다. 그래서 그 술은 내가 가져다 가끔 한 잔씩 했었다(혹시, 사위 사랑? 딸을 physically 혼내주라는……).

그 술의 효과? 이 글을 읽는 많은 신도들은 그것이 궁금할 것이다. 쑥스러워할 것은 없다. 人之常情이니까. 그치만, 에이구, 정력이 도대체 뭔지…….

내가 마셔 본 결론 : '그건 젊은이가 마실 것이 못된다.'

주변에 정말로 정력 때문에 인생이 무너지게 생긴 사람이 있으면, 법성포에 가보라고 권해도 좋다. 그때, 그 4학년 애의 말로는 값도 비싸지 않았다. 그러나 그 일은 지금부터 10수년 전의 일이다. 지금도 뱀이 그리 많을지……. 만약 뱀술이 없어도 내 탓은 하지 마라.

아~ 참! 그 술은 즉효성은 있지만, 지속성은 없다. Excited state를 유지하려면 계속 마셔야 할 것이다. 그리고 전해 내려오는 말에 의하면, 뱀이 들어간 것을 많이 취하면 눈이 뱀같이 되고, 죽을 때 고생한다던가? 비아그라가 더 나을 수도 있겠다.

새해 첫 한담부터 우째 이상한 이야기가……. 그러나 이것이 올 한 해 '한담'의 방향을 제시하는 것은 아니다.

*2001. 1. 3.*

(6)

〈요즘

나는 옛날을 느낀다. 중학교부터 대학교 시절.

우선 추운 것이 그렇다. 올 겨울은 마치 그 시절의 겨울 같다.

새벽에 사람 잡아가는 모습, 언론은 개혁되어야 한다는 목청……. 이런 것도 나를 향수에 젖게 한다.

인생은 이렇게 돌고 도는 것인가보다. 그래서 오래 살다보면 앞날이 훤히 보이는가보다. 그래서 누구는 황혼이 벌겋게 물들 것을 아는가보다. 老醜(노추)!〉

내가 이벤트를 즐기는 것은 사실이다. 술이 있고 사람이 있으면 난 그냥 좋다. 그러니 아내는 참 힘들었을 거다(나도 알긴 다 안다. 내색을 안 해서 그렇지). 그런 이벤트, 아니 술 마시는 껀수에 관한 이야기. 눈물 없이는…….

오늘 중요한 등장인물 한 사람을 소개해야겠다. 그 이름 MH.

그는 그 옛날, 시골공대 기숙사인 청암사의 비밀결사 EWMC (모르는 사람은 크게 반성하거나 자신의 머리 나쁨을 한탄하고, 옛글 '악어 포로' 편을 다시 볼 것)의 active member였다. 과는 달랐지만, 나와는 입학동기였고, 졸업 후 연구소에서 잠시 오버랩이 되었다가, 미국 그 촌구석에서 다시 만났었다. 지금은 H사의 이사로 조용히 산다(사실 이 선수는 아껴두려고 했었는데, 밑천이 딸리다보니……).

MH. 이벤트와 내기의 귀재. 팽팽 돌아가는 머리. 내가 MH를 처음 보았을 때, '재기발랄' 이라는 말을 떠올렸다. 팡팡 튀는 재치와 멘트, 다양한 지식, 아뭏튼 나보다 몇 수가 위인 선수였다.

그는 언제나 무언가 꺼수를 찾아내고, 내기를 만들어냈다. 포커를 치거나 고스톱을 칠 때면 상대의 수를 읽기에도 능했다. 그러나 그의 진정한 매력은 '사람과 꺼수를 좋아하는 순수함' 을 잃지 않는다는 것이다. 한 마디로 이벤트 체질이다.

우리 가족이 이민 가서 정착하던 때도 MH가 한몫하였다.

미국에 가서 처음엔 후배의 아파트에 짐을 풀었고, 사흘만에 아파트를 얻어 독립(?)을 했다. 그런데 미국의 아파트라는 게 참…….

집답게 꾸미는 데 참 오래 걸렸다. 그때 대부분이 그러했듯이 우리도 많은 세간을 얻어 썼다. 한국에 돌아가는 사람이 있으면 그 집에서 침대를 얻어오고, 미국인들이 내다놓은 소파도 얻어다 쓰고…….

그래서 처음에 한동안은 밥을 바닥에서 먹었다. 카펫 위에 뻣뻣한 것을 깔고는 식사를 하는 그 모습. 차라리 큼직한 트렁크라도 있으면 상같이 높기나 하지……. 바닥에 놓고 하는 식사는 사람을 비참하게 만든다. 노숙자.

그 이민 초기의 어느 토요일 저녁. 우리 집 앞에 MH의 van이 들어오는 모습이 보였다. 쟤가 웬일이지? 하며 맞으려 나갔더니, van의 뒤에서 접이식 working table을 꺼내는 것이었다. 식탁 대신 임시로 이거라도 써라 하면서……. 에구, 고마워라! 이제 걸인의 식사는 면했구나. 테이블을 들여놓고, 펴지도 않은 채로 바닥에 놓은 채, 둘이 앉아 담배를 한 대 피우며, 이런저런 이야기를 하였다. 문득 술 한잔이 생각났다. 한잔 할래? 음, 그럴까?

MH는 한글학교에 간 애들의 ride를 다른 사람(그의 아내던가?)에게 부탁하고는 그냥 주저앉았다. 흐흐, 고마운 놈!(진정한 친구는 이래야 한다. 친구가 술 고프다는데, 이리 빼고 저리 빼는 놈들은 벌받아 마땅하다. 내가 누구라고 구체적으로 지적하지는 않겠지만……. 나쁜 놈! 반성해라! 나에게 술 사달라고 했단 봐라……).

그 초저녁부터 술을 마시기 시작했다. 집에 있던 5리터짜리 와인과 Bud부터 치우기 시작했다(독한 술이 없었던 것이 정말 다행이었다). 우리 둘의 수준 높은 사상과 대화를 좀 더 많은 사람들이 들어야 한다는 아내의 건의를 받아들여서, 후배 SH(이 선수는 지금 KIST에 같이 근무하고 있다)와 BH(현재 최전방 P시의 모대학 교수)를 불렀다. 이 선수들까지 합세했을 때가 자정 무렵이었다. 고등학교 선후배, 시골공대 동기, 선후배, 실험실 선후배……. 미국 맞나?)

어느 사이에 우리는 노래를 부르고 있었다(경찰이 안 온 것이 천만다행이었다. 참 좋은 이웃들이다). 공대교가부터, 제1교가, 제2교가……. 그러는 사이에 시계를 보니 3시 정도가 되었다. 술이 다 떨어졌다. 오렌지 쥬스도 다 떨어졌다. 물론 그 전에도 술 떨어지면 주유소에 가서 사오기를 여러 번 했었는데, 그도 불가능해지자 우리는 오렌지 쥬스까지 마셨다. 나중엔 쥬스도 술맛이 났다(예수님도 잔칫집에서 그와 비슷한 役事(역사)를 하셨었는데……. 혹시 이런 상황이 아니었을까? 다들 술이 취해서 물이 술맛이 난 것은 아닐까?).

벌써 시간은 4시가 다 되어가고, 이성적인 우리들은 이제 헤어질 시간이라는 걸 말 안 해도 다 잘 알고 있었다. 그리고(지금은 기억이 가물가물해서 누가 먼저 그러자 했는지 모르겠지만), 우리는 모두 일어나서 애국가를 불렀다. 에구, 민망…….

아내는 '참으로 이해가 안 되는 조선족들' 을 측은하게 바라보고 있었다.

우리가 왜 애국가를 불렀을까? 손님이 오면 가끔 나이아가라폭포 안내를 해주었는데, 꼭 저녁에 술 한잔하고 폭포에 다시 가서 오줌 한번 갈기자는 사람들이 있었다. 아니, 많다. 왜 그럴까 하고 궁금했었는데, 그게 '호연지기' 라는 건가 했었는데, 지금 생각하니 우리도 그와 다를 것이 없지 않은가? 에구, 부끄러버라…….

그 날의 그 애국가 사건은 아직까지 나에게 스캔들로 남아 있다(남들은 스캔들도 낭만?스럽두먼…….).

그 해프닝이 잊혀져갈 때쯤, 해가 바뀌었을 때, 다시 몸이 근질거리기 시작했다. 또 뭔가 이벤트를 만들어야 할 텐데……. 타향살이란 이래서…….

MH에게 운을 띄웠다. 역시 MH의 기획력은 대단했다. 곧 Super Bowl이 있을 예정이었다. 나는 이민생활 초기라서 미식축구를 잘 몰랐을 때였다. 주변 사람들의 설명을 들으며 자꾸 보면서 '이것도 재미있구나' 하고 느끼기 시작할 즈음이었다. MH는 이번 슈퍼볼 때 크게 한번 흥행을 노리자고 했다.

흥행? 크……. 대학교 1학년 때. K1과 동업했다 쪽박 찼던 그 고고미팅 생각이 났다. 그때 그 전쟁보상금을 물어내느라 내 얼마나 인간 이하의 생활을 했던가? 감히 사교계 쪽은 쳐다도 못 보고, 사교육의 어두운 뒷골목에서 賣知識하며 연명하지 않았던가? (그래도 그땐 불특정 다수의 여학생들과 부르스라도 췄지……. 비록 남는 여학생 처리하느라 그런 거지만). 이번에도 흥행에 실패하면 어쩌나? 걱정이 앞섰다.

그러나 시도도 안 하고 무엇을 기대하겠는가? 우리는 즉각 작업에 들어갔다.

〈수퍼볼 기념 교민 큰잔치!〉 빠밤~~~

* 행사 내용 : 수퍼볼 관련 각종 퀴즈대회. 돈 놓고 돈 먹기.

* 장소 : 우리 집.

(물론 이 대목에서 아내의 저항이 약간 있었다. 나의 제안을 듣자, 아내는 '참으로 한심한 조선족' 이라는 눈길을 보냈다. Florida에서 광분해서 놀다 온 게 한 달도 안 되었는데, 또 껀수냐? 하는 멸시의 눈초리. 물론 각오는 했었지만……. 나는 혼신의 열변으로 아내를 설득했다. 우리 집에서 해야 하는 이유 :

첫째, TV가 제일 크다(사실 다 비슷한데……).

둘째, 거실이 넓다(그거야 이민 초기라 가구가 없어서 그렇지……).

셋째, 주인아줌마가 정말 캡이다. 이곳뿐이 아니고 전 미국의 교포사회를 통틀어 젤이다. 만세! 만세! 집요한 설득 끝에, 아내에게는 아무 폐를 끼치지 않기로 하고, 장소 사용을 허가 받았다. 휴~)

* 입장료 : US$ xx(자세한 것은 못 밝힌다).

* 기본 제공 : 소주와 회(이것이 손님을 끄는 결정적 미끼였다.

교민들은 왜 그리 소주를 좋아할까? 회도 그렇고……).

* 게임 방법 : 경기 결과 맞추기 및 즉석 게임 다수.

* 상금 : 1등상 US$ xx 등 푸짐…….

* 사회 : 내기의 귀재, MH.

* 기타 : 회원제. 비밀 보장. 신분 확실한 매너남만 모심(돈 많은 사람 우대).

우리는 행사를 널리 알리는 한편으로, 후배 몇을 하수인으로 끌어들였다. 예상대로 많은 호응이 있었다. 그래서 우리는 회원 모집에 조금 까다로운 기준을 추가하여 인원을 제한하기로 하였다(집이 좁아서……. 게다가 내가 다 치워야 하는데……).

행사 며칠 전에 후배를 뉴욕으로 보냈다(마침 뉴욕에 갈 일이 있는 후배가 있어서 한결 준비가 쉬웠다). 그곳에서 소주 한 박스와 회를 충분히 떠서 가지고 오는 것이 그의 임무였다. 우리 동네에서 뉴욕은 보통 사람이 운전하면 9~10 시간 정도 걸리는 거리였다. 내가 가랭이 찢어질 정도로 밟아 보니까 8시간이 걸렸다. 그런데 후배들은 6시간에 주파하였다. 일제차가 좋은 건지, 애팔래치아산맥에 비밀 터널이라도 있는 건지, 폭주족 같은 놈들…….

대망의 수퍼볼 날. 뉴욕에서 소주 한 박스와 회가 도착하였다. 아내는 애들을 데리고 성당엘 갔고, 나는 후배들과 함께 행사를 준비했다. 이벤트 홀.

참가 선수들이 모두 모이고 rule meeting이 있었다. 각 선수가 적어낸 수퍼볼의 예상 결과에 따라 우승자를 가리는데, 1순위는 양 팀의 점수, 2순위는 점수 차, 3순위는 이긴 팀 점수와의 차이, 4순위는 이긴 팀……. 이런 식이었다. 이렇게 하면 응원의 양상이 뒤죽박죽이 된다. A팀을 응원하다가 B팀을 응원하기도 하고, 점수 차만을 노리고 응원을 하기도 하고. 어차피 우리 국가대표도 아니니까…….

경기가 시작되었다. 물론 그 전에 술판이 먼저 시작되었지만.

그해의 수퍼볼은 '뉴욕 자이언츠'와 '버팔로 빌스' (맞나? 가물가물하네……. 맞을 거다. 그해부터 몇 년간 버팔로는 계속 2등만 했으니까)가 맞붙었다. 처음엔 이벤트에 참가한 꾼들도 다 정상적인 응원을 하고 있었다. 말도 점잖게 하고…….

경기가 열이 오르면서 우리도 열이 오르기 시작했다. 술이 오른 건가? 경기 사이사이에 MH의 즉석 이벤트가 이어졌다. 예를 들면, 'punt return 맞추기' 같은 것들인데, $1 ~ $5씩 내고 즉석에서 따먹기를 하였다(즉석내기의 자세한 내용이 궁금한 사람은 메일로 문의하시길……. chjlee@……).

그런데 그 날의 수퍼볼에서 흔치않은 괴변이 일어났다.

흔히 미식축구, 특히 NFL에서는 점수가 7점(정확히 6+1) 또는 3점으로 난다. 프로팀들이니까 특별한 이변도 흔치않다. 그래서 경기 결과를 보면 점수차가 3점, 4점, 7점과 그 조합, 배수인 경우가 대부분이다. 그리고 그 날 우리도 그런 관례에 준해서 점수를 예측하였었다. 예를 들면, 28-21 또는 24-21과 같이.

그 날의 수퍼볼에서 '세이프티(safety)'라는 흔치 않은 상황이 벌어졌다. '세이프티'란, 몇 가지 경우가 있는데, 쉽게 말해서, 공격 팀의 선수가 자기 end zone에서 공격을 하다가 (벼랑을 등지고 공격하는 것과 같다) 수비선수에게 태클당해서 ball dead, 즉 경기가 중단되면 수비팀에게 2점을 주게 되어 있다(수비가 점수를 얻는 이상한 경기규칙이다. 이상한 운동이고……).

뉴욕의 공격. 자기네 엔드라인에서 몇 야드 앞선 지점. Center가 가랑이 사이로 던져준(snap) 공을 엔드존 안에서 잡은 쿼터백이 두리번거리는 사이, 버팔로 빌스의 디펜스들이, 정말로 버팔로같이 덥쳐버렸다. Sack! 그러니까 Safety! 2점.

정규시즌에서도 잘 안 일어나는 세이프티가 수퍼볼에서 일어났다. 우리 내기에 참가한 사람들도 황당했지만, 아마 미국 전역에서 그것 때문에 뒤집어진 사람 많았을 것이다. 이제 우리의 내기도 이상하게 돌아갔다. 우승 1순위가 점수 결과 맞추기였는데, 엉뚱하게 2점짜리 점수가 나왔으니 대부분의 예상이 빗나간 것이었다. 다음 순위는 두 팀 간의 점수 차. 응원이 뒤죽박죽이 되어갔다. 아군도 적군도 없고, 간간이 욕설도 튀어나오고(경마장이 이렇다고 하던데), 참가한 모든 사람들이 예측 불가능한 반응을 보였다.

결론적으로 그 날의 경기는 뉴욕이 20-19로 승리하였다.

(버팔로 빌스는 그때부터 연속 4년을 수퍼볼에 올랐지만, 한 번도 우승을 못했다. 용한 무당을 불러서 푸닥거리라도 한 판 벌렸어야지…….)

우리의 내기에서 우승한 사람은 예상외로(그 날의 이상한 경기를 감안하면 당연히) 후배 D였다. 이 친구는 뉴욕까지 가서 소주와 회를 사오느라 고생했었는데, 그 보상을 받은 셈이 되었다. 그런데 사실 D는 미식축구를 거의(전혀) 몰랐다. 득점이 얼마씩 되는지도 몰랐기 때문에, 그냥 아무 생각 없이 예상 점수를 적어냈다는 것이다. 정말 참가에 의의를 둔 아마추어였다(사실은 회에 소주가 땡겨서 참가한 것이었지만). 그는 2점 차의 예상 점수를 써냈으니, 누가 상상이나 했으랴? D에게는 엄청난 상금이 주어졌다. '스포츠 도박의 명인' 이라는 칭호와 함께.

결국 그해 〈수퍼볼 기념 교민 큰잔치〉는 그렇게 소주와 회와 내기로 보냈다. 나는 어차피 '껀수' 한번 만들자고 치른 것이니까 즐거운 잔치였지만, 미식축구에 일가견이 있던 많은 전문 내기꾼들에겐 못내 아쉬운 잔치였으리라.

그 날 내기에서 1등한 D. 그 소문이 학교에 쫘하니 퍼졌다(그 날의 참가선수 안에 프락치가 있었던지……). D는 다음 월요일부터 학교의 유명인이 되었다. 그의 주변에는 많은 사람이 몰려들었다.

특히 점심 때는……. 결국 D는 그 많은 선후배에 심지어 ELI(어학 연수원)에 다니는 애들(?)한테까지도 피자를 몇 판이고 사고야 '우승의 악몽'에서 헤어날 수 있었다. 막대한 손해를 본 후에야…….

(그로부터 몇 달 후, 거의 가을이 되어갈 때쯤, 아내가 싱글거리며 묻는다.

그렇게 술이 먹고 싶었어? 술을 다 숨겨 놓았게…….

응? 무슨 소리야?

아내가 우연히 청소한다고 욕실의 세면대 밑 싱크를 열었더니, 배관 뒤에 소주가 한 병 짱 박혀 있더란다. 새 병이. 자세히 보니 〈수퍼볼 큰잔치〉 때 뉴욕에서 사온 그 소주 상표더라나……. 그래서 아내는 내가 숨겨둔 것으로 알았단다. 허~~

내가 술 마시고 싶으면 그냥 마시지, 왜 숨겨두고 마시겠나? 그것도 싱크대 밑에. 아내와 그런 싱갱이를 하다보니……. 아! 그럼 그 〈큰잔치〉 날 누가 꼬불쳐 놓은 것이다 라는 결론에 이르렀다. 누군지는 몰라도 한 병 집에 가져가서 마시고 싶었겠지(교민들의 '소주밝힘증'은 상상을 넘으니까). 그래서 미리 우리 욕실에 숨겨 놓고, 집에 돌아가기 전에 외투를 걸치고 화장실 들러서 가져간다. 그러면, 두툼한 외투 때문에 표가 안 날 것이다. 캬! Good Idea! 그런데 그럼 뭐하나? 정작 집에 갈 때는 까먹은 걸…….

아뭏튼 나는 그 idea man 덕분에 소주 한 병을 더 마실 수 있었다. 세상 일이란…….)

*2001. 1. 15.*

# 삐꾸 훈병 구하기

(1)

〈일본의 모리 총리가 일본을 방문한 노르웨이 국왕이 주최한 만찬에 참석하지 않고, 그 시간에 자파 의원들과 다른 음식점에서 저녁을 먹었다고 한다. 그 만찬에는 왜왕 내외도 참석했었다고 한다. 왜왕이 참석한 만찬에 총리가 불참한 것도 처음이라지만, 외국의 국왕이 방문해서 내는 만찬에 실제 국가원수인 총리가 안 갔다는 것은 참으로 기가 막힌 이야기가 아닐 수 없다. 아마 모리 총리는 한국계인가 보다. 그렇게 지 맘대로 정치를 하는 걸 보면…….〉

(이 이야기를 시작하기 전에 양해를 구해야겠다. 이 이야기는 여성들이 가장 듣기 싫어한다는 군대 이야기이다. 여성독자들에게 꾸벅!

또 이 이야기는 20몇년 전의 군대 이야기다. 요즘하고는 다를 것이다.)

군대에 입대를 하면 제일 먼저 훈련소에 가게 된다. 나도 그런 절차에 따라 왕십리역에서 기차를 타고 논산으로 가게 되었다. 논산의 제2훈련소(제1훈련소는 전쟁 때 제주도에 있었다던가? 진짜인지 모르지만), 논산훈련소를 거치면 특기가 있는 병과를(행정, 포병, 병참, 수송, 병기 등등…….) 부여받고, 예비사단에서 훈련받는 병력은 모두 박박 기는 땅개(보병)라고 하였다. 논산병력들 듣기 좋으라고 하는 소린지도 모르겠다.

'연무대' 역에서 내려 줄지어 걸어 들어간 곳은 '수용연대'라는 곳이었다. 이곳은 교육연대로 가기 전에 신체검사, 인성검사를 다시 한번 더 하고, 어느 병과에 적합한지 가려서 특기도 부여받고, 군복도 갈아입고 하는 곳이다. 그래서 여기서는 훈병(훈련병)이라고 하지 않고 '장정'이라고 부른다. 수용연대에서의 모든 절차를 끝내는 데 빠르면 2, 3일, 늦으면 1주일 정도가 걸렸다.

이곳에는 2, 3일에 한 번씩 전국 각지에서 병력이 새로 들어오고, 또 끊임없이 나간다. 그러다보니 이미 절차가 끝나서 군복으로 갈아입은 병력, 아직 사복을 입고 있는 병력, 서울 병력, 나주 병력, 대구 병력……. 마치 시장통 같다. 그런데 군대에선 항상 마음이 조급하다(아마 빨리 제대하고 싶은 마음이 있어서겠지). 그래서 군복 입은 장정이 부럽고, 수용연대에서 절차를 마치고 교육연대로 이동하는 병력들이 몹시 부럽다. 사실 교육연대로 간다는 것은 훈련에 돌입한다는 것인데도, 그것이 그렇게 부러웠다.

수용연대에서의 일 가운데 인상적이었던 것은 신체검사였다. 신체검사라기보다는 알몸검사라고 해야 할 것이다. 수용연대의 사병들은 우리를 홀딱 벗긴 다음(조금 선정적인 감이 있지만 작품을 위한 표현이니 이해하기 바란다), 어느 건물의 로비 같은 곳, 넓은 홀에 몰아넣었다. 그런데 그 안에 들어가야 하는 목표인원이 있는지 많은 장정들이 계속 더 들어왔다. 점점 인구밀도가 많아지면서 우리들은 살과 살이 닿기 시작했다. 그런데 이성간이라면 인력이 작용했을지, 그래서 살과 뼈가 탔을지도 모르지만, 남자들끼리 살이 닿으니까 영 싫었다. 뜨듯한 느낌이 께름칙하기까지 했다(난 동성애 체질이 아닌가보다). 그래도 장정들은 계속 들어오고 있었다.

사병들은 계속 '밀착'을 외쳐댔지만, 우리는 앞뒤 사람과 살이 닿지 않도록 안간힘을 쓰면서 버티고 있었다. 그러자 남자들끼리의 repulsion 때문에 더 이상 밀집이 안 된다는 것을 알고 있는 사병이 갑자기 소리쳤다.

'전부 앞사람 젖꼭지 잡아!' 윽? 으이그, 뜨듯~

우리는 아주 기기묘묘한 기차놀이를 하는 형국이 되었다. 그렇게 밀착을 하니까 목표인원이 다 들어올 수 있었던 모양이었다. 그 자세에서 좌향좌. 이번에는 어깨와 팔이 꽉 끼일 정도로 밀착되었다. 그리곤 각자 병적기록카드(입영 신체검사 때부터 예비군, 민방위 때까지 따라다니는 개인 병역기록 카드)를 앞으로 펼쳐들라고 하였다. 가슴을 받침으로 하여 카드를 앞을 향해 두 손으로 양 끝을 잡고.

신체검사가 시작되었다. 벌거벗고 가슴에 기록카드를 펼쳐든 장정들의 열 사이로 군의관이 지나간다. 그 뒤에는 사병이 하나. 의무병인 모양인데, 군의관의 조수이다. 그는 스탬프와 고무인을 들고 뒤따라오고 있었다. 그 신체검사라는 것이 무지하게 효율적이다. 예로 치과 검진이 있으면, 모든 장정이 입을 크게 벌리고 있고, 치과의사는 입을 들여다보며 지나간다. 걸음 속도도 평상시와 다름없다. 치과의사가 아무 소리 없이 지나가면 뒤따라오는 의무병은 고무인을 휘두른다. 스탬프 한 번 찍고, 가슴 위의 기록카드에 한 번 찍고. "정상!" 그 기록카드의 수많은 칸 가운데 정확히 수용연대의 치과검사란에 "정상"을 찍을 수 있는 그 재주!

(배달민족은 유전적으로 '교예'에 재능이 있는 모양이다.)

그런 식으로 모든 과의 군의관과 조수들이 지나가고, 우리들의 기록카드에는 여러 개의 "정상" 도장이 찍혔다. 이제는 예방접종 차례. 우리는 일렬로 지하철 개찰구 같은 곳을 통과하였다. 개찰구 양쪽에는 권총을 두 자루씩 든 사병이 한 명씩 서 있었다. 순서가 되어서 그곳을 통과하니 양쪽에서 달려들어 빵! 빵!……. 순식간에 양쪽 어깨에 연필심만한 구멍이 네 개나 뚫렸다. 그리고 무지하게 아팠다. 역시 찔리는 고통은 굵기에 비례한다.

군복을 받는 날. 입고 온 사복을 꾸려서 소포로 보낸다. 늘 생각없이 사는 나도 군복으로 갈아입고나니 꿀꿀한 기분이 들었다. 역시 인간은 감정의 동물이다. 대가리도(좀 천한 표현이지만 '장정'들에겐 대가리가 어울린다) 빡빡 밀고 헐렁한 군복을 입혀놓으니 하나같이 '삐꾸' 같다.

(이 글의 제목에도 '삐꾸'라는 단어가 나온다. '삐꾸'라는 단어가 많이 쓰이는 곳은 단연 야구장이다. 그곳에선 후보선수를 가리키는 말이다. 이 말이 전용되어서 좀 멍청한 자를 지칭한다.)

삐꾸들이 줄지어 간다. 하…둘…하…둘… 군가도 한다.
'보오람 참 하루 일을 끝마치고서어~~'
정말 보람찬 날이었다. 군복 입고 병정이 되었으니까.

내가 '삐꾸'를 안 것이 그때였다(물론 우리 모두 몰골이나 하는 짓이나 삐꾸 같은 때였지만, 그는 단연 '群鷄一삑'이었다. 닭대가리들 사이에 찬연한 삐꾸 하나. 단연코 빛나는 삐꾸!).

그때 수용연대에서 내가 속해 있던 소대는 '특기소대'라고 하였다. 입대한 첫날 연병장에서 대충 분류해서 각종 특기가 있다는 장정들만 가려낸 소대였다. 특기라는 것은 테니스 등과 같은 운동 특기, 차트나 간판쟁이, 딴따라와 악사들, 각종 요리사 등과 같은 것으로 전투보다는 entertain 쪽으로 쓰여질 장정들이었다.

(나는 무슨 특기였냐구? 그건 무덤까지 가지고 가야 할 나의 짐이다. 묻지 말길 바란다. 국가의 안위와 인류의 번영을 바란다면

그런 호기심부터 버려야 한다.)

그때 나는 우리 특기소대의 향도를 맡았었다. 내가 향도가 된 이유는 단지 잘생겼다는 이유 하나 때문이었다. 나도 그 전에는 내가 잘생겼다고 생각해본 적이 없었는데(사실 반대편이지. 나도 안다), 다 같이 대가리를 빡빡 밀어 놓으니까 내가 단연 돋보이는 것이 아닌가? 허허… 참! 숱 없고 훤한 앞머리도(결코 대머리는 아니다!) 커버가 되고, 납작한 몽고리안 뒤통수도 돋보이고……. 아마 나는 출가 체질인지도 모르겠다.

우리 소대는 뭐가 잘못 되었는지 1주일이 넘도록 수용연대에 있었다. 빨리 훈련을 받아야 하는데 하는 조급증도 나고, 지겨운 수용연대 생활에 염증도 났다. 할 일이라곤 사역뿐이었으니……. 그런 지겨운 일상 가운데 향도가 해야 하는 가장 큰일은 끼니에 맞춰서 소대원 몇 명과 함께 가서 밥과 부식을 타오고, 그걸 나눠 먹고, 치우고 하는 일이었다(지금 보니 가장 이상적인 삶인 것 같다). 특히 식판(tray)을 잃어버리지 않도록 하는 것이 중요했다. 서로 훔쳐 가느라고 혈안이 되어설랑은…….

우리 소대 안에는 특기소대답게 별놈이 다 있었다. 이 소대의 압권은 '썰'이었다. 70% 이상 부풀려진 썰이지만, 소대원들의 썰은 실로 흥미진진했었다. 주로 썰 무대를 휩쓰는 애들은 밤무대 악사들이었는데(무대는 같은 무대니까), 그들의 이야기를 듣고 있으면 내가 외국군대에 용병으로 온 것이 아닌가 하는 착각이 들 정도였다. 하여간 서울의 밤과, 그 밤의 여자들은 다 그들이 지켰다고 한다. 그런데 그 친구들은 썰이 강한만큼 영악해서 궂은 일은 눈치껏 요령껏 잘 빠져다녔다. 그런 뺀질이들판인 특기소대에 그 '삐꾸' 도 있었다. 하도 조용한 애라 처음엔 표도 나지 않았다. 삐꾸가 내 눈에 뜨인 것은 식사 후 청소 때문이었다.

수용연대도 여느 내무반같이 양쪽에 침상이 있고 가운데에 긴 테이블이 있다. 이 테이블은 우리의 식탁 역할도 하게 마련인데, 식사가 끝나면 음식 찌꺼기로 늘 지저분하였다. 당번을 정해서 청소도 하고 설거지도 하지만, 뺀질이들이 하도 교묘하게 도망을 가는 통에 향도인 나는 늘 속을 끓였다. 그런데 어느 날 문득 식사 후 식탁을 즐겨 닦는 그의 존재를 깨닫게 되었다. 신기한 놈이네…….

그에게 물었다. 너는 어떻게 남들이 다 안 하려고 하는 식탁 청소를 그렇게 신나게 하냐고. 그것도 콧노래까지 하면서. 그는 처음에 나의 말을 이해하지 못하는 듯했다. 그는 어느 호텔의 주방에 근무하다 군에 왔단다. 그는 식탁을 닦고, 치우고, 요리를 하는 것이 자기 일이라는 것이다. 이런 일이 왜 힘드냐는 것이다. 맞긴 맞는 말인데……. 참으로 특이한 삐꾸였다(내 생각이 이상한 건가?).

우리는 1주일을 넘기고 나서야 교육연대로 가게 되었다. 26연대로.

*2001. 4. 2.*

## (2)

### 우리는

약간은, 아니 많이 들떠서 씩씩한 발걸음으로 교육연대로 향했다. 그것이 고난의 시작인 줄은 모르고(사는 게 다 그렇지, 한 치 앞을 어찌 아나?) 앞으로 우리가 당분간 살아야 하는 내무반 앞 연병장에 도착하였다. 2층짜리 건물이었다. 음, 아담하군. 그런 한가한 민간인의 생각을 하기도 잠깐…….

폭풍이 몰아쳤다. 갑자기 명령에 속도가 붙는다. 깜빡 무슨 소린가? 하는 날엔 여지없이 발길질이 날라들고, 쉴새없이 떨어지는 명령에 정신이 다 혼미했다. 이리 구르고, 저리 구르고, 쪼그려 뛰고, 앉아 돌고……. 연병장에는 먼지가 뽀얗다.

"로켓이 왜 빠른가?" 라는 퀴즈가 있다. 답은 "엉덩이에 불이 나니까." 이다. 정말 그랬다. 우리는 로켓보다 더 빠르게 움직였다. 우리는 엉덩이뿐이 아니라 등짝에서도, 어깨에서도, 아니 온몸에서 불이 났으니까. 요령을 부려보려고, 또는 눈치를 보려고 할 새가 없었다. 내무반장과 조교들이 원하는 것이 그런 것인가 보았다. 풀을 바짝 먹이는 작업. 딴 생각을 못하도록.

그 폭풍 같은 한바탕 기합의 다른 목적은 훈병들을 섞어 놓는 것 같았다. 우리는 항상 '오와 열'을 맞춰 대형을 유지해야 하였는데(이건 군대의 기본이다), 우리를 돌리는 방식이 아주 독특했다. 어느 열은 앞으로, 다른 열은 뒤로, 좌로, 우로, 다시 4열로, 8열로, 3

열로……. 계속되는 기합과 기기묘묘한 씨줄, 날줄의 조합에 얼이 빠져버린 우리들은 계속 아는 사람끼리 붙어 다닐 수가 없었다.

사람들은 다른 환경을 접하면 조금이라도 아는, 친한 사람들과 함께 있으려는 본능이 있는가보다. 서울서 같이 온 친구는 아니어도 수용연대에서 사귄 친구들과 어떻게든 붙어 있어 보려고 하는 훈병들의 의도를 알아차렸는지, 조교들은 기가 막힌 방법으로 풀도 먹이고, 병력을 homogenize 시키고 있었다.

연병장에서 그 소나기 기합과 매로 우리를 이리 몰고 저리 몰던 조교들이 어느 순간 앞 사람 어깨를 잡으라고 하더니, 우리를 건물 안으로 몰아넣었다. 마치 양떼가 우리에 쫓겨 들어가듯이 이 칸 저 칸으로 밀려 들어갔는데, 그렇게 정지한 곳이 바로 훈련을 마칠 때까지 내가 먹고 잘 내무반이었다. 그때부터는 실내경기로 다시 정신없이 돌리기 시작했다. 이번에는 내무반장이 나섰다. 내무반장은 훈련을 마칠 때까지 우리를 가르치고, 생활까지 총괄하는 담임선생과 같은 존재였다. 그런데 우리 내무반장은 마주 보기가 무서울 정도로 험악하게 생겼다. 복도 없지…….

침상에서, 시멘트 바닥에서, 구르고, 맞고, 박고……. 결국 폭풍은 끝났다. 자연의 법칙은 참 위대하다. 실외, 실내를 합쳐서 3시간을 돌았다. 대단한 우리들이었다. 뿌듯했다. 역전의 전우들을 휙 돌아보았다. 군데군데 아는 얼굴들. 그리고 그 안에는 씨익 웃고 있는 삐꾸도 있었다. 저놈은 힘도 안 드나?

내무생활은 그렇게 시작되었다. 그러나 처음 1주일 정도는 걸핏하면 자다가도 끌려나가 구르고 돌기 일쑤였다. 11월 삭풍은 몰아치는데, 빤쓰만 입혀서 바람 잘 통하는 계단에 세워놓고, 바게쓰에 든 물을 솔로 튕겨 우리에게 뿌렸다. 그것은 물이 아니라 송곳이었다. 조교들은 물리화학의 지식을 실행하는 데에도 천재적이었다. 우리는 거의 매일 밤, 조교들의 개인적 취향에 맞춰 해괴한 복장으로(예 : 빤쓰 바람, 알철모에 통일화) 집합하고 뛰고……. 우린 그렇게 군인이 되어가고 있었다.

(조금 빠진 이야기를 되돌려서…….)

삐꾸는 나와 무지하게 질긴 인연이었나보다. 조교들이 그렇게 찢고, 붙이고 했는데도 나와 같은 소대, 아니 같은 분대가 되어 있었다. 그는 키가 조금 작아서 같은 침상의 저쪽에, 나는 이쪽에 있어 얼굴을 정면으로 볼 일은 없었다.

군사훈련이 시작되었다. 역시 기본은 제식훈련.

첫날부터 우리 소대는 무지하게 돌았다. 그런데 그 모든 기합이 거의 다 삐꾸 때문이었다. 우선 제일 처음. 삐꾸는 차렷 자세가 안 나왔다. 그의 짧은 다리는 그나마 O자형 다리였다. 아~

조교가 아무리 무릎을 붙이라고 해도 그의 무릎은 한 뼘이나 벌어져서 꿈쩍도 않는다. 삐꾸도 무진 노력을 하고 있었다. 그가 얼마나 용을 썼는지 마빡 양쪽, 심지어 앞 마빡에까지 핏줄이 튕겨져

나왔고, 그의 모범생용 검은 뿔테 안경은 김에 서려 뿌옇게 되어 버렸다(ㄸ은 안 나왔나 몰라…….). 그래도 그의 야속한 무릎은 부들부들 떨기만 할 뿐 전혀 다가설 생각을 하지 않았다. 아마 조교는 논산에서도 안 되는 것이 있다는 것이 너무 화가 나는 모양이었다. 열이 난 조교는 커다란 작대기를 가랑이 사이로, 그의 복숭아뼈 부근부터 두 다리가 갈라지는 삼각지 부근까지, 마구 위아래로 휘두르며 닥달을 했다(그림 1).

그때 月谷思想家(나)는 뒤에서 조그만 소리로 이렇게 평했다.

"음, 저러다 알 터지지……."

나의 이 평을 듣고 내 옆에서 이를 악물고 있던 '태권도 3단' 훈병이 기어이 푹! 하고 웃음을 터뜨렸다. 마침 독이 올랐던 조교는 그를 끌어내 무차별로 밟아줬다. 아마 그 '태권도 3단'이 그렇게 일방적으로 맞아본 건 처음일거다.

**그림 1** 삐꾸의 가랑이 사이로 막대기를 휘두르는 조교

**그림 2** 땅을 치며 구르는 조교와 우리들. 총을 거꾸로 잡은 선수가 삐꾸.

진도가 나갈수록 상황은 더욱 나빠졌다. 삐꾸는 좌향좌, 우향우도 잘 못했고, 행진 중에는 손발이 전혀 맞지 않았다. 내무반장과 조교들은 삐꾸를 끌어내서 패기도 하고, 두발장수로 날라 차기도 하고, 나중엔 하도 열이 나니까 짓밟기도 했다. 그러나 그럴수록 더욱 더 안 되는 것이 제식훈련이 아닌가? 잘하려고 할수록 안 되는 제식훈련. 온몸에 힘만 들어가고, 오른발에 오른손이 공명하고…….

결국 우리는 단체기합을 받기 시작했다. 당연히 몸이 괴로운 우리들은 삐꾸를 욕하기 시작했다. 간사한 게 사람이라고 삐꾸가 얻어터질 때는 그리 불쌍하더니, 우리가 같이 고통을 당하니까 그리 미울 수가 없었다. 여덟 명씩 어깨동무를 하고는 쪼그려뛰기, 구르기 등등의 기합을 받을 때는 여기저기서 투덜대는 소리가 들렸다. '삐꾸, 저 씨새끼…….' 우리는 동기를 그렇게 미워하고 있었다.

그래도 쉼 없이 가는 건 국방부 진도. 집총제식훈련이 시작되었다. 역시 처음부터 난항이었다. 역시 삐꾸였다.

'앞에 총.' 총 들고 하는 제식훈련의 기본이다. 열심히 우리 앞에서 자세를 설명하던 조교가 갑자기 웃음을 터뜨렸다. 푸.하.하……. 미쳤나? 저 ㄴ이? 조교는 아예 대굴대굴 구른다. 우리도 어리둥절……. 사태를 파악해보니 역시 삐꾸였다. 그는 우리 쪽을 보며 자세를 가르치는 조교와 거울상(mirror image)으로 자세를 취한 것이었다. 우리도 데굴데굴……(그림 2).

그런데 이 사건, 즉 삐꾸를 패지 않고 웃었다는 사실은 매우 의미심장한 사건이었다. 이미 내무반장과 조교들은 삐꾸를 '못 말리는 놈', 'untouchable', '왕고문관'으로 인식하고 있었던 것이다.

한편, 훈련소에서 사람을 추하게 만드는 것 가운데 하나가 배고픔이다. 적어도 civilized human being 답게 먹는 것에는 초연하자고 그렇게 마음을 다 잡아보았지만, 참으로 견디기 힘든 것이 배고픔이었다. 수용연대에서는 육체노동이 별로 없었고, 냄새나는 짬밥에 익숙치가 않아서 버리는 밥이 더 많았었다. 그러나 교육연대에서의 훈련은 말 그대로 physical training이 아닌가? 그리고 우리는 한창 나이의 청년들이고. 눈에 보이는 것은 다 먹는 것으로 보였다. 지나가는 까치도…….

그 당시 훈련소도 식량 사정이 그리 나쁘지는 않았다. 그런데 부식 사정, 특히 김치 사정은 참 나빴다. 매 끼니에 김치라고 주는 것이 엄지손톱 만한 것 서너 쪼가리가 다였다. 다른 반찬을 그런대로 풍족하게 주었지만 그래도 김치를 왜 그리도 밝혔는지……. 어쨌든 우리는 항상 배가 고팠다. 김치가 있던 없던 밥은 끊임없이 들어갔다. 조교들은 항상 옆에 서서 "짬밥 30초 전"을 외치고 있었고, "짬밥 개시!" 소리와 함께 작대기를 휘둘렀다. 처음에 우리들은 맞으면서 짬밥통으로 가면서도 한 입이라도 더 입에 처넣었다. 그러나 밥을 몸에 부어 넣는 것에 익숙해지자 제한시간 안에 밥을 싹 비우고 입맛을 다실 정도가 되었다.

(식당에서 밥 빨리 먹는 사람들을 추궁해보면, 대개 쫄병 출신

이다.)

밥을 빨리 먹은 애들은 주위를 두리번거리다 혹시나 반찬을 남기거나(비위가 약한 애들이 가끔 있다. 내 옆의 '태권도 3단' 도 비위가 약해서 양고기를 못 먹었다. 그건 다 내 차지였다. 남의 약한 비위가 그리 고마울 줄은…….) 드물게 밥을 남기는 애들이 있으면 얻어먹었다. 짬밥통에는 거의 짬밥이 없었다.

어느 끼니 때였다. 밥을 빨리 처넣은 훈병 하나가 "누구 남길 사람 없어?" 하고 공개적으로 구걸(?)을 하고 나섰다. 모두 들은 둥 만 둥 자기 밥 먹기가 바쁜데, 갑자기 "배고프면 이거 더 먹어" 하는 天上의 소리가 들려왔다. What?

모두 그쪽을 돌아보았다. 삐꾸가 자기 밥을 '구걸맨' 에게 내밀고 있었다.

(나는 저 자식은 아직도 다 안 먹고 뭘 했지? 하는 생각이 들었다. 동작이 느리더니 밥도 느리게 먹는 모양이었다.)

모두가 잠시 어리둥절했었고, 역시 잠시 황당한 표정을 짓던 '구걸맨' 은 얼씨구나 삐꾸의 식판을 통째로 들고 열심히 처넣었다.

그 일이 있고 난 후부터 우리들은 시간 날 때마다 '삐꾸의 불가사의성' 을 자주 토의하였다. 정말 학구적인 훈련병들이었다. 學究소대. 우리들의 주된 논점은 '삐꾸는 정말 바보인가?' 하는 것이었는데, 그렇게 몸도 마음도 고단한 상황에서 누구나 싫어하는 청소 같은 궂은 일을 즐겨하고(그때는 결코 느리지 않았다), 자기도 배가

고플텐데 옆의 애들에게 밥도 반찬도 선선히 내어주는 물리적 거동을 우리는 도저히 해석할 수 없었기 때문이었다. 그런 오리무중의 토의를 자꾸 하다보니, 여러 가지 학설이 난무하기 시작했다. 百家爭鳴(백가쟁명)의 시대라고나 할까……. 예를 들면,

삐꾸는 철인이다. 황금박쥐다. 미륵이다. 관심법을 한다. 아톰이다. 감정이 없는 생물이다. 심지어, 삐꾸는 천사다 라는 종교적 해석까지 나왔다.

과연 삐꾸는 누구일까?

*2001. 4. 4.*

(3)

어느덧

훈련도 중반에 접어들었다. 그때도 우리는 하루도 빠짐없이 구르고, 돌고, 맞곤 했는데, 그 기합들의 한두 차례는 언제나 삐꾸 덕분이었다. 그런데 어느덧 변한 것은 누구도 삐꾸 욕을 하지 않는다는 것이었다. 이젠 늘 그려러니, 다 우리 복이려니 하고 견뎠다. 삐꾸의 말 없는 행동과 착한 품성을 우린 다 아니까……. 우리라도 위해 줘야지…….

우리들이 삐꾸를 대하는 것이 바뀌었다는 것을 깨달은 사건이 생겼다.

PRI. Preliminary Rifle Instruction. 사격술 예비훈련.

(* '한담'을 열심히 읽으면 교훈뿐이 아니라 지식도 얻는다. 논술고사에도 큰 도움이 되리라 생각한다. 내가 생각해도 정말 유익한 site다. 둘리는 안 믿는다. 도꾸도 안 믿는 눈치다. 어차피 그놈은 문맹이니까. 역시 적은 내부에 있다.)

말 만들기 좋아하는 사람들이 "피가 나고, 알이 배기고, 아프다"고 해서 PRI가 되었다고 하는 지랄 같은 훈련(천한 표현이지만 적확한 의미라서 썼다)!

군대에서는 사격과 관련된 것 쳐놓고 쉬운 것이 없다. 사고를 방지하기 위해 더 지독하게 돌린다고 한다. 고마운 배려지만 힘든 것은 사실이다.

그 날 우리가 PRI교장에 도착했을 때 우리를 맞은 조교는 처음 보는 사람이었다. 마치 John Travolta가 여러 영화에서 지었던 표정같이, 매우 jerky한 모습의 그 조교는 아주 귀찮다는 식으로 우릴 가르쳤다. 그런 짜증스러운 조교를 어떻게 삐꾸가 피해갈 수 있겠는가? 처음엔 삐꾸 덕에 우리가 같이 굴렀다. 그런데 우리도 이젠 이골이 나서 웬만큼 굴리는 것은 기지개 켜는 정도였다. 그런데, 삐꾸는 계속 틀렸다. 드디어 그 jerky man의 분노가 폭발했다. 그는 삐꾸가 누군지를 몰랐으니까, 포기할 줄도 몰랐다.

우리는 그 jerky man이 삐꾸를 죽이려고 하는 줄 알았다. 어떻게 사람이 사람을 그렇게 팰 수가 있을까? 우리는 차라리 보고 싶질 않았다. Jerky man은 변태임이 틀림없었다. 무차별적으로 맞는 삐꾸를 어쩌지 못하는 우리는 안타까웠다. 돌아보니, 저만치서 우리 내무반장은 딴청을 하고 있었다. 교관끼리 서로 간섭 안 하는 것이 그들 사이의 예의이겠지만, 이건 너무 심했다. 소대원들 사이에서 '씨발' 소리가 튀어나오기 시작했고, 잠시 후 구타는 그쳤다. 쉬는 시간이 되어서 그친 것이다. 15분 이상을 맞았다.

쉬는 시간. 아무도 좀처럼 일어서질 않는다. 담배를 피워 무는 놈들만 있을 뿐. 전부 더러운 기분으로 삐꾸 쪽만 힐끔댈 뿐이었다. 무릎 사이에 고개를 묻고 있는 삐꾸는……. 울고 있었다. 아무리 힘들어도 항상 싱긋 웃던 삐꾸였는데…….

누군 오고 싶어 군대에 왔나? 멍청하고 느린 것도 고단해 죽겠는데, 그걸 저렇게 짓이겨 놓을 것은 뭔가? 한숨 소리와 침 뱉는 소리만이 들렸다.

내 옆 자리의 '태권도 3단'이 일어섰다. 그는 모범생이었다. 뭐든지 잘해야 하는 것이 그의 숙명이었다. 그래서 삐꾸를 제일 싫어하고 질책하는 것도 그였다. 그에게 삐꾸는 우리 소대의 癌(암)이었다. '태권도 3단'이 삐꾸 쪽으로 갔다. 나는 속으로 재는 오늘도 삐꾸를 야단치려나 하면서 보고 있었다. '태권도 3단'은 울고 있는 삐꾸의 어깨를 가볍게 두어 번 토닥이고는 변소로 향했다. 그리고 다른 소대원들도 하나씩 변소를 가면서 삐꾸의 어깨를, 머리를 한 번씩 잡아주고 흔들어주었다. 그랬다. 삐꾸는 우리 소대원이었다. 그리고 우린 전우였다.

너무 많이 힘들었었는지(하긴 보름 이상을 매일 그리 맞았으니), 소대로 돌아와 저녁식사를 할 때, 그는 전혀 먹지를 못했다. 남는 그의 밥을 우린 아무도 먹질 않았다. 그리고 그 날 밤 삐꾸는 열이 펄펄 나면서 아파했다. 불침번을 서던 애가 신음소리를 듣고 삐꾸가 앓고 있는 것을 발견했고, 내무반장에게 보고했다.

다음 날 아침. '태권도 3단' 이 나에게 다가와 삐꾸를 하루 훈련에서 빼달라고 소대장에게 부탁 좀 해보라고 하였다. 그때 우리 소대장은 H대 체대를 나온 ROTC 출신 중위였는데, 나에게 유달리 잘해주었다(첨엔 기록카드에서 내가 시골공대 나온 것을 보고 호기심에 나를 불렀다고 한다. 그러나 이런저런 이야기를 하다보니 참으로 교훈적인 성품과 인간성에 매료되어 잘해주게 되었다고 한다. 믿거나 말거나……. '시골공대' 나온 덕을 가장 크게 본 사건이다).

소대장은 가끔씩 한밤중에 소대장실로 불러서 소주에 통닭을 먹이기도 했다. 난 술이 팔자라고 생각했었다. 논산훈련소에서 훈련받다가 소주에 통닭 먹어본 놈이 몇이나 되겠나? 그러니 팔자지……. 어느 때는 애인 사진 보여주며 자랑도 하고……. 나무꾼에 선녀였다. 참 잘해주셨던 나무꾼, 아니 '나무분' 이었다.

그래도 군대인데 계통이 있지……. 나는 먼저 내무반장에게 통사정을 했다. 오늘 하루만 삐꾸를 놔두면 안 되겠냐고. 내무반장도 어제 일을 알고 있어서 그랬는지 망설이는 기색이 역력했다. 그러던 차에 소대장이 나타났고, 자초지종을 들은 소대장은 삐꾸를 하루 쉬도록 해주었다. 의무실에 보내지는 않고, 기간병들 내무반에서 하루 쉬도록 조치를 해주었다. 물론 쉽지 않은 조치라는 것은 우리도 알고 있었다. 그 날 그 험악한 내무반장의 얼굴이 그렇게 인자해 보였다.

저녁에 일과를 끝내고 돌아오니 삐꾸는 많이 좋아 보였다. 밥은 한 끼도 못 먹었다고 하였다. 삐꾸를 둘러싼 애들이 야전잠바 속에서 '크림빵', '백설기', '바나나 우유' 등을 꺼내 놓았다. 훈련장으로 이동할 때 귀신같이 흩어져서 사온 100원짜리 빵들이었다. 싱긋 웃는 삐꾸, 그를 보고 싱긋 웃는 동기들.

다음 날부터 우린 또 굴렀다. 삐꾸도 같이. 그리고 드디어 영점사격.

총을 calibration하는 과정이라고 해야 할 것이다. 총 쏘기 전에 또 엄청나게 굴렀다. 젠장, 총이니 망정이지…….미사일이면 훈련병 다 죽겠다.

순서대로 사격을 하고 나왔다. 먼저 사격을 마친 우리들이 느긋하게 앉아서 담배를 피우고 있는데, 삐꾸가 나왔다. 얼굴을 보니 결과가 좋았나보다. 하긴 저놈이 언제 나쁜 적이 있었나? 그런데 뭔가, 정말 뭔가가 이상했다. 다시 삐꾸를 쳐다보고……. 나는 데굴데굴……. 그 논산 산야를 마구 굴렀다. 와! 하! 하!

삐꾸의 안경 오른쪽 알의 한가운데가 뻥 뚫려 있었다. 총 쏘던 충격에 그렇게 되었다는데, 어떻게 알이 깨지지 않고 구멍만 날 수가 있는지……. 아~ 삐꾸는 정말 모든 게 난해한 선수였다. 그렇지 않아도 삼돌이 같은 모습인데, 거기다 안경에 구멍까지 났으니, 이젠 완전한 삼룡이 몰골이 되었다(독자 중 '삼룡' 씨가 계시면 죄송!).

그런 삐꾸를 보고는 웃지 않는 사람이 없었다. 심지어 그 '험상' 내무반장도 웃음을 참지 못했다. 내가 늘 궁금했던 것이 바로 내무반장의 웃는 모습이었는데, 삐꾸 덕에 그걸 볼 수 있었다. '험상'의 웃는 얼굴은 영화 'Jurassic Park'에 나오는 velociraptor(일명 랩터)라는 공룡이 웃는 모습을 상상하면 딱 맞다. 웃는 모습조차 써늘했다.

다음 날 아침. 우리는 식사를 마치고 야외교장으로 이동하기 위해 연병장으로 모이고 있었다. 그런데 뒤늦게 계단을 뛰어내려오는 삐꾸를 보고는 소대원들의 웃음이 폭탄같이 터졌다. 군장을 챙기던 나도 무슨 일인가 싶어 얼른 삐꾸 쪽으로 가보았는데……. 나는 그냥 뒤로 자빠져버렸다. 아~~ 내공의 끝이 없는 삐꾸.

삐꾸는 안경알의 구멍 뚫린 부분을 종이를 돌돌 말아서 틀어막았던 것이다. 우리 소대, 옆 소대, 조교, 내무반장, 소대장, 중대장 할 것 없이 데굴데굴 구르고, 땅을 치고, 나중에는 거의 울고……. 할렐루야~ 소리에 아멘으로 화답하고.

동네 주민들 증언을 들어보면, 황산벌 전투 이후에 그 논산지방에서는 가장 큰 광란이었다고 한다. 나는 역사의 현장에 있는 것만으로도 행복했었다. 엄청난 군인정신과 극기심을 발휘하여 웃음을 멈춘 소대장이 물었다.

"너, 그거 왜 틀어막았니?"

"옛! 바람이 들어와서 추워서 그랬습니다."
다시, 와하하~~ 이젠 소대장마저 쓰러져버렸다.

우린 야외교장으로 향하면서도 군가를 할 수가 없었다. 가다 돌아보고, 웃고 또 웃고, 어느덧 우리는 '눈물고개'라고 이름 붙은 곳에 이르렀다. '눈물고개'는 야트막한 오르막이지만, 경사는 제법 가팔랐다. 이곳을 지날 때는 조교들이 한바탕씩 골탕을 먹이는 곳이었다. 그 날은 찬비가 내린 끝이라 길도 질척거렸다. 우리는 조교가 시키는 대로(이유야 자기들이 붙이는 것일 뿐이지, 어차피 다 통과의례인데……) 쪼그려 앉아서 M-1 소총을 거꾸로 잡아서 철모 위에 세웠다. 그리고 오리걸음으로 그 고개를 올라가기 시작했다. 가파르지, 진창이라 미끄럽지, M-1 소총은 위가 무거워서인지 자꾸 쓰러지지……. 우리는 거의 전진을 못하고 진흙밭에서 허우적거리고 있었다. 짧지만 가히 '눈물고개' 소리를 들을 만하였다. 그러나 우리 소대는 아무도 울지 않았다. 조교들의 대화가 들렸다.
"애들은 힘이 안 드나봐."
"글쎄 말야, 이상한 놈들이네……. 감정도 없나?"
우리가 울긴 왜 울겠나? 힘들다가도 삐꾸의 안경 생각만 하면 웃음이 나오는데……. 우리가 하도 제 자리에서 철퍼덕거리니까 조교가 그냥 일어나라고 하였고, 우리는 그 고개를 가뿐히 뛰어 넘어갈 수 있었다. 다 삐꾸의 덕이었다.

그 날은 야외교장에서도 우린 신나게 훈련을 받았다. 아무리 기합을 줘도 별로 괴로워하지 않는 것이 맘에 안 들었는지, 조교가 심통을 부리기 시작했다. 쉬는 시간이 되었는데, 30초 안에 소변 다 보고 집합하란다. 참, 까라면 까야지…….

우리는 총알같이 튀어서 변소로 뛰어들었다(화장실이라는 표현을 도저히 못하겠다. 양심에 걸려서). 국민학교 변소 같은 모양. 독립식 개인 소변기가 아니고, 발 딛는 긴 턱이 있고 오줌이 흘러가는 도랑이 있는 전통 소변소. 나는 무난히 한 자리 차지하고 일을 보기 시작했다. 그런데 문득 아래를 보니(평소에 이런 버릇은 없는데 뭔가 이상해서) 아앗!! 오줌이 두 줄기! 너무 힘들어서 고추가 갈라졌나? 아니면 하나가 더 생겼나? 등골엔 식은 땀이…….

그러나 내가 누군가? 'Sharp Lee' 가 아닌가? 재빨리 사태를 다시 분석해보니 한 줄기는 한참 밑에서 분출되고 있는 것이 아닌가? 그럼 그렇지! 어느 놈이 감히……. 샥! 뒤를 돌아보니 삐꾸가 뒤에서 예의 그 싱긋 웃는 얼굴로 쬐그만 고추를 잡고 쉬를 하고 있었다. 키가 작으니 그게 되는구먼. 그리고 저 웃음…….

이제 삐꾸는 우리와 떼려야 뗄 수 없는 전우가 되었다.

*2001. 4. 7.*

# 컴鬼에게서 자식 구하기

# 첫인상

〈지난 토요일 아내와 집앞의 L백화점(우리는 흔히 '우리집 냉장고' 라고 부른다)에 같이 갔다. 아내가 자기 봄옷을 보아둔 것이 있단다. 참 별일이 다 있구나 하며 아내를 따라나섰다. 아내는 항상 자기 옷을 자기가 고르고 산다. 나의 심미안을 못 믿어서 그러기도 하겠지만, 내가 추천하는 옷이라는 게 항상 유사해서 싫은 모양이다. 나는 매일 회색조의 투피스만 권하니까…….

'우리집 냉장고' 에는 사람이 많았다. 그러고 보니 세일기간이다. 나는 임계치 이상으로 사람이 많으면 '투덜' 대기 시작하는 못된 버릇이 있다. 그리고 투덜대는 레파토리도 항상 일정하다(전통을 사랑하니까……). 아내도 이제는 익히 알아서 선수를 친다.

"아휴……. 이 'ㄱㅁ리 컨츄리' 들은 왜 여기까지 와서 복잡하게 하나? 그 동네도 큰 가게 많던데…….” 이런 아내의 先手(선수)에 가만 있을 수 있겠나? 나도 한 마디.

“아냐, 이 병력들은 남양주에서 온 것 같아. 아니면 연변이던가.”

“어떻게 알어?” “저기 봐.”

내가 턱짓으로 가리킨 곳에는 두툼하고 큼직한 베이지색 마이(마이라기보다는 반코트에 가까운)에 꽃이 무수히 그려진, 발목까지 오는 노란 주름치마를 입은, 짧은 라면머리 아주머니가 기획코너 앞에 서서 바지를 치마 속으로 입어보느라 정신이 없었다(여자들은 참 편리하다. 치마 속으로 바지도 입을 수 있고). 아내도 이해가 되는 모양이었다.

어쨌든 아내가 ‘투덜’을 선수쳤다는 것은 더 이상 분위기 깨지 말라는 뜻이라는 것을 간파한 나는 즐겁게 시간을 보내기로 하였다. 아내가 보아둔 옷을 보니 의외였다. 내가 늘 추천하는 회색조의 투피스였다. 이래서 같이 가보자고 했었나? 하여간 입이 마르도록 칭찬을 해줬다. “히야, 기가 막히다. 한 떨기 꽃이다. 봄이 다 당신에게 쏠렸다. I love you, Honey…….” 아내도 싫지 않은 모양이다. 옷을 주문해 놓고 다른 곳을 돌아보기로 하였다.

드물게도 아내가 나의 골프복장을 걱정해주었다. 허허, 골프는 복장이 아니라 스코어이지만, 나같은 高手는 복장도 가려야 하니까…….

골프웨어를 보며 다시 나의 ‘투덜’이 시작되었다. 똑같은(내가 絲學(사학)과 출신 아닌가?) 조끼가 골프웨어 코너로 오면 값이 천정부지이다. 젠장! ‘두타’에서 2만원짜리가 여기선 10만원이다.

"아무리 돈이 썩어져도 그렇지, 팔도 없는 조끼가 10만원이라니……. 팔이 붙었으면 100만원이겠네!" 나의 '투널'에 아내가 가만 있는 것을 봐서는 아내도 심하다는 것을 느끼나보다. 그때였다.

내 눈에 그 옆의 골프장비 가게가 들어왔다. 나는 차라리 장비나 구경하자는 생각에 그곳으로 향했다. 주~욱~ 세워 놓은 드라이버들을 보다보니 희한한 것이 눈에 보였다. 드라이버 바닥에 무슨 다이얼 같은 것이 붙어 있고, 마치 무슨 무기 같았다. 이제는 골프채도 과학이구나……. 역시 과학뿐이구나.

그 해괴한 드라이버를 열심히 쪼고 있는데 점원이 다가왔다. 그런데, 이 친구가 다가오다 말고 나를 힐끔 보더니 머뭇머뭇하고 있는 것이다. 아하! 이 점원이 나를 '남양주병력'으로 보는구나……. 내 몰골을 보니 이해가 되었다.

(그래도 나는 '바이올린 켜는 검은 악마, 파가니니' 보다는 아주 선량하고 세련되게 생겼다고 자부하고 산다. 최소한 베를리오즈 정도는 되는데.)

원래 나의 '몰골' 자체가 도회적이라든가, 골프적이지는 않다. 게다가 서둘러 아내를 따라나오면서 쌀쌀하길래 지난 겨울에 입던 칙칙한 잠바를 걸치고 나왔으니, 그 점원이 머뭇거리는 것도 이해가 되었다.

그 가게 점원의 생각은 이랬다. "저 남양주인지 우묵배미 병력인지……. 봄맞이 객토작업이나 하지, 왜 이런 '고급' 백화점에 와서, 게다가 감히 '고루푸' 가게에 와서 비싼 채 만지면서 낙서를 하는 거야? 에이……."

그놈의 심중을 꿰뚫어보는 순간, 나는 내공을 휘몰아 서너 발짝 뒤로 물러섰다. 혹시라도 놈이 소금이라도 뿌릴 것에 대비한 본능적 방어동작이었다. 나는 아직도 미적거리고 있는 놈에게 비시시 쪼개는 미소를 던져주고, 다른 곳으로 발길을 돌렸다. 글마, 황당했을 끼라……. 문득 카메라점이 보였다.

카메라점. 이게 아주 재미있는 상점이다. 요즘은 많이 전문화되고 세분화되었지만, 아직도 많은 카메라점이 고물상으로 영업허가를 받아 장사를 하고 있다. 정식제품보다 중고품이라든가 밀수품 등이 많이 돌아다닌다는 것이 이런 카메라 판매업의 특징이다. 유통구조가 그렇기 때문이지만, 재미있는 것은 정식 수입제품보다 밀수품이기 때문에 소비자가 더 싸게 살 수 있다는 장점도 있다. 그래서 백화점 안의 카메라점에 함정이 있는 것이다. 일반 소비자는 백화점을 믿는다. 그러나 대부분 백화점 안의 카메라점, 보석점 등은 백화점과는 상관이 없다. 그런 가게들이 세일하는 것 보았나? 막말로 영업장소가 길거리가 아니고 백화점 안이라는 것 뿐이다.

그러나 일반인들은 백화점 안의 카메라점에 있는 카메라는 다 새것(brand-new or virgin)이고 믿을 수 있다고 생각한다. 그래서 똑같은 카메라를 길거리 카메라점보다 훨씬 더 비싸게 주고 사곤 한다.

일전에 아는 분이 대학 들어간 자식놈에게 카메라 한 세트를 사주셨다. 애가 사진학과에 들어갔기 때문에(나는 그 애가 사진을 찍는다는 것을 몰랐는데, 참 희한하게도 훌륭한 작품으로 입학했단다) 그분이 카메라 이야기를 하실 때 내가 선뜻 추천할 수 있는 가게가 없었다. 물론 내가 거래하는 가게는 있었지만, 그분의 사회적, 재산적 명망으로 나의 단골가게를 보면 무지 실망할 것이 보였기 때문이다. 그래서 알아서 구입하시라고 하였더니, 모 백화점의 사진가게에서 일습을 마련해서 애한테 입학선물 겸 학용품으로 주었다고 한다. 가격을 여쭸더니 작은 스튜디오 하나 꾸밀 돈이었다. 내 돈도 아니고, 그분도 부富의 사회 환원을 열심히 해야 천벌을 면하실 것 같고, 그래서 모른 척하였다. 도둑놈의 ㅅㄲ들! 그것이 백화점의 카메라점이다. 번드르르하게 타이 맨 점원들의 '아부리' 까지 있으면 다 넘어가게 되어 있다.

내가 카메라점을 싫어하는 또 다른 이유는 주인 및 점원의 '얄팍한 아는 척' 이다. 나 같은 공대 출신은 '창작성' 은 떨어져도 기계의 mechanism은 쉽게 이해하는 편이다. 그런데 그런 고객을 앞에 두고 이들이 하는 소리를 들을라치면 어떤 때는 욕지기가 올라온다. 모르는 것을 아는 척하려니 별소리가 다 나온다(사실 요즘 기계가 좀 복잡한가? 전화기 한 대도 제대로 소화가 안 되는데, 심지어 고급 기종 카메라야 이를 말인가!).

그 점원들의 말은 한마디로 비싼 카메라로 찍으면 '그림' 이 저절로 된다는 것이다. 심지어 어떤 놈은 흑백용, 칼라용 카메라라고 친절하게 분류해주기도 한다. 썩을 ㄴ. X-ray를 찍나? 나는 그래서 단골 카메라점이 아니면 말을 안 한다. 그냥 미리 공부하고, 싼 집 찾아가서, 물건 상태가 괜찮으면 사는 것이지, 가게 주인이나 점원이랑 말이 길어지면 서로 피곤하다. 그런 나에게 갑자기 카메라점이 눈에 뜨인 것이다.

마침 나는 내 카메라의 작은 부품 하나가 없어져서 신경이 쓰이던 차였다. 그 작은 플라스틱 캡은 정상 작동과는 관계가 없어 차일피일하던 터였는데, 갑자기 카메라점을 보고 그 생각이 났다. 나는 아내와 카메라점으로 다가갔다. 주인인 듯한 신사와 점원인 듯한 제비형 젊은이가 열심히 손님을 맞고 있었다. 내쪽을 힐끗 쳐다보더니, 이내 쳐다도 안 본다. 나는 그들의 흥정이 끝나길 기다리며 카메라 구경을 하였다. 흐음, 그게 그거군.

제비같이 날렵하게 생긴 점원이 나를 맞는다. 그래서 내가 그 부품을 설명했다. 설명하는 도중에 벌써 이 젊은 점원의 표정은 짜증스러워진다.

'아이, 이런 컨츄리까지 와서 귀찮게 하네. 에이, 씨' 그 친구의 짜증이 눈에 보였지만, 나는 진지하게 설명을 했다. 참, 카메라에 대하여 조금만 안다면 금방 알 수 있는 것을 이 제비점원은 이해를 못한다. 이런 쳐죽일 놈.

갑자기 이 젊은 제비점원이 나에게 카메라가 뭐냐고 물었다. 나는 "니콘요." 했다. Nikon은 옛날에는 참으로 명기 였었는데, 최근에 auto-focus가 나오며 그 mechanism에서 Canon보다 조금 떨어지는지 요즘은 기자들만 주로 쓰는 기종이 되어버렸다. 그 젊은 점원은 다시 짜증스레 묻는다. "니콘 뭐요?"

나는 "니콘F xxx요." 하였다. 그러자 그 점원은 "니콘F$%요?" 한다. 내가 다시 내 카메라 기종을 이야기하자, 그때는 그 제비점원이 화들짝 놀란다.

(사실 내 카메라는 조금 좋은 기종이다. 나같이 창작성이 떨어지는 사람은 기계라도 좋아야 한다는 나의 지론도 있고, 또 하난 공대 출신의 지독한 기계위주 사상의 결론이기도 하다.)

점원은 그제야 그 부품을 찾는다고 부산을 떤다. 쯧쯧……. 손님을 외관과 카메라 기종으로 보는 놈. 아까 골프가게 젊은 점원이나, 너나 큰상인은 안 되겠구나 싶었다. 그 가게를 물러나면서 아내가 웃었다. 아내의 말은 내 잘못이라는 것이다. 그런 촌로의 몰골로 무엇을 기대하느냐는 것이다.

맞다. 나 또한 라면머리 아줌마를 보고 남양주니 연변이니 하지 않았던가? 그렇다. 내가 남에게 실망하지 않기 위해서도 나부터 다듬어야 한다.

사설이 길어졌다. 나는 요즘 '첫눈에 반한다' 는 의미를 열심히 생각하고 있다. 나도 첫눈에 반한 경험이 있다. 가깝게는 아내를 처음 보았을 때 그랬다. 그리고 지금도 가끔 첫눈에 반하는 일이 있다. 아직 내가 청춘인가? 주책인가?

그러나 나는 아직 '첫눈에 반함을 당한 일' 이 없다는 아픔도 있다.

'첫눈에 반한다.' '첫눈' 은 얼마간의 시간인가? 보는 찰나인가? 대화의 와중인가? 남녀의 문제를 떠나' 일' 의 문제에도' 첫인상' 은 중요하다. 나는 그다지 '첫인상' 의 덕을 보지 못한 사람이라, 내가 남을 평할 때 시간을 둔다. 좀더 두고 보자는 식이다. 이제는 많이 익숙해져서 인상으로 사람을 평하지는 않는다. 물론 좀더 수련을 쌓아야겠지만…….

'첫눈에 반한다' 는 것은 무엇일까? 정말 그것은 무엇일까?

*2000. 4. 28.*

# 담배는 좋은 것이다

## 중학교

3학년 봄이던가……. 어느 토요일 오후, 친구 예닐곱이 뜻이 맞아 봄놀이를 벌였다. 지타(guitar) 하나와 팝송 책 여러 권을 챙겨 가지곤 학교 뒷산으로 올라갔다. 움푹하면서도 너른 풀밭에서 따뜻한 봄볕을 받으며, 일부는 팝송을 부르고(그때 막 유행하던 Cliff Richard의 'Early in the Morning'을 주로 불렀었다), 일부는 이야기를 하고……. 봄날의 포근함을 한껏 맛보았다. 그런데 아직도 약간 쌀쌀한 바람이 춥다고 느꼈는지, 누군가가 풀을 좀 모아놓고 불을 붙였다(글마는 성냥을 왜 가지고 다녔을까?). 잠시 후, 야! 불 난다. 불꺼, 불꺼 하는 소리에 모두 돌아보니 작게 피운 불이 마른 잔디를 타고 번져가고 있었다. 봄날 햇빛 속에서 불꽃은 전혀 보이지 않는다. 그저 풀의 누런색이 까매지면 불이 타고 있다는 것을 알뿐이었다. 우리는 교복 윗도리와 모자, 가방까지 들고 주변의 풀밭을 온통 두드리며 불을 잡기 위해 안간힘을 썼다. 아무도 말은 안 했지만, 행여 이 불이 커져서 큰불이라도 되는 날엔 우리는 죽음이다 하는 생각뿐이었다.

미친듯이 날뛴 끝에 겨우 불길을 잡을 수 있었다. 검게 탄 부분을 보니, 참 불이란 무서운 것이었다. 우리가 즉시 진화를 했는데도, 순식간에 무척 넓은 풀밭을 다 태웠으니. 우리는 전부 주저앉아 헐떡거리고 있었다. 서로의 몰골을 쳐다보니 기가 막혔다. 검댕이들이 묻어서는……. 자리를 정리하다 문득 모자를 주워드니 담배 냄새가 확 끼친다. 윽! 이거 뭐야. 모자뿐이 아니라 윗도리로 불을 끈 애들은 교복 윗도리에서 담배 냄새가 심하게 났다. 어차피 담배도 풀 태우는 것이니까……. 이번엔 모두 옷을 털고 모자를 흔들고 난리였다. 그대로 집에 갔다간 담배 피웠다고 부모님께 죽을 것이 분명했으니까.

나는 그때야 알았다. 담배가 풀이라는 걸.

고등학교 때, 몇몇 아이들은 담배를 피웠다. 그래서 자기들끼리 점심 때 뒷산에 올라가서 한 대씩 끄슬리다간 교련선생한테 걸리기도 하고, 수세식인 화장실에 들어가서 연기를 변기에 뿜으며 물을 내리는 과학적 방법을 쓰기도 하였다. 나는 발달이 늦는 건지, 애들이 담배를 피우는 것이 전혀 부럽지도, 멋있지도 않았다. 그래서 대학교에 들어온 후에도 한동안 담배를 피우지 않았다.

대학교 1학년, 5월 중순, 고등학교 동창회가 있었는데 무시무시

한 선배가 담배를 억지로 입에 물리곤 피우게 하였다. 나와 내 친한 친구들이 처음 담배를 피운 것이 그때였다. 첨엔 캑캑대느라 정신이 없었고.

그 날 저녁, 집으로 돌아오는 길에 나는 인생과 담배에 대해 깊은 생각을 하게 되었다. 이 풍진 세상을 헤쳐나가기 위해선 담배를 안 피울 수 없을 것이다. 인생을 위해 이참에 담배를 피우자. 그러나 이왕 피울 것이면 멋있게 피우자 라는 결론을 얻었다. 나는 버스에서 내려서 집에 오는 도중에 담배가게에 들려 꽤 독하다는 '청자'를 3갑 샀다. 그 날 거울을 책상에 세워놓고 멋있게 담배 피는 연습을 하느라 거의 밤을 새웠다. 아침에는 거의 실신상태였다. 부모님도 담배를 피우겠다는 내 말에 가타부타 말씀이 없으셨다. 예상을 하셨는지도…….

그렇게 시작한 나의 흡연은 일취월장하기 시작하였다. 워낙 총명한 나는 뭐를 배우든 진도가 빨랐다(잘났다……. 참). 무섭게 성장하던 나의 '끽연功'은, 끊고 피기를 몇 번 되풀이하면서 더욱 완숙해져서 얼마 후엔 거의 삶의 일부가 되었다. 그렇게 '참끽연인'이던 나는 3년 전에 담배를 끊었다. 눈물겹게도, 경제적인 이유로…….

흔히 담배를 피우면서 아내에게 들볶이고, 아기 땜에 못 피우고, 베란다에 나가서 '빠는' 모습을 흔히 본다(이 경우는 담배를 피우는 것이 아니고 빠는 것이다. 무슨 맛이 있을까?). 그래도 그러면서 조금씩 줄여나가기도 하고, 최소한 늘지는 않는 모양이다. 그런데 나는 불행하게도(?) 그런 경우를 당하지 않았었다. 아내는 은근히 옛날 여자이다. 내가 담배 피우는 것을 그리 뭐라 하지 않았다. 오죽했으면 내가 물어보았을 정도였다. 아내의 답은 안 피우면 좋겠지만, 그렇게 심각하게 생각하진 않는다고 하였다. 헐렁이가 태어난 뒤에도 나는 집안에서 그냥 피웠다. 어차피 앞으로도 아버지 담배 연기 맡고 자랄 것을, 조기교육 하는 셈 치기로 하고 그냥 피웠다. 나는 흡연에 관한 한 아주 좋은 가정환경에서 살았다.

나의 담배는 피울수록 늘어갔다. 훗날, 미국에서 골프를 치기 시작하면서 담배실력이 한 단계 또 상승하였다. 티샷을 하고 나서는 잘 맞았다고 한 대, 못 쳤다고 한 대. 매 홀마다 한 대씩 피우다 보면, 한 라운드에 말보로 한 갑씩이 허공으로 날라가곤 했다. 더불어 나의 흡연량도 거의 두 배가 되었다. 골프를 치면서 피우는 담배 버릇. 나는 하나의 버릇을 추가한 것이었다.

담배는 버릇이다. 담배를 피우는 사람들은 자기도 모르는 새 특정 환경에서의 끽연이 버릇이 되어 있다. 식사를 하고 나서 소화제 삼아 피우는 담배 한 개피. 화장실에 응아하러 들어가서 피우는 변비약 담배 한 대. (소설이나 영화에 많이 나오는) 사랑의 행위 후에 피워 무는 담배 하나. 이렇듯 무의식적으로 담배를 피우는 상황이 있다. 술을 마실 때 담배를 많이 피우는 것은 이와는 조금 다른 배경이지만 결과는 같다. 그래서 담배를 끊을 때는 그런 상황을 피하라고 하는 것이다. 잘 참고 있던 사람도 그런 상황에 이르면 못 견뎌하고, 다시 피우게 되기 때문이다.

(술 마실 때만 담배 피우는 사람도 있다. 사실 몹시 위험한 일이다. 그 사람들은 언제라도 다시 피우기 십상이다. 그래서 습관적으로 담배를 피우던 상황을 다 극복해야 진정한 '금연인' 이 되는 것이다.)

나도 담배를 끊어보려고 많이 시도하였었다. 특히 술 마시고 난 다음 날 힘이 들면 술보다 담배가 항상 주범으로 떠올랐고, 그래서 좀더 나은 '음주생활' 을 위해서 과감히 담배를 끊어보려고 했었는데, 쉽게 성공하지 못했었다. 그런데 후에 돌이켜보니. 그런 실패의 원인은 역시 금연의 욕구가 간절하지 못했기 때문이었다.

나의 가장 아쉬웠던 금연 실패담. 흡연 버릇의 무서움.

골프 치며 엄청 늘어난 담배. 아무래도 끊어야겠다는 결심을 굳히고 있었다. 그때, 같은 성당에 다니시던 교포 의사선생님 한 분이 '니코틴 패치' 샘플을 하나 주셨다(미국에서 니코틴 패치가 막 나올 때였다. 제약회사에서 의사들에게 샘플을 돌린 것이다. '니코틴 패치' 에 대해 더 알고 싶은 사람은 Drug Delivery의 달인 의xx센터의 ㄱ박사에게 문의 바란다). 나는 그 패치를 멋도 모르고 윗팔뚝 안쪽에 붙였다. 그 날 밤 나는 거의 끙끙 앓다 죽을 뻔하였다. 큰 핏줄이 흐르는 약한 피부, 그것도 심장 가까운 곳에다 독한 니코틴 링겔을 놓은 것이나 마찬가지였으니……. 결국 다시 떼어내서 좀 딱딱한 껍질에다가 붙였다. 신기하게도 담배 생각이 안 나는 것이었다. 와우~~ 과학의 개가.

난 술도 마셔보았다. 많은 사람들이 담배를 끊었다가 술자리에서 파계를 하곤 한다. 술과 담배의 interaction, 술자리에서의 흡연 버릇은 정말 대단하기 때문이다. 술자리에서도 담배 생각이 안 났다. Bingo! 그래서 약 두 주일을 담배를 안 피우고 지나갔다. 샘플로 받은 한 장의 패치가 이렇게 효과적이라니……. 그런데 두 주일 후 골프를 치러 나갔는데, 첫 홀에서 티샷을 하고 나자 갑자기, 정말로 걷잡을 수 없이, 담배 생각이 나는 것이었다. 어? 다음부터는 으~~으~~ 하며 front nine을 돌았다. 미칠 지경이었다. 마약을 하는 사람들의 금단현상도 그런 것인가?

그럴 때 같이 치는 사람들이 담배를 안 피우면 그래도 넘어갔을 텐데……. 결국 back nine에 들어서서 첫 홀. 티샷이 숲 속으로 들어가 버렸다. 악! 일행에게 담배를 얻어 피웠다. 너무 아쉬웠다. 팻치가 한 장만 더 있어도, 그 날의 골프만 안 피고 넘어갔어도…….

담배는 끊다 실패하면 더 는다. 골프장에서 그렇게 아쉽게 끊을 찬스를 놓친 나의 끽연은 한국에 돌아와 드디어 꽃을 피웠다. 그 사이에 담배는 더욱 늘어서 하루에 두 갑 반에서, 세 갑을 피우고 있었다. 사무실에서는 아예 입에서 담배가 떨어지질 않았고, 저녁에 집에 돌아와서 자기 전까지 한 갑을 피우고 있었다. 술이라도 마시는 날은 다섯 갑 이상을 피워대고 있었다.

담배를 많이 피게 되면서 가능한 순한 것을 찾다보니, 비싼 담배를 피우게 되었다. 그리고 그 즐겨 피우던 담배는 지방에 살 없는 것이라서, 출장이라도 갈라치면 아예 한 보루를 사가지고 내려갔다.

어느 날인가, 한 달에 담배값이 얼마나 드나 계산을 해보았더니 10만원이 넘어 들었다. 적은 돈이 아니다. 그렇지 않아도 아침마다 양치질하며 구역질을 해대는 것도 이젠 신물이 나고, 술 마시고 나면 그 찝찝한 피로도 지겹고……. 이젠 진짜 담배를 끊기로 하였다. 경제적인 이유를 대면서. 사람들은 나를 다 이상하게 생각했을 것이다. 세상에 경제적인 이유로 담배를 끊는 놈은 자린고비 이후에 첨이라고 했을 것이다(그런데, 자린고비가 담배 피웠나?).

아내에게 패치를 사오라고 하였다. 그때 대한민국은 참 좋은 나라였다. 미국에서는 패치를 사려면 의사의 처방전이 필요한데, 우리는 약국에 가면 그냥 팔았다. 그것도 제일 독한 21mg/day 짜리 패치도. 하나를 붙였다. 역시 윗 팔뚝 야들야들 껍질에. 그런데 이번엔 예전 미국에서와 같은 쇼크는 없었다. 그 사이 도력이 엄청 늘었던 것이었다. 다음 날. 담배 생각이 나지 않았다. 그리고 그대로 끊었다. 패치 한 장으로. 이젠 술을 마실 때도, 골프를 칠 때도 담배 생각은 나지 않는다.

흔히들 담배는 자기 의지로 끊어야지, 무슨 다른 도움으로는 못 끊는다고 한다. 맞기도 하고 틀리기도 한 말이다. 자기 의지가 있을 때 약간의 도움으로 훨씬 쉽게 끊을 수 있다면 마다할 이유가 없는 것이다(패치 필요한 사람은 나에게……).

담배를 끊으면 많은 것이 좋아진다. 건강은 쉽게 표가 나지 않으니 잘 모르겠다. 살찌기를 바랐던 내 희망도 이루어지지는 않았다. 대신 항상 피울 담배를 챙겨야 하는 정신적 부담이 없어지고, 특히 여름철에 늘 고민이던 담배 운반의 번민에서 해방될 수 있다. 출장, 특히 미국 출장 때는 정말 혹 하나를 뗀 기분이고. 주위 사람들, 특히 아내는 아주 좋아한다. 집이 깨끗해졌다는 것이다. 그 대신 길을 걷다가도 다른 이들의 담배 냄새가 나면 못 참아하게 되었다(퇴보 아닌가?).

담배를 끊어서 불편했던 일도 있다. 갑자기 불을 찾을 때가 문제

였다. 놀러가서 밥 한다고 불을 붙이려는데 불이 없다. 생일 잔치 한다고 케이크에 초를 꽂아놓고 불을 붙이려니 불이 없다. 결국 라이터를 구해다 비치해 놓았다. 드디어 라이터가 주머니 속의 필수품에서 집의 세간이 된 것이다.

사무실에도 뚜껑 있는 깡통 재떨이와 담배를 몇 개비 비치해 놓았다. 손님이 내 앞에서 안절부절 못하는 모습이 안쓰러워서이다. 나도 담배를 피워봐서 안다. 땡길 때 못 피우면 정신적 공황이 일어난다는 것을.

그럼 담배는 나쁘기만 한 것일까? 담배 예찬론자들은 담배를 정신의 비타민이라고도 하고, 사색의 동반자라고도 한다. 나도 그런 담배가 좋다.

뽀얗고 시끄러운 싸구려 술집, 맞은 편에 앉은 친구의 고백을 들으며 빨아대는 연기를 맛. 공기 탁한 친구의 하숙방, 나뒹구는 술병과 싸구려 안주들, 그 휴지통에서 찾아낸 '장초'의 안도감. 술에 취해, 이별에 취해, 울며 고개 숙인 그녀의 머리 사이로 스며나오는 연기. 논산훈련소, 그 흙밭에 구르다 쉬는 시간에 피워 물던, 필터 없는 화랑 담배의 편안함. 깊은 밤, 실험실의 문을 마지막으로 닫고 어두운 복도를 걸으며 피워 무는 뿌듯함(나는 경험해 보지 못했지만 느낄 수 있는). 긴 시간의 긴장된 수술을 마치고 담배를 피워 무는 의사의 해방감……. 이런 모습에 니코틴의 중독성을 들먹일 수는 없다. 깊은 새벽, 음악에 취해 광인이 되어가며 입에 무는 담배를 마약이라 하겠는가? 머리를 쥐어뜯으며 부딪고, 고민하는 청춘을 골초라 흉볼 수 있겠는가? 이렇듯 담배는 좋은 것이다. 최소한 정신적으로…….

요즘은 살 뺀다고 담배를 피우기도 하는 모양이지만, 그래도 담배의 좋은 점은 육체적인 것보다 우리의 정신에 관한 것이다. 흡연의 피해에 민감해서 찡그리고 사는 비흡연자들보다, 시원하게 연기를 내뿜는 흡연자가 더 생각이 넓고 풍요로울 수 있는 것도 그런 연유이고. 그런데 '담배는 나쁘다는데……. 끊어야 하는데…….' 하는 생각을 하며 피우는 담배는 정말로 나쁘다. 피울 때는 그냥 피워야 한다. 몸 생각 하지 말고…….

왜냐하면, 담배를 피우는 사람에게 있어 담배는 육체적 손해를 감수할 만큼 좋은 것이니까. 그래서 피우는 것이니까.

*2000. 12. 3.*

# Hang Loose!

〈하와이를 상징하는 것 중에 'hang loose' 라는 말이 있다. 사전을 찾아보면 형용사로는 '마음 편한' 또는 '느긋한' 이라고 풀이하고 있는데, 약한 명령어로 쓰이면 'relax' 라는 말로 보면 될 것이다. 편히 쉬어라! Hang loose!

하여간 하와이에는 hang loose가 많다. 모자에도, 티셔츠에도, 열쇠고리에도……. 정말 여러 곳에서 아주 쉽게 hang loose를 볼 수 있다. 그리고 이 hang loose를 뜻하는 손동작이 있는데, 엄지와 새끼손가락을 꺼벙하게 구부려 펴고 나머지 세 손가락은 쥔 상태로 아래위로 흔드는 동작이다.

(다음에 내가 둘리와 hang loose 하면서 찍은 사진이 있다. 내 머리가 조금 벗겨진 것같이 나온 것은 태평양 바람이 강했기 때문

이다. 음, 영감이 다 되었구먼…….)

올 1년 많은 일을 겪었다. 그래서 그런지 많은 생각을 해보았다. 극단적인 생각까지도. 그래서 얻은 나의 가장 큰 변화는 마음을 너그러이 가지려는 노력이었다. 물론 아직도 잘 안 되지만. 특히 운전하면서 욕하는 것은 아직…….

마음을 편하게 가진다는 것. 그것도 종류가 많다.

Que sera sera 같이 whatever will be, will be이던 '될 대로 되라' 는 것이 있고, Hakuna Matata 와 같이 즐겁지만 의미 없이 하루하루 사는 삶도 있고……. 그러나 진정으로 잘 사는 것은 hang loose하고 hang tight 한 삶을 공존시킬 수 있어야 하는 것

이란 생각이다.

이번 출장에서 느낀 아주 훌륭한 진리였다(나날이 진리를 깨우치는 속도가 빨라진다. 내공이 많이 쌓였나?).

사실 '한담' 이라는 것을 시작하고 나서 부담도 있었고, 지치기도 하였다. 그러나 이번 가출 기간 동안 느낀 것은, 한담이 남을 위한 글만이 아니었다는 것이었다. 나도 그 글들을 쓰면서 hang loose 할 수 있었다는 것을 깨달았다.

그래서 그냥 쓰기로 하였다(싱거운 놈). 대신 지금보다는 훨씬 편하게…….〉

외국에서 돌아올 때, 비행기를 타기 직전 쌓여 있는 우리나라 신문을 하나 집게 마련이다. 솔직하게 말해서 선뜻 내켜서, 또는 반가워서 집은 적은 없었다. 언제 우리나라에 반가운 소식이 있어 봤어야지……. 그런데도 신문을 집어 자리로 가는 것은 긴 시간의 비행중에 읽을 거리를 구하는 것일 뿐이다. 이번에도 그랬다. 읽어봐야 그렇고 그런 고국의 소식들……(에구, 언제나 고국의 신문을 반가이 집어들 날이 있을까? 이민 가서 오래 있으면 그리 될까?)

집에 돌아와서도 상황은 여전했다. 뉴스는 여전히 호들갑스러웠다. 누가 사퇴를 했다느니, 그것이 무엇을 뜻한다느니……. 참으로 먼지 같은 일을 악악대고 있었다. 그래서 무엇이 바뀌는데? 절망한 많은 사람들에게 무엇이 좋아지는데? 연말이 더욱 추운 사람들에게는 아무런 상관도 없는, '그들만의 이야기'를 마구 떠들고 있다. 다른 뉴스라는 것도 그렇고 그렇기는 마찬가지였다. 그래서 다시 가출 전의 무료함으로 돌아가려는 나를 깨우는 뉴스가 있었다. 그것도 두 개나…….

첫째. '촉탁 자살' 인가 뭔가 하는 것이었는데, 처음 그것을 듣는 순간 눈치가 절벽이 아닌 나도 어리둥절하였다. 자살을 도와준다? 네덜란드에서 안락사를 허용했다는 것과는 완전히 다른 이야기였다. 의학적으로는 절망뿐이고, 기적만 바라는 사람들을 안락사시키는 것도 아니고(사실 이것도 논란의 여지는 있다), 멀쩡한 젊은 사람이 죽고 싶은데 용기가 없어서 못 죽으니 죽여 달라, 그리고 그래서 도와주었다(?)는 황당한 이야기. 전설의 고향…….

내가 무엇을 잘못했느냐고 항변하는 그 '도움을 준 자'는 그렇다 치자(어차피 그는 자살의 의미와는 관계없는 청부 살인자일 뿐이니까). 그러나 그 죽은 사람은 한번 연구해볼 필요가 있다.

그는 죽고 싶은데 용기가 없어서 못 죽는다고 하였단다. 그럼 '죽을 용기'란 무엇일까? 그 '죽을 용기'야말로 조물주가 인간에게 선뜻 준 것이 아니다. 마지못해 준 것인데, 그것은 '공포'의 일종이다. 조물주가 우리를 보호하려고 준……. 그렇지 않으면 기껏 인간이라고 만들어 놓았더니, 조금 괴롭다고 죽어버리고, 힘들다고 죽어버리고 하면 아깝지 않겠는가? 인건비도 안 나오는 일인 것이다.

문제는 그런 안전장치를 다른 인간에게 부탁해서 풀어버렸다는 것이다. 아마 조물주도 황당할 것이다. 어쩌다 이리 되어가는지……. 하여간 인간의 영악함이란…….

둘째. 과외로 원조교제 하였다는 이야기. 허, 참!

이 경우는 갸륵하다고 해야 하나? 기특하다고 해야 하나? 아니면 경제를 안다고 해야 하나? 꿩 먹고 알 먹기인가?

그 여자애는 그렇게도 공부를 하고 싶었단 말인가? 공부욕심이 얼마나 많으면 몸을 내던지면서까지 공부를 할까? 귀감이라고 해야 할까보다.

螢雪之功(형설지공)이라는 것은 들어보았지만, 이 경우는 뭐라고 해야 하나?

投身之功(투산지공)? 아니면 賣肉之功(매육지공)?

그런데 두 사건이 다 인터넷에서 비롯되었다. 정말 생각해볼 문제다. 참 hang loose 하면서 살기 힘든 세상이다.

오랜만에 쓴 글도 또 무겁게 되어버렸다.

*2000. 12. 20.*

# Primogeniture + Puberty = Perfect Storm

세계사에 이름이 있는 사람들을 분석해보니 '둘째' 자식들이 많더라고 한다. 그 이유는 둘째들의 성격적 특징, 즉 도전적이고, 호전적이며, 모험적인 성질 때문이라고 했다. 대표적 예로 '나팔륜'을 들었다(나팔륜? Napoleon. 요즘은 나파륜(拿破崙)으로 쓴다. 육당 최남선의 시, 「海(해)에게서 少年(소년)에게」에는 '나팔륜'이라고 되어 있다. 그 한자는 가물가물해서……).

그럼 첫째 자식은 어떨까? 큰아이. 큰자식.

큰아이는 확실히 둘째, 막내들과는 다르다. 정말로, inherently 다르다.

내가 주변의 많은 분들과 이야기해보고 느낀 큰 아이들의 전형적인 특징은 이런 것들이다. 특히 다른 자식들과 비교해서…….

우직하다(미련하다 싶을 정도로). 고집이 세다. 퉁명스럽다. 이기적이다. 왕자나 공주병 증세가 있다.

반면에 믿음직하다라는 긍정적인 특징도 있다.

이런 특징을 전체적으로 보면 큰애들은 크게 모험을 하기보다는 현상유지에 적합한 품성을 가진 것 같다. 날 때부터 그렇게 태어난 건지, 아니면 그렇게 키워진 건지는 모르지만(나는 항상 이것이 의문이다. 원래 그런 건지, 아니면 그렇게 키워진 건지? '여자' 도 그렇다. 원래 여성스러운 건지, 아니면 여성답게 키워서 그리된 건지……).

큰아이들의 여러 가지 품성 가운데 '우직스럽다' 는 항목에 많은 분들이 표를 몰아 주셨는데, 때로는 그 성격이 더욱 화근일 때도 있다고들 한다.

대표적인 예로, 나도 그런 경험이 있지만, 다른 이들의 공통된 경험 가운데 하나가 애에게 매를 댈 때이다(나는 애를 때리며 키워야 한다는 주의다). 아무리 애가 잘못한 것이 있어서 매를 댄다 해도 때리는 부모의 마음은 좋을 리 없다. 그래서 매맞고 자는 애의 종아리를 보고 우는 것이 엄마고, 매 자국을 보고 가슴이 아린 것이 아버지인 것이다. 부모들은 애를 때리면서도 이놈이 도망가기를 내심 바란다. 그럼 못 잡는 척, 그만 때리게 되는 것이고. 그런데 큰놈들은 그냥 그 매를 다 맞는다. 이 바보 같은 첫째애들은 그 소나기를 그대로 다 맞고 서 있는다. 얼른 옆방으로 튀어서 비를 그을 수도 있건만……. 때리는 부모는 도망도 안 가고 매를 맞는 자식새끼에 더 열이 나고……. 그래서 더 맞고. 그러니 큰애들이 미련하다는 소리를 듣는 것이다. 우직한 것이 아닌 미련하다는.

(나도 애를 때릴 때 애가 도망을 갔으면 하고 바라곤 했다. 어느 때는 말리지 않고 보고만 있는 아내가 그렇게 야속할 수가 없었다.)

그런데 작은애들은 완전히 다르다. 우선 큰애가 야단을 맞거나 매를 맞거나, 그 정도가 아니더라도 분위기가 조금만 이상하면 어디론가 튀어버린다. 갑자기 불을 켜면 샤사삭~ 하면서 사라지는 바퀴벌레 같다. 심지어 장롱 속에도 숨고. 그리고 작은놈들은 큰애가 야단맞는 것을 보면서 간접학습이 되어서인지, 여간해서는 야단맞을 일을 하지 않는다. 절묘하다고 해야 하는지, 눈치가 빤하다고 해야 하는지.

으! 미련한 큰자식들!

한자로는 '孟(맹)'이 첫 자식을 나타낸다. 요즘은 애 이름을 자유롭게 지어서 그런지 거의 없지만, 옛날에는 이름에 孟자를 가진 사람들이 꽤 있었고 그들은 대개 큰아들이었다('맹구'가 그 집의 큰아들이라는 것을 미루어 짐작할 수 있다). 물론 그보다 더 단순한 집에서는 일一자를 넣어 짓기도 했다. 一남이, 一호, 一순이……. 둘째는 再(재)자를 넣어 再남이, 再호, 再순이……. 그 뒤엔 三자를 넣어 三순이. 또는 三숙이. 장진구 전 마누라.)

(비슷하게 단순하면서도 몹시 국어적인 집에서는 애들의 이름을 '기역', '니은', '디귿'으로 짓기도 했단다. 제주의 어느 집에 실화이다.)

이렇게 큰자식을 뜻하는 孟은 長(장), 始(시), 大(대)라는 의미를 가지는데 모두 큰자식, 첫자식과 상통하는 뜻이다. 한편으로 孟은 '힘쓰다[勉]' 라는 뜻을 가지고 있다.

이것을 보아도 큰아이들은 예로부터 근면하고 건실하긴 했던 모양이다(우직스럽긴 해도). 얍삽빠르게 움직이지도 않고, 안전 위주의 삶을 선호하는 것. 큰아들의 특징인 모양이다(원래 미련한 놈이 듬직해 보이는 법이긴 하다).

한편, 자라나는 애들이 피해갈 수 없는 고비가 있다. 사춘기.

사춘기의 부작용을 치료할 수 있는 치료제가 개발된다면, 그 개발자는 노벨의학상과 노벨평화상을 동시에 받아야 한다는 말이 있다. 사춘기는 그렇게 대단한 것이다. 노벨상이라는 큰상을 한꺼번에 두 개씩이나 받을 만큼.

그런데 묘한 것이 그 공포의 '사춘기'는, 그걸 통과하고 있는 당사자가 아니라 주변 사람들, 특히 가족들에게 주로 피해를 입힌다는 것이다. 정작 그 시기를 앓는 당사자는 별로 아프지 않고, 곁에서 도와주려는 사람들이 더 아픈 병. 사춘기…….

그렇게 주변 사람들이 더 힘든 것이 사춘기이기 때문에 사춘기를 겪는 아이들이 쓴 책은 없어도, 사춘기의 아이들을 둔 부모들의 이야기를 모아 엮은 책은 있다. 몇 년 전에 나왔던 책은 대학교수들이 중심이 되어 자식 키운 경험담을 엮은 것이었는데, 그 중 기억에 남는 것은 이런 내용이었다.

'사춘기 증후군을 앓는 아이는 정신이상자와 유사하다고 보면 된다. 그래서 그런 아이와 마찰이 있을 때는 '정상인'이 참아야 한다.'

오죽 속을 끓였으면 자기 자식을 정신이상자에 비유했을까?

내가 요즘 친구들을 만나면 대화에 꼭 등장하는 화제가 애들 이야기, 특히 대학입시와 사춘기이다. 친구들이 모두 비슷한 연배들이니 집집마다 사춘기를 겪고 있는 아이들이 하나씩은 있게 마련이고, 또 우리들 또래는 대개 큰애들이 지금 그런 나이인 경우가 많다. 사춘기의 큰아이, primogeniture at puberty. 정말 큰 문제다. 암이다. 이건 국가적 차원에서 다뤄야 할 문제가 아닌가 싶다. 의료보험에도 적용되어야 할 질병이다.

내가 아는 다른 몇몇 집안의 「사춘기암 병상일지」를 대충 훑어보면,

1. A씨는 무지 괄괄하다. 당연히 병에 전염된 아들을 그냥 두고 보지 못했다. 달래고(자기는 달래도 봤다는데, 나는 별로 믿어지지 않는다), 패고……. 하여간 두 호랑이가 얼마나 싸웠는지 집안의 나머지 토끼들이 속병이 다 생겼다고 한다. 애는 1주일이 멀다 하고 장래희망을 바꿨다. 음악을 하겠다, 미술을 하겠다…….

(그런데 사춘기암 환자들과의 전쟁이 시작되면, 환자의 대학진학, 입시 같은 것은 문제가 되지 않는다. 그러니까 대학진학이 논의의 대상인 집은 아직 전쟁이 제 궤도에 오르지 않았다는 것을 알고 방역에 더욱 만전을 기해야 한다.)

매사를 일부러 어긋나게 행동하려는 듯한 아들과 성질 급한 아버지(이 사람은 나보다 성질이 더 급하다). 결국 아버지가 항복하고, 아들을 '그분'이라고 부르기 시작했다. 저녁에 집에 돌아와서는 아내에게 "그분 돌아오셨나?", "그분 별고 없으신가?"라고 아들의 안부를 묻는 착한 아버지가 되었다.

그런 치열한 전쟁 후유증으로 애는 원하는 대학을 못 갔지만, 지

금은 부자간이 아주 화목하다. 아직도 '그분' 이라고 부른다.

2. 내 친구 C는 부부가 다 서울대학교를 졸업했다. 게다가 C는 중학교 때부터 한 번도 수석을 놓쳐보지 않은 속칭 '좋은' 머리다. 위로 딸, 아래로 아들을 두었는데, 이 큰딸도 공부를 아주 잘했다. 그렇지만 얘도 나이가 되자 역시 암에 걸렸다. 원래 말이 없던 애였는데, 이젠 말을 붙이기가 겁이 날 정도가 되더란다. 계집애가 퉁퉁대기 시작하는데, 옆에서 봐줄 수가 없더란다. C의 아내는 말을 참 잘하고, 여걸 같은 구석이 있는 여자였다. 그러니 딸이 꼬라지 부리는 것을 쉽게 넘어가질 못했다. 싸움도 지겹게 했단다.

이 딸은 부모가 서울대를 나온 것이 무슨 큰 원죄나 되는지, 말끝마다 "난 보란 듯이 저기 시골에 있는 나쁜 대학에 갈 거야."라고 떠들었다. 어느 날 그 날도 한판 붙었는데, 또 예의 그 소리 "나는 보란 듯이……."를 읊더란다. 열이 난 이 엄마가 이유를 물었는데, 돌아오는 대답인즉슨,

"엄마, 아빠가 서울대 나왔는데, 나까지 서울대 나오면 xx이가 불쌍하잖아?"

xx이는 남동생이다. 지극한 우애가 아닐 수 없다. 동생이 중압감에 시달릴까봐 서울대를 안 가겠다는 누나. 황당해진 이 엄마의 대꾸는 이러했다.

"니 걱정이나 해, 이 ㄴ아!"

그 병에 걸리면 별 꼬라지를 다 부린다.

결국 그 딸은 전국석차 0.5% 안에 들면서도 지방대학을 갔다.

KAIST.

기숙사로 딸을 들여보낸 두 부부는 요즘 너무 행복하단다.

3. D씨의 딸은 무지무지하게 공부를 잘했단다. 훗날 수능시험에서 하난가 두 문제를 틀렸다고 했다(요즘이야 만점이 숱하게 나오지만 그땐 만점이 없었다). 이 딸은 특목고를 다녔는데, 그때 내신이 불리하다고 많은 학생들이 자퇴를 하였었다. 어느 날. 사춘기암에 감염되어서 말도 지긋지긋하게 안 듣고, 공부도 보란 듯이 안 하던 딸이 자기도 자퇴를 하겠다고 하더란다. 부모는 이 애가 이제 공부를 열심히 하려나 보다라고 생각했다. 내신의 불이익을 피해 자퇴할 정도면 좋은 대학을 가려는 뜻이 아니겠느냐는 부모의 속단이었다. 속단이든 어쨌든 딸은 열심히 했고, 정말 무지하게 좋은 성적이 나왔다. 대한민국의 어느 대학, 어느 과도 갈 수 있는 성적에 부모는 흐뭇~~. 그런데 이 병든 딸내미는 저 아래 지방에 있는 무슨 전문대학엘 가겠다고 나서는 것이었다. 그 학교에 자기가 희망하는 애니메이션과가 있다나 어쨌대나. 평소에 신사이신 그 아버지가 어떻게 대응했는지, 그래서 그 말기암 환자가 어떻게 되었는지는 잘 모른다.

이외에도 비슷한 사연들이 많기도 무지하게 많다. 부딪치지 않으면 서로 편하고, 상처 입을 것도 없다고 1년이 다 되도록 자식과 말을 안 하고 산다는 친구도 있다. 종교의 힘으로 그 위기를 넘기려고 하는 집도 있다.

친구들과 만나서 술 한잔을 하면서 그런 이야기를 듣다보면 (처음엔 대부분 그런 이야기를 안 한다. 자식 자랑이라면 모를까, 그런 일을 뭐 좋다고 떠벌이겠나?), 말투에 진하게 배어 있는 무엇을 느낀다. 자식에 대한 서운함, 회한, 아버지의 정체성, 본심을 몰라주는 야속함 같은 것들이……. 그리곤 낳고 기른 죄 때문에, 어거지 부리는 자식놈에게 먼저 숙이고 들어가야 하는 부모의 멍에도…….

그러나 아버지들은 그 허허로운 이야기를 마칠 때쯤에는 다시 자식에 대한 자부심이 그득해진다. 아마 그 병으로는 죽음에 이르지는 않는다는 위안이 있고, 몇 년 후에는 다시 착하고 믿음직한 큰아이로 돌아올 것이라는 희망이 있어 아버지들은 절망하지 않는가 보다.

그래도, 그 병은 주위 사람들이 너무나 아프다. 그리고 정녕 피할 수 없는 병이라면, 인생에서 가장 중요한 그때 말고 다른 시기에 앓을 수 있었으면 좋겠다.

큰아이, 게다가 사춘기. 이것은 정말로 '완벽한 질풍노도(perfect storm)' 다.

글쎄, 우직한 만큼 큰아이들은 사춘기를 지내도 크게 잘못되지는 않을 것 같다는 것이 하나의 위안일까?

*2001. 3. 29.*

# 박물관 안 이발소

화류계.

생각해보니 나도 소위 말하는 화류계('유흥계' 라고 하긴 그렇고……)에 속하는 업소에 제법 다녀보았다. 대학교 때는 니나노집에서 젓가락도 두드려봤고(나만 그런 게 아니다. 그땐 다 그랬다. 음~), 더 커서는 룸사롱에서 폭탄주도 마셔봤고, 요즘은 가끔(정말 진짜 아주 가끔. 돈이 없어서…….) 단란주점에서 단란하게 술도 마셔봤다. 그런데 생각해보니 못 가본 데도 많다. 퇴폐이발소, 안마시술소 등과 같은 이상한 이름의 영업소에는 아직 가보질 못했다(이름에 '퇴폐' 가 붙질 않나? '시술' 한다지 않나? 이상한 이름들이다).

그런 업소에 못 가본 것에 대한 후회는 없다. 단지 그런 데는 어떻더라는 것을 '한담객' 들에게 알려주지 못하는 것이 안타까울 뿐이다. 사명감!

화류계. 큰 기대를 한 '한담객' 도 있겠으나 오늘은 이발소 이야기다. 죄송~

내가 어릴 때 또래애들은 다 '상고머리' 로 깎고 다녔다. 상고머리의 사전적인 뜻은 '앞머리는 그대로 두고 뒷머리는 치올려 깎고, 정수리를 평면되게 깎은 머리' 라고 하는데, 정말 그런 모습이었는지는 잘 생각나지 않는다. 그 머리대로 그림을 그려보니 어째, 예전의 탈북자 모습이 되어버리네…….

그때는 요즘같이 애들을 화초로 키우지 않았기 때문에(사실 그때 엄마들은 애들을 가꿀 여유가 없었다), 다 비슷비슷한 모양새들이었다. 획일적이긴 했지만 그래도 상대적인 개인차도 별로 드러나지 않았으니 一長一短이라고 해야 할 것이다. 대신 모두가 같은 모양새라 그랬는지 머리가 조금만 길어도 이발을 해야 했다.

이발. 이발 좋아하는 애가 있었을까? 지금은 있을지도 모르겠다. 요즘 애들은 예뻐진다면 물불을 안 가린다니까. 난 하여간 싫었다.

머리를 깎고 오라는 부모님 말씀에 이발소 앞에까지는 갔지만 차마 들어가지 못하고 밖에서 빙글빙글 돌다가, 결국 야단 맞을 일 있는 학생이 교무실에 들어가듯이 쭈빗쭈빗……. 마치 마귀같이 생긴 머리 커다란 이발소 아저씨는 씨익 웃으며 '어서 오너라' 하고 나를 맞았다. 그러나 나는 그 아저씨가 속으로 '네 이놈 잘 만났다. Nice to meet you 다.' 라고 하는 소리를 들었었다.

아저씨는 바들바들 떨고 있는 먹잇감을 보고 너무 흐뭇해한다. 콧노래를 부르며 이발의자에 나무로 만든 받침을 더 올려놓고 나를 앉힌다. 어린이용 나무받침. 그리고 목을 조이는 흰 천. 그래도 여기까진 참을 만했다.

그 당시 이발소의 수동 '바리깡' 과 질 나쁜 가위는 나에게 공포의 대상이었다. 걸핏하면 머리를 찝히고 뽑혀서 움찔대야만 했다. 비명도 안 나왔다. 그런 열악한 장비도 문제였지만, 그나마도 비위생적인 곳이 많아서 '기계충' 이라는 머리피부병이 옮기도 하였다. 나는 다행히 기계충에 감염되어본 적이 없지만, 우리 반에도 머리에 떡갱이가 덕지덕지한 애들이 꽤 있었다. 오죽 흔한 병이었으면 길거리에서 작고 납작한 통에 든 '기계충 약' 을 파는 행상의 모습도 흔했었다. 가끔은 '회충약' 파는 아저씨가 같이 팔기도 했었다. (회충약? ㅎㅎ……. 이 또한 추억의 그림이 아닐 수 없다. 담에 떠들어보자.)

나에게 이발의 가장 큰 공포는 면도였다. 아저씨가 가죽끈에 대고 면도칼을 문지를 때부터 나는 오금이 저려왔었다. 찔끔~~. 그리고 면도칼이 목덜미를 오락가락할 때는 차라리 눈을 감고 말았었다. 지금은 면도하면 시원한 느낌을 갖는데 그때는 왜 그리 싫었는지 모르겠다.

어느 날. 머리를 다 뽑히듯이 깎이고 공포의 면도시간을 기다리고 있었다. 그런데 이발사 아저씨가 무슨 일이 있는지 밖으로 나가셔서 한동안 안 돌아오셨다. 나는 얼씨구나 그냥 집으로 도망쳐 왔다. 저녁 때. 퇴근 후 늦은 저녁을 들고 계시던 아버지께서 "너 오늘 머리 깎었니?" 하시는 것이 아닌가? 헉! 나는 허둥대며 "예"라고 말씀드렸다. 아버지는 나를 이리저리 살펴보시면서 고개를 몇 번 갸웃하시더니 "안 한 것 같은데……." 하시는 것이 아닌가? 나는 속으로 혼비백산하였다. '어른들은 정말로 모르는 것이 없구나……. Oh my God!'

마침 옆에 계시던 할머니께서 이발 다녀왔다고 말씀해주셨다. 그러자 아버지께서는 더 이상 말씀이 없으셨고, 그냥 식사를 하셨다. 그러나 나는 아버지는 알고 계시다고 생각했었다. 내가 면도하기 직전에 도망쳤다는 것을.

내가 그렇게 내 마음속에 큰 의문이었던 '어떻게 아셨을까?' 에 대한 답을 깨달은 것은 어른이 다 되어서였다. 아버지는 내 뒷덜미를 보시고 아셨을 것이다. 면도를 안 해서 경계선이 모호한 뒷덜미와 구레나룻. 왜 모르셨겠나? 면도는 안 했고, 머리는 깎여 있고……. 도망쳤다는 것을 아셨겠지만 속아주셨던 것이겠지.

(항상 어른의 깊은 뜻은 너무 늦게 알게 된다.)

국민학교 고학년이 되면서는 이발비 삥땅치는 재미가 쏠쏠하였다. 학교에서 멀지 않은 곳에 커다란 이발학원이 생겼다. 그 학원에 가서 실습의 대상이 되는 것인데, 이발비가 반값도 안 되었다.

단지 머리를 안 감겨주는 것이 조금 불편했었다. 등어리가 따끔거리기도 하였고……. 그 학원을 다니며 삥땅친 이발비는 바로 군자금으로 전용되었다. 그 돈으로 10원에 10개씩 하는 'used 다마(玉)' 를 사서는 '알빼기' 판에 화려하게 뛰어들곤 했었는데…….

(그때는 중고 다마시장이 아주 활성화되었었다. 그때 'brand new' 다마(구슬)는 10원에 2개였다. 그래서 약간 깨진 것도 있긴 했지만, 보통 친구들에게 중고 다마를 사서 쓰곤 했다. 우리 반 찔찔이 하나는 겨울방학 내내 딴 다마를 팔아서 지 엄마 구리무 한 통 사드렸단다. 글마가 선생님한테 칭찬받은 것은 그때가 처음이자 마지막이었다. '알빼기' 라는 다마치기를 설명하자면 기니까, 정 궁금하면 메일을 보내시길…….)

그 학원은 이발비가 싼 대신 위험부담이 컸다. 대체로 크게 흉하지 않게 깎아놓긴 하는데, 어떤 때는 이발사가 신입생인지 지진아인지……. 아예 전위예술품을 만들어 놓기도 하였었다. 결국 그래서 어머니에게 이실직고하고 광명 찾았지만…….

중, 고교 때야 그저 그랬다. 기억에 남는 것은 중학교 입학식이었다. 우리 학교는 그 당시로는 드물게 스포츠 머리였는데, 나만 '2부 가리' 로 깎고 나타났었다. 나는 혹시 스포츠일지도 모른다고 했었는데, 아버지께서 학생은 다 '2부 가리' 라고 장담을 하셔서 깎고 갔었다. 그때의 쪽팔림은 훗날 나의 특징, '숫기 없음' 의 가장 큰 원인이 되었다. 2부 가리, 절대로 하지 마라. 으~~

대학교 때. 우리는 '장발단속' 이라는 독재정권의 폭거에 맞서 '장발족' 이라는 비밀결사를 조직하여 일종의 민주화운동을 치열하게 벌이던 투사들이었다. 서울 시내 파출소의 위치를 딸딸 외워가며 지하운동을 하던 우리들. 지금 생각해도 자랑스럽다. 게슈타포에게 걸려서 명동 유네스코 빌딩 옆, 생맥주집 'Red Ox' 들어가는 골목 옆의 파출소로 연행되어, 대기하고 있던 '파쇼 깎새' 에게 50원 내고 머리를 깎이며 나는 더욱 가열찬 투쟁을 다짐, 또 다짐했었다. 나쁜놈들. 거리 환경 차원에서 단속한다면서 돈을 받다니……. 그 정도는 나랏돈으로 해줘야지……. 그리고 보기 좋은 미니스커트는 왜 잡노? 거리 환경 운운하면서.

기르고, 깎이고 하던 투쟁도 고학년이 되면서 점차 시들해졌다.

특공대 시절. 우리는 특공대답게 '이발 방우' 에게 머리를 맡겼다. 각종 방우 가운데 이발 방우가 가장 불쌍하다. 열심히 깎아주고 나면 머리가 마음에 안 든다고 지랄하는 현역병들, 하사관들. 성질 드러운 놈 만나면 머리 깎아주고 조인트 깨지고……. 조금 고롭더라도 군대는 역시 현역이 낫다는 것을 느꼈었다.

우리 비서실에는 아침이면 늘 '이발 방우' 가 대기하고 있었다. 우리 부대 '깎새 방우' 중에 제일 고수였던 자였다. 아마 그 최전방 일대에서 제일 고수 깎새였을 것이다. 이 깎새 방우는 빗과 가위, 드라이어를 들고 대기하고 있다가, 영감님(부대장)이 출근하시면 바로 들어가 머리를 손질하는, 국가안보에 정말로 중요한 임무를 수행하고 있었다. 나는 단지 영감의 당번병이라는 위세로 늘 장교 이발소에 가서 그 고수 깍새에게 머리를 맡겼었다(호가호위(狐假虎威)라 좀 면(面)이 팔리긴 했지만, 군대가 다 그런거지 하며 난 그런 걸 즐겼다. 그래서 군대는 계급보다 '보직'이다).

그때 우리 영감님은 그 전방에 단신으로 부임해 계셨다. 사모님과 애들은 (내 제자들. 방학 때면 나에게 사교육을 받던 놈들. 워낙 총기 있던 놈들이 좋은 스승을 만나서 성적이 수직 상승했었다. 그래서 사모님은 나를 '海東(해동)의 페스탈로치' 라고 불렀었다) 서울에 살고 있었다.

어느 날인가 서울서 사모님이 다니러 오셨다. 그 다음날 아침. 영감님 머리를 손질하고 나온 깍새 방우가 문득 나에게 묻는다.

"이 상병님. 사모님 내려오셨어요?"

"응! 근데, 왜?"

"단장님 머리가 엉망이라서요."

"........"

헉! 머리가 엉망이라고?(나의 머리는 마구 그림을 그리고 있었다) 그.렇.다.면……. 영감님네는 머리채를 부여잡~고 ~~다는 말이 아닌가? 헉!

난 깍새 방우를 조용히 참모부 뒤, '영내 보안대' 앞으로 끌고 가서 그런 국가기밀을 누설하는 날에는 쥐도 새도 모르게 사라질 수 있다고 엄포를 놓으면서 눈으로는 보안대 사무실을 가리켰다. 그 방우는 그렇게 잘 단도리해 내려보냈는데, 정작 나는 하루종일 그 상상의 그림이 지워지질 않는 것이었다. 저 근엄하고 무섭게 생긴 영감님이 머리채를 잡히고……. 아~~ 이런 국가안보에 위험한 생각이 떠나질 않다니…….

결국 나는 화장실 뒤의 숲에 가서 비밀의 응어리를 풀어놓을 수밖에 없었다.

"임금님 귀는 당나귀 귀……."가 아니고 "머리채를 잡고 ~~ 대……." 라고.

그후 그 참모부 화장실 뒤에 귀신이 나온다고 소문이 돌았고, 심지어 그쪽 초소로는 보초 근무를 나가지 않으려는 시키들도 생겼었다. 그 숲에서 '머리채~~' 어쩌구 하는 소리가 들린다나 어쨌다나…….

나는 그때 그 깎새 방우의 말을 듣고 큰 깨달음을 얻었다. 뭐든지 하나에 달통하면 많은 것을, 심지어 남의 삶도 알 수 있다는 진리. 헝클어진 머리를 보고 영감님의 전날 행적을 알아낼 수 있는 그 높은 무공.

(그런데, 그 전날 사모님이 안 내려오셨으면 어쩔 뻔했나 하는 생각도 들었었다. 그렇다면, 그건 정말 국가기밀인데…….)

직장에 들어온 뒤에는 늘 직장 이발소를 이용했다. 직장의 이발소는 benefit 차원에서 존재해야 한다고 나는 생각한다. 근무시간에 이발소에 간다고 뭐라는 상사가 있다면 그 상사를 내쫓든가, 부서를 옮기든가, 아니면 직장을 그만두어야 한다는 것이 나의 지론이다.

군세게 구내 이발소를 이용하는 나에게 아내는 다른 곳을 가보라고 자꾸 권한다. 구내 이발소의 이발 思潮(사조)는 다분히 고전주의적이다. 아니 군국주의, 복고주의적이다. 그래서 아내는 잘생긴 남편이 마치 탈북자 같은 모습으로 보이는 게 싫었나보다. 그래도 나는 구내 이발소를 다녔다. 편리하니까…….

그 날은 외부에서 회의가 있었다. 아침에 머리를 감아야 하겠다는 생각이 들었는데, 거울을 보니 머리도 길고……. 이발을 하기로 했다. 오전을 정신없이 보내고 오후에 이발소에 전화를 해보니 滿員(만원)……. 결국 기다리다 회의 출발 시간이 다 되어버렸다. 어쩔 수 없이 나가서 집에 차를 세워놓고 고민을 했다. 머리를 깎아야 하는데……. 물론 회의에 참석한 사람은 나를 보고 잘 모를 것이다.

'저놈은 기름기가 넘치나보군. 머리도 기름이 반지르르 하네.'

'저 분은 무지 바쁘시군. 머리도 못 감고…….'

이럴 수도 있겠지만 나는 내가 불편해서도, 또 처음 보는 사람들에 대한 나의 예절에도 용납되지 않았다. 시간은 없고…….

동네 이발소를 찾았다. 미장원은 숱하게 많았다. 그러나 그곳에 들어갈 숫기도 없고, 그 미용실 언니들이 제대로 깎으리라는 보장도 없고, 어릴 때부터 하도 예쁘다고 얼림을 당하다 보니 언니들만 있는 곳도 무섭고……. 그런 곳은 피하기로 했다.

언젠가 식구들한테 들은 것이 있어서 근처 골목을 돌아다녔다. 그리고 찾았다.

가게는 이름도 없었다. 그냥 '이발'. 빙빙 돌아가는 이발소 표지만이 있었다. 여닫이문을 열고 들어가니, 여긴 어디인가? 아련함이 밀려왔다.

"어서 오세요……." 하는 할아버지(?)의 반김. 어느 한 손님과 이야기를 재미지게 하시며 머리를 깎던 할아버지(?)가 활짝 웃으시며 반겨 주셨다(아저씨인지 할아버지인지……. 중간인지……). 그런데…….

여기는 30년 전의 이발소였다. Time Line(마이크 크라이튼의 소설).

긴 거울과 거울 앞의 좁은 선반.

걸려 있는 그림은 산수화였는데, 낭만주의의 허황한 끼가 전혀 없는 사실적 산수화였다. 아주 긴 액자에 걸려 있는 것으로 보아서 '화양구곡' 쯤 되려나…….

의자에 앉았다. 그리고 내 순서가 되길 기다리고 있는데, 문이 드르륵 여리더니 웬 할머니(?) 한 분이 들어오셨다.

"밥 차려 놨시우. 어여 가서 한 술 뜨시우."

"그려, 손님들 다 해드리구……."

부부인가? 그 할머니는 내 쪽으로 오시더니 휴지를 한 장 뽑아서 내가 벗어 선반에 놓아둔 안경을 그 위에 올려놓으신다.

내 앞의 손님이 다 끝난 모양이었다. 그런데 그는 동네 사람이고, membership이 있는 것 같았다. 돈도 내지 않고 그냥 나갔다. 그 대신 머리를 안 감고 나가는 'local rule'을 충실히 지키면서……. 아~~ '동네삶'의 편안함이여…….

내 차례가 되었다. 나는 어느 새 바쁘다는 것도 잊고 있었다.

"바리깡 좀 대도 되겠습니껴?" "예"

"어떤 스타일로 할까요?" "맘대로 하세요." (대갈통이 워낙 그런 걸 뭐…….)

할아버지에게 머리를 맡기고 눈을 감았다. 안경 낀 놈이 이발당할 땐 눈 뜨나 감으나 마찬가지니까……. 다 깎았나보다. 그럼 면도는 누가 하나?

갑자기 그 비리비리한 할머니가 나선다. 윽! 이럴 수가…….

할머니는 아주 느리게 내 얼굴에 로숀도 바르고, 뜨거운 수건으로 지지고……. 몹시 느렸다. 이 할머니에겐 '관절염 파스'가 필요하지 않을까 하는 생각이 들었다.

그러다 어느 순간, 할머니가 서걱서걱 칼을 갈더니, 휘리릭~ 칼을 휘두르는데, 아~ 이것이 바로 '조자룡 헌 창 쓰듯"이라는 표현, 바로 그것 아니겠는가?

날렵함! 끊어졌다 이어졌다 하는, 한껏 멋을 부리는 칼부림. 이는 절정의 무공이었다. '와호장룡' 에서 예쁜 '장쯔이' 는 끊임없는 곡예의 칼부림을 보여주었지만, 이 할머니는 '緩急(완급)의 妙(묘)' 와 '斷續(단속)의 美(미), 强弱(강약)의 數(수)' 를 마음대로 부리질 않는가? 나는 내가 면도를 당하고 있다는 느낌이 들지 않았다. 손님의 턱을 이리저리 움직이는 손길에도 리듬이 있고 운율이 있질 않은가? 아~~ 동네삶의 즐거움…….

면도 도중 전화가 왔나보다. 때르르르릉……. 앗! 이 소리는?

특공대 시절, 비서실에는 전화가 4대 있었다. 오고가는 곳이 다 다른 4대의 전화. 소리도 조금씩 다른 4대의 전화. 그 중 하나의 소리가 나질 않는가? 짬이 났을 때 돌아보니 아! 저 까만 전화. 다이얼이 달려 있는 저 전화. 손가락을 집어넣어 돌리는 전화. 그래서 내 손가락에 '굳은살' 이 박혔던 저 전화…….

그제서야 나는 그 이발소를 다시 천천히 돌아보았다.

TV. 로터리식으로 돌리는 채널이 있는 TV. 네 다리와 문이 없는 것이 오히려 아쉬웠다(우리 어릴 때 TV는 마치 테이블 같이 네 다리가 있었고, 화면 앞으로는 sliding door 같은 덮개가 있었다). 여긴 어딘가? 박물관?

머리를 감으라고 한다. 시멘트로 모양을 만든 싱크대. 타일이 붙은 싱크대. 그곳에 의자를 끌어다 놓고 대가리를 숙이고 머리를 감았다. 역시 능숙한 할머니의 손놀림. 저런 비실 할머니가 어디서 힘이 나서 이리 머리를 시원하게 감겨줄까? 두 번을 감기고 난 할머니는 물으셨다.

"한 번 더 감아드릴까요?"

"됐습니다. 고맙습니다."

돈을 치르고 나오는데도 내 머리를 자꾸 훑어보는 할아버지. 야쿠르트 하나 들고 가라는 할머니……. 나는 서둘러 그 집을 나왔다. 회의에는 늦었다.

그 날 저녁. 아내는 오랜만에 흡족해했다.

"머리, 예쁘다……." (참! 바탕이 되니까 이쁜 거지…….)

둘리에게 물어보았다.

이러저러해서……. 골목으로……. 이러저러한 거기가 거기냐? 맞다고 한다. 음, 둘리 단골집이라는 곳이구나……. 그런데 뒤이은 둘리의 말에 나는 멈추고 말았다.

"그 할아버지는 나올 때 꼭 과자 사먹으라고 백원씩 줘!"

아득함, 알싸함……. 저녁 무렵 시골 동산에서 보았던, 낮은 굴뚝마다 흘러나오는 밥짓는 연기의 싸함이 내 가슴을 지나갔다. 그래, 옛날 어른들은 그랬었지…….

"어~나! 과자나 사먹어라." 그러면서 동전 한 닢을 쥐어주셨지…….

이 바쁜 시절……. 이 아파트 천지에 이런 박물관이 있어 나는 좋다.

누구나 머리를 깎으러 헤어숍에 가는 시절, 이런 박물관 이발소가 있어 나는 좋다.

*2001. 5. 3.*

# 유서를 써두자

〈정말로

오랜만에 자판을 두드린다. 컴퓨터 앞에는 매일 앉아 있었지만, 자판 두드릴 일은 거의 없었다. 그러고 보니 컴퓨터가 없으면 업무가 안 되는 지금 세상도 문제고, 컴퓨터 가르친다고 자판부터 가르치는 것도 문제다.

며칠을, 아니 근 열흘을 그냥 보냈다. 뭔가 주섬주섬 하긴 했는데, 표나는 일은 하나도 없고, 장마철이라 그런지 실험 결과도 신통치 않고……. 글을 쓰려고 keyword 만 써놓은 파일을 꺼내놓곤, 일어서서 비 내리는 창 밖만 보았다. 비는 왜 이렇게 내릴까?

만나는 사람마다 휴가를 묻는다. 휴가라, 꼭 쉬어야 하나…….

그런데 어떤 손님이 왜 글이 없냐고 투덜댄다. 참내, 글빚쟁이까지 나타나니…….〉

「사랑과 영혼」이라는 영화가 있었다. 나는 이 영화를 미국에서 처음 보았었는데, 훗날 우리나라에서는 원제 'Ghost'를 「사랑과 영혼」이라 한 것을 보고 썩 괜찮은 번역이라고 생각했었다. 워낙 많이 알려진 영화니까 더 거론할 것도 없을 것 같지만, 그래도 그 영화에는 지금도 기억나는 인상 깊은 장면들이 많다.

우선 도대체 정의가 안 되는 여자 '데미 무어'가 주인공을 하고 있다.

목 굵고, 팔뚝 굵고, 사각 턱을 가진 여자. 그래서 어느 때는 남자 같기도 여자 같기도 한 여자. 그래서 그런지 영화 'Disclosure'에서 남자를 성폭행 하는 연기를 실감나게 한 여자(그 영화에서 '마이클 더글러스'의 인내심은 참으로 놀라웠다. 그렇게 달려드는 여자를, 그것도 세계적으로 유명한 여배우를 밀쳐내다니. 나도 그럴 수 있을까? 안 당해봐서…….). 영화에 따라 연기력도 천지 차이인 여자. 금방이라도 터질 듯한 만삭의 배를 부여잡고 성인잡지의 표지에 알몸을 드러냈던 여자.

그런 여자가 주인공을 맡아서는 의외로 청순미를 팍팍 풍기는 연기를 하였다. 역시 배우는 변신의 재주가 있나보다. 그녀가 이 영화에서 흙을 빚는 장면은 후에 많은 패러디를 만들어낼 만큼 인상적인 장면이었다.

(그 영화가 히트한 후에 많은 외로운 여인들이 물레를 사서는 흙을 빚으며, 뒤에서 안아줄 남자를 기다렸다고 한다. 그리고 습관적으로 자꾸 뒤를 돌아보는 습성이 생겼다고 한다. 길거리에도 그렇

게 습관적으로 뒤돌아보는 언니들이 많던데……. 믿거나 말거나…….)

그 영화의 또 하나 걸물은 뭐니뭐니해도 '우피 골드버그(Whoopi Goldberg)' 이다. 이 노래 잘 부르는 아줌마는 이 영화에서 끊임없이 중얼중얼, 투덜투덜대는 촌스런 사기꾼 점쟁이 역을 기가 막히게 했다. 나는 이 영화에서의 그녀의 연기가 너무 인상적이어서, 뒷날 개봉된 영화 'Sister Act' 의 초기 장면에서의 性적 연기를 보고 어리둥절했던 적이 있었다. 두 영화에서의 '우피' 의 모습에 어디 性적인 면이 있었던가? 글쎄 겉 보곤 모르긴 하지…….

이 영화에서 또 인상적이었던 장면은 '죽음 이후' 였다. 악인들이 죽자마자 하수구 같은 곳에서 스믈스믈 기어나오는 귀신들. 시커멓고, 눈만 퀭하니 뚫린 모습의 귀신들(다분히 서양적 인식의 귀신의 모습이다). 그들은 저항하는 악인들을 끌고서 어디론가 달려간다. 아마 지옥이겠지……. 아마 가서 뒤지게 맞을 거다.

그리고 또 다른 죽음의 모습. 죽었는데 자신이 죽은지 모르는 영혼의 모습.

'나는 이렇게 살아 있는데…….'

결국 자신이 죽었다는 것을 깨달아가면서 괴로워하는 모습……. 그것은 우리 식 개념의 恨, 怨 때문이 아닐까? 우리 '전설의 고향' 에는 원한이 있는 채로 죽은 귀신은 저승에 가지 못하고 구천을 헤매며 원귀가 되어 떠돌며 갖가지 일을 벌인다. 이 영화에서 남자 주인공도 그런 모습이다. 얼떨결에 죽었는데, 자신이 죽은 것을 인식하지 못하고, 그걸 알게 되면서 괴로워하고……. 寃鬼(원귀)가 되어버린 것이다. 그리곤 저승에(그곳이 지옥일지라도) 가서 안착하지 못하고 떠도는 귀신들을 여럿 만난다. 그들은 대개 얼떨결에 죽었거나(극중에서는 기차사고로 죽은 '선생님 귀신' 같은), 억울하게 죽은 자의 영혼들이다.

그런데 이 「사랑과 영혼」에서 표현된 '저승', '귀신'의 개념이 우리나라와 유사하다는 것이 흥미롭다. 평범하게 죽은 영혼은 저승으로 가서 피곤한 몸을 누일 수 있는 반면에, 죽어서도 못 푼 한이 있거나 아쉬움, 미련이 있으면 저승에 가질 못하고 구천을 떠돈다는 것이 너무나 유사하지 않은가? 동서양이 같은 생각을 하고 있다는 것은 진짜 그렇다는 뜻일 수도 있지 않을까? 그럼, '여고괴담'도 정말…….

먼저 한이 맺힌 영혼의 예를 보자. 옛 속담에 '여자가 한을 품으면 오뉴월에도 서리가 내린다'는 말이 있다. 내가 알기로 이 이야기는 우리나라가 아닌 중국의 이야기이다. 이야기 내용은 간단하다. 권세 있는 남자가 사냥을 갔다가 만난(이건 좀 틀릴 수도 있다. 기억력이 가물가물해서…….) 산골 처자에게 '혼빙간*'을 저지른 사건이다. 그런데 수구적이고, 반민주적이고, 반개혁적인 이 산골 처자는 그 남자와의 love affair를 한때의 즐거웠던 추억으로 접어놓지 못하고 끝내 자결하고 만다. ㅉㅉ… 불쌍한 것…….

(* 혼인빙자간음. 요즘은 이런 죄목도 듣기 힘들다. 세상이 많이

바뀌다 보니……. 요샌 굳이 결혼을 약조하지 않아도……. 하는 모양이다)

이렇게 자결을 했으니 원한이 없을 수 있겠는가? 하물며 정말 얼떨결에 기차에 치여죽어도 저승에 들지 못하고 구천을 떠도는데, 원한을 가지고 자결을 했으니……. 그래서 그 남자에게 복수를 하는 와중에 오뉴월에도 서리가 내리게 했더란 야그다. 으~~ 썰렁하다(그런데 내가 왜 썰렁하지?).

아쉬움과 미련 때문에 저승에 못 가는 영혼들의 예도 많다.

언젠가 어떤 '믿거나 말거나' 스타일의 TV 프로에서 보았는데, 부인을 사별한 어느 남자가 재혼을 하였다고 한다. 그런데 살림을 차린 새부인의 눈에 죽은 전 부인이 보이더란다. 이불을 꺼내려고 장롱 문을 열면 이불 위에 앉아 있고, 부엌에 들어가면 부뚜막에 앉아서 노려보고 하더란다. 에이구머니……. 그런데 꼭 그 귀신 때문은 아니고 천성이 착한 새부인은 전 부인의 자식들을 아주 잘 보살펴 주었다고 한다. 그러기를 한두 해. 어느 날 꿈에 전 부인이 나타나 자기 자식들을 잘 돌봐줘서 고맙다고 하면서 이젠 편히 간다고 하였고, 그 후에는 그 귀신의 모습이 다시는 나타나지 않더라는 것이다. 나는 그 이야기를 보면서 죽은 부인이 남편이 아쉬웠던 것이 아니고, 자식에 미련이 있었던 것이라는 데 조금은 실망했었다. 역시 여자들에겐 자식이 전부이지, 서방이라는 건, 에이구! 불쌍한 게 남자들이지…….

또 우리말에 '三年喪(3년상)' 이란 것이 있다. 이 '3년' 이란 기간은 도대체 무슨 의미가 있을까? 유교적인 의미인지 자세한 것은 잘 모르겠지만, 속설에 부인이 먼저 죽으면 그 귀신이 남편의 어깨에 3년 동안 앉아 있는다고 한다. 어~휴! 3년씩이나……. 그런데 왜 애들 어깨가 아니고 남편 어깨일까? 새 부인 얻어서 자기 자식들 홀대할까봐 그러나? 부인을 사별한 착한 남편들이 축쳐져서 다니는 이유가 어깨에 올라앉은 마누라 귀신 때문이라는 것은 참 슬픈 이야기가 아닐 수 없다. 그리고 무서운 이야기이고…….

그런데 남자가 먼저 죽었을 때 남자의 귀신이 부인의 어깨에 앉아 있는다는 식의 이야기는 전혀 없다. 또 남자가 원한을 품어서 서리가 내린다는 말도 없고, 남자가 여자를 '혼빙간' 으로 고소한 사건도 없다. 참 남자들은 착하기도 하다. 정말 착하다.

나는 이 이야기를 듣고 아내에게 제안을 했었다. "만약에 우리에게도 이런 '사별' 이라는 일이 일어난다면 구질구질하게 남의 어깨에 걸터앉아 있지 말고 깨끗이 물러나기로 하자" 는 나의 제안을 아내는 일언지하에 거절하였다. 이유는? 남편이 너무 잘나서 안심이 안 된다나? 음, 하긴 잘나긴 했지…….

이야기가 이상한 곳으로 흘렀다. 웬 귀신이야기가 되어버렸다. 여름이라 그런가?

가끔 주변에서 누군가 갑자기 죽었다는 소리를 듣곤 한다. 그럴 때마다 나는 공연히 화들짝 놀란다. 갑자기 죽는다……. 突然死(돌연사)… 事故死(사고사)…

얼마 전에는 TV에서 돌연사에 관한 특집프로를 해주기도 하였다. '돌연사'의 본뜻은 '갑자기 죽는 것'이겠지만, 요즘은 질환에 의해 죽는 경우만을 지칭하는 모양이다. 그래도 이런 질환에 의한 돌연사는 평소에 어떻게 예방이라도 해볼 수 있겠지만, 사고사는 참으로 황당하다. 비오는 날 걸어가다가 감전사를 한다거나(요즘 어느 나라에서 그랬다는데…), 트럭이 중앙선을 넘어 달려온다거나 하는 건 어쩔 것인가?

나도 그런 생각을 해본 적이 있다. 내가 어느 날 갑자기 죽는다면?

난 집안내력에 없으니 심장질환 등으로 갑자기 죽을 확률은 적을 것이다. 그러나 사고는 유전병이 아니기 때문에 장담할 수가 없다. 그래서… 어느 날 내가 갑자기 죽는다면?

그런 상황을 내가 귀신이 되어서 내려다보고 있는 상상을 한다.

# 1. (빈소. 분위기 비통… 한쪽은 시끌벅적……)

전형적인 빈소 분위기. '에구, 어쩌다……' 이런 소리가 가끔 들리고…….

내 일생이 공연히 뻥튀기가 되는가 하면, 술 취한 어떤 후배의 '내, 그럴 줄 알았어……' 하는 소리도 들린다. 나쁜 놈!

아내와 어머니의 슬픈 모습이 보인다. 빈소에서 술 많이 먹는 후배들 모습도 보이고……. 공짜라면 끝까지 먹는 놈들…….

아내에게 '앞날의 설계(?)'를 권하는 후배도 보인다. 저 시키! 나쁜 시키!

# 2. (장례도 끝나고……. 집. 아내가 종이뭉치 속에 앉아 있다.)

– 아내(한 통장을 집어들며) : 아니, 이 이가? 잔고가 마이너스네……. 돈이 필요하면 나한테 말하지……. 불쌍하기도 하지……. 평생 일만 하고, 흐흑! 불쌍한 우리 honey!

(그 통장을 내려놓고 다시 종이뭉치를 뒤적이던 아내, 다른 통장을 집어들고)

– 아내 : 으응? 이것도 마이너스네? 아니 이 양반이? 무슨 돈이 이렇게 필요했을까? 에이, 다 술값이겠지……. (작은 소리로) 작작 좀 처먹지…….

(또 다시 종이뭉치를 뒤적이던 아내. 웬 CD를 한 장 집어들고)

– 아내 : 이건 뭐지? 얘~ 둘리야! 이게 뭔지 틀어봐라!

(CD를 둘리에게 건네주고 다시 뭉치를 뒤적이던 아내, 웬 신문지로 표지가 된 책을 들고, 한숨을 몰아 쉬며..)

– 아내 : 그래! 우리 honey는 스크랩을 좋아했었지……. 에이그, 착한 놈이었는데……. 이건 뭘까? (책을 펼치다가) 아니! 이게 뭐야? (책에는 각종 여자의 헐벗은 모습이 보인다) 아니! 이 인간이? 이런 사진을 모았단 말이야? 꽃 같은 마누라 놔두고……. 하여간 천박해가지곤……. 어으~~~ 저질!

(책을 쓰레기통에 집어던진 아내. 다시 뒤적이다 또 통장을 하나 꺼내들고)

– 아내 : (작은 소리로) 꼬불쳐 놓은 돈이 어디 있을 텐데……. 어머머! 어머머! 이것도 마이너스네! 심지어……(입에 거품을 물면서 쓰러진다.)

# 3. (같은 안방. 아내는 누워 있고 둘리는 아내의 이마에 물수건을 얹어놓고 근심스럽게 앉아 있다. 아내는 긴 한숨과 함께 눈을 뜬다)

– 아내 : 여기가 어디냐? 휴~~(상황을 인식한 듯) 에이구, 몹쓸 인간! 그건 그렇고 그 CD는 뭐드냐?

– 둘리 (쭈뼛거리며) : 그냥……. 도멘큐타리였어요.

– 아내: 도큐멘타리겠지……. 무슨 내용인데?

– 둘리: 그게 참! 어느 여인의 성장기록인데요……. 항간에서는 '백양비디오' 라고……. 어머니가 아시는지 몰라도……. 허참, 아버지가 그걸 보셨을 리는 없고…….

– 아내 (일어나 앉으며) : 아니! 그 인간이 그 CD를 안 버렸단 말야? 같이 보고 나서 내가 갖다 버리라고 했는데? 하여간 그런 건 잘도 챙겨요……. 또 다른 CD도 있나 봐라!

– 둘리 (고개를 들며) : 어떤…?

– 아내: 아! O양 것도 어디 있을 텐데……. 에이구, 그 인간! 지지리도 말도 안 들어! 에휴!(다시 눕는다)

– 둘리 : 그래도 아버님은 인류의 정신세계를 위해 많은 고민을 하셨잖아요? 이 CD도 그런 맥락에서 이해를…….

– 아내 : (통장을 한 무더기 집어던지며) 그래! 너나 그리 생각해

라! 에그, 웬수!

이런 식의 광경이 이어질 것이다. 아내는 나의 마이너스 통장이 나올 때마다 그 돈의 사용용도는 생각도 않고 나에게 섭섭해할 것이고(물론 유흥비가 많긴 했지만……), 나의 물건들에서 O양, 백양의 비디오가 나올 때마다 나의 천박함을 탓하지 않겠는가?(그 CD들이 어디 있는지, 빨리 치워야 하는데…….) 이런 모습을 상상하니 '갑자기 죽는다는 것' 이 얼마나 엄청난 일인지 이해가 갔다.

이런 추한 뒷모습을 보이지 않으려면, 졸지에 죽지 말든가, 아니면 정리를 해놓아야 한다는 생각이 들었다. 늘 깨끗한 속옷을 입고 다녀야 하는 이유와 같다고나 할까?(컥! 이건 또 무슨 소리?)

그런 생각 끝에 언젠가 있었던(아주 작게 거론되다가 없어진) '유서 써놓기' 운동이 생각났다. 그 운동이야말로 참 좋은 것이다.

유서라고 하면 보통은 재산의 분배만 생각한다. 그렇다면 나같이 줄 것도, 남길 것도 없는 사람은 유서도 남길 필요가 없는가? 그렇지는 않다. 유서라는 것은 그런 사후의 '처리' 만을 위한 것은 아니다. 오히려 자신의 삶에 대한 간단한 review와 회한과 소망을 담을 수 있는 진솔한 그릇이다. 그리고 무엇보다 유서를 쓰면서 진지하게 자신을 돌아볼 수 있는 것이 좋은 것이다.

우리는 늘 유서를 써 놓아야 한다. 그리고 1년 후에 아직도 안 죽었으면 유서를 다시 써야 한다. 유서에 남겨줄 것을 써 놓을 수 있는 사람은 행복할 것이고, 그런 것이 없는 사람들이라도 자신을 정리하는 덤을 얻을 것이다. 그리고 '무슨 비디오' 하는 것과 같은 중요치 않거나 해가 되는 것들도 추해지기 전에 다 치울 수 있고…….

갑자기 죽어서……. 그래서 영혼이 떠돌면서……. 그리고 서서히 내가 죽었다는 것을 깨달으면서……. 아쉬움과 미련에 저승으로 향하지 못하고, 살아 있는 이들 주변을 떠도는 영혼이 되지 않으려면, 유서를 써둘 일이다. 언제 죽든지 편안히 쉴 수 있으려면…….

그리고 설사 죽지는 않더라도 유서를 쓰면서 삶을 돌아볼 수 있어 좋은 것이고, 1년 후에 유서를 다시 쓰면서 또 그 사이의 자신을 돌아볼 수 있어 더 좋은 것이다.

(참고로, 유서는 표준양식이 없다. 좀 좋은가?)

*2001. 8. 1.*

# 포천 삼거리

〈추석연휴가 지났다. 연휴의 끝에는 비가 내리더니 오늘은 아주 화창하다. 알싸한 가을이 이제 본격적으로 시작되나보다.

여자들이 싫어하는 남자들의 화제 베스트 3는 군대 이야기와 축구 이야기, 그리고 군대에서 축구 한 이야기라고 하던가? 나도 군대생활에 얽힌 이야기는 할 게 많다. 그러나 축구에 관해선 특별히 할 이야기가 없다(요즘 한국축구에 대해서는 할 말이 조금 있지만……). 더구나 군대에서 축구 한 이야기는 더욱 없다. 군대에서 축구를 해본 적이 없으니까. 우리 부대는 그랬다. 특공대니까.

어쨌든 군대 이야기는 특별하지 않으면 안 하기로 내 일찍이 마음먹었었다. 그래서 오늘은 예비군 이야기〉

나는 제대를 하고 금방 복학을 했다. 겨우 한 달 놀고 나서. 참 아쉽다. 인생의 황금기였는데. 학교를 다녔으니 당연히 학교예비군에 소속되어 있었다. 101 학군단 산하의…….

학교예비군. 우리나라는 예부터 학문을 숭상해서 그랬는지 '학교' 라는 말이 들어가면 참 관대하다. 예비군도 그랬다. 직장에 소속된 직장예비군이 동네 예비군보다 일반적으로 편하게 마련인데(정말로 일반적인 경우일 때만 말이다. 동네 예비군 중대장과 평소 친분이 있다든가 하면 동네가 백 번 편하다. 세상사가 다 그렇지 않은가? 동네 형님, 동네 아우, 고향 형님, 고향 아우, 고교 선배, 고교 아우, M고, M 상고, K고, K 상고……). 학교예비군은 더 편하다. 우선 훈련시간도 짧고, 그나마 수업을 핑계로 훈련이 방학 때 잠깐 있을 뿐이다. 제대하면 바로 몇년간 해야 하는 동원훈련도 면제되었다. 다 공부 열심히 하라는 나라의 배려이다. 그걸 깨닫고 열심히 하는 사람을 본 적은 없지만. 하여간 예비군으로선 참 좋은 시절이었다.

학교를 마치고 직장에 들어가자 나의 소속도 직장예비군으로 바뀌었다. 직장예비군은 직장에서 훈련을 받는다는 이점은 있었지만 학교예비군같이 특별한 혜택은 없었다(집에서 직장이 먼 사람은 경우에 따라 동네 예비군이 더 편하기도 했다. 그래도 우선 순위가 직장예비군이어서 누구나 직장이 있으면 의무적으로 직장예비군이 되어야 했다).

군복무를 마친 사람이 예비군에 편입되면 초기에 몇년간, 즉 아직 젊고 써먹을 만할 때에는 동원예비군이라고 해서 유사시 나라의 부름에 동원되는 예비군에 소속된다. 그래도 이때까지는 아직 기계가 쓸 만하다는 뜻일 게다. 나도 직장예비군에 소속된 후 바로 이 동원예비군 훈련을 다녀오게 되었다.

때는 1983년 초봄. 말이 초봄이지 늦겨울이라고 해야 할 철이었다. 나는 그 전해 12월에 결혼을 했기 때문에 신혼도 아주 신혼일 때였다(추운 겨울에 결혼해야 금실이 좋다고 누가 그래서……. 추워야 서로 들러 붙는다나 어쨌다나……. 하긴 에어컨도 흔치 않던 시절이었으니까 여름에는 들러붙기도 고역이었을 거다). 그런 때에 1주일간이나 나라에 소집되었으니 그 분위기는 마치 신혼 초야를 서둘러 치르고 전장으로 떠나는 독립군 남편과 새색시의 이별 장면 같았다. '서방님, 쿨적쿨적… 부디 왜놈들을 싸그리 갈아 엎어 버리세요…….'

나와 우리 직장에서 함께 가는 여러 명, 그리고 다른 직장, 동네에서 온 예비군들은 모월 모일 모시에 모처로 집결하였다(군대 일은 비밀이라서…). 우리는 '예비군 수송버스' 라는, 폐차 직전에 마지막으로 한 번 더 혹사당하는, 낡아빠진 버스를 타고 하염없이 '북쪽 전방' 으로 향했다. 내가 근무했던 '남쪽 전방' 과는 사뭇 다른 풍광이 을씨년스러운 겨울의 모습과 함께 뒤섞여 새색시를 두고 온 나의 맘을 더더욱 가라앉게 하였다.

우리가 도착한 곳은 o사단 oo연대. 도착해서는 예비군의 상징인 게으름을 한껏 피우며 입소식을 하고, 우리의 내무반을 배정받았다.

나는 동원훈련을 들어오기 전에 나름대로 여러 가지 정보를 얻어 보려고 했었다. 사람마다 경험의 차이가 심하긴 했지만, 1주일간 지겹게 놀다 왔다느니, 밤마다 고스톱 치느라 손가락 안쪽 가죽이 다 까졌다느니, 누구는 돈을 숱하게 잃었다느니 하는 식의 무용담이 대부분이었다.

(예비군도 군대라고 허풍 무용담들은……. 그런데 딱 한 사람만이 이런 조언을 했다. "마누라 가슴가리개를 가지고 가. 그게 포복할 때는 팔꿈치 가리개로 아주 유용해. 평소엔 품고 자도 좋고……."

나는 그 소리를 듣고 설마 예비군을 포복시키겠느냐는 안일한 생각과 함께 갓 시집온 새색시에게 가슴가리개를 달라고 하면 변태 취급당할 것 같은 수줍음에 흘려버렸다.)

그리고 또 대부분은 자신이 얼마나 말을 안 듣고 통제에 안 따랐는지를 자랑스럽게 읊어대는 것이었다. 오죽하면 나도 고스톱을 조금 가다듬고 갈까, 아니면 모자를 비딱하게 쓰고 최대한 개기는 연습을 하고 갈까 하는 생각마저 해보았을 정도였다. 그런 식으로 동원훈련을 우습게 보고 들어간 나와 우리들이었는데…….

내무반에 들어가 보니, 현역사병들과 우리들이 거의 반반씩이었다. 음, 심심치는 않겠구먼. 현역 데리고 노는 재미가 쏠쏠하겠는데(이런 환상을 품었으니)……. 그런데 잠시 후 이 현역병들이 우리에게 소총과 철모를 비롯한 단독군장 장비를 주는 것이 아닌가? 얼레? 이 놈들이…….

"야, 상병!"

"옛. 선배님." (어? 이 부대는 상병이 아직도 군기가 들어 있네…….)

"야야, 살살 말해라. 귀 안 먹었다. 그리고 이 철모랑 이런 거 말야. 너 잘못 주는 거 아니니? 우린 야비군이야, 야비군! 현역이 아니라고……." 다른 선수들도 옆에서 거들었다.

"야, 상병! 우린 이런 거 다 졸업했어. 이건 니들이나 쓰는 거지……."

"짬밥 먹어 본 지 오래 됐더니 이 쇳덩어리는 무거워서 못 쓰겠다."

"아닙니다. 선배님들. 단독군장 해주십시오."

뭔가가 이상하게 굴러가는 것 같은 삘이 오기 시작했다. 이거 가슴가리개를 가지고 왔어야 하는 거 아냐? 우리는 궁시렁거리면서 반은 철모를 손에 들고 집합하였다. 그런데 이 현역들은 우리를 부대 뒤편의 영점사격장으로 몰고 가더니 사격을 하라는 것이었다. 어라? 그러나 우린 이내 이해하였다. 1주일 동안 지겹게 놀텐데 그래도 총은 한번 쏘고 가야 보람찬 동원훈련이 아니겠느냐는 생각이 들었다. 사격을 끝마치고 내려오니 이번엔 바로 식당으로 끌고 가서 밥을 먹이는 것이었다. 아직도 훤한 대낮에 웬 저녁밥? 점심 짬밥도 거의 남겼는데, 또 짬밥……. 대충 식사를 마치고 나니까 이젠 내무반으로 끌고 가더니 민방공훈련용 커텐까지 다 내리고 자라고 하는 것이 아닌가? 이 무슨 해괴한 짓거리인가? 대낮에 자라니? 비싼 돈 들여 예비군 동원해서는……. 어허, 그리고 불이 있어야 고스톱이라도 칠 거 아냐?

깜깜한 분위기라 그랬을까……. 대충 잠이 들었나 싶었는데 이번엔 마구 깨우는 것이었다. 자연히 여기저기서 불만의 소리가 터져 나오고……. 어수선한 가운데 대충 줄을 맞춰 섰는데 억! 이게 뭐야? 현역들은 완전군장이었다. 우리 예비군들은 단독군장. 이건 '부대이동' 이 아닌가? 에구구……. 필시 우리가 제대로 된 훈련에 휘말린 것이 틀림없었다.

그 훈련이 그 당시 매년 미군과 함께 하던 팀스피리트 훈련의 일환인지 아닌지는 지금도 잘 모르겠다. 그러나 어쨌든 그 훈련은 '북쪽군' (요즘은 개념이 모호하고 또 잘못 표현하면 반xx세력으로 몰릴 수도 있어서 부득이 이런 표현을 쓴다)이 내려오신 것을 가정하고 진행되는 훈련이었다. 우리는 밤 10시부터 걸었다. 아마 작전상 후퇴하는 것 같았다. 우린 그렇게 밤새 마냥 걸었다. 새벽녘에는 싸늘한 늦겨울의 한기가 무지하게 시려왔다. 그렇게 걷기를 어스름 먼동이 틀 때인 새벽 5시까지 쉬임 없이 했다. 이 무슨 팔자란 말인가? '남쪽 전방' 에서 그리 ㅈ나게 고생한 것도 모자라서 제대한 뒤에도 이런 시련을 겪다니.

새벽녘에는 거의 졸면서 걸었다. 어렵사리 숙영지에 도착한 우리는 군용천막을 치고(주로 현역병들이 치고 우리는 쉬었지만), 곤한 잠에 빠져들었다. 우리의 동원훈련은 그런 식의 연속이었다. 낮에는 주로 텐트에서 자거나 쉬고, 밤에는 걸었다. 꼭 빨치산같이. 낮에 잠이 안 올 때는 각자 군대생활의 썰을 풀었다(우리나라에 비해 왜국에는 사기사건이 적다고 하는데, 아마 그 이유는 왜인들은 군대가 의무가 아니라서 그럴 것이다. 내 생각으로는 대한민국 남자들의 사기성과 허풍은 90% 이상이 군대에서 비롯된 것이다).

날이 가면서 각종 부작용이 생기기 시작했다. 우선 매일 밤마다 10 시간 정도씩 걸으니 무릎이 아프거나 발에 물집이 생기기 시작했고, 때로는 비가 칙칙하게 내리는 가운데 텐트에서 며칠을 지내다 보니 축축하고 찝찝하고 어수선하고 드디어 감기에 걸린 선수도 생기기 시작했다. 간간이 행군도중 못 가겠다고 떼를 쓰는 예비군들이 나타나기도 했다. 참, 현역 군대생활 다 합친 것보다도 더 힘든 동원훈련이었다. 그 와중에도 우리가 위안을 삼은 것은 수시로 길거리 가게에서 소주를 사서 수통에 채워 마시는 것이었다. 그 맛이란…….

어느 날 새벽. 내 앞에서 걸어가던 선수의 발걸음이 자꾸 꼬인다 싶더니 하필이면 작은 시멘트 다리를 지날 때 휘청하더니 아래로 떨어져버렸다. 난간도 없는 다리였다. 아주 작은 다리였고, 높이도 얕았으니 망정이지 줄 없는 번지점프를 할 뻔한 것이다. 다행히 그 선수는 별로 다친 데 없이 다시 행군을 계속할 수 있었는데, 그것을 본 우리들은 다리만 나타나면 길 안쪽으로 몰려서 걸었다. 그

새벽 5시경. 어느 삼거리의 제법 큰 시멘트 다리에 다다랐는데, 우리를 인솔하던 중대 인사계(상사)가 행군을 정지시키고 한 마디 하였다.

"에, 전쟁이 나면 여러분들은 이 다리까지 후퇴하면서 전원 전사하게 되어 있습니다. 그러니 여러분의 시체는 대부분 이 다리 밑에 있을 겁니다. 어쩌구저쩌구……."

오잉? 뭐라구? 그럼 여기가 유사시 우리 무덤이란 말이야? 오메, 징한 거…….

줄거리는 이랬다. 북쪽군이 내려오시면 최전방의 A부대는 최소한의 방어를 하다가 뒤로 빠지고, 약간 뒤에 있던 B부대는 우리 같은 동원예비군을 충원받아서 완전편제를 갖추어 저항을 하면서 최대한으로 시간을 끌고, 그 사이 후방의 정예 C부대와 미군들이 준비를 마치고 짜잔~ 나타나서 적을 섬멸한다. 뒤로 빠진 A부대는? 그들은 후방에서 박카스 마시며 원기 회복하면서 다음 투입을 준비하고.

결국 우리 동원예비군과 그 B부대원들은 완전한 소모품인 셈이었다. 최대한 저항하면서 시간을 벌고……. 그래서 그 삼거리 다리까지 후퇴하면서 다 죽으면 임무 끝! 이런 감동적 시나리오가 있었다니……. 코끝이 찡해왔다. 두고 온 새색시 생각도 나고……. 아직 2세도 없는데…….

작전도 막바지에 접어들었고, 우리 부대도 부대로 복귀하는 방향으로 돌아섰다. 이젠 예비군들이 수통에 소주를 사와서 행군 중에 마시는 것도 뭐라 하지 않았다. 희한한 것은 우려하는 것과 달리 술을 마시니까 더 잘 걷는 것이었다. 술김에 그러는 건지…….

부대로 복귀하는 도중에 적군과 만나는 황당한 일이 생기기도 했다. 이미 상황이 끝나고 그들도 부대로 복귀하는 것이긴 했지만, 그래도 전쟁 중이라면 이거 엄청난 사건일 텐데 하는 생각이 들었다. 그쪽 부대의 예비군이 물었다.

"수고하십니다. 어디 병력이우?"

"우리는 홍릉 병력입니다. 고생이 많수다."

정말 그들은 고생이 많았다. 박격포 좌판을 지고 가는 사람도 있었다. 우린 다 소총 한 자루인데……. 이래서 군대는 보직이라고 했나보다.

부대 내무반으로 복귀해서 술 한잔하며 마지막 밤을 보냈다. 어쨌든 며칠 밤을 꼬박 새며 걸어 작전을 마쳤으니 뿌듯한 기분도 들었다. 그런데 어느 새 내 무릎도 퉁퉁 부어 있었다.

동원훈련의 후유증은 1주일 정도 계속되었다. 무릎도 그때야 제 모습이 되었고. 나는 다시 연구소의 일상으로 돌아와 바쁘게 세월을 보냈다.

그 해 한여름의 어느 일요일 오후. 아내와 나는 시내에 쇼핑을 나가던 참이었다. 우리가 타고 가던 버스가 종로 5가 근처에 이르렀을 때 갑자기 민방위훈련 사이렌이 울어대는 것이었다. 민방위 훈련을 하는 날이 아닌데도 불구하고. 이게 무슨 일이지?

버스는 길가에 세워지고 우리 부부와 다른 승객들은 모두 내려서 근처의 지하철 종로 5가역으로 들어갔다. 분위기가 심상치 않았다. 지하철역에는 라디오 방송을 크게 틀어놓았는데, 다급한 목소리가 흘러나오고 있었다.

"지금 인천지방이 공습을 받고 있습니다……."

이런 요지의 방송이었다. 그해 초 이웅평이라는 북쪽군 조종사가 전투기를 몰고 귀순한 적이 있었다. 그때도 한바탕 소동이 있었다. 그때의 유명한 멘트는 "이 상황은 실제상황입니다"라는 것이었다. 그런데도, 라면, 우유 등을 사재는 둥 소동이 있어서 그 후에는 훈련은 꼭 훈련상황이라고 언급하기로 했었다. 그런데 지금은 인천이 공습을 받고 있다는 것이 아닌가? 훈련이 아니고 공습을 받고 있다는 말은……. 전쟁!

나는 의외로 덤덤한 기분이었다. 하긴 내가 그 상황에서 할 수 있는 것이 무엇이 있겠는가? 그저 교육받은 대로 몇 시간 이내에 지정된 장소에 모여서, 역시 동원된 차량을 타고 북쪽 전방의 부대로 가서, 총 받고 철모 받고, 전투에 투입될 것이고……. 시간을 끌며 후퇴를 하고 결국 포천삼거리 다리까지 사이의 어느 곳에 나의 5척 몇 치의 몸을 누이면……. 그러면 나의 할 일이 끝나는 것 아닌가? 사람으로 태어나 전쟁을 겪을 운세라면 겪는 것이지 무슨 요령을 부릴 것인가? 나는 아내에게 만약 내가 전방으로 가고 못 돌아오면 포천 삼거리 다리 밑에 시체가 있을 것이라고 말해주었다. 아내는 내 말이 실감나진 않지만, 그렇다고 그렇게 방송까지 왕왕대는 상황에서 숙연해지지 않을 수도 없어 황당한 표정이었다.

잠시 시간이 지나자 조용해졌다. 사람들이 하나둘 지하철역 밖으로 나가기 시작했고 우리도 밖으로 나가서 아직 썰렁한 길을 걸어 종로의 처갓집으로 들어섰다. 처갓집에서는 마침 TV로 야구중계를 보다가 갑자기 야구장 관객들까지 대피하는 모습에 황당했었던 모양이었다.

그 날의 그 해프닝은 중공군 조종사 '손천근' 이라는 자가 중공제 미그21기를 몰고 우리나라로 귀순한 사건이었다(그 당시의 기록을 어렵사리 찾아서 그 조종사의 이름이 '손천근' 이라는 것을 알았다. '한담' 을 쓰다보니 그런 사건도 다시 찾아보고……. 참 좋은 일이다. 그 날은 8월 7일 일요일이었다).

그 해는 유달리 사건이 많았다. 아웅산에서 우리나라 각료들이 떼죽음을 한 것도 그 해였다. 지금 돌아보면 참으로 위험한 시절에 동원예비군을 했었구나 하는 생각이다. 여차직 했으면 나는 포천 삼거리 다리 밑에 누워 있었을 것이 아닌가? 그랬다면 이 나라에는 얼마나 큰 손실이었을까? 그랬다면 예쁜 과부 아내에게는 얼마나 많은 놈들이 껄떡댔을까? 썩을 ㄴ들! 너희가 율리시즈를 아느냐?

비록 추석연휴에 묻혀 크게 논란이 되진 않았지만, 며칠 전 국군의 날에 나라님께서 또 얄궂은 말을 했다. 6 · 25를 역사상 세번째 '통일시도' 라고 했다. 물론 전체의 뜻은 전쟁을 하지 말고 평화통일을 해야 한다는 취지인 듯한데, 그렇더라도 나라를 대표하는 사람으로서는 참으로 경솔한 발언이라는 생각이다. 6 · 25라는 것이 '통일시도' 인지, 아니면 단순히 '야망에 의한 도발' 인지는 전쟁을 일으킨 놈한테 물어봐야 제일 정확할 것이다. 그 전쟁의 한쪽 당사자인 나라의 대표가, 적군이 일으켰다고 알려진 전쟁을 '통일시도' 라고 평하는 이율배반을 나는 이해하기 힘들다(만약 그 전쟁이 '통일을 시도하려고' 우리가 일으킨 것이라면 몰라도……).

그 말은 전쟁 당사국의 대표가 해야 할 연설이 아니고, 먼 훗날, 정말로 고려 초기부터 지금까지만큼의 세월이 흐른 다음에 역사학자나 할 수 있는, 제3자적인 언급이 아닌가? 참 뭐가 뭔지 모르겠다. 연설문을 써준 사람이 따로 있다면, 그의 생각이 궁금하고, 또 그걸 그냥 읽은 나라님의 생각도 궁금하다. 만약 연설문을 나라님이 직접 썼다면, 그리고 그 문장의 문제점을 아무도 지적하지 않았다면, 그것 또한 황당한 경우가 아닌가?

에구, 모르겠다. 그런 어려운 것까지 생각하고 싶지는 않고……. 단지 나도 자칫 '통일시도' 에 저항하는 반통일세력이 될 수 있었다는 것이 모골송연할 따름이다. 그 해에 '통일시도' 가 있었다면 나는 그런 위대한 뜻을 몰라보고 예비군으로 동원되어서 저항하고 시간을 끌다가 포천삼거리 다리 밑에서 '역사의 심판(?)' 을 받아 죽었을 것이 아닌가?(나의 현역생활이야 남쪽의 왜적을 경계했다고 치부하면 크게 서운하지도 않다) 그 '통일시도' 가 성공했다면 나는 죽어서도 의미 없는 개죽음 내지는 민족의 반역자였을 것이 아닌가? 이런 ㅆ…….

포천 삼거리. 시멘트 다리. 지금은 그곳이 어딘지, 아직도 그대로 있는지조차도 모른다. 그러나 모든 것이 뒤죽박죽인 지금, 새삼 내가 죽어야 했을 그곳에 한번 가보고 싶다.

*2001. 10. 5.*

# 구명조끼

(1)

〈얼마 전

처갓집에 갔을 때였다. 조카떼들이 꼬물꼬물 놀고 있는 모습을 보고 있던 아내가 갑자기 다락으로 올라가는 것이었다. 아내는 다락에서 한참을 부스럭거리더니 웬 박스를 들고 내려왔다. Little Tikes 제품의 조립식 플라스틱 테이블이었다. 아~ 저 테이블! 우리 애 둘이 저 테이블에서 밥도 먹고, 공부도 하던(애비 닮아서 공부를 무던히도 좋아했었지…….) 저 빨갛고 노란 테이블. 아마 미국서 이사올 때 박스째 처갓집 다락에 넣어두었던 모양이다. 잊고 지냈던 그 테이블을 다시 조립해 주고 조카떼들이 그 위에서 노는 것을 보며(우리 애들은 저기에서 공부를 했는데……. 저 시키들은… ㅉㅉ) 옛 생각을 잠시 했었다. 좋을 때였다.

그 날 정작 나를 더 기쁘게 했던 것은 다락에서 발견된 타자기였다. 독일제 타자기. 내가 석사논문을 쓸 때 썼던 타자기. 그 동안 그것이 어디 있었나 했더니……. 오랜만에 보는 반가움에 타자기 덮개를 얼른 열고 몇 타를 두드려 보았다. 근 20년이 지나 이젠 리본의 잉크도 말라버려 글자가 희미하게 찍힌다. 그래도 별 무리 없이 움직이는 타자기. 독일제가 좋긴 좋은가 보다. 둘리가 그 타자기를 보더니 눈이 휘둥그레졌다. 한참을 그 타자기를 가지고 뭔가를 쳐댔다(역시 우리 새끼는 노는 게 달라……. 꼭 공부랑 관계되는 짓만 하고……. ㅎㅎ). 아마 '파인딩 포레스터'의 타자기가 감동스러웠었나보다.

오는 길에 타자기를 집에 가져왔다. 그걸 쓸 일이야 거의 없겠지만 컴퓨터도 없던 시절 밤새워 자판을 두드려 논문을 쓰던 그 기분을 느껴보고 싶었다. 가을이다.〉

(어느 분이 요즘 '한담'의 글이 너무 길다고 지적하셨다. 사실 초기보다는 꽤 길게 쓰고 있다. 짧은 것이 읽기 편할 것 같긴 한데, 글을 잘라 공연히 편수만 늘리는 것 같은 민망한 마음이 들어 한 편에 좀 길게 쓰기도 했다. 그러나 무엇보다 글이 길어진다는 것은 쓸데없는 사설이 길어진다는 뜻이고, 그건 바로 간결하고 적확하게 표현을 하지 못한다는 뜻이다. 나는 시골공대 출신임을 늘 잊지 않으려고 한다. 간결하고 적확하고 pin-point의 예리함을 가진 그런 공대 출신이고 싶었는데……. 부끄러울 따름이다. 그분의 충고를 겸허하게 받아들여 앞으로는 짧고 깔끔한 글이 되도록 노력하

려 한다.)

* 군수품 전시회가 있었다고 한다. 이름이 '국방마트' 라는데, 대덕에서 열리고 있다고 한다(국방마트? 요즘은 아무데나 '마트' 다. 하이마트, 하나로마트, 웨딩마트, 이사마트……).

그 전시회에 물에 뜨는 구명조끼가 출품되었다고 한다. 완전군장을 한 병사가 그 구명조끼를 착용하면 임진강 도하도 가능하다고 한다. 또 그것을 이불과 박격포 가방으로도 만들어 임진강에서 실험까지 했다고 한다. 구명조끼…….

나는 수영을 조금 한다. 잘한다는 뜻이 아니고 정말 조금만 갈 수 있다는 뜻이다. 한때 인생의 절정기에는 50미터도 더 갈 수 있었다(아~~ 얼굴이 뜨듯해진다……). 고등학교 때는 친구들과 도봉산 계곡물을 막아서 만든 도봉산수영장(맞나?)에 놀러 가면 깊은 물에서 찜뽕도 할 정도로 親水性(친수성)이었다. 한마디로 물개 같았다고나 할까…….

(그 친수성이 지금도 남아 있다. 골프장에서 물만 보면 공이 빨려 들어간다. 희한하게도…….)

그렇게 방방 날던 수영실력이 망가진 첫째 원인은 담배였다. 나는 대학교 1학년 때부터 담배를 피우기 시작했는데, 그해 말 실내 수영장에 가서 한번 횡단을 하고는 그대로 화장실로 뛰어가서 다 토하고 말았다. 담배의 폐해를 절실히 느낄 수 있었다.

(나는 그때 담배가 나쁘다는 것을 깊이 깨닫고 20년 후에 담배를 끊었다.)

그후 점차 사회에 적응하고 인생을 알아가면서 나는 슬슬 물과 멀어지기 시작했다. 이제는 근력마저 떨어져서 10미터나 가려나……. 어쨌든 이것이 내 수영실력이다.

캐리비언 베이. 에버랜드 옆에 있는 물 공원(Water Park). 내가 캐리비언 베이를 처음 가본 것이 개장한 그해였던가……. 누군가 그 곳이 놀기 좋다고 하는 소리를 듣고 내 한번 가보고 평을 하리라 마음먹었었다. 그런데 그때 S그룹의 지인이 그 캐리비언 베이의 무료입장 카드를 빌려주었고, 공짜라는 데 흥분한 나는 식구들을 다 몰고 그곳엘 가게 되었다. 처음 캐리비언 베이의 인상은 감동 그 자체였다. 그날 돌아오는 길에 아내는 '우리나라에도 이런 theme park가 있다니…….' 하면서 만족해했다. 다양한 놀거리, 즐길 거리도 만족스러웠지만, 무엇보다 깨끗한 것이 마음에 들었다. 특히 음식을 가지고 들어가지 못하게 한 것이 청결 유지에 도움이 되었다.

음식을 가지고 들어가지 못하게 하는 것은 사실 주최측의 돈벌이일 수도 있다. 그러나 깨끗한 시설을 같이 즐기기 위해서는 역시 음식을 가지고 들어가지 않아야 한다. 그리고 그곳은 도시락을 맡겨놓았다 먹을 때 나와서 찾아먹도록 해놓아서 크게 불편하지도 않았다.

우리 가족이 처음 Florida주 Orlando의 Disney World에 갔을 때였다. 입구에 한글로 '김밥을 가지고 들어가지 맙시다' 라고 써놓은 팻말을 보았다. 한편으론 창피하기도 했지만, 한편으론 '시키들, 음식 장사하려고……. 치사하게…….' 하는 마음도 있었다. 그런데 내부에서 돌아다니다 문득 풍겨오는 김밥 비린내를 맡았을 때, 김밥 냄새도 역할 수 있다는 것을 알았다. 내가 그렇게 느낄 정도면 다른 나라 사람들은 얼마나 불쾌했을까 하는 기분이었다. 냄새가 나는 곳에는 한눈에도 배달 겨레가 분명한 한 가족이 벤치에서 김밥을 먹고 있었다. '그럴 수도 있지' 할 수도 있지만, 확실히 보기에도, 냄새도 좋지 않았다. 그저 하지 말라면 안 하면 되는데……. 우리는 '하지 말라는 걸 몰래 한 무용담' 을 자랑하는 이상한 치기가 있다. 과시욕이 심한 건지, 뻥을 좋아하는 건지…….

첫인상이 아주 좋았던 우리 가족은 그해에만 캐리비언 베이에 3번을 더 놀러갔었다. 두번째부터는 도시락에서부터 준비를 철저히 하고, 개장시간에 맞춰서 일찍 가서 편안한 자리 잡고, 폐장시간까지 죽도록 놀았다. 노는 것도 공부만큼 좋아하다보니…….

다음 해 여름. 나는 그 여름의 캐리비안 베이를 대비해서 몸을 만든다고 운동기구도 사 모았었다. 오버였다. 내가 워낙 공사다망한 관계로 운동을 제대로 못해서 전해와 똑같은 骨體美로 다시 그곳을 찾았다. 그해에는 특이하게도 식구들과 여름휴가를 서울 근처에서 보내기로 의견을 모았었다. 하루는 63빌딩, 하루는 롯데월드, 하루는 캐리비안 베이. 그렇게 사흘 휴가를 보냈었다.

(휴가 후 식구들의 의견을 종합한 결과 : "63빌딩, 특히 수족관은 다신 안 간다.")

그런데 그해에는 벌써 캐리비안 베이에 사람이 많아졌다. 훨씬 복잡해지고, 질서도 전만 못했다. 심지어 벗어놓은 구명조끼를 훔쳐가는 일도 벌어졌다. 우리 옆의 어느 가족은 벗어놓은 구명조끼 6개를 다 잃어버렸다. 나는 어느 아주머니 두 분이 오셔서 구명조끼를 다 가져 가질래 식구 중의 하나인 줄 알았었는데, 나중에 보니 아니었다. 아줌마 절도단.

그 다음해에 갔을 때는 더 엉망이 되어 있었다. 그 후론 안 가게 되었다. 애들도 컸고…….

그 날. 우리는 캐리비언 베이에 들어가자마자 애들에게 '돈 팔찌'(무슨 소린지 모르면 한번 가보시라. 겨울에도 여니까)를 하나씩 채워주고 만날 시간만 정하고 헤어졌다. 자기들끼리 놀아야 재미있을 테니까. 나와 아내는 같이 다녔다. 아내는 나에게 착 달라붙어서 놔주지를 않았다. 하긴 잘난 남편을, 그것도 알몸 상태로 풀어놓기는 마음이 안 놓였을 거다.

여기저기 다니며 놀다 지겨워질 무렵. 나는 아내에게 좋은 구경을 시켜주겠다고 했다. 솔깃한 아내를 데리고 간 곳은 water slide 밑. 큰 물미끄럼틀의 착륙 지점. 언젠가 내가 그 옆을 지나가는데 많은 사람들이 slide 착륙지점의 울타리에 주욱 붙어서 웃고 떠들고 있었다. 무슨 일인가 보니 미끄럼을 타고 내려온 사람들을 보고 웃는 것이었다. 나도 유심히 보았는데, 이게 아주 재미있는 볼거리였다.

그곳의 물미끄럼틀은 아주 높다. 하나는 2단이고 다른 하나는 1단인데 경사가 장난이 아니다. 미끄럼을 타고 내려온 사람은 대개 정신이 하나도 없는 모양이었다. 심한 사람은 넋이 나갔다는 표현이 맞을 정도다. 그런데 미끄럼을 타게 되면 빠르게 내려올 때의 물의 저항으로 수영복이 말려 올라가게 마련이다. 남자건 여자건 수영복의 뒤가 말려 올라가 마치 뒤가 끈으로 된 팬티를 입은 모양이 된다. 수영복이 똥꼬에 끼어서 알궁둥이가 되는 것이다. 에구, 숭해라…….

(언젠가 백화점의 속옷 파는 매장에, 그 뒤가 끈으로 된 팬티를 높이 진열해 놓은 것을 보았다. 학문적 호기심이 동한 나는 언니에게 물었다. 저 팬티를 뭐라고 부르느냐고. '끈팬티' 라고 한단다. 에이, 멋없다. 일본에 갔을 때 그들이 'T빤' 이라고 써놓은 것을 본 적이 있다. 뒤에서 봤을 때 T자 모양이라고 그렇게 부른단다. '빤' 은 '빤쯔' 의 약어이다. 왜인들 특유의 '말 만들기 습성' 인데, 그래도 오히려 'T빤' 이 더 애교스럽게 느껴진다.

그나저나 그거 무지 불편할 텐데……. 어떻게 입지?)

경험이 많은 사람이나 아주 침착한 사람은 바닥에 완전히 정지한 후에 누운 채로 수영복을 정리하고, 올라간 부분을 내리고 일어서지만, 처음 타본 사람이나 멀미를 심하게 한 사람은 대개 그냥 일어서 나온다. 그러면 울타리에 기대 서 있던 사람들이 일제히 와.하.하! 웃어대는 것이다. 참, 남의 알궁둥이 보는 재미가 그렇게 쏠쏠하다니……. 언젠가는 비키니 입은 여자가 내려왔는데, 윗수영복도 올라가 버린걸 모르고 그냥 걸어나왔다는 전설도 있었다. 나는 못 봤다. 지지리도 운도 없다.

아내와 나도 남들처럼 울타리에 기대서서 내려오는 선수들을 지켜보았다. 그 울타리에 붙어선 사람들 가운데는 여자가 압도적으로 많았다. 때로는 여자들이 더 숭하다. 알궁둥이를 보면 여자들이 더 깔깔댄다. 정말 여자들이 더 숭하다. 아내도 무엇이 그리 좋은지 깔깔대기 시작했다. 아니? 이 여자가? 나중엔 웃다 꺾어지기도 한다. 아니? 이 아줌마가? 그런데 한동안 노련한 사람들만 있어서 알궁둥이가 안 보이면 막 신경질이 난다. 누워서 수영복 정리하는 사람들, 특히 여자들이 그렇게 얄미울 수가 없었다. 좀 보여준다고 닳나?(컥! 나쁜 놈!) 하여간 그곳에 가면 꼭 미끄럼틀 옆에 가보아야 한다. 요즘말로 '강추' 다.

한동안 즐겁게 눈요기를 하고 난 후 아내와 나는 '파도 풀' 로 향했다. 파도 풀. 경적소리가 나면 거대한 파도가 밀려오는 곳. 그 파도에 실려 둥실 떠오르는 맛이 기가 막히다. 그런데…….

*2001. 10. 22.*

(2)

'파도 풀' 이라는

곳이 신기하고 재미있는 곳이긴 하지만 문제도 있는 곳이다. 조금만 주변을 눈여겨보면 상당히 풍기가 문란(?)함을 금세 알아챌 수 있다. 뭐 그렇다고 아주 숭한 건 아니고 눈꼴이 시다는 말이다. 괜한 심통이라고 치부해도 할 말 없지만…….

만약 과년한 딸이 남자 친구랑 캐리비안 베이에 간다고 하면, 무조건 말려야 한다. 대신 딸을 빨리 보내버리고 싶다면 군자금을 듬뿍 줘서 남자 친구랑 그리 놀러가라고 권할 일이다. 왜냐하면 그 '파도 풀' 은 자연스럽게 스킨십이 이루어지는 곳이기 때문이다.

경적이 울리고 파도가 밀려오면 데이트를 하는 남녀들은 요상스럽게도, 착 달라붙는다. 자기장(磁氣場)도 아닌 '파도장(波濤場)' 안에만 들어오면 쩔꺼덕 붙어버리는 이상한 음(陰), 양극(陽極)들이다(세상 이치란 이렇게 다 같은 모양이다. 그래서 아인시타인이 그렇게 통일장(統一場) 이론에 열심이었나보다. 장, 똑같은 장……).

그것도 그냥 달라붙는 것이 아니고 '엄마~" 하는 소리를 내면서 달라붙는다. 아니 정확하게 표현하자면 여자들이 여우를 떠는 것이다(이런 남녀차별적 발언을 하다니……). 무서운 척하며 소리를 지르면서 남자에게 착 달라붙어서 파도를 탄다. 이때 싫다는 남자가 있을까? 나같이 낯을 심하게 가리는 사람이라면 모를까……. 구명조끼를 입은 데다 남자 목에 착 달라붙었으니 좀 잘 떠오를까? 파도에 따라 두둥실 떠다니는 그 기분이 좋긴 할 거다. 그런데 문제는 그렇게 착 달라붙은 남녀가 수영복만 입고 있다는 것이다.

수영복이 뭔가? 바로 속옷 아닌가? 사람들은 수영복은 수영복이라고 생각하는데, 벌거벗은 데다 달랑 한 조각(여자 것은 두 조각도 있다) 걸친 게 속옷이 아니고 무엇인가? 맨살에 닿는 옷이 속옷이지 무언가? 상상해보자. 속옷만 달랑 입은 남녀가 정말로 '물샐 틈 없이' 찰싹 붙어서 파도 따라 흔들린다? 그런데도 아무 생각이나 일이 없다면 그건 진짜 '문제아' 아닌가? 사실, 솔직하게 말해서……. 착 달라붙은 아내를 안고 파도를 타다 보니, 거의 부처가 다 된, 나 같은 고목나무도 꽃이 피려고 하는데, 혈기방장한 젊은 것들이야 오죽하겠나?(왜 그런 놀이터가 내 전성기 때는 없었을까? 사람은 시대를 잘 타고나야 한다던데…….) 하여간 그 '파도풀'에서는 물 위에 목만 나와 있거나, 남자 목에 팔을 감고 있는 '원앙바퀴벌레'들이 참 많다. 너무 많아서 그 눈꼴 신 모습을 안 보기도 쉽지 않다. 에이, 부끄러워.

(또 주제를 까먹었다. 오늘 주제는 '구명 조끼의 허와 실'이었지…….)

이 '파도 풀'의 또 다른 악명은 바로 '파도'다. 깊은 곳에서는 오히려 파도가 재미있다. 깊은 곳은 구명조끼를 입어야 들어가니까 늘 물에 떠 있는 상태이고, 파도가 밀려오면 같이 흔들리면 된다. 물론 짝 달라붙어서 흔들리면 더 좋다. 회춘도 되고…….

오히려 물의 깊이가 1.2 미터쯤 되는 곳이 '마의 장소'이다. 깊은 곳에서 밀려오는 파도는 사실 파도라기보다 '너울'과 같다(이해가 안 되는 사람은 '퍼펙트 스톰'이라는 책을 사볼 일이다. '조지 클루니'가 나온 영화의 원본인 그 책을 읽으면 이해가 될 거다. 여담을 하나 하자면, 나는 그 책을 보고 두 가지 마음이 들었었다. 바다를 다니는 직업이고 싶다는 마음과 절대로 어부는 안 되겠다는 마음. 장쾌하지만 무서운 것이 바다였다).

사인(sine) 커브를 그리며 얕은 곳으로 밀려오던 너울은 점차 끝이 뾰족하게 변하고, 결국 부서지게 된다(연안쇄파). 파도가 부서진다는 것은 파도의 윗부분이 앞으로 쏟아져내리는 것을 말한다. 캐리비언 베이의 '파도 풀'에서는 깊이가 1.2 미터쯤 되는 그 지점에서 파도가 부서지는데, 이때 이 부서지는 파도의 높이가 대략 어른들의 얼굴 부분이 된다. 그곳에 아무 생각 없이 서 있다가 파도에 맞아서 수영모자를 잃어버렸다는 사람들이 숱하다. 심지어 내 후배는 이탈리아에서 갓 사온 비싼 선글라스도 잃어버렸다. 나는 그런 소리를 많이 들었지만 그렇게 파도에 얼굴 부분을 맞는 지점이 어딘지는 정확히 몰랐었다.

아내와 나는 파도를 타다가 잠시 쉬려고 걸어나오고 있었다. 수심 1.2미터쯤 되는 그곳을 걸어나오다, 왜 그랬는지 내가 뒤를 돌아보았는데, 바로 그때 파도에 얼굴을 맞았다. 정말 '컥!' 이었다. 와…푸… 머리를 절레절레 흔들고 정신을 차려보니 안경이 없는 게 아닌가? 이건 진짜 '컥!' 이었다. 멋으로 쓰는 안경이 아니고 이건 생존용인데……. 옆에 있는 아내에게 "안경이 없어졌어" 하니, 아내 또한 황당한 표정.

파도에 맞으며 뒤로 밀려왔고 안경 또한 물에 휩쓸렸을 테니 이걸 어디서 찾나? 사람은 많지, 물 속을 들여다본다고 뭐가 보이는 것도 아니지……. 난감하고 황당한 상태에서 주춤거리길 몇 번……. 발에 무언가 밟히는 것이 아닌가? 아! 안경! TGI Glass! 역시 사람은 평소에 맘을 잘 써야 혀, 만세!

('TGI Friday' 에서 먹기만 하고 그 뜻은 모르는 사람들을 위해……. Thank God It's Friday. 주5일 근무하는 나라의 이야기다. 우린 아직 아니다. Thank God It's Glass!)

나는 안경을 잡으려고 자맥질을 하였다. 윗몸을 아래로 굽히니 자연히 발은 바닥에서 떨어지고. 그런데, 그곳이 얕은 곳인데도 불구하고 자맥질이 되질 않는 것이다. 억! 이거 왜 이래? 마치 누가 위에서 끌어올리는 것 같았다. 그건 구명조끼 때문이었다. 구명조끼가 물에 뜨려는 힘이 저항이 되어 내가 물 속으로 윗몸을 숙일 수가 없었던 것이다. 이런…….

다시 일어서 보니 발에 걸리던 안경이 없어졌다. 이런? 어쩔 수 없었다. 나는 살짝 살짝 움직이며 그 근처를 발로 더듬었는데…….

역시 사람은 평소에 맘을 잘 써야 허는 법. 다시 발끝에 안경이 걸렸다. TGI Glass! 만세!

이번에는 윗몸을 움직이는 바보 같은 짓을 하지 않고, 대신 발로 안경을 잡아서 살짝 들어올렸다. 구명조끼 덕에 몸이 살짝 떠오르고 안경도 무사히 내 손에 들어왔다. TGI Glass! 참 밝은 세상이, 참 예쁜 아내가 눈앞에 있었다(눈꼴 신 사람들도 있겠다……).

그 안경 구출작전에서 내가 느낀 것. '구명조끼는 자맥질용이 아니다.' 그래서 해녀는 구명조끼를 입지 않는다.

구명조끼가 사람을 물에 뜨게 만드는 것은 참 훌륭한 능력이다. 그 덕에 익사하지 않고 살아난 사람도 많을 거다. 그러나 그것도 빈틈이 있으니……. 바로 그 날의 다른 일.

천우신조로 안경을 되찾은 후 놀란 가슴을 진정시키기 위해서 나와 아내는 따뜻한 풀사이드로 나와서 쉬었다. 나는 안경에 목숨을 건다(국민학교 4학년 때부터 써보면 그 심리를 안다).

'파도 풀' 이 쉬는 시간 정도 안정을 취하니 다시 몸에 원기가 솟아나며, 유희욕(遊戱慾, 이런 말이 있는지 모르겠다. 놀고 싶단 뜻이다)이 불끈대기 시작했다. OK! 다시 또 가자! 우린 다시 파도 풀로 뛰어들었다. 이번에는 마의 1.2 미터 지역을 지나 깊은 지역으로 갔다. 1.9 미터 지역에 자리를 잡고, 아내와 착 붙어서 흔들흔들~ 파도를 즐겼다. 회춘!

'파도 풀'에서는 한동안 큰 파도가 밀려온다. 그 시간이 지나면 '막파도(?)'가 밀려오는데, 대각선으로 파도를 일으키는지, 다이아몬드 형상으로 파도가 오르내린다. 자연히 풀 전체가 locally 오르락 내리락……. 풍기는 더욱 문란해진다. 조명만 어두우면 일 나지……. 아암!

나와 아내가 그 '막파도'를 즐기며 속삭인 지(집안 얘기, 애들 성적 얘기……) 어언 10분이 지났을까? 조금 춥다는 느낌과 함께 발목이 뻣뻣해지는 것을 느꼈다. 쥐가 나려나? 아무래도 더 찬물에 들어앉아 무리하는 것보다는 나가서 쉬어야겠다는 생각이 들었다. 아내에게 그만 나가자고 하였다.

"아잉~~, 더 있다 가자~~"(어깨를 좌우로 흔들며……. 소녀같이……. 깜찍도 하지…….)

"허니야~ 이 엉아가 지금 쥐가 날려고 하거든~ 이따가 또 놀자~" (아으, 느끼…)

우리는 돌아나오려고 뒤로 돌았는데, 아뿔싸! 사람, 사람. 꽉 찬 사람들!

아무리 나오려고 헤엄을 쳐도 나올 수가 없었다. 사람에 걸려서 마음대로 손발을 움직일 수도 없는 상태에서 아내와 나는 용트림만 하고 있었다. 어깨 조금씩이나마 앞으로 나가려고 해도 사람의 벽으로 꽉 막혀있는 상태. 점점 힘은 빠지고……. 잠시 진정을 하면서 주변을 돌아보니 옆으로 벽이 보였다. 마치 축대를 쌓아놓은 것 같은 벽. 아무래도 벽에 달라붙어 나가야 수월할 것 같았다. 우리는 엄청난 투쟁 끝에 겨우 그 벽에 도달할 수 있었다. 비록 잡을 곳도 마땅치 않은 축대였지만, 그곳에서 잠시 휴식을 취한 우리는 벽을 타고 나가기로 하였다. OK! 갑시다!

아내는 벽에 붙어 날렵하게 사람들 사이를 빠져나가는데, 나는 도통 힘을 쓸 수가 없었다. 발목은 이미 뻣뻣해졌고, 온몸의 힘은 다 빠져버렸다. 나는 점점 멀어져가는 아내의 뒤에 대고 소리를 질렀다. 물론 사람들과 파도의 소음에 묻혀 들리지 않는 듯했지만…….

"우욱! 꿀루룩~ 허… 허니~ 가…가치… 가. 우…(꾸루루~) 욱…"

허부적 허부적……. 아, 멀어져가는 아내…….

"여보! 꾸루룩… 허어니… 꼴까닥… 이임자! 꼴깍~"

아내는 들리는지 안 들리는지 매정하게 멀어져만 갔다. 아… 혹시 나 몰래 보험이라도 들어놓은 것은 아닐까? 그렇게 천방지축 굴러다니다 이 놀이공원에서 생을 마감하는 건 아닐까? 그럼 불명예일까, 아닐까? 안전요원이란 놈들은 지금 내가 물과 사투를 벌이는 것도 안 보이나? 직무유기… 다 짤라버려야 해! 다 짤라… 꼬루루…….

나는 오른손으로는 필사적으로 벽을 잡고, 왼손으로는 밀려드는 사람들을 제치며, 입으로는 '허니~여보~임자~'를 외치며 조금씩 앞으로 나아갔다. 나는 이미 거의 exhausted 되어 있는 상태에서 왕손의 마지막 내공을 소모하고 있는 중이었다. 으, 태조할아버니~ 방원할아버지~

얼마나 몸부림을 쳤는지 모르지만 잠시 숨을 고르면서 옆을 보니 그곳의 수심이 1.5미터라고 되어 있었다. 됐다! 이젠 바닥에 내려서서 천천히 걸어가면 된다. 이젠 살았다. 나는 바닥에 내려서려고 손에 힘을 빼고 다리를 아래로 향했다. 휴우~

그런데, 꼬루루~ 욱… 내 발이 바닥에 닿지가 않는 것이었다. 이거 뭐야? 바닥에 서려고 할수록 물만 먹고 있었다. 알고보니 이번에도 구명조끼가 문제였다. 구명조끼는 내가 바닥에 내려서는 것을 용납하지 않았다. 헤엄쳐 나가기엔 너무 많은 사람들. 쥐가 난 다리와 힘 빠진 근육. 마지막으로 걸어가려고 했는데……. 150cm 뿐이 안 되는 물에서 바닥에 내려설 수도 없는 얄궂은 상황. 그리스신화의 탄탈로스(Tantalos)는 물에 잠겨서 목만 내놓고 있는데, 포도를 먹으려 하면 포도나무 가지가 위로 올라가고, 물을 마시려고 하면 수면이 내려가는, 영원한 굶주림과 배고픔의 형벌을 받고 있다더니 내가 그 꼴이 아닌가? 아으! 허니…….

나는 마지막으로 구명조끼를 벗어보려고 했다. 물론 사람들과 축대 사이의 틈새에서 그것도 쉬운 일이 아니었다. 이때 이미 풀을 거의 벗어났던 아내가 문득 서방이 없는 것을 알아차린 모양이었다. 매정한 여자! 틀림없이 잘생기고 멋진 몸매의 젊은애들 쳐다보느라 나를 잠시 잊었었을 거야. 나쁜 허니! 아내는 두리번거리며 나를 찾는 눈치였다. 마침내 얕은 곳에서 허부적대고 있는 나를 발견한 아내는 깜짝 놀라며 내게로 뛰어왔다. O… My Darling…

아내의 손에 끌려 안전한 곳으로 나온 나는 그제야 생명의 존귀함과 배필의 소중함을 깨달았다. 나는 마른땅에 도착해서는 길게 누워버렸다. 누워 숨을 몰아쉬고 있는 내 옆에서 아내는 배를 잡고 웃어댔다. 얕은 곳에서 얼굴이 허옇게 돼서는 꼴까닥대고 있던 모습이 그렇게 우스웠단다. 나는 죽을 뻔했는데……. 못됐다!

아내는 지금도 가끔 그때 내 모습을 거론하며 아주 좋아라 웃곤 한다. 정말 못됐다. 그때 현장을 보지도 못했으면서 옆에서 같이 깔깔대는 둘리란 놈은 더 못됐다. 못된 모자!

구명조끼! 그거 너무 믿으면 안 된다. 구명조끼가 있으니까 '우아한 single' 도 괜찮을 거라는 생각은 더욱 위험하다. 그래도 '임자' 가 구명조끼보다 낫다. 그리고 만약 구명조끼를 입고 익사라도

해 봐라. 벼락 맞아 죽은 것 정도로 호사가의 입에 오르내릴 거다. 평소에 어쩌구저쩌구 하면서…….

*2001. 10. 24.*

# 형제의 안경

〈바르도

아주머니가 한국상품 불매운동을 벌인다고 한다. 늘 그렇듯이 개고기 때문이다. 정말 끈질긴 아주머니다(할머닌가?). 하도 집요하게 물고 늘어지니까 이젠 나도 의문이 생긴다. 나는 개고기를 '天下第一肉(천하제일육)' 또는 'The Meat' 라고 생각하는데, 하도 그 아주머니가 시비를 해대니 나의 믿음도 갸우뚱해진다. 그걸 노린 건가?

요즘 서양인들 왜들 이러는지 모르겠다. 미국인들조차 지적 능력이 떨어진다고 흉보는 부시가 'axis of evil' 이라는 말을 해서 理性(이성) 있는 세계인들을 당황케 했었다. 기독교가 문화를 넘어서 생활인 미국과 서방세계에서 'evil' 이라는 말은 단순히 '惡(악)' 이라는 추상, 모호한 개념이 아니다. 'Satan' 이라는 뜻이다. 우리에게는 별로 같아도, 그들에게는 엄청나게 심각한 뜻이다. 물론 비서가 써준 것을 그냥 읽었겠지만, 그래도 그런 소릴 거침없이 하는 것을 보니 정말 그의 지적 수준이 의심된다. 하기는 남말 할 것 없다. 우리도 그런 나라님 받들고 살았었으니…….

그렇게 기분이 찝찝하던 차에 올림픽 쇼가 벌어졌었다. 미국에서 열릴 때는 언제나 그렇듯이 미국의 nationalism이 발동했다. 그것도 아주 심하게. 거기다 판정 시비, 코메디언 시비까지 이어졌다. 이 바람에 우리나라에 때아닌 반미 분위기가 퍼졌다. 미국 물건 불매운동이 벌어지고, 맥도널드의 매상이 줄었다고도 한다. 미제 전투기 사지 말자고는 소리도 나온다.

이런 꿀꿀한 상황에 바르도 아주머니까지 나섰다. 미운 시누이 같다고나 할까……. 그 아주머니는 자신의 존재를 늘 과장된 동물 애호주의로 나타내는 모양이다.

며칠 전에는 다시 부시가 철강에 관세를 매긴다고 발표했다. 씨… 우리는 구조 조정하라고 해서 숱하게 잘랐는데, 자기네는 감원 안하고 그런 식으로 간단 말이지……. 씨…!

매사가 뒤숭숭하고 자꾸 극으로 치닫는 느낌이다. 찝찝꿀꿀하다.〉

〈얼마 전 처가에 들렀을 때 낯익은 타자기를 발견했다. 그 타자기는 독일제로, 당연히 독일어 타자기인데, 내가 쓰던 것이었다(독일어 타자기라는 것이 별것은 아니다. 알파벳에 몇 가지 독일 글자가 더 있을 뿐이다). 미국 갈 때 처가의 다락에 넣어두었던 것을 찾아낸 것이었다.

그 타자기를 보면서 그 옛날, 필사해 놓았던 석사 심사용 논문을 하룻밤 꼬박 새우며 타자 쳤던 기억이 떠올라 묘한 기분에 사로잡혔다(그땐 참, 힘도 좋았었지…….)

반가운 마음에 얼른 가죽 가방을 열어보니…….오! 놀라워라! 아직도 아주 깨끗했다(독일제라 그런가?). 옆에 있던 둘리도 아주 좋아했다. 자기 달라고 떼를 쓰다시피 한다. 그런데 문제는 리본이 다 말라버린 것이었다. 일단 집에 가져다 놓고 리본을 구하려고 여기저기 알아보았지만, 그런 수동타자기 리본은 도저히 구할 수가 없었다. 정말 황학동엘 가봐야 하려나……. 거실 한켠에 얌전히 있는 타자기를 보고 있으면 흐뭇한 미소가 떠오르지만, 리본이 없어 제 몫을 못하는 걸 생각하면 맘 한편이 허전해진다. 어떻게 구하나?〉

(근래 몇 년 사이에 참으로 많은 명언이 나돌았다. 드디어 얼마 전! 거의 결정판이라 할 만한 명언이 나왔다. '부인이 식당 해서 번 돈으로…….' 라는 말이 그것이다. 부인이 고생해서 번 돈으로 다른 사람 도와줬다는 말인데……. 부인이 참 너그러운 모양이다. ㅆㅇㄴ)

* 내가 처음으로 안경을 쓴 것은 국민학교 5학년 때였다. 5학년에 올라가면서 반도 바뀌고 담임선생님도 바뀌었다. 당연히 번호를 새로 정하고 자리를 새로 배정받고 했는데, 어찌 된 일인지 내가 맨 뒷자리에 앉게 되었다. 키도 별로 크지 않았는데.

당시에는 한 반에 100명이 넘었었다. 늘 끝번호가 102나 103 이었던 기억이 아직도 있다. 그렇게 학생이 많았던 것은 우리가 전후 1차 베이비붐시대의 산물인데다가 형편없이 부족한 교육시설 때문이었다. 2부제 수업을 하면서도 한 반에 100명이 넘는 교실. 말 그대로 '콩나물 시루' 였다.

(요즘 한 반에 35명을 맞춘다고 교실을 짓느라 난리인 모양이다. 학교는 공사판이 돼버렸고, 남의 학교에 가서 공부하기도 하고. 뭐든지 그렇게 나라님의 한 마디로 뚝딱 하려면 안 되는 법이다. 몇 해 전에도 무조건 급식을 하라고 해서 소동이 벌어지고, 식중독사건도 많이 터졌었는데, 또 그런 짓들을 하고 있다. 하여간 학생 노릇도 사주팔자를 잘 타고나야 편한 법이다.)

난 처음엔 그렇게 뒷자리에 앉는다는 것을 대수롭지 않게 생각했었다. 그런데 어느 산수시간. 시험을 보았다. 두 자릿수 곱하기 두 자릿수 같은 별거 아닌 곱셈 시험이었는데, 난 0점을 맞고 말았다. 칠판에 쓴 문제를 전혀 알아볼 수 없었기 때문이었다. 선생님한테 매를 맞으며 아주 억울했었다. 문제가 안 보여서 못 풀었는데, 매를 때리다니…….

나는 그때 공부를 꽤 잘했었다(이 글을 읽고 있는 사람들 대부분이 다 그랬겠지만). 오죽하면 우리 동네에서 내 별명이 '만사구비(萬事具備)', '양수겸장(兩手兼將)' 이었겠는가?

('양수겹장' 이 아니고 '양수겸장' 이란다. 나도 이 글 쓰면서 알았다. 배울 것 많은 '한담' !)

잘생기고 공부도 잘했으니, 그런 별명이 붙을 수밖에……. 신당동에선 다 아는 일이었다.

0점 받고, 종아리 맞고 집에 간 나는 어머니께 간곡하게 졸랐다. 엄마도 다른 엄마들 같이 학교에 한 번 와서, 담임선생님도 만나고, 어찌어찌해서, 나를 앞자리로 옮겨달라고 마구 졸랐다. 워낙 학교에 드나드는 것을 싫어하셨던 어머니셨지만(아마 어머니는 학교 다닐 때 공부를 좀 못하셨나보다. 학교문 넘는 것을 그리 싫어하셨던 걸 보면…….), 총명한 자식놈의 종아리를 위해 어려운 걸음을 하셨다. 어느 날 수업시간에 교실 밖에 서 계신 한복 입은 어머니를 보았고, 그 다음 날 나는 앞에서 번째 줄로 영전(?)되었다.

그때 친한 내 친구들이 한두 명씩 안경을 쓰기 시작했었는데, 나는 어느 날 갑자기 안경을 쓰고 나타나는 그 애들이 몹시 부러웠다. 그래서 나는 부모님께 거짓말을 했다. 내가 앉은 앞자리에서 칠판을 보는 것은 문제가 없었지만, 나는 그래도 안 보인다고 떼를 썼다.

하나밖에 없는 자식놈(그때까지 나는 무녀독남 '귀동이' 였다. 대접은 그렇지 않았던 것 같은데…….)이 안경잽이가 되는 것이 못마땅하셨는지 아버지께서는 반응이 없으셨다. 그러나 몇 날 며칠을 조르고 떼를 쓴 끝에 아버지의 허락을 얻어냈다. 토요일, 아버지와 안경점에 가서 안경을 맞췄다. 그런데 나는 참으로 바보같이 안경을 쓰면 시력검사표의 끝까지(2.0인가?) 다 잘 보여야 된다고 생각을 했고, 그렇게 해서 아주 도수 높은 안경을 쓰게 되었다.

집으로 돌아오는 길에 몇 번을 넘어질 뻔했지만, 안경을 쓰게 된 기쁨에 비하면 그런 불편은 사소한 것이었다.

안경을 쓰고 사춘기를 보낸다는 것은 참 힘든 일이다. 질풍노도(Strum und Drang)의 시기, 몸 속에서 끓어오르는 에너지를 주체 못해서 아무 몸부림이라도 치고 싶은 그 시기에, 안경만큼 걸리적거리고 위험한 물건도 없다. 나도, 내 안경도 그런 고난의 시기를 겪어야 했다.

걸핏하면 안경다리 부러뜨리고, 안경알 빠뜨리고, 깨뜨리고…….

축구 할 때는 헤딩한다고 반으로 또까닥! 농구 할 때는 그물도 없는 농구 골대를 통과하는 클린슛에 타이밍을 못 맞춰서 와장창! 야구 할 때는 마스크 벗은 채 파울볼 받고 돌아서는 나를 향해 보지도 않고 던진 투수놈의 공에 쨍그랑! 심지어 탁구 칠 때는 복식 파트너였던 놈의 어퍼컷 같은 괴상한 스윙에 퍽!

병원도 여러 번 들락거렸었다. 병원까지는 아니었어도 안경 쓰고 쓰러져 자다가 해먹은 적도 숱하게 많았었다.

아무리 잘생기고 똑똑한 외아들이지만, 그렇게 안경을 말아먹으니 어머니의 인내도 한계를 넘어섰다. 그때는 야단을 맞았다 하면 거의 안경 때문이었다. 그러니 나도 점점 안경이 망가졌어도 집에 말을 안 하게 되고, 편법을 쓰게 되었다. 다리가 부러지면 테이프로 붙여 써보다가, 그나마도 없어지면 손으로 잡고 보다가, 한쪽 안경알이 없어지면 알 하나만을 들고 수업 받다가, 그 한 알마저

반으로 깨지면 유리조각 들고 칠판을 보았다. 물론 집에 가선 별핑계를 다 댔었다. 그런 난리는 고등학교 졸업식 때 안대(眼帶)하고 졸업을 하는 것으로 크라이맥스를 장식했다. 시골공대 시험 보러 갈 때도 안대를 차고 갔었다(내가 수석입학을 놓친 이유였다. 한 눈으로 시험을 봤는데도 그 정도였으니……).

이렇게 내가 안경을 끼고 겪은 불편한 일이 많아서인지, 나도 우리 애들이 안경을 쓰는 것을 아주 반대했었다. 그러나 어쩌겠는가? 애비 닮아서 책을 좋아하다 보니 그렇게 된걸……. 결국 두 놈 다 초등학교 때 안경을 쓰고야 말았다.

* 가끔 TV에 나오는 형제, 자매, 부모/자식들의 모습들을 보노라면 '억!' 소리가 절로 난다. 어쩜 그리도 닮았을까? '씨도둑질' 은 못한다던데 정말인지? 그런데 성격은 꼭 그렇지 않은 모양이다. 자식이 여럿인 분들의 말을 들어봐도, 그 많은 자식놈들이 다 각각이라는 것이다. 때로는 부모도 이해 못할 정도로 가지가지라고 한다.

'형제' . 나는 늘 '형제' 만큼 이상한 '핏줄' 이 없다고 생각한다.

어떨 때 보면 '하나' 같아 보이고, 어떤 때 보면 완전히 남 같아 보이는 것이 '형제' 라는 혈연이라고 생각한다. 내가 말하는 것은 형제간의 우애가 어쩌고 하는 차원이 아니라, 성격과 습관 등을 말하는 것이다.

우리 집 두 놈이 그렇다. 나와 집안 사람들이 보기는 외관도 판이

하다. 하나는 나를 닮았고(두 놈 다 이 소리를 무지 싫어한다. 그런다고 그 판이 어디 가나?), 하나는 제 엄마를 닮았다는 것이 집안 사람들의 중론이다. 그러나 타인이 보기는 안 그런가보다. 다른 사람들은 두 애가 똑같다는 것이다. 골상이나 몸의 모양뿐이 아니라 얼굴도 같다는 것이다. 이런 소리를 들을 때면 아내와 나는 어리둥절하다. 우리가 보긴 분명히 다른데…….

(쌍둥이들도 자기 부모에겐 그렇게 보이려나?)

모습은 그렇다 치지만, 성격은 정말로 판이하다. 굳이 같은 점을 찾으라면 고집이 세다는 정도일 것 같다.

큰애는 여러 가지로 나와 비슷하다(큰애가 들으면 정말 기분 나빠하겠다). 아내의 말에 의하면, 우선 돈씀씀이가 그렇단다(나는 아닌데…….). 그냥 주머니에 돈이 있으면 쓰고 본다는 것이다. 큰애가 가끔 시내의 서점엘 다녀오면 아내에게 꼭 한마디 듣는다. 물론 반응은 없지만. 애는 보고 싶은 책이 있으면 대여섯 권을 그냥 산다. CD도 댓장씩 그냥 산다. 한 달 용돈이고 뭐고 개념이 없다. 그냥 보이는 대로, 잡히는 대로 쓰고는 나중에 제 엄마에게 가불(?)해달라고 조른다. 내가 봐도 심하다(아내는 나를 닮아 그렇다고 하지만, 나는 맹세코 그렇지 않다. 맨 정신일 때는 특히 안 그렇다. 술 한잔하면 쪼금 그럴 때도 있지만). 그런데 이애는 자기의 호오(好惡)가 워낙 뚜렷해서 그런 버릇을 단순히 '낭비'라고 할 수 없는 면이 있긴 하다. 어쨌든 좀 다듬어야 할 성격이다.

작은애는 큰애에 비하면 징그러울 정도로 꼼꼼하다. 책을 하나

사도 이리 재고, 저리 재고……. 제 돈 내고 살 때도 있지만 부모가 어떻게든 사주도록 만들기도 한다. 큰애는 일찌감치 없어진 예금 통장도 작은애는 꼼꼼하게 관리한다. 어느 때는 은행별로 이자 따져서 계좌를 바꾸기도 한다. 이 날 이때까지, 나도 해본 적이 없는 행동이다. 용돈도 그 애는 계좌로 넣어주길 바란다. 꼭 필요한 만큼만 현금으로 달라고 한다.

나와 아내는 작은애의 이런 품성을 고쳐주려고 노력한다. 생각 없이 막 써대는 것도 좋지 않지만, 너무 쪼잔하게 숫자에 얽매이다 보면 자칫 소탐대실(小貪大失)하지나 않을까 하는 노파심 때문이다. 조금씩 나아지는 것 같아 다행이다.

* 두 아이가 안경을 쓰는 행태도 성격을 따라가는 모양이다.

큰애는 숱하게 안경을 바꿔야 했다. 가장 짧게는 이틀만에 안경을 잃어버린 적도 있다. 물론 그 경우는 그 애의 잘못만은 아니었다. 래프팅을 하다가 잃어버린 것이었으니까. 그런데 같이 래프팅을 하다가 다 같이 물에 빠져 쓸려 내려갔던 우리 식구 중 그 애만 안경을 잃어버렸으니 참……. 안경과 인연이 없다고 해야 하는지…….

그렇게 잃어버린 것 말고도 숱하게 부러지고, 깨지고……. 결국 인내심 많은 아내도 잔소리를 해대기 시작했다. 그랬더니 아내 몰래 응급조치를 하기도 하고, 심지어 제 동생한테 돈을 빌려서 안경알을 새로 하기도 하고……. 참 요란하게 안경을 쓰는 선수다. 펄펄 뛰는 그 나이에 안경 관리가 쉽지 않은 것은 이해를 하지만, 그래도 얘는 보통보다 훨씬 심하다.

작은애가 안경을 쓰는 것은 완전히 다르다. 얘는 여지껏 안경이 깨지거나 부러진 적이 없다. 그만한 때의 애들이라면(중학생) 당연히 한두 번은 깨지기도 하고, 부러지기도 할 텐데, 얘는 그런 일이 없었다. 그렇다고 가만 앉아만 있는 것도 아니다. 하루라도 축구를 안 하면 발에 가시가 생긴다[足中生荊棘(족중생형극)]고 하는 애다. 그런데 어떻게 그럴 수가 있는지 의아하기만 하다. 게다가 이놈은 안경 관리가 아주 꼼꼼하다. 안경다리가 조금 삐딱하다고 느끼면 바로 안경점(우리 집 단골 안경점)으로 달려가서 바로잡아 달라고 하고, 걸핏하면 알 청소 해달라고 하고, 나사 같은 곳도 잘 조여 달라고 한다는 것이다. 원 참!

우리 집은 네 식구가 다 안경을 쓴다. 아내는 항상 쓰지는 않지만. 우리 식구들은 근처의 대학교 앞에 있는 상당히 큰 안경점을 단골로 다닌다. 사실 단골이 된 것은 두 애들 때문이다. 하나는 숱하게 가서 새로 맞추고, 고치고……. 또 하나는 숱하게 가서 닦고 기름치고……. 그러니 어찌 단골이 안 되겠나!

단골이라서 여러 가지로 편리하기는 한데, 문제는 아내나 나나 그 안경점에 가기가 민망하다는 것이다. 큰애를 데리고 가면 "너 또 왔니? 한 달도 안됐는데……. 너는 도대체 안경을 쓰고 무슨 짓을 하니?" 이런 소리를 늘 들어야 한다. 심지어 얼마 전에는 단골 안경사 아저씨가 큰애를 보더니 "너, 며칠 전에 나 없을 때도 와서 알 새로 했다며? 너 도대체 왜 그러니? 반항이니?" 하더란다. 애를 데리고 간 아내는 까맣게 모르고 있던 일이었다는 것이다. 그 애는 그렇게 우리 모르게도 안경을 숱하게 해먹는 모양이다. 하여간 그 안경점의 너댓 명 되는 안경사가 모르는 사람이 없으니 원 민망해서…….

작은애라고 나을 것도 없다. 어느 날 아내가 보니 작은애 안경테의 도금이 벗겨졌더란다. 알뜰하게 안경을 쓴 것이 기특하긴 했지만, 보기 흉할 정도가 될 때까지 안 바꿔준 것이 맘에 걸려서 안경점엘 데리고 갔더니, 모든 안경사가 다 몰려들어서 한 마디씩 하더란다.

"너는 무슨 어린애가 안경을 그렇게 관리하니?"

"너 좀, 그만 들러라. 멀쩡한 안경 가지고 그렇게 자주 오는 놈이 어딨냐?" 등등.

아내는 또 민망하더란다.

그런데 아내가 결정적으로 민망했던 것은, 그 집의 모든 안경사가, 평균보다 안경을 훨씬 잘 해먹는 '학생 1'과 노인네같이 안경 관리하는 '학생 2'가 형제, 그것도 친형제라는 것을 다 알고 있다는 사실 때문이었다. 그리고, 나이보다 늙어 보이는 중년 아저씨와 아직 앳되어 보이는 아줌마가 그 애들의 부모이자 부부라는 것도 알고 있더란다.

이상한 가족, 이상한 형제, 안경 쓰는 것도 형제가 다르니…….

*2002. 3. 11.*

# 축구가 밥 먹여주냐?

〈미국과의 경기. 연구소 강당에 모여서 축구 경기를 봤다. 아침부터 젊은 연구원과 학생들이 붉은 티셔츠를 입고 다니면서 분위기를 돋우더니, 경기가 시작되자 강당이 들썩거리도록 응원을 한다. 나도 맘은 동하는데 몸이 선뜻 따르지를 못했다. 세월의 흐름…….

아내의 양로원에서도 모두 함께 모여 축구를 보았다고 한다. 어? 할아버지, 할머니들도 축구를 보나? 아내 말이 그분들도 아주 좋아하신단다. 양로원의 할아버지, 할머니들도 '대~한민국. 따닷따 닷따' 를 하셨다고 한다. 그런데 박수가 안 맞더라나? 아내는 그분들은 왜 박수를 못 맞추는지 이해를 못하겠다고 했다. 그거? 다 세월의 흐름이지…….〉

(며칠 전 저녁. 시장에서 사온 산딸기 한 사발을 펼쳐놓고 둘러앉아 뉴스를 보고 있었다. 뉴스에선 줄기차게 공 차기 이야기만 나온다. 아~ 이 상태로 한 달만 가면 정신이 이상해지겠다. 심지어는 정치 이야기가 다 듣고 싶어졌다. 그때 마침 다른 뉴스가 나왔다. 제목은 "생리도벽은 심신장애로 봐야 한다" 였다. 그걸 보고 한 마디가 없을 수 있나?

– 나 : "맞아……. 저건 병으로 봐야 해."

– 아내 : "병은 무슨? 단순한 도벽야, 도벽." (아! 이 극보수, 도덕지상주의자…….)

– 나 : "아니지……. 저건 자신도 잘 모른다는데……. 주체할 수가 없다고 그러던데?"

– 아내 : "뭘 주체할 수 없어? 말도 안돼. 그리고 당신이 어떻게 알아? 생리 해봤어?"

– 나 : "……"(쩝!)

나와 아내의 대화 역사상 이렇게 한순간에 할 말을 잃었던 적이 있었던가? 다른 주제 같으면 날카로운 반론을 제기했을 텐데, 이 경우는 정말 할 말이 없었다. 그래도 그렇지, 그런 남성의 신체적 결점을 거론해서 말을 끊다니…….

하여간 나날이 날카로워지는 아내의 논리, 단호해지는 엄격함, 세월의 흐름……. 婦强夫弱(부강부약).

게다가 어제 오전에는 얼마 전에 올린 글 '진보, 보수…' 가 아내의 사후 검열에 의해 '음담패설' 로 판정이 나서 또 한바탕 혼이 났다. 글의 삭제를 종용하는 아내에 대항해서 언론의 자유를 지키려는 민주투사의 기개로 맞선 덕분에 글은 놔두기로 했지만, 앞으론 더욱 심한 탄압이 이어질 것으로 보인다. 중년 사상가의 길이 왜 이리 험난할까?)

(다시 축구 이야기. 포르투갈과의 경기. 아내와 둘리를 데리고 연구소 강당으로 가서 봤다. 집 가까운 이점. 강당에서 많은 젊은 사람들과 함께 경기를 보며 응원했다. 이젠 근엄한(?) 나도 '대~한민국' 을 외친다. 두 손을 앞으로 쭉 뻗으면서……. 그리고 '짜짜짝 짝짝…….'

내 뒤로는 베트남 학생들 열댓 명이 경기를 보고 있었다. 그들은 우리의 경기를 보며 무슨 생각을 했을까? 저들도 돌아가면 나라를 위해 큰 일을 해야할 텐데…….)

(TV에서는 전국 각지의 응원 모습을 다 보여준다. '길길이 뛴다' 는 말이 정말 맞는다. 도대체 배달민족의 에너지는 어디서 나오는 것일까? 알다가도 모르겠다. 나도 배달겨레인데…….

나는 가끔 내가 한국인인 것이 좋은 때가 있다. 우선 정말로 어렵다는 '한국어' 를 나는 자유롭게 할 수 있다는 것이 정말 좋다. 내가 외국인이고, 그것도 다 커서 한국어를 배우려고 했으면 얼마나 힘들었을까?! Thanks God, I' m Corean!

또 한국인이 좋은 것은 높은 엔트로피 때문이다. 지하철에서 자리를 차지하려고 전력 질주하는 '중년여인' (아줌마라는 표현보다는……)들의 활력도 즐겁고, 옆 사람 신경 안 쓰고 다리 넓게 벌리고 앉는 '쫙벌남' 아저씨들의 후안(厚顔)도 즐겁다. 관광버스나 관광지에서 모두 일어나 장르도 모르는 춤을 함께 추는 사람들도 즐겁다. 즐겁게 보고, 즐거워하면 우리의 모든 것이 다 그렇게 즐거운 것이다. Entropy, Corea!

온나라가 끓고 있다. 이 에너지가 잘 모아졌으면 좋겠다. 이 공차기가 끝난 뒤에도.

다음 경기 때는 시청 앞에 가보고 싶다. 자신은 없지만……. 그리고 빨간 티도 없고)

(아!~ 오래 살다보니 이런 일도 있다. 이탈리아를 이겼다.

나는 이탈리아 축구를 신봉하는 사람이다. 비록 우리 집의 제3가훈이 "축구가 밥 먹여주냐?" 일 정도로 '놀이'에 냉소적인 나지만 잘하는 축구는 좋아한다.

우리와의 16강전에서 보았듯이 이탈리아 축구는 강하다. 일단 물리적으로 강하고 거칠다. 그러나 그들의 축구는 예술적이다. 개인 기술도 죽인다. 남미축구의 개인기와 유럽축구의 힘과 덩치에서 좋은 점만 모아놓았다. 입맛 까다로운 나도 좋아할 수밖에…….

남미축구는 좁은 공간에서 쪼물딱거리는 것이 답답하다. 쪼잔한 놈들! 또 못하는 유럽축구는 어떠한가? 뻥 차고, 냅다 뛰기만 하고……. 무식한 놈들! 그에 비해 이탈리아 축구는 아름답고 조화롭다. "물 흐르듯이"라는 표현이 어울리는 아름다운 축구!

그러나 우리가 이겼다.

싸울 때 되지게 맞으면서도 끝까지 악 쓰며 달려드는 악바리들이 있다. 어제 우리 선수들이 그랬다. 객관적 실력에서 안 되고, 선제골도 먹었으니 제 풀에 꺾여야 되는데, 후반이 되고, 더 후반이 될수록 더 미쳐서 달려드니……. 예술적이지만 거친 이탈리아 선수들도 당황했으리라. '지독한 놈들!' 하면서…….

임진왜란 때, 임금은 도망가고 서울은 점령당했는데, 끝까지 달려드는 이상한 백성들을 보고 왜인들은 황당했었다고 한다. 수도(首都)를 빼앗기면 전쟁이 끝나는 그들의 전쟁과 달랐기 때문이었단다. 왜인들은 한편으론 그랬을지도 모른다. '치사한 놈들……. 졌으면 대가리 처박고 가만있어야지…….' 그러나 배달겨레는 민초에, 살생을 금하는 스님까지 나서서 끝까지 저항했다. 이상한 백성들이다. 그리고 역시 이상한 선수들이다.

이탈리아를 이겼다!)

* 어제, 축구에 냉소적인, 그래서 가훈이 "축구가 밥 먹여주냐?"인 우리 집이지만, 국가적 행사인지라 우리 부부도 함께 응원 출정을 나섰다.

연구소 강당. 우리 팀 연구원들과 학생들에게 사비를 털어 '캔맥'을 돌렸다. 일부 알콜 중독 증상이 있는 애들이 '팩소'를 달라고 했다. 썩을 놈들! 인상을 써줬다.

전반 초반. 11미터 벌칙(북한식 표현), 그리고, 안정환의 개 발(dog' s foot. 일명 삑사리). 나의 독설이 시작되었다.

"저 시킨 저 파마 대가리부터 잘라야 돼!"

"미스 코리아 마누라도 바꿔야 돼!"(헉! 이런 멘트를 날리다니…….)

'냉정침착형' 인 우리 '예쁜 후배' 가 안절부절하기 시작했다. 그러나 경기는 안 풀리고, 우리 선수들은 뛰질 않는다. 저것들이……. 얼었나? 몇 대 맞더니.

평소 '과묵실천형' 인 나는 점점 말수가 늘어났고, 그건 다 독설이었다.

후반. 점점 선수들의 몸놀림이 빨라진다. 아마 쉬는 시간에 혼이 난 모양이다.

히 감독은 수비수를 계속 빼고 공격수를 계속 넣는다. '이판사판' 이란 뜻이다. 하긴 1:0이나 5:0이나 지는 건 마찬가지니까.

후반 끝 무렵. 내가 좋아하는 차두리 선수가 들어갔다. 나는 그 젊은 선수가 좋다. 비록 세기(細技)가 조금 모자라지만 아직 젊지 않은가? 그를 보면 '참 잘 자랐구나' 하는 생각이 든다. 길에서 훤칠하고 밝은 청소년들을 보면 '참으로 잘 컸다' 하는 맘이 드는 것과 같다고나 할까?(우리 집에도 훤칠하고 건강하게 '잘 큰' 애들이 둘이나 있다. 어디 내놔도 자랑스러울 정도다. 으~쓱! 조금 낯간지럽다. 靑出於藍(청출어람)!)

강하고 구김 없는 차두리. 아주 잘 뛴다. 어쭈? 그 새 많이 늘었네?

경기가 거의 끝나갈 무렵. 상상할 수 없었던 일이 벌어졌다. 꼬~~올이었다.

평소에 나한테 멍청하다고 그리 욕을 먹던 설 선수가 골을 넣었다. 저럴 수가? 요즘 설 선수가 나날이 실력이 는다는 생각은 했었지만 저렇게 끈질겨지다니……. 놀라웠다. 그러나 나는 또 욕을 해줬다.

시키! 나쁜 시키! 넣을려면 좀 일찍 넣지……. 멍청한 시키!

설 선수의 동점골이 들어가자 '냉정침착형' 인 '예쁜 후배' 도 펄펄 뛴다. 나는 아내가 흥분한 나머지 행여 다른 남자를 껴안을까봐 꼭 안고 있었다. 따뜻했다. 갑자기 사랑의 욕구가 솟았다. 주책이다. 그 와중에…….

연장전. 옛말에 있듯이, 또 옛말 그른 것 없듯이, 방귀가 잦으면 ㄸ이 나온다더니……. 역시 나한테 미용에만 신경 쓴다고 그리 욕을 먹던 안 선수가 역전골을 넣었다.

내가 그리 욕하던 그 파마대가리로 넣었다. 나는 또 욕을 해줬다.

시키! 나쁜 시키! 머리를 볶을려면 아예 아줌마 라면파마로 했어야지……. 바보같은 시키!

역전골! Sudden death! '냉정침착형' 인 '예쁜 후배' 도 거의 미치려고 했다. 나는 아내와 껴안고 뛰었다. 다른 여자들도 많은데……. 아내는 놓아주질 않았다. 서로 꼭 잡고 뛰는 모양새가 마치 상대 선수 옷을 잡고 뛰는 축구 선수들 같았다. 아내는 예쁜 남자 좋아하는 취향이라 안 선수의 역전골에 더 미치는 것 같았다. 아내는 얼마나 좋았을까? '예쁜 서방' 옆에 앉아 '예쁜 파마' 가 골 넣는 걸 봤으니……. 복도 많은 여인이다.

광란. Strum und Drang. 엄청난 흥분이 조금 가라앉았다. 평소에 '과묵실천형' 인 나는 다시 과묵해졌고, '냉정침착형' 인 '예쁜 후배' 는 다시 냉정해졌다. 그리고 뜬금없이 아내가 말했다. 마치 고승이 화두를 던지듯이…….

"우리가 졌어야 하는데……!"

컥! 이게 무슨 소리야? 아내의 말에 놀래 눈이 똥그래진 나. 아내는 뒤이어 말했다.

"이젠 그만해야 되는데……. 애들 공부해야 하는데……!"

아내는 거함 이탈리아를 이긴 감동을 어느 새 접고, 고3, 중3을 둔 엄마로 돌아온 것이다. 하긴 그럴 만도 했다. 고3인 큰아이는 빨건 옷 챙겨 입고 친구들과 고려대에 가서 본다고 나갔다. 중3인 작은놈도 역시 빨건 옷 입고 시청 앞으로 나갔다. 이 분위기, 이 열기에서 그 애들을 어째 말릴 수 있겠는가? 그러나 우리의 현실에서 두 수험생을 둔 엄마의 마음 한 구석에 어찌 조바심이 없을 수 있을까?

나도 아내의 그 마음을 이해할 수 있었다. 그래서 나는 마음을 다잡고 우리 집 가훈을 되새겼다.

"축구가 밥 먹여주냐?"

아내는 나와 일행을 술집 앞에 내려주고 집으로 돌아갔다. 그리고 나는 또 새벽에 아파트 담치기를 해야 했다. 담을 넘으면서도 나는 "대~한민국"을 소리쳤다. 언제 철이 나려는지…….

그리고 오늘은 냉정을 되찾았다. 그리고 지금 중얼대고 있다.

"축구가 밥 먹여주냐?"

월드컵이 빨리 끝났으면 좋겠다. 도대체 일도 안 되고, 글도 못 쓰고…….(핑계!)

이러다 '한담' 문 닫겠다. 다시 한번 외쳐본다. "축구가 밥 먹여주냐?"

그래도 이기니 좋다. 아주 좋다!

*2002. 6. 19.*

# 컴鬼에게서 자식 구하기

## (1)

신혼 때.

'예쁜 후배' 가 말했다.

"나는 이 담에 애가 잘못을 저지르면 애의 두 손을 꼬~옥 잡고, 눈을 마주 보면서 '이러면 안 된다~(콧소리가 섞인 음향으로). 다시는 그러지 말아라~' 라고 할 거야. 형은?"

(아내는 서클에서의 호칭대로 나를 형이라고 불렀다. 어머니에게 혼나면서도)

"잘못했으면 맞아야지. 뭘 눈을 마주 보기는……."

그때 아내는 나를 아주 무식한 사람으로 여기는 것 같았다. 세월이 지나 두 아이를 기르며 갖가지 일을 겪었다. 얼마 전에 아내에게 물었다. 아직도 애가 잘못하면 두 손을 꼬옥 잡고, 눈을 마주하고……. 그러자는 주의냐고. 아내는 아니라고 했다. 이렇게 애 키우는 것은 이론과 실제가 다르고, 예상문제가 없는 험난한 시험이다.

내가 우리 애들을 키우면서 겪었던 일 가운데 가장 큰 파동이 '컴퓨터 문제' 였다. 이제는 돌이켜 이야기를 할 수 있지만, 지금도 컴퓨터 때문에 애와 마찰을 빚었던 그때는 생각하고 싶지 않을 정도다. 작년까지는 동창회나 모임에 나가서 동기나 후배들에게 컴퓨터, 특히 인터넷이 애들에게 얼마나 백해무익한가에 대해 열변을 토하면 별로 동의하지 않는 모습들이었다. 그러던 것이 요즘은 많은 사람들이 진지하게 끄덕거리고, 심지어 나에게 이런저런 자문을 구하기도 한다. 물론 나는 친절하게 질문에 답하고, 자상하게 방법도 일러준다(워낙 친절하니까. 남들이 그런다).

요즘 마무리해야 할 글도 많고 쓰고 있는 글도 있지만, 또 나 역시 컴과 인터넷으로 글을 써 올리는 사람이지만, 컴/넷(컴퓨터와 인터넷을 이렇게 줄여 쓰겠다)이 우리의 자식들, 배달의 후손들에게 미치는 패악이 너무나 커서 만사를 제쳐두고 이에 관한 글부터 쓰려고 한다. 부디 널리 깨우치고 알려야 할 일이다.

나는 컴을 '일해야 한다' 는 명목으로 집에 들여놓았다. 애들이 먼저 사달라거나, 애들의 공부를 위해서 장만한 것이 아니란 뜻이다. 듣자하니 애들 공부 때문에 들여놓았다는 사람들이 의외로 많기 때문에 하는 소리다. 또 지금의 모든 결과가 나의 자업자득이란 말이기도 하다.

나는 집에서 처음엔 컴만 쓰다가, 나중엔 사무실과 연결한다고 모뎀을 쓰고, 케이블이 들어온 뒤에는 고속 인터넷을 사용하고……. 그런 컴/넷의 일반적 진보 경로를 밟아왔다. 그래도 난 어느 정도 선각자였다. 컴이 부정적 용도에 쓰일 수 있다는 것을 알았기 때문에 컴은 늘 거실에 두어야 한다는 주장을 했고, 그렇게 했었다. 그러나 아예 집에 들이지 말았어야 한다는 것을 그때 깨달았어야 진짜 선각자일텐데……. 결국 난 얼치기 선각자였다.

우리 집 컴/넷 역사는 이 정도로 하고, 그와 관련한 일반적 오해를 짚어봐야겠다.

1. 컴/넷은 공부에 필수?

많은 사람에게, 집에 컴/넷이 왜 필요하냐고 물어보면 열에 열은 다 애들 숙제 때문이라고 한다. 한 마디로 개코다. 컴/넷으로 해야 하는 숙제가 따로 있는 것이 아니다. 그 컴/넷을 써야 한다는 숙제란 게 대개는 '무엇에 대해서 알아 오라' 라는 것이고, 학생은 그걸 알아 가면 되는 거다. 그런데 이때 인터넷이 아주 편리하다. 즉 애들이 편하게 숙제를 하려고 인터넷을 쓰는 것이다. 그래서 학생들의 숙제결과물이 다 똑같다고 한다. 똑같이 인터넷 백과사전을 'copy & paste' 했으니 그럴 수밖에…….

그런 '알아 오라' 는 숙제는 인터넷으로 하면 편리하다. 그러나 집에서 인터넷 사용하는 전체 시간에서 그렇게라도 공부에 관련하여 쓰는 시간이 얼마나 될까? 이런 질문에는 다들 고개를 설레설레 젓는다. 기껏해야 개학 전 며칠뿐이다. 또 교육현장을 지키는 선생님들은 인터넷의 역기능을 잘 알기 때문에 인터넷을 이용한 숙제를 여간해선 내주지 않는다. 내가 애 학교 선생님과 통화했을 때 그 학년부장이란 선생님은 펄쩍 뛰었다. 무슨 소리냐는 것이었다. 결국 숙제에 인터넷이 필요하다는 것은 애들의 말일 뿐이다.

예전에 부모들은 애들이 컴 앞에 앉아 있으면 공부하는 줄 알았다. 심지어 컴을 다루는 아이를 신동같이 여겼다. 요즘은 부모들도 컴/넷에 일가견이 있어 그렇게까지 생각하지는 않는다. 그렇게 많이 깨인 요즘 부모들이지만, 아직도 컴/넷은 공부에 필요한 것이라는 착각에서는 못 벗어나고 있다. 또 애가 홈페이지라도 만들어서 식구들 사진이라도 올려놓으면 마치 애가 영재인 줄로 착각하기도 한다. 알 만한 부모들도 그렇다. 참 이상하게도……. 누구나 제 새끼는 한없이 착하고 곱게 보이는 모양이다. 눈에 꺼풀이 씐 거다.

우리 애들은 넷의 세계에 아주 일찍 빠졌었다. 애들이 다녔던 초등학교가 사립이었는데, 사립 티를 내려고 그랬는지 학생 모두를 컴퓨터 통신 천리안에 가입을 시켰다. 당시엔 일반 어른들도 천리안에 별로 가입하지 않았을 때였다. 명색은 온라인으로 학생 개개인을 지도한다는 것과 또 뭐 어쩌고저쩌고…… 였다. 나도 첨엔 참신한 시도라고 생각했다. 방학 때가 되자 컴통신을 통해 숙제가 나오기도 하고, 선생에게 편지도 쓰고……. 제법 넷을 제대로 이용하는 듯 해 보였다. 그런데 선생님들의 그런 페스탈로치 같은 과외활동은 (방학 때 컴/넷을 통한 학생지도는 명백한 시간외근무가 아니겠는가?) 금방 끝나버렸고, 천리안의 애들 가상학교는 온통 잡담만 난무하는 곳이 되었다. 그나마도 곧 흐지부지 되었다.

(얼마 전에 어느 초등학교 홈페이지 게시판에 음란소설이 올라와 소동이 난 적이 있었다. 어느 학생이 그 학교의 다른 남녀 학생의 이름을 실명으로 이용해서 썼다고 해서 더욱 난리가 났었다. 요즘 애들은 역시 네티즌이다.)

문제는 늘 새로운 기술의 발달과 함께 오게 마련이다. 애들이 초등학교 고학년이 되었을 때 MUD 게임이란 것이 유행하기 시작했다. 여럿이 동시에 통신에 접속해서 패거리로 하는 게임이라고 하는데, 애들이 이 게임에 빠져들기 시작했다. 그 전까지는 컴을 이용한 게임은 off-line 이었다. 즉 자기 컴에 게임을 깔아서 그냥 혼자 노는 것이었다. 이것이 MUD 게임이 나온 뒤로는 컴통신을 이용한 on-line 게임으로 변해간 것이었다.

이때만 해도 문제는 심각해 보이지 않았다. 나는 그 당시 우리 애가 분별력 있고 착해서 컴/넷을 쓰는 데 문제가 없는 줄 알았다. 그러나 지금에야 알게 된 진짜 이유는 아직 애가 어렸기 때문이었다. 즉 부모가 그만 하라면 그만 할 정도로 어렸기 때문이었다. 이때 심각성을 깨달았어야 하는데…….

지금도 내가 컴/넷의 문제점에 대해 열변을 토하면 이해 못하겠다는 사람들이 있다. 그들은 아직 자식이 어린 사람들이다. 조금만 그 상태로 더 키우면 잘 알게 된다.

애들이 커가면서 컴 앞에 붙어 앉아 있는 시간과 부모의 견제는 정비례로 늘어난다. 공부 비슷한 것이라도 한다면 뭐라 하겠냐마는 애들이 컴을 가지고 하는 짓이란 게 대개 게임이다. 아니면 한참 호기심 많은 애들이니 저질 사이트나 찾아다니게 마련이다. 우리 집 애는 안 그럴 것이다, 또는 그런 사이트는 차단하면 된다고 생각하는 사람들도 있을 것이다. 그러나 음란 사이트와 같은 불량 사이트에는 뿔이 달린 것이 아니다. 스포츠신문 인터넷판, 심지어 일간신문 인터넷판에서도 쉽게 성인 사이트 선전을 접할 수 있다. 한눈에도 야스러운 사진들이 버젓이 보이는 광고들이다. 물론 어른들 잘못이지만 그걸 탓하고만 있을 시간이 없다.

그런 대치상황은 애들의 키가 커가면서 점점 애들에게로 무게 중심이 옮겨가게 된다. 애들은 점점 게임을 내놓고 하기 시작한다. 애들은 대가리가 커지면서 그만 두라고 해도 바로 그만두지 않는다. 시쳇말로 '컴에 미쳐가는' 것이다. '컴鬼(귀)'에 씌이기 시작!

나날이 애들은 내놓고 컴 앞에 앉아 있고, 부모는 그것을 말리느라 눈이 시뻘개지고, 애들은 사춘기와 컴 중독이 겹쳐지면서 이성을 잃어가고……. 이것이 중학생 애들을 둔 집에서 흔히 볼 수 있는 풍경이다.

사태가 이 정도가 되면 대개의 부모는 애들과 협상을 시도한다. 그리고 이것이야말로 최악의 함정이다. 절대 애와 협상을 하면 안 된다. 자기 자식이 맞다면.

흔히 자기네 가정이 얼마나 민주적인가를 침 튀기면 자랑하는 사람들을 본다. 모든 일은 가족회의에서 표결로 정하고, 가족신문을 만들고, 어쩌고저쩌고……. 그건 참 이상한 환상이다. '민주적' 이란 것은 국가 같은 조직에 적용되어야 하는 것이다. 아직 이성적으로 덜 익은 애들을 데리고 민주적 절차가 어떻고, 투표가 어떻고……. 한마디로 철없는 짓이다. 새끼가 예뻐 보이니까 별 짓을 다 한다.

(그런 집은 정작 집안에 큰 일이 있을 때도 애들 데리고 투표해서 정할까? 또 토끼 같은 새끼들 말고 쭈구렁 노부모도 투표에 참여시킬까? 난 궁금한 게 너무 많다…….)

부모가 점점 말 안 듣는 애들을 어떻게든 구해 보려고 하는 행동은 늘 정말 처절하다. 신경전 끝에 토라진 애들 비위를 맞추기 위해 자존심 꺾고, 먼저 말도 걸고, 관심도 없는 게임 내용을 알고 싶어하는 척하고……. 그리고 마지막 수단으로 deal을 시작한다. 대개 이렇다. 한 시간 공부하시면 30분 컴 하셔도 된다는 둥, 주말에는 free 하게 쓰시라는 둥…….

처음엔 이 rule이 제법 지켜진다. 그러나 부모가 늘 간과하는 것은 저 무서운 컴鬼와 게임, 특히 인터넷을 통한 온라인 게임의 중독성이다. 이 중독은 참으로 엄청나서 그 환각효과는 낮술과 필적한다. 낮술에 취하면 지 애비도 몰라본다고 하지 않던가?

결국 rule은 조금씩 무너지고, 때로는 rule을 빙자해서 더욱 내놓고 게임만 하는 애들의 모습에 panic 상태가 된 부모는 다시 제재를 하려고 한다. 그럼 다시 언쟁이 벌어진다.

애들과는 언쟁을 되도록 안 하는 것이 좋다. 애들은 논리적이어야 할 필요도 없고, 또 논쟁하다 할 말이 없으면 문 쾅 닫고 들어가 버리면 된다. 그러나 부모는 논리적이어야 하고, 성질 꾹 누르고 이성적이어야 하고(나는 이러지 못 했다), 무엇보다 상대에게 등을 보이지 말아야 하기 때문에 애들과의 논쟁에선 절대적으로 불리하다. 무승부는 있어도 이길 수는 없는 것이 애들과의 논쟁이라고 보면 된다.

또 애들은 부모가 예전에 했던 말 가운데 자기에게 유리한 것은 기가 막히게 기억하고 있다. 그래서 많은 부모가 애들이 왜 예전의 말을 번복하느냐고 따지고 들 때 할 말을 잃게 되는 것이다. 물론 그런 번복을 하지 않으면 될 것 아니냐고 할 아직은 '행복한' 부모가 있을지 모른다. 더 키워보면 왜 번복해야 하는지 알 게 된다. 참고로 나는 우리 애가 그렇게 따지고 들었을 때 이렇게 대답했다.

"네놈이 내가 처음 키워보는 자식이라 그렇다." 라고……. 처음 키워 보는 데 시행착오가 없다면 그건 인간이 아니다.

무조건 애들과는 논쟁을 하지 않는 것이 상책이다. 결국 엄마가 울고, 아버지 속 터지는 것이 논쟁이다. 애들? 그들은 가벼운 찰과상 하나도 입지 않는다. 신기하게도.

(여기까지 쓰다보니 좀 쉬었다 가야겠다는 생각이 들었다. 냉정하게 써야 하니까…….)

*2002. 9. 17.*

(2)

〈차 안에서 들은 라디오의 선전 하나. CM 노래 같기도 하고, 무슨 주문 같기도 한…….

"〈인x칸〉에 가면 아들은 게임, 우리 딸은 채팅……."

이것을 듣자마자 나도 모르게 나온 말: "자~알 돼 가는 집안이다……."

쓸데없이 남의 집 걱정까지 했다. 나날이 걱정의 범위도 넓어진다.〉

계속해서 부모들의 착각을 보자.

2. 컴은 기계다?

"컴은 기계다." 또는 과분하게도 "과학기술의 산물이다."라고 생각하는 부모들이 있다. 컴을 '똑똑하고 편리한 〈기계〉' 정도로만 보면 큰 코 다치기 십상이다. 또 그렇게 방심하면 자식 버리기 쉽다. 컴은 단순한 기계가 아니다. 컴은 강한 마약이고, 환각제이고,

최음제이고(마약에는 최음작용도 있다니까…….), 좀더 정확히 말하자면 귀신이다. 컴鬼.

가끔 '우리들은 옛날에 언제 공부했었지?' 라는 생각을 해본다. 기억이 잘 안 나서 그런지 몰라도, 늘 대답은 '놀다 놀다 더 놀 게 없을 때 공부했다' 는 것으로 정리되곤 한다.

우리가 어릴 때는 놀 것이 참 많았다. 다마치기(구슬치기가 맞겠지만 버릇이 돼서), 딱지치기, 말까기, 다방구, 술래잡기, 팽이치기(찍기)에서부터 심지어 연필심 부러뜨리기와 같은 反교육적, 폭력적 놀이까지 있었다. 이런 놀이들은 철 따라 유행이 돌고 돌았고, 그때마다 우리는 새로운 유행에 몰두하곤 했었다. 그러나 이런 놀이들에는 끝이 있었다. 열심히 놀다보면 배도 고프고, 날도 어둡고, 체력도 딸리고……. 그럼 집으로 돌아가서 밥 먹고, 또 놀다가, 지겨워지면 책도 뒤적거리고(욱!)……. 이런 식이었던 것 같다.

(사람이란 옛날을 좋게만 기억하는 법이니까!)

요즘 애들의 놀이는 뭐니뭐니해도 컴이다. 그것도 대부분 '넷' 까지 구비된 '넷컴' 이다. 우리나라에는, 정보통신의 강국이라는 자부심에 걸맞게 어지간하면 '넷컴' 없는 집이 없다. 몸이 부서져라 맞벌면서도 자식 공부에 필요하다고 초고속 인터넷이 연결된 컴을 구비해 주는 것이 우리네 부모다. 아새끼들이 그 넷컴으로 무얼 하는지 확인해 볼 시간이 없을 정도로 바쁘면서도, 컴으로 공부하는(?) 자식을 보고 흐뭇해하는 것이 우리네 부모들이다.

(애 만든 죄값 쳐놓곤 좀 가혹하다. 만드는 재미는 잠깐인데…….)

이 컴/넷의 장점과 단점은 얄궂게도 똑같이 '끝이 없다' 는 것이다. '정보의 바다' 라는 등으로 추앙받는 밝은 면에서는 끝이 없다는 것이 좋은 점이지만, 그 그늘을 보면 해악도 끝이 없어 무서운 것이다. '놀이' 로서의 컴/넷은 '놀다 놀다 더 놀 게 없어서 공부를 한다' 는 아날로그적인 놀이가 아니다. 체력의 고갈도 잊을 정도로 환각작용이 강한 귀신들림이 바로 컴/넷이다. 일전에 4일간을 PC방에서 게임과 채팅만 하다 죽은 사람이 있었다. 그쯤 되면 몸의 이상을 느껴야 당연할 텐데, 얼마나 환각작용이 크면 그걸 몰랐을까? 컴鬼은 정말로 센 놈이다. 그러니까 컴을 단순히 기계로 보면 큰 코 다친다.

나도 처음엔 컴이 귀신의 일종인 줄 알지 못했다. 우리 애가 컴/넷과 어울려 노는 것을 보고 나서야 그게 아주 센 귀신이란 걸 알게 되었다. 컴鬼에 씐 전형적 행태를 보면…….

애가 저녁, 때론 밤에(학원에서) 돌아오면 옷도 벗기 전에 컴에 달라붙는다. 이유는 메일을 확인해야 한다는 것이다. 메일 확인……. 컴鬼에 씐 전형적 증세다. 부모들은 대개 이때 '메일' 이란 말에, 그렇게 나쁜 것이 아닌 것으로 생각하고 신경을 안 쓴다. 그러나 생각해보자. 학생이 뭐가 그리 공사다망해서, 편지 확인하느라 옷 갈아입을 시간도 없다는 말일까? 부모는 컴에 껌같이 달라붙은 애를 채근하고, 닥달해서 옷을 갈아입게 만든다. 그러나 애는 옷을 집어던지듯 하고는, 밥도 별로 안중에 없이 또 대뜸 컴으로 달려간다.

반은 강제지만, 밥까지 먹고나면, 이젠 본격적으로 컴에 달라붙는다. 확실히 귀신에 들린 상태가 된다. 부모의 걱정과 잔소리는 '잠깐만요.' 라는 주문으로 간단히 따돌린다. 한 마디로, 상대할 시간도 없다는 투다. 그리고 먹고 났으니 쉬어야 한다면서, '잠~깐만' 한다고 게임을 시작하고, '메신저' 를 동시에 서너 개쯤 열어놓는다. 상대가 누구냐고 물으면 친구들이란다. 그럼 조금 전까지 같이 있던 애들이란 말인데, 뭐가 그리 미진해서 다시 또 시작일까?
(핸드폰 문자 보내는 것과 비슷한 정신문화인 것 같다. 나는 참 이해가 안 된다. 난 역시 꼰대인가보다. 그리고 '메신저' 가 뭔지 잘 모르는 사람은… 모르는 게 약이다. 알아봐야 업무에 방해만 된다.)

애가 본격적으로 컴鬼와 교통하기 시작하면, 그때부터 3, 4초 간격으로 '또로롱' 하는 메신저 소리가 울린다. 귀신에 씌면 초능력이 생긴다고 하더니 정말 컴鬼에 들린 애들은 동시에 여러 명과 대화를 할 수 있게 된다. '또로롱! 또로롱! 또로또로롱…….'

또 컴의 화면에는 끊임없이 돌아가는 풍차가 보인다(몇 해 전 유행하던 '포트리스' 라는 온라인 게임이다. 하도 게임 가지고 애와 싱갱이를 하다보니 나도 게임의 이름을 기억한다. 아내는 지금도 빙빙 돌아가는 바람개비 같은 것을 보면 피가 머리로 솟는다고 한다).

애가 컴/넷을 하는 동안 부모는 계속 근처에 앉아서 지켜보거나 잔소리를 해댄다. 그러나 이때까지도 부모들은 애가 귀신에 씌었다는 것을 인식하지 못한다. 理性(이성)을 가지고 있는 애가 잠시 스트레스를 해소하고 있는 줄 알고 반쯤은 대견하게 컴鬼와 놀고 있는 애의 뒤통수를 바라보며 자기 솜씨를 흐뭇해하곤 한다. 대가리도 잘 생기기도 했지……. 잘도 만들었지…….

시간이 많이 흘러 결국은 큰소리에 역정까지 내야 컴귀로부터 애를 떼어놓을 수 있는데, 이때 자기 방으로 들어가는 애의 태도는 절대로 다소곳하지 않다. 그리고 그때 애는 이렇게 다짐한다. 속으로(내 눈에는 다 보인다).

"그런다고 내가 공부를 하나 봐라. 컴 못하게 한다고 공부할 줄 알고? 씨…!"

애들이 컴으로 주로 하는 짓은 게임과 채팅, 그리고 인터넷 서핑이다. 그 중에서 특히 중독성이 강한 건 게임, 그것도 인터넷을 통해서 하는 온라인 게임이다. 이 게임들은 대개 채팅 기능까지 있는 모양이다. 어쨌든 이 게임에 들어서면 밤을 새우기 십상이다. 처음엔 날 잡은 듯이 주말에만 주로 밤을 새우지만, 차츰 주중에도 새벽까지 게임을 하게 된다.

새벽에 잠이 깨어 거실에 나갔을 때 번쩍이는 모니터 불빛과 그 앞에 앉아 있는 애의 모습을 보았다면, 그건 집안에 귀신이 들어온 것으로 알면 된다. 그리고 이때는 이미 잔소리나 야단으로 귀신을 몰아내기엔 늦은 상황이다. 굿을 하던가, exorcism을 하던가…….

애들이 밤늦게, 저녁이라도, 컴에 지나치게 몰두하는 것을 부모가 꼭 막아야 하는 이유가 또 있다. 단순히 공부에 방해가 되기 때문이 아니다. 우리 애들을 관찰해 본 결과, 애들이 컴을 몇 시간 하고 나면 다음날 아침에 일어나기 힘들어했다. 컴을 가지고 공부를 했던 게임을 했던 컴을 오래 했던 다음 날 아침에는 무척 힘들어하였다. 우리 애들이 약해서 그런 거 아니냐면 할말이 없지만……. 정말 힘들어했다. 컴을 할 때 정신적으로 많이 몰입하기 때문에 그런 것 같다. 그런데 정말로 컴을 가지고 숙제만 한다면 걱정할 필요가 없다. 숙제 오래 하는 애들이란 古來稀(고래희)니까, 컴도 오래 하지 않는 법이다.

이렇게 컴은 鬼神(귀신)이고 넷은 魔鬼(마귀)다. 마약과 같은 중독성과 환각성을 가진 컴鬼와 넷魔. 무릇 세상의 부모들은 집안의 컴을 집안 말아먹는 귀신으로 볼 줄 알아야 한다. 그런 開眼(개안)을 얻었다면, 늦었지만 그 집에는 희망이 있다. 나무관세음보살…….

혹시 신부님이 가정방문이라도 오신다면, 꼭 컴에 성수를 뿌려달라고 청해야 한다. 그것도 듬뿍 뿌려달라고……. 아예 부어달라고 청하라. 컴鬼에 쇼트 나서 망가지도록!

〈빨리 끝내고 싶은데……. 영 힘들다. 내 컴鬼가 방해를 하는 모양이다.〉

*2002. 9. 24.*

## (3)

9월 24일,

신문에 난 두 가지 기사가 흥미롭다.

〈'이해찬(李海瓚) 1세대'로 불리는 올 대학신입생이 예년에 비해 학사경고가 늘어나는 등 대학생활에 큰 어려움을 겪고 있다. '이해찬 1세대'는 수능 비중을 줄이고 특기, 적성만으로 대학에 갈 수 있도록 하는 1998년 이해찬 교육부장관 시절 대입 개선안이 적용됐던 당시 중3 학생들. 이 제도의 부작용으로 학생들의 학력 수준이 떨어질 것이란 우려가 현실화한 것이 아니냐는 진단도 나오고 있다.〉

〈한국교육과정평가원은 24일 모의평가 채점 결과 재수생이 재학생보다 평균 점수에서 인문계 58.7점, 자연계 72.1점, 예체능계 54.6점이 높았다고 밝혔다.

4년제 대학 진학이 가능한 상위 50% 재수생의 평균 점수가 상위

50%의 재학생보다 인문계는 22.7점, 자연계는 28.9점, 예체능계는 23.5점 높았다.〉

단군 이래 최저 학력이라던 '이해찬 1세대'가 이제 대학에서 본색을 드러내는 모양이다. 그런데 얄궂은 건 지금 고3(이해찬 2세대 또는 월드컵 세대라고 하는) 학생들은 그 1세대 재수생보다 더욱 형편이 없다는 거다. 허~어……. 남의 이야기가 아니라 맘이 휑하다…….이 기사를 염두에 두면서, 하던 이야기를 마저 하자. 계속해서 부모의 착각…….

3. 공부는 '알아서 한다?'

와!하!하! 겪어본 집에서는 이 말에 다 이렇게 웃는다.

(참고로 이 말은 몇십 년 전 歐美(구미)에서, 그리고 이번 정권 들어서 우리나라에서 시험해보고 혹독하게 대가를 치르고 있는 그런 '자유교육' 이야기가 아니다. 어휴……. 생각할수록 열나네……. 위의 신문기사를 생각하면 더 열나네…….)

애들, 특히 컴鬼에 들린 애들이 상투적으로 하는 말이 '공부는 자기가 알아서 한다'는 것이다. 본능적으로 자기 새끼에 대한 믿음이 강한 부모들은 이 말을 믿는다. 심지어 그렇게 알아서 한다는 자식놈을 자랑스러워한다. 아이구~ 내 새끼…….의젓하기도 하지…….

그러나 불행하게도, 결론은 '절대로 알아서 안 한다' 는 것이다.

내가 견문이 많지 않아서인지 몰라도, 내가 보고들은 애들 중에 알아서 한다는 애는 딱 둘 있었다(그 부모는 참 좋겠다……). 혹자는 이 두 애를 두고 '거봐라. 알아서 하는 애들도 있지 않느냐?' 고 할 지 모른다. 물론 맞는 말이다. 단지 극단적으로 희귀해서 그렇지…….

그런데 이 '알아서 한' 애들에 대한 이야기를 들어보면 의외의 공통점이 있었다. 이 애들은 컴鬼에 빠지지 않았다는 것이다. 물론 애들도 컴/넷을 한단다. 그런데 '적당히' 한다는 것이다. 그러니까 정작 애들이 '알아서 한' 것은 공부가 아닌 컴/넷이란 말이다. 우리 세대가 예전에 그랬듯이 '놀이' 를 하고 나서, 시간이 남아 공부도 한 셈이다.

그러니 부모들은 애들에게 공부를 재촉하지 말고 컴을 '알아서 하도록' 유도해야 한다. 컴에 미친 애는 컴 끄고 바로 공부를 할 수 없다. 컴鬼에 쓰인 관성이 있기 때문이다. 컴을 그만 두고 공부하려면 발동 거는 시간이 한참 걸린다. 때론 컴에 진을 다 빼버려서 그냥 엎어져 자기도 한다. 특히 부모의 성화에 못 이겨 컴을 그만 둔 경우는 반항으로 공부를 안 하기도 한다. 다 귀신의 부추김이다.

컴을 '알아서 조금만 할 수 있는' 아이라면 다른 채근은 안 해도 된다. 귀신에 쓰이지 않았기 때문이다. 내 자식은 아니겠지 하는 마음이 한구석에 남아 있겠지만, 세상에 그런 기적은 없는 법이다. 자기한테서 나온 자식인데 자신을 돌아보면 알 것 아닌가? 자신을 돌아봐서 별로 대단치 않다면, 알아서 한다는 자식 말을 절대로 믿지 말아야 한다.

다시 한번……. 애들은 절대로 공부를 알아서 하지 않는다. 아무리 자식이 믿음직해 보여도 이건 절대다.

이제 실제로 컴鬼와 싸우는 일에 대해 알아보자.

컴으로 공부하는 자식이 대견해서 놔두었다가, 나중엔 어쩌지도 못하고 그냥 컴鬼와 놀게 내버려두면 어떻게 될까? 한마디로 애 버린다. 갖가지 부작용 사례가 이야기되고, 심하면 정상적 사회활동을 못할 지경까지 간다고 한다. 그렇게 까지 되진 않더라도, 컴鬼로부터 풀려나 제 인생을 돌아볼 때는 이미 송아지 물 건너 간 뒤라고 하던가? 애들을 이렇게 만들지 않으려면 어떻게 해야 할까?

제일 먼저 넷을 없애야 한다. 아예 컴을 없애면 단칼에 정리가 되니 더 말할 나위 없겠지만, 실제로 이렇게 까지 과감한 조치를 하는 사람은 아직 보지 못했다. 성질이 불같은 사람도 자식 문제엔 웬지 미적거리곤 한다. 뭔가 아쉽고 아까워서 그러는 건지, 자식들의 충격이 클까봐 그러는 건지……. 하여간 한꺼번에 없애기 쉽지 않으면, 일단 넷을 끊어야 한다. 의무사용기간이 얼마 남았네, 케이블 모뎀 대여료가 얼마네 하는 자잘한 데 미련이 있어 주저한다면 자식은 귀신이 데려가 버린다.

이때 그래도 미련이 있어서 자식과 협상을 하거나, 차단 프로그램 같은 임시방편적 방법을 써선 안 된다. 이미 앞에 말했듯이 애들과의 협상은 절대로 피해야 한다. '1시간 공부하시면, 30분 컴 쓰시고…….' 이런 류의 협상은 컴鬼에 쓰인 애가 쉽게 위반할 수 있고, 일단 한번 위반을 해보고 나면 그 다음엔 규정 따윈 금세 흐지부지되어버린다. 그리고 규정에 따라 30분 컴 하고 나서 공부하려고 하면 글이 눈에 들어오지도 않는다. 발동 거는 데 1시간 다 보낸다. 컴鬼는 그렇게 꼬리가 길고 질긴 놈이다. 차라리 컴을 할 수 있는 날을 정하는 것이 더 좋은 방법이다. 일주일에 하루 정도. 그러나 무엇보다……. 없애는 것이 최선이다.

또 어설프게 차단 프로그램 같은 것을 설치해서 통제하려고 하지 않는 것이 좋다. 공연히 애들의 전투욕만 부추기기 십상이다. 애는 그 프로그램을 깨지 못하더라도 애의 친구들 중에는 별놈이 다 있게 마련이어서 그런 프로그램은 쉽게 무용지물이 되곤 한다. 실제로 나도 외국의 프로그램을 하나 구해 설치했었는데, 만 하루가 가질 않았다. 의기양양하게 내 앞에서 게임을 하는 애의 뒷모습을 보면서 그 '외국ㄴ' 욕을 얼마나 했었는지 모른다. 이런 식으로 설치한 프로그램을 애가 깨버리고나면, 부모의 권위가 급격히 떨어지는 부작용도 있다. 하여간 이런 땜방식 대처로는 절대로 치료가 되질 않는다.

늘 제일 좋은 방법은 물리적인 방법이다. 그냥 '아무 생각 없이' 넷을 끊어버리는 거다. 컴까지 내다 버리면 더욱 좋고…….

넷을 끊어버리면 컴鬼에 오래 씌었던 애들은 반항을 한다. 자기들도 가족의 일원으로서 권리가 있다는 둥, 어떻게 자기들의 의견은 안 물어보냐는 둥 항의하게 마련이다(세상 무지하게 좋아졌다). 또 자기들은 인터넷으로 할 일이 많다고 우긴다. 숙제도 해야 하고, 친구들과 공부도 함께 해야 하고, 메일도 확인해야 한단다(이쯤 되면 눈꼴 신 게 성질로 터져나오려고 하지만 참아야 한다. 성질 내봐야 득 될 게 없다).

이때 나는 그랬다. 정 그렇게 필요한 게 있으면 PC방에 가서 하라고. 그랬더니 처음엔 PC방에 가서 그 많은 '할 일'을 하는 듯하더니, 결국 한 달도 되기 전에 발을 끊었다. 갑자기 할 일이 없어졌는지……. 이전의 인터넷 없는 세상으로 돌아온 것이다. 하긴 집에서 편하게 하다가 일일이 PC방 가려니 좀 귀찮았을까?

인터넷 없는 생활의 행복함도 잠시이다. 단칼에 컴까지 못 없애면 감수해야만 할 일이지만, 애들은 이제 온라인 게임이 아니라 그냥 오프라인 게임을 하기 시작한다. 메신저의 또로롱~ 소리는 안 들리지만, 아직도 애는 컴鬼에서 벗어나지 못한 것이다. 애들은 아직 어리기 때문에 인터넷을 끊은 분풀이로 일부러 더 게임에 몰두하기도 한다. 거의 자해(自害) 수준이다. 결국 방법은 컴을 없애는 것뿐이라는 결론에 도달하게 된다.

이때, 우리 집에서는 기적이 일어났다. 갑자기 컴이 고장이 나버린 것이다. 난 안 했는데, 아마 아내와 처제가 기도를 많이 했던 모양이다. 나중에 조사해보니 power supply 쪽에서 고장이 난 것으로 밝혀졌다. 나는 그 컴을 가져다 고쳐서 마침 필요한 실험기기에 붙여 쓰고 있다. 이때도 애들은 한 달 정도 언제 고쳐지느냐며 채근을 해댔다. 한 달 후에는 신기하게도 컴 없이도 아무 문제 없이 잘 살게 되었다. 참 간단했다.

이때 내가 알게 된 tip 하나는 컴을 억지로 없애는 것보다는 고장 나는 게 좋은 방법이라는 것이었다. 애들 충격도 덜할 거고, 자식과 싱갱이할 필요도 없고. 정말로, 정말로 자식을 사랑한다면 컴을 고장내버려야 한다. 고장낸다고 메모리나 케이블 같은 거 뽑는 방법으론 안 된다. 아까도 언급했듯이 애들이 컴에 대해 훨씬 더 잘 알기 때문이다. 방법은 아주 간단하다. 드라이버, 십자보다는 일자 드라이버로 컴 뒤의 파워 부분을 지긋이 찌르면 된다. 아주 지긋이……. 그리고 A/S를 보내는 거다. 안 가져와도 좋다고 하던가, 아니면 어느 사회복지시설에 보내라던가, 동남아에 중고 컴 수출하는 가게에 팔아달라고 하면 된다. 그럼 귀신은 떠나간 거다.

이렇게 하면 컴귀 없는 세상을 되찾게 되는데, 뒤처리할 문제가 몇 가지 있게 마련이다. 아직도 세상 물정 모르고 컴으로 써서 프린트 해오라는 숙제를 내주는 선생들이 있다. 이건 도리가 없다.

PC방엘 보내거나, 부모가 다른 데서 대신 해다 주어야 한다. 나는 내 노트북을 빌려준다(집에 데스크탑 컴퓨터를 없애면서 노트북을 하나 구비해 놓는 것이 좋다. 정말로 집에서 일을 해야만 할 때 유용하기도 하고……).

아버지 노트북은 애한테 무용지물이나 마찬가지다. 게임도 하나 없고, 온통 사무적이기만 한 노트북을 빌려주면, 정말 숙제만 후딱 하고 가져온다(그러니까 부모의 노트북은 간결해야 한다. 애들 쓰던 컴 같이 잡스러우면 도로아미타불이다).

인터넷을 이용한 숙제가 있을 때는 PC방에 보내거나, 부모가 해다 줘야 한다. 그런데 이런 일은 정말 1년에 한두 번 정도밖에 안 되니까 신경 쓸 일도 아니다.

이쯤 이야기하면, 애들을 어떻게 PC방에 보내느냐는 부모가 있다. 당연한 걱정이다. PC방 하면 오락실, 게임방이 생각나고 심지어 예전의 당구장같이 불량학생들의 온상이 연상되니까 그럴 수밖에 없을 것이다. 그런데, 그런 걱정이 들면 부모가 같이 가면 된다. 그 정도 성의는 있어야 애를 귀신에게서 구해낼 수 있다.

어떤 부모는 한술 더 떠서 PC방 갔다가 잘못돼서 집이라도 나가면 어떻게 하느냐고 묻는다. 같이 갈 상황이 안 되는 부모의 걱정일 것이다. 그런데, 집은 아무나 나가는 게 아니다. 집에서 강제로 내쫓지 않는 한. 집 나가는 것도 집안 내력이 있어야 한다. 양가를 통틀어 8촌 이내에 집 나간 사람이 없다면 걱정하지 말고 PC방에 보내도 된다.

집에서 컴 귀신과 노는 애들은 그렇게 믿으면서도, 집 밖에 나간다고 하면 방법은 생각 않고 걱정만 해댄다. 애들은 어른이 생각하는 것과는 많이 다르게 행동한다. 부모가 따라가지 않더라도 '관심을 보이면' 애들은 PC방에서도 어른의 우려같이 황당하게 굴지 않는다. 집에서 편안하게 컴과 넷을 할 수 있으니까 애들도 미치는 거지, 어딘가 불안하고 시끄러운 곳에서는 오래 하지도 못하는 법이다. 믿고 보내면 된다. 대신 계속 관심을 가지고 있다는 것을 주지시키고, 가급적 시간을 정해주는 것이 좋다.

처음엔 불편하기도 하겠지만, 조금 지나 컴 없는 가정의 화목함을 느낄 때쯤 되면 이 '한담'이 고맙다는 생각도 들 것이다.

참고로…… 난 요즘 TV를 째려보고 있다.

*2002. 9. 30.*

# 쓰메끼리

어느 선배에게서 들은 이야기. 그 선배는 일본의 동경공대에서 공부를 하셨다.

(동경공업대학교. Tokyo Institute of Technology. 흔히 줄여 TIT 라고 한다. 동경대학교와는 전혀 다른 대학교지만, 그 학교의 역사박물관을 보면 TIT의 '유서 깊음'과 일본 이공계의 넓은 저변, 깊은 뿌리를 잘 알 수 있다.)

그 선배가 왜국에서 공부를 거의 마쳐갈 무렵, 즉 TIT의 한국 유학생 사이에서 왕고참이었을 때. 한국에서 새로 유학생이 하나 왔는데, 말과 행동이 어쩐지 범상치 않아 보이더란다.

(그런 일은 흔히 있다. 내가 미국에 있을 때에도 그런 학생이 있었다. 유학 오면서 가져온 짐에 쌀 20kg이 들어 있어 그 지역사회

의 한국인들을 공포에 몰아넣었던 선수가 있었다. 한동안 우린 그가 가져온 그 쌀의 진정한 의미가 무엇일까 아주 깊이 논의했었다. 결국 뒤에 펼쳐진 몇 가지 그의 무공을 보고 나서야, 그가 남의 말을 안 듣는 '선천성 타의(他意) 기피증후군' 환자임을 알 수 있었다. 그러니 미국엔 쌀이 없다는 자신의 신념을 그렇게 행동으로 옮길 수 있었던 것이다. 각설하고!)

새로 TIT로 유학을 온 그 학생을, 어디나 그렇듯이, 선배 유학생들이 정착하는 것을 도와주었다고 한다. 그렇게 신참이 정착을 해가던 어느 날, 갑자기 경찰에서 선배에게 연락이 왔더란다. 무슨 일로 그 신참 유학생이 잡혀왔는데, 보증인으로 와 달라는 말이었다.

'왜놈 순사' 라고 하면 선천적으로 경기를 일으키는 뿌리깊은 선비집안의 자손이었던(독립운동가의 자손이란 말은 안 했다) 선배는, 내키지는 않았지만, 그래도 곤경에 빠진 배달겨레를 구하기 위해 부랴부랴 경찰서로 향했다고 한다. 거기서 사건의 내용을 들어보니…….

뭔가 범상치 않은 이 신참 유학생이 혼자서 동경 시내엘 나갔다. 선배들의 도움을 받기도 죄송스럽고, 이젠 어느 정도 왜국생활에 자신도 생겼던 모양이었다. 시내도 구경하고 필요한 물건도 사려고 했었다는 것이다. 그는 시내를 돌아다니다 운명의 미스코시 백화점엘 들어가게 되었다(거기 무지 비싼데……. 지금은 없어지지 않았나?).

신참은 그 백화점의 어느 코너에서 물건을 보게 되었는데, 그를 맞는 여점원이 문제였다. 예쁘고(아니 정확히 귀엽고. 왜인들이 귀여운 여자 좋아한다는 것은 내 누차 설파한 적이 있다), 상냥한 젊은 여점원의 안내에 이 신참 유학생은 넋이 나가버렸다.

도대체 왜 이렇게 사정없이 잘해주는 것이냐? 귀엽고 상냥한 아가씨에게 넋이 나간 이 신참은 결국 이성적 판단 능력마저 잃어버렸다. 아무리 생각해도 자신을 좋아하지 않으면 이렇게 친절할 수 없다는 결론에 이른 신참. 여점원의 연정을 받아들이기로 결심하기에 이르렀고, 평소 범상치 않던 그답게 바로 행동에 들어갔다. 박력!

그는 귀여운 왜언니의 볼따구를 양 손에 쥐고는 냅다 입을 맞췄다. 그 입맞춤이 'french' 였는지는 녹취록에 나와 있지 않다. 궁금하지도 않고. 결국 그가 사랑의 夢幻(몽환, 왜말로 '무겐'. 이번에 마셔본 맛있는 왜술의 이름이기도 하다)에서 깨어났을 때는 사랑하는 왜언니는 원망어린 눈에 이슬을 담고 있었고, 그는 조상님이 그렇게 피해 다니라고 일러주던 왜 순사에게 끌려가고 있었다. 그는 선배의 해명과 읍소 덕에 별다른 큰 일 없이 풀려날 수 있었다.

왜인들, 특히 상점에서 물건을 파는 점원들의 친절은 정말로 대단하다. 귀여운 모습, 생글거리는 미소, 굴러가는 듯한 상냥한 목소리……. 나같이 여자를 예술품 보듯 하는 사람도 마음이 싱숭생숭해질 정도인데, 하물며 이 신참 유학생같이 과도한 '본능제어결

핍증' 환자가 어찌 뒤집어지지 않을 수 있겠는가? 정말 그들은 사정없이 상냥, 친절하다.

* 이번에 왜국에 갈 때는 본의 아니게 빙빙 돌아서 갔다. 목적지인 센다이로 가는 비행기가 만원이 돼서 어쩔 수 없이 근처의 후쿠시마로 가서 버스 타고, 기차 타고 센다이로 갈 수밖에 없었다. 비가 추적추적 내리는 컴컴한 밤에 짐을 끌고 이곳저곳 다니려니 처량한 마음까지 들었었는데, 언제부터인지 왼발에 불쾌한 기분이 느껴졌다. 아픈 것 같기도 하고…….

호텔에 도착해서 양말을 벗어보니 왼발 가운데 발가락에 피가 나 있었다. 왜 피가 났는지는 모르겠지만, 발톱이 긴걸 보면 그 탓인 것도 같았다(난 아니라고 생각하지만……).

다음 날 학회에 가는 길에 '콤비니' (Convenience Store. 편의점을 줄여서 이렇게 말한다) 에 들렀다. 손톱깎기를 하나 사서 의심 가는 문제의 발톱을 깎으려는 심산이었다. 그런데 그 콤비니 안을 아무리 돌아다녀봐도 손톱깎기가 보이질 않았다. 마침 주위를 돌아보니 주인인 듯한 40대 부부가 젊은 점원들과 함께 물건을 채워 넣고 있었다. 나는 그 주인 남자에게 다가가 "쓰메끼리가 어디에 있습니까?"라고 물었는데, 나의 이 질문 하나가 그 콤비니를 일시에 혼돈에 빠뜨려버렸다.

'쓰메끼리(爪切, つめきり)' 는 손톱깎이의 왜말이다. 내가 어릴 때만 해도 어른들은 '쓰메끼리' 와 같은 왜말을 많이 쓰셨기 때문에 쉽게 기억이 났다).

나의 그 질문 하나에 '콤비니 Lawson'의 주인 부부는 물론 아르바이트생 같은 젊은 점원들까지 모두 쓰메끼리를 찾아나선 것이었다. 물론 그들은 금방 쓰메끼리가 늘 있던 자리를 찾아냈으나 공교롭게도 쓰메끼리는 거기에 없었다. 무지무지하게 아쉬워하며 '아마 다 팔린 모양'이라는 주인의 말에 '아~ 소~데스까?' 하며 돌아나오려는 나를 갑자기 주인여자가 가로막았다. 그러더니, 그때부터 뭔가 빠르게 말을 하는데, 손짓을 보니 손톱을 깎을 거면 자기네 손톱깎이를 빌려주겠다는 뜻인 듯했다.

아, 이런! 안 그래도 되는데…….

내가 어정쩡하게 서 있는 사이에 벌써 주인남자는 카운터 뒤로 들어가더니 이내 손톱깎이를 하나 들고 나왔다. 그들은 연신 손톱 깎는 모양을 하며 나에게 쓰라고 하는 것이었다. 아, 이것 참! 손톱이 아니고 발톱이니 그 자리에서 깎기도 그렇고…….

계속 쓰메끼리를 내미는 그들에게 나는 어쩔 수 없이 손으로 내 발을 가리켰다. 그러자, "아~하, 아씨!" 하면서 그들도 크게 웃는 것이었다('아씨'는 발이다). 그들이 나의 난처한 사정을 알아들은 것 같아 나는 서둘러 그 부담스러운 친절의 와중을 벗어나려고 하였다. 그런데 주인남자는 계속해서 나에게 쓰메끼리를 내미는 것이 아닌가? 그리고 뭐라고 계속 말하는데, 대충 의미를 보니, 가서 깎고 가져오라는 뜻인 것 같았다. 하, 참!

결국 나는 곧 돌려드리겠다고 하고 그 쓰메끼리를 가지고 나올 수밖에 없었다. 나는 50미터 가량 떨어진 학회장으로 가서 화장실에 들어갔다. 그런데 이런? '쪼그려 좌석'이 아닌가? 나는 몹시 불안정한 학(鶴)의 자세로 서서 양말을 벗고, 문제의 그 요염한 발톱을 깎았다. 나는 발톱을 깎자마자 지체없이 '공포의 친절 콤비니'로 향했다. 이런 경우는 가능한 빨리 돌려주는 것이 양국관계에 도움이 될 것 같아서였다. 언제나 국익을 먼저 생각하는 나 아닌가!

콤비니에 들어서니 주인 부부는 여전히 진열대에 물건을 채워 넣고 있었다. 내가 그들에게 다가가 쓰메끼리를 내밀자, 그들은 너무나 기뻐하며 "도모……. 아리가도 고자이마시다"를 합창하였다. 나는 민망해서(뭐가 민망했는지 잘 모르겠지만) 얼른 자리를 빠져나왔다. 계속 '아리가도 고자이마쓰'를 중얼거리면서…….

나는 학회장에 앉아서도 한동안 그 '공포의 콤비니' 생각을 했다. 뭔가? 왜인가? 왜 왜인들은 무섭도록 친절한가? 많은 전문가들이 지리적, 기질적 이유로 설명한 왜인들의 품성만으로는 이해가 되질 않았다. 또 혼네(本音)니 다테마에(立前)니 하면서 그들의 친절을 폄하하고 싶은 마음은 더더욱 없었다. 그들은 친절하다.

나는 그 후 가급적 그 콤비니를 피해 다녔다. 무서워서…….

*2002. 10. 29.*

# 가는 세월

*〈유타 재즈의 칼 말론이 18시즌만에 처음으로 경기에서 득점하지 못하는 망신을 당했다. 말론은 4일(한국시간) 시애틀과의 원정경기에서 7개의 슛을 던졌으나 모두 빗나가 단 한 점도 기록하지 못했다. 말론의 종전 최소 득점 기록은 85년 12월 뉴저지와의 경기에서 기록했던 2점.〉

"다들 아는 이야기지만……." '칼 말론(Karl Malone)' 은 미국프로농구리그 NBA의 '유타 재즈(Utah Jazz)' 팀의 주전 파워 포워드다. 유타는 미국 서부에 있는 주인데, 팀 이름이 '재즈' 다. 재즈라면 루이지애나주의 뉴올리언즈(New Orleans) 같이 미국 동남부 지역이 원조라고 알려져 있는데, 서부에 있는 유타주의 농구팀 이름이라니……. 당연히 사연이 있다.

'재즈' 라는 구단은 1974년 재즈 음악의 원산지인 뉴올리언스를 홈으로 '뉴올리언스 재즈' 라는 이름으로 창단하였다. 그러다가 1980년 프랜차이즈를 유타주의 솔트레이크시티(Salt Lake City)로 옮기면서 현재의 이름이 되었다. 어쨌든 좀 어긋나는 이름이다. '유타 몰몬스(Mormons)' 라면 모를까……. Anyway.

말론은 큰 키에 근육질 덩치, 험상궂은 생김새로, 보기만 해도 상대가 위축될 만한 morphology를 가지고 있다. 한 마디로 화적 또는 마적의 상이다.
(그의 키는 공식적으로 6' 9" 다. 환산하면 2미터 7 내지 8센티미터다. 우리나라에서는 당연히 센터를 해야 할 선수가 포워드를 하고 있으니……. 결론적으로 우리나라는 농구를 하지 말아야 한다. 아니면 우리끼리 골대를 낮춰서 하든지…….)

시합에 나올 때 수염을 잘 안 깎는 것으로 봐선 그 자신도 특유의 '험상' 을 무기로 삼고 있는 모양이고, 그 이미지를 그대로 살려 off-시즌에는 프로레슬링 경기에 출전하기도 했다(레슬링의 상대는 '개구장이 데니스' 라는 만화의 흑인 버전이 있다면 틀림없이 주인공이었을 '데니스 로드맨' 이었다. 미국의 상업주의란 참!).

그의 플레이 스타일도 인상 못지않게 거칠다. 특히 상대를 잡고 늘어지는 특기는 상대방 선수들과 팬들의 야유의 대상이 되곤 한다. 스토커 하라면 잘 할 것 같다.

그의 얼굴은 한참을 뜯어봐도 그 집안의 가계도가 그려지질 않는다.

(참고로 최근에 은퇴한 '패트릭 유잉(Patrick Ewing)' 이라는, 왕년에 뉴욕의 상징이었던, 점프력 좋은 센터는 척 보면 바로 집안 내력이 보인다. 그 선수의 얼굴을 보면, 아주 최근에 아프리카에서 아메리카 대륙으로 이주했던가, 아니면 지독한 순혈(純血)주의의 집안이든가 둘 중의 하나란 걸 알 수 있다. 이 선수의 별명이 '킹콩 센터' 인데……. 글쎄, 단지 키만 크다고 '킹콩' 이라고 했을까?

말론은 흑인인데 황인 같아 보이기도 하다. 어떤 때 보면 마치 몽고족 같아 보이는데, 특히 tough한 그의 경기 스타일을 보면 만주 지방에 자주 출몰했다는 마적이 연상된다. 조상 중 하나일지도 모르겠다. 물론 그는 흑인이다. 아마 조상이 많았던 모양이다.

말론의 별명은 우편배달부(Mailman)이다. 여자 혼자 있는 집에 가서 벨을 두 번 울리는 그런 mailman이 아니고, 너무나 성실해서 붙여진 별명이라고 한다. Mailman 같이 언제나 제 시간에 나타나서 수백 개의 슛을 던지고, 열심히 연습하는 성실함을 보고 붙여준 별명이란다. 이렇게 큰 덩치에, 험상에, 스토커 기질에, 성실함까지 겸비한 말론이 48분 동안 한 점도 넣지 못했다는 것은 실로 충격적인 일이다. 여러 가지 변명이 있을 수 있겠지만……. 이제 말론의 시대도 저물어가는 모양이다. 세월은 그런 건가 보다.

아~ 참! 이 경기는 당연히 시애틀의 승리로 끝났다(91-77).

* 요즘 TV의 어느 햄버거 선전에 '노x현' 이라는 탤런트가 나온다.

('노x현' 이라는 대통령 후보의 이야기가 아니다. 생김새가 완전히 다르다.)

CF의 내용은 죄를 짓고 이동형 감방, 함거에 실려 압송되는 '노x현' 에게 백성들이 사식을 넣어 주는데, 의연하게 폼을 잡던 '노x현' 이 결국 커다란 햄버거의 유혹에 무너진다는 것이다. 내용이 내용이다 보니 '노x현' 은 자연히 코믹한 연기를 한다. 요즘 말로 '망가지는' 역을 하는 것이다. 그런데 알고 보니 그는 얼마 전에 어느 시트콤에서 또 망가지는 연기를 했었다고 한다.

노x현. 그가 누구인가? 한때 장안의 알아주는 꽃미남으로, 비록 출연 편수는 많지 않았지만, 늘 분위기 있고 중후한 연기를 하였고, 어지간하고 가벼운 배역은 맡지 않았던 그 아닌가? 그런 그가 망가지는 역을 하고 있다니…….

아무리 요즘 시트콤이 유행이고, 깡패 연기, 코믹 연기, 망가지는 연기가 세태의 대세라지만, 무겁고 신중한 역을 주로 하던 사람이 망가지는 모습을 보니 묘한 감정이 일었다.

역시 '노x현' 도 무대의 뒷줄에 설 때가 된 것이다. 세월은 그런 것이다.

* '언페이스풀(Unfaithful)' 이란 최근 영화가 있다. 나는 아직 보지 못했다. 단란하던 가정의 부인이 웬 젊은이와 바람이 나고 어

쩌고 하는 줄거리란다. 그런 소재는 하도 흔해서 그러려니 할 만도 한데, 이 영화에는 특별히 눈이 가는 배우가 있다. 리차드 기어.

내가 제대하고, 복학하고, 사회생활을 시작했을 때. 그때는 전도(全盜)가 나라님을 하고 있을 때였다. 그런데 그 당시 백성들은 전도는 무식하다고 치부하고 그런 무식함을 빗댄 풍자를 만들어 퍼뜨리며 즐기곤 했었다. 그런 이야기 하나.

(사실 그가 무식하다는 검증도 없었다. 그저 군바리 출신이고, 어째 무식해 보인다고 해서 그랬던 것 같다. 아무리 군인이라도 장군이 된다는 건 그냥 되는 게 아니다. 공부가 있어야 한단 말이다. 그나저나……. '단순무식' 했던 그가 요즘의 '철닭' — '철새' 란 표현도 아깝다 — 정치꾼들보다는 나아 보인다. 암! 낫고 말고……. 특히 학생운동을 자기 출세의 발판으로 이용했던 '애늙은이 철닭, 김x석' 의 행태에 비하면 한결 무게가 있었다.)

어느 날 푸른 기와집의 거실. 민주화니 어쩌니 하는 소란에 마음이 상한 전도와 그의 부인 이씨가 기분을 풀기 위해 비디오를 하나 때리기로 하였다(앗! 시중 언어가……). '전도' 는 비서들이 가져다 놓은 비디오 테이프를 뒤적이다 눈이 번쩍 띄는 것을 발견했다. "영화는 역시 군인이 나와야 재미있어." 하며 고른 비디오는 바로 '리차드 기어(Richard Ger)' 주연의 「사관과 신사(士官과 紳士, An Officer and a Gentleman)」였다. 남편이 무엇을 골랐나 하며 비디오를 들여다 본 이씨 부인,

"아~ 나도 이 영화 알어……. '토관과 신토' 맞죠?"
불행히도 비디오 껍질에 제목이 한자로 써 있었다고 한다. 그런데 부인의 그 소리를 들은 '전도'는 갑자기 엄청 화를 냈다고 한다.
"어떻게 이런 한자도 못 읽나? 이건 '육군사관학교'라고 쓸 때 나오는 거잖아? 남편의 모교 이름 아냐? 그러니까 이 영화 제목은 '사관과 신토'라고! 무식하긴……." 라고 했단다. 사람은 최소한 자기 배우자의 모교 이름은 한자로 쓸 줄 알아야 한다.

대한민국 나라님 내외의 부부싸움을 촉발시킨 영화 '사관과 신사'에서 리차드 기어는 참 멋있었다. 물론 영화관 상영분에서는 환상적인 '사랑장면'이 삭제되었지만, 그래도 리차드 기어의 매력은 줄어들지 않았다(비디오엔 다 나온다. 명장면이다. 못 본 사람은 지금이라도 봐둘 만하다. DVD도 있다. 또한 'Up where we belong'을 비롯한 삽입 음악도 좋다. 지금 그 노래가 안 들리면 컴을 주먹이나 망치로 세게 두드려 보시길).

리처드 기어는 비슷한 시기에 상영된 'Looking for Mr. Goodbar', '아메리칸 지골로' 등에서 남성매춘부 등으로 나오며 한참 '남성미의 대명사'로 주가를 날리고 있었다.
('남성미'란 것이 그런 것이던가……. 몸으로 때우는…….)

그때 너무 힘을 썼던지, 그후 한동안 침체기를 거친 그는 'Pretty Woman'이라는 영화에서 개구리 입을 가진 길거리 여인

'줄리아 로버츠' 와의 말도 안 되는, 미국식 '퍼주기 사랑' 을 연기하며 다시 '남성미' 를 과시했다.

(이번엔 돈으로 때우는 '남성미'. 결국 남자는 몸 아니면 돈인가 보다.)

남성미를 다 썼는지 그후 그는 티베트 불교에 심취하였고, 정치색 짙은 영화에 출연하며(물론 다분히 서구인 시각의 영화였지만) 정신적 성숙을 추구하였다. 역시 남자는 몸 상하고 돈 떨어져야 수양을 닦게 마련이다. 아~ 너무 서론이 길었다.

남성미의 상징이라던 리처드 기어가 새 영화 '언페이스풀' 에서는 남성미 넘치는 젊은이에게 아내를 도둑맞는 남편으로 나온다.

아, 세월의 흐름이란……. 남의 아내 도둑질하는 역이 제격이던 리차드 기어가 이젠 오쟁이 진 남편으로 나오다니……. 세월은 그런 건가 보다.

* 그렇게 속절없는 세월이 무섭기도 하고, 늘 빌빌하는 서방 신경 쓰느라 노심초사하는 '예쁜 후배' 가 안쓰럽고, 언젠가 가을엔 꼭 한 번 가자고 약속했던 생각도 나고……. 아내를 데리고 다시 부석사(浮石寺)에 올랐다.

누군들 그 절집을 싫어하랴만, 안양루(安養樓)에 서서 남방의 장쾌한 山山(산산)을 보며 시원해하고, 밑에서부터 층층이 올라선 절집과 석축의 모습을 즐거워하는 아내가 보기 좋았다. '좋음' 은 이렇게 쉽게도 맛볼 수 있는 것이거늘, 무엇에 그리 쫓겨 외면하고 살았을까? 세월이야 원래 그런 놈인데 그 탓만 하고 있었던가! 그래서 옛말에 "노세 노세 젊어서 노세" 라 하지 않았던가?

*2002. 11. 6.*

# 김치냉장고

몇 해 전부터 불기 시작한 김치냉장고의 열풍이 대단하다. 화장품 냉장고도 쓰는 세상이니 김치냉장고를 뭐라 할 수 있겠는가만, 나는 냉장고가 원래 그런 김치같이 변화무쌍한 음식물을 넣어 보관하라고 있는 건데, 왜 또 김치냉장고가 필요할까 하는 의문을 늘 가지고 있었다. 어쨌든 가전제품업체, 심지어 에어컨 만드는 회사까지 달려들어서 김치냉장고를 만들고 선전을 해대니 보통 주부들이 어찌 배겨날 수 있겠나? 가전제품 가운데 베스트셀러가 된 모양이다.

김치냉장고가 제법 사람들 입에 오르내리기 시작하던 때, 아내에게 물어보았다.

"당신은 김치냉장고 안 사?"

아내의 대답은 의외였지만 아주 타당했다. 역시 내가 좋아할 만한 여자다.

"그 냉장고에 김치 다 채워 넣을 엄두가 안 나."

사람들은 흔히 김치냉장고 자랑을 하면서 석 달이 지나도 김치 맛이 변하지 않는다는 둥 하는데, 아내의 말은 석 달 동안 김치 안 담그고 변함없는 김치를 꺼내 먹기만 하면 좋기야 하겠지만, 일단 석 달치를 해 넣어야 하는 수고는 어찌할 것이냐는 것이었다. 나는 아내의 말에 수긍을 하면서, 아마 김치냉장고 쓰는 사람들은 김치를 누군가 해다 주는가 보다하고 생각했었다. 복(福) 많은 사람들이 쓰는 가전제품으로 치부해버렸었다.

김치냉장고의 선전이 점점 김치의 맛으로 번져가는가 싶더니, 들리는 입소문은 아주 점입가경이었다. 마치 멀쩡한 배추가 김치냉장고에 들어갔다 나오면 천하일미 김치가 되는 듯한 '소감' 들이 난무하기 시작했다. 그러면서 사람들은 무작정 김치냉장고를 사기 시작하는 것 같았다. 아마 솜씨 나쁜 아줌마들은 큰 기대를 갖고 샀을 것이다. 선전이란 원래 그런 거니까. 솜씨도 커버해주는 김치냉장고!

아내는 직장에서 주로 아주머니들과 일과를 보낸다. 그러니 자연스레 김치냉장고에 대한 갖가지 찬사를 듣는 모양이다. 아줌마들의 경쟁심리까지 보태졌을 테니 김치냉장고 예찬이 어떠하리라는 것은 나도 짐작할 만한 일이었다. 어지간한 여자라면 그런 말들에 현혹되어 하나쯤 장만하려 할 텐데, 아내는 요지부동이다. 오히려 아내는 너도 나도 무조건 사대는 아줌마들을 영 못마땅했다. 20평도 안 되는 집에 살면서 160리터나 되는 김치냉장고를 사들이고 신이나 떠벌이는 아줌마. 그러자 10평도 안 되는 아파트에 산다는 아줌마도 같은 크기를 사더란다. 그 집 사람들은 잠을 어디서 자는지 그림이 그려지지 않았다. 이렇게 대형 김치냉장고를 경쟁적으로 사들인 아줌마들은 매일 모이기만 하면 이구동성 환상적인 김치맛을 찬양한다는 것이다. 나도 잘 이해가 안 되는데, 음식 맛에 도사급인 아내는 오죽했을까?

요즘 잘 팔린다는 김치냉장고는 대개가 160리터 정도 되는 모양이다. 그런데 김치냉장고는 냉장고와 달리 짜리몽땅한 것이 자리를 넓게 차지한다. 물론 선전에 나오는 무지하게 넓은 집, 도대체 다른 살림이라곤 없고 김치냉장고만 있는 운동장만한 주방을 갖춘 집에서야 160이 아니라 1600리터면 어떻겠는가? 그러나 보통 사람들이 사는 쬐그만(?) 아파트에는 160리터짜리 김치냉장고는 확실히 부담스럽다. 게다가 위로 열고 닫는 구조라 냉장고 위에 허접한 물건을 올려놓아 공간을 이용할 수도 없다. 이건 완전히 넓적한 '상전' 을 모시고 사는 꼴이다. 그래도 좋다니…….

경기도 김포, 강화에는 '순무' 라는 독특한 무가 있다. 무가 동글동글하고 발그스레, 때로는 보랏빛이 나는데, 맛은 매콤하다. 그래서 타지 사람들은 순무를 배추 꼬다리(꼬리)라고 오해해 말하기도 한다. 이 순무는 오래 전부터 김포, 강화의 특산품이었고 그 고장 사람들은 다 그 순무를 먹으며 자랐다.

(지금은 강화도에서 순무를 강화특산이라고 널리 선전을 해서 순무하면 강화인 줄로 알지만, 김포에도 순무는 지천이었다. 그건 그렇고……. 순무가 강화도 사람들의 선전 덕에 널리 알려지고 가끔은 서울의 장에서도 구할 수 있게 된 것은 좋은데, 몸에 좋다고 너무 뻥을 튀긴 탓인지 값이 무지하게 비싸졌다. 예전에는 김포 쪽으로 길을 나섰다가 장에서, 또는 길에서 순무를 싼 값에 몇 단씩 사오곤 했는데, 지금은 값이 만만치 않다고 한다. 선전 덕에 농가 소득은 올랐는지 몰라도 순무 애호가들은 입맛이 쓰다. 그렇지 않아도 순무는 약간 쓴맛이 있는데…….)

나도 어릴 때부터 순무를 먹고 자랐다. 서울에 살다보니 순무김치를 집에서 한 독씩 담가놓고 먹지는 않았지만, 종종 일가들의 집에 가면 예외 없이 나오는 반찬이 순무김치이고, 또 눈치를 잘만 주면 제법 많이 싸주었기 때문에 순무김치 못 먹고 겨울을 난 적은 없었던 것 같다. 그런데 이 순무김치는 중독성이 있는 모양이다. 누구나 어릴 때부터 먹어본 음식을 그리고, 좋아하지만, 이 순무김치는 그 정도가 상당하다. 우리가 미국에 살 때의 어느 날, 아내와 장을 보러 갔는데 갑자기 아내가 나를 불렀다(나는 grocery에 들어서면 술 파는 lane에만 서성대곤 했다). 가보니 아내가 웬 무를 한 단 들고 있었다. 동그란 무의 크기가 작긴 했지만 보랏빛이 도는 것이 영락없는 순무였다. 얼레? 이게 웬일이냐? 그때 차근히 순무의 '종의 기원'을 밝혀보는 것이 연구원의 자세로 마땅했겠지만, 반가운 김에 얼른 사들고 집에 와서 김치를 담갔다. 역시 순무 맛이었다. 먼 이국에서 먹는 순무의 맛이란 기가 막혔다. 한동안 아내는 순무김치를 담그느라 고생을 많이 했었다.

이번에도 그 맛에 대한 그리움이 발단이었다. 해마다 김포 쪽에 가서 순무를 사다 김치를 담그곤 했었는데, 올해는 어쩌다 때를 놓쳤다. 겨울은 시작되고, 김장 김치를 먹기 시작했는데 어째 뭔가 허전했다. 순무김치가 먹고 싶었던 것이었다. 맘먹고 김포엘 한번 가서 순무를 사와야겠다고 했지만 주말에 통 시간이 나질 않았다. 그럴 때 갑자기 작은누이가 생각이 난 것이었다. 큰집에는 누이가 둘, 형이 둘 있다. 순서도 규칙적이다. 큰누나 → 큰형 → 작은누나 → 작은형. 이 가운데 작은 누나는 시집을 가서도 김포에 사시는데, 늘 후하고 남에게 베풀길 좋아하신다. 음식 솜씨도 아주 좋아서 종종 들를 때면 늘 과식을 하곤 했다. 바로 이 누이가 생각이 난 것이었다. 순무김치 좀 담가 달래야지……. 그게 11월 초던가?

순무김치를 안 맵고 안 짜게 담가 달라는 염치 없는 부탁과 함께 어머니가 누나에게 다니러 가셨다. 내가 강권해서다. 아무리 가까운 일가라도 어떻게 김치를 공짜로 담가 달랠 수가 있겠는가 싶어서 어머니 편에 돈도 조금 보냈다. 순무값도 만만치 않다고 하고……. 결과는 어느 정도 예상했지만, 어머니는 돈을 도로 가지고 오셨다. 누나는 '작은어머니 용돈도 자주 못 드리는데, 무슨 돈을 받느냐' 고 펄쩍 뛰더라는 것이다. 그러면서 햇무가 나오려면 며칠 더 있어야 할 테니 조금 기다리라고 하더란다.

그래놓고 한동안 순무는 잊어버리고 있었는데, 어느 날 퇴근 무렵 작은형이 전화를 했다. 우리 집 근처에 와 있다는 것이었다. 알고 보니 작은누나가 작은형을 시켜서 순무김치를 배달시킨 것이었다. 작은누나는 순무김치를 담는 김에 형제들 집집마다 보낼 수 있도록 많이 담은 모양이었다(나중에 들으니 재료비가 20만원이 넘었다고 한다). 그리고는 만만한 작은형을 불러서 집집마다 김치를 배달시킨 것이었다. 형을 만나 형 지프차의 뒷문을 여니 거기에는 큼지막한 깡통들이 여러 개 있었다. 겉에 '철주' 라고 써놓은 깡통과 비닐로 포장된 큼지막한 배추김치가 우리 집 몫이었다. 끙끙대며 집에 들여다놓긴 했는데, 이제부터가 고민이었다. 이 많은 김치를 어쩌나?

뒤늦게 퇴근한 아내도 난감한 표정이었다. 따뜻한 아파트 안에 들여놓으니 깡통 뚜껑은 점점 부풀어 열리고 있었다. 아내는 갖가지 방안을 생각하는 모양이었다. 김치가 이렇게 많이 올 줄 예상을 못했을 테니, 방법 또한 갑자기 나올 리가 없었다. 한참을 고민하던 아내가 드디어 입을 열었다. '김치냉장고를 사야겠어.' (아, 우리 집도 이렇게 해서 '문명 집안' 이 되가는구나…….) 그러나 아내는 단호했다. 작은 크기의 김치냉장고를 사겠다는 것이었다. 나도 찬

동했다. 가구에 치여 살고 싶지는 않으니까.

그런데 이게 아주 어려운 일이었다. 160리터짜리 김치냉장고는 사방에 깔렸는데, 우리가 원하는 70리터짜리 냉장고는 도대체 가지고 있는 가게가 없었다. 도대체 우리나라 사람들 배포는 왜 이리 큰지……. 김치는 계속 부풀어 오르고 있는데 원하는 냉장고는 없고……. 결국 어렵사리 사흘만에 70리터짜리 김치냉장고를 구할 수 있었다. 순무김치 깡통이 터지기 직전이었다.

거의 제일 작은 크기의 김치냉장고지만, 그걸 들여놓기 위해서 한바탕 소란스런 살림살이 이동이 있었다. 번잡한 것이 싫어서 소파도 없이 사는 우리 집에도 이래저래 살림이 자꾸 늘어난다. 이번같이 한순간의 입맛을 참지 못해 일을 벌이는 걸 보면 나도 단출하게 살 팔자는 못되는가 보다.

원래 작은누이는 그랬다. 정이 많고, 베풀길 좋아하고. 그런 누이 성품을 알면서 김치를 담가 달라고 했으니……. 참으로 철없는 동생이 아닐 수 없었다. 아무리 손 아래 것들은 철이 없다지만……. 난 언제나 남들을 배려하면서 살 줄 알까 모르겠다.

(아내도 나랑 살면서 순무김치를 잘 먹게 되었다. 애들은 아직 익숙치 않은 것 같고. 그런데 그렇게 많던 순무김치가 한 달도 되지 않아서 다 없어졌다. 아내와 둘이 맛있다고 순무 먹고, 시원하다고

국물을 마셔댔더니, 그렇게 쉬이 없어져버렸다. 지금은 그 사이 아내가 우연히 경동시장에서 발견한 순무를 사다 또 담근 김치를 열심히 먹고 있다. 두 여자의 서로 다른 김치 맛. 참으로 절묘하고……. 난 참으로 복이 많다. 아내의 말에 요즘은 경동시장에서 순무를 볼 수가 없단다. 그럼 이번 김치 끝나면 어쩌나? 또 누이에게 부탁할 염치는 없고……. 아무래도 김포에 나들이를 한번 해야겠다.)

*2004. 1. 26.*

평소보다 훨씬 이른 시간에 우리들은 헤어졌다. 입대 전 날은 가족과 보내야 한다던가……. 다음 날 아침 한영고등학교에서 '문제녀' 에게 전화를 하였다. 잘 지내라고……. 그리고 나는 논산행 열차를 탔다. 그녀는 후에 '예쁜 후배' 로 호칭이 바뀌었고, 지금은 매일 저녁 나에게 '다리 안마' 를 강요하는 무서운 내 아내가 되었다. 내가 KUSA 활동을 하며 사귄 사람 가운데, 나에게 가장 크게 다가온 후배……. 나의 사랑이었다.

ISBN 89-89988-25-X
ISBN 89-89988-28-4 (전2권)

값 10,000원

# 월곡한담 2

이철주 글 | 박기아 엮음

다할미디어

故 이철주李哲周

1956년 서울에서 태어나, 신일중 · 고등학교를 거쳐 서울대학교 공과대학 섬유공학과를 졸업하고, 동 대학원에서 석사 및 박사학위를 취득하였다. 1982년 한국과학기술연구원 재료연구부 정보재료소자연구센터의 연구원으로 시작하여 2004년 세상을 뜰 때까지 KIST에서 과학자의 길을 걸었다. 미국 Akron Univ.에서 Visting Scientist로 있었고, KIST에서는 정보재료소자연구센터 센터장과 광전자재료연구센터 센터장을 거쳐 재료연구부 부장을 역임했다. 박기아씨와 사이에 2남이 있다.

표지디자인 이유진 nove18@naver.com

# 월곡한담月谷閑談 2

월곡한담 2

2006년 2월 27일 초판 1쇄 발행
2006년 4월 5일 초판 2쇄 발행

지은이 : 이철주
엮은이 : 박기아
펴낸이 : 김영애
편 집 : 윤금선
펴낸곳 : 다할미디어

등록일 : 1999년 11월 1일
등 록 : 제20-0169호

주 소 : (우) 135-010
서울시 강남구 논현동 20번지
광윤빌딩 3층
전 화 : (02) 3446-5381~3
팩 스 : (02) 3446-5380
http://www.dahal.co.kr
e-mail : dahal@dahal.co.kr
ISBN : 89-89988-26-8
89-89988-28-4(전2권)

값 10,000원

# 월곡한담月谷閑談 2

이철주 글 | 박기아 엮음

다할미디어

† 목 차

## 괴질부



## 여 행

# 괴질부

# 괴질부怪疾賦

(1)

Where do I begin?

참 멋있는 노랫말이다. 언제나 시작의 말이 생각나지 않으면 나오는 말. 지금 이 寓話(우화)가 그렇다. 어디서부터 시작해야 하나? 나는 이 말도 안 되는 이야기를 怨望의 글이 아닌 願望의 글로 쓰고 싶다. 그럴 수 있을까?

또, 나와 같은 일을 해야 하는 후배들에게 조금이나마 참고가 되라고 쓴다.

〈2000년 7월〉

언제나 병원을 다녀오면 몹시 피곤하다. 특히 어제는 더욱 그랬다. 좀체 시내에서 운전을 할 때는 졸음이 오지 않는데, 왜 이리 졸릴까? 피를 뽑아서 그런가? 그럼 여자들은 자주 졸리겠네.

어제는 아침에 S병원에서 내 기록을 복사해서, 오후에는 새로 다니기로 한 J병원에 가서 진찰을 받았다. 10년 전 나를 담당했던 바로 그 의사였는데, 반갑게 인사를 나누는 것부터 서로 어색해하였다(사석도 아니고 병원에서, 의사와 환자 입장으로 다시 만나는 것은 참……). 그분도 그새 흰머리가 많이 늘었다. 10년…….

Myelofibrosis with Osteomyelosclerosis(써 놓고 보니 근사하구먼……).

이 어마어마하게 길고, 타자도 잘 안 되는 것이 나의 병명이란다. 물론 아직 확정이 되지 않아서 'probably' 라는 꼬리가 따라 다니긴 하지만, 거의 이 병이 맞을 거라고 한다. 나는 이 단어들을 사전에서 찾느라고 꽤 많은 시간을 보냈다. 그래서… 못 가르쳐준다. 그건 그렇고, 나한테 왜 이런 이상한 이름의 현상이 생겼을까?

〈2000년 4월〉

저녁에 집에서 인터넷으로 나의 증상과 비슷한 병을 찾아보았다. 열심히 노력한 끝에 찾아내긴 했는데, 어째 좀 살벌하였다. 내가 인터넷에서 찾아낸 그 site에서는 '이 병은 네 가지의 아류가 있는데, 가장 좋다는 경우가 6년 산다' 는 것이었다. 윽! 아내를 불렀다. "이것 좀 봐. 나랑 증세가 비슷한 건데……." 아내는 얼른 와서 그 site를 한참 읽더니, 화가 난 표정으로 방으로 들어가버렸다. 어라? 내가 뭘 잘못한 걸까? 눈치 없는 놈!

그리고 그 밤늦게까지 나는 불도 꺼진 거실에서 길고 긴 생각에 빠졌었다. 아주 길고 긴……. 그러니까 10년도 더 지난 일들…….

〈1989년 봄〉

자꾸 피곤하였다. 사실 맨날 술을 마시니까 피곤한 것이었을 테지만, 그렇게 인정하기는 싫었다. 투덜대는 나를 보고 아내가 병원에 가보라고 재촉이었다. 병원? 지난 번, 건강 진단에서도 별일 없었는데 무슨……. 그러나 가보기로 하였다. 나는 아내의 말을 잘 듣는 착한 남편이니까……. 그 옛날 나의 첫 이성교제를 망쳐놓았던 '을왕리의 설사' '새치'가 과장으로 있는 C병원으로 가서 피를 뽑고 왔다. 항상 즐거운 새치와 한바탕 수다도 떨었고…….

그 날 저녁이었다. 그 날 따라 일찍 집에 와서 식구들과 시간을 보내는데 새치의 전화가 왔다. 새치는 다짜고짜 "야, 너 내일 아침 병원으로 와." 하는 것이었다. 한밤중에 의사가 전화해서 내일 오라니까 매우 황당하였다. 게다가 나는 오늘 그 병원에 피까지 뽑아

놓고 왔지 않은가? 나는 의아해서 물었다.

"왜 그래? 뭐가 이상해?" 새치는 긴 말을 한사코 안 하려다, 내가 자꾸 캐물으니 마지못해 "너 요즘, 몸에 어떤 이상 없냐?" 하는 것이었다. 아니, 이놈이 사람 불안하게……. "없어."

그의 말에 의하면, 그 혈액을 검사하던 임상병리과에서 자기에게 연락이 왔는데(그 병원에 가면 항상 새치 이름으로, 공짜로 했었다), 혈구의 수치가 이상하다는 것이었다. 그러면서 걱정하지 말고 내일 보자고 하였다. 그놈은 걱정하지 말라지만, 어찌 걱정이 안 되겠나.

다음 날 병원에 가서 담당의사와, 새치와 이야기를 나누었다. 그런 소란의 원인은 정상치의 10배에 해당하는 높은 혈소판 수치와, 그 정도는 안 되어도 역시 높은 백혈구의 수치였다. 의사는 나에게 가능한 증상에 대해 계속 물었지만, 특별한 증상의 증거가 없자, 확실한 진단을 위한 추가 검사를 제의했다. 이름하여 '골수 검사'. 영어로 bone marrow. 어째 이름부터 으스스했지만, 사람이 하는 검사가 뭐 그리 대단하겠느냐 싶었다. 그리고 내 피의 저 이상한 수치의 원인을 알고도 싶었다. 나는 사나이답게 말했다.

"하.하.하. 저를 위한 검사인데, 빠를수록 좋지요. 하.하.하."

담당의사는 약간 놀라는 표정이더니, 다음 날 오전에 하자고 하였다. 나는 골수를 어디서 어떻게 채취하는 줄 몰랐다. 새치에게 살짝 물었더니, 골반이란다. 골반? 그럼 엉덩이 근처? 그렇다면…….
에구, 에구, 목욕해야 되겠네…….

저녁에 집에서 열심히 목욕을 하는 나를 아내는 이상하게 생각하는 듯했다(명절 때도 아닌데……. 병원 간다고 하고 다른 데에 가나?). 나는 진지하게 목욕을 하였다. 특히 엉덩이 부분을…….

골수 채취! 아, 그 느낌을 필설로 다 옮기지 못하는 나의 재주 없음이 안타까울 뿐이다. 국민학교 때, 전염병 예방주사를 놓기 위해 간호원 언니들이 교실에 들어서면 느끼던 그 공포. 앞에서부터 다가오는 백의의 악마들. 여린 계집애들은 울음을 터트리고, 우리는 그래도 사내라고 애써 다른 곳을 쳐다보며 공포를 이겨내던 때. 끝내 오줌을 지린 동무를 놀리지도 못할 만큼 무서웠던 그 공포(원래 매를 맞을 때보다 매가 다가오는 것이 더 무서운 법이다). 그리고 언젠가는 '불 주사' 라는 것을 맞았었다. 결국 나의 어깨에 '우두' 자국만큼 큰 흉터를 남기고 간 그 '불 주사'. 엄청 큰 주사기와 엄청 굵은 바늘. 불꽃에 바늘을 담갔다가 다음 학생에게 주사를 놓던 그 살벌함. 바로 그런 기분을 느꼈다. 그것도 골수 채취 중간에…….

나는 우려 반, 무덤덤 반으로 병원에 들어갔다. 그러나 '처치실'(이름도 참, 처치실이 뭐냐? 도살장같이……)에 들어서면서 심경의 변화가 오기 시작하였는데, 갑자기 간호원들이 부산하게 움직이는 것을 보고는 '이것이 간단한 일이 아니구나' 하는 걱정이 생겼다. 간호원들은 마치 오랜만에 큰 경기 한 번 치르는 것같이 부산함과 기대감이 넘쳐보였다. 심지어 수간호원까지 동원이 되고……. 이들이 남자 엉덩이를 보려고 이렇게 몰려드는 것인가? 하는 생각도 들었다. 그럴 수도 있겠지. 환자가 인물도, 몸매도 수준급이니까…….

그들은 나에게 자진해서 통닭 모양의 자세를 취할 것을 요구했다. 마치 아기가 엄마 뱃속에 있을 때의 그 꼬부리고 있는 모습. 내가 내 두 무릎을 감싸안은 모습. 다행이라면 옷을 엉덩이 밑에까지 끌어내리지는 않았다는 것이라고 해야 하나……. 내 매력 포인트, 그 미려한 엉덩이 곡선을 내보이지 않을 수 있어 다소 안도가 되었다. 어쨌든 그런 얄궂은 자세로, 옆으로 벽을 보고 누웠다. 담당의사까지 해서 꽤 여럿이 달려들었는데, 그 중 힘 좀 쓰게 생긴 '팔뚝' 간호원들은 나를 움직이지 못하도록 하는 '포박조' 인 듯했다. 아니, 이것이 그렇게 '몸부림性' 으로 아픈 것일까?

*2000. 7. 13.*

(2)

〈으음… 이 글을

언젠가는 써야겠다고 생각은 했는데, 시기적으로 너무 일렀는지도 모르겠다. 사실 쓰려는 의도는 화학실험을 해야 하는 사람들의 주의를 환기시키려는 것이었고, 또 예전의 우리가 얼마나 미련했는가에 대한 회한과 반성이었다. 또 하나. 옛말에 이르기를 '병은 떠들고 다녀야 낫는다' 던가……. 걱정해주시는 분들도 계시다. 감사. 감사. 고마운 일이다. 그러나 이 글을 너무 短調(단조)라고 느낄 필요는 없다. 단조가 되면 내가 더 힘들어질지도 모를까봐 나부터 조심하고 있으니까, 읽는 이들도 단지 'Fact' 라고만 이해해 주시길

바란다.〉

아픔에도 종류가 있다. 날카로운 아픔과 둔중한 아픔. 물론 다른 아픔도 많다. 에이는 아픔 같은……. 이 골수 채취의 아픔은 날카로움과 둔중함이 차례로 오는 것이었다. 나를 통닭으로 만들어서, 옆으로 굴려놓고 하는 작업이라 나는 볼 수가 없었다. 그것이 더욱 불안하였다. 우선, 소독 솜이 지나가는 차가움. 찌리리릿…….

다음에는 마취를 한다. 여러 번의 마취주사를 맞는데, 이유는 뼈의 depth 별로 마취를 해야 하기 때문이라던가? 그런데 이 뼛속을 마취하는 주사는 특별한 바늘인 모양이다. 날카로운 통증이 오는데, 나도 모르게 주먹을 꽉 쥐었다. 읏!

사실 그 후에 골수 채취를 하려고 뼈를 뚫는 것보다 이 마취주사가 더 아프다. 그런 날카로운, 찔린다는 느낌이 강한 주사는 평생 처음이었다. 그렇지만 저 '팔뚝' 간호원들까지는 필요없는데……. 그런데, 저 언니들 안 가고 있는 것이, 혹시 다음 단계에서는 거의 죽는 건 아닐까? 불안…….

이제 본격적으로 뼈를 뚫는다. 무언가 매우 굵은 것이 뼈를 뚫고 들어오는 그 느낌. 나는 뒤돌아 있는 셈이니 보이지는 않지만, 아주 둔하고, 안 벌어지는 뼈를 억지로 벌리는 느낌도 들었다. 아, 이런 느낌도 있었구나… 아픔이라기보다는, 매우 둔하게 뚫린다는 느낌…….

그러나 생각보다는 쉽게 끝났다. 땀이 약간 났고, 뻐근한 느낌이 있었지만 견딜 만하였다. 수고하셨다는 의사와 간호원들의 인사를 받으며 오히려 쑥스러웠다. 골반을 받친 상태로 잠시 쉬고는 실험

실로 돌아왔는데, 마취가 풀리면서 앉아 있을 수가 없었다. 아니, 이런! 이건 본 경기보다 after가 더 아프구먼……. 아주 기괴한 자세로 앉기를 한 사흘간 하였다.

병원에 검사 결과를 보러 갔더니, 현미경검사니 뭐니 다 해보았는데, 아무 이상을 발견하지 못하였다고 한다. 그들은 심지어 leukemia까지 의심을 했더란다. 뼈의 고향, 골수에서도 이상은 발견하지 못하였지만, 엄연히 이상한 Fact는 있고, 아무런 이상 증상은 없고……. 당연히 원인도 모르고……. 묘한 상황이 되어버렸다. 담당의사도 황당한 모양이었지만, 나는 충분히 이해를 하였다. 우리도 이상한 시료를 가지고 쩔쩔매고 그러는데……. 간단한 화학반응에서도 이해 못하는 것이 많은데…….

그런데, 또 하나의 중고 동창 Savage에게서 연락이 왔다. 우리는

그를 savage라 불렀다. 하도 손과 상체가 좋아서……. 야만적이고…….

(그의 이야기도 해야겠다. 언젠가 했던 것 같기도 한데……. 아무러면 어떤가? 중3 때 전학 와서 내 짝이 된 후로 고3 졸업 때까지 같은 반, 짝궁을 한 친구. 그는 어릴 때 소아마비를 앓았다던가 해서 다리를 전다. 한 손에 clutch를 짚고 다니는데, 그러니 상체가 발달했을 수밖에…….

우리는 입시지옥이었던 그 고등학교 시절, 쉬는 시간이면 패는 놀이를 했다. 'X카바' 라는 놀이. 가위바위보해서 진 사람이 두 손을 X 자 모양으로 해서 양 볼을 가린다. 그러면 이긴 사람이 주먹으로 그 손으로 가린 아구창을 퍽! 참, 야만적인 놀이였다. 아마 그렇지 않았으면 터져버릴 것 같은 중압감이 우리에게 있었으리라.

그런데 나야 '왕손 한량' 아닌가?(원래는 기마약탈민족이니까 글레디에이터 같은 근육질의 강골이었겠지만, 왕손으로 500년 살다 보니 약골이 된 것이다) 내가 때려봐야 HS(savage의 이름)는 끄떡도 안 한다. 대신 그가 한 대 때리면 머리가 윙~~ 울리는데, 이빨도 좀 이상한 것 같고……. 그래서 나는 자꾸 피하려고 하고, 그는 자꾸 놀자고 하고……. 결국 HS는 두 번 이겨야 한 대 때리기로 하였지만, damage는 내가 더 입었다.

어느 날은 그가 '마빡 튀기기'를 하자고 하였다. 말 그대로 이긴 사람이 진 사람 마빡(이마)을 손가락으로 튀기는 놀이(?)인데, 이건 外傷까지 생긴다. HS의 손가락은 거의 뾰족한 망치 수준이었다. 역시 안 하려는 나를 꼬셨다. HS는 2번 이겨야 한번 튀기기로……. 저녁에 하교할 때는 보통 내가 HS의 가방을 들고 사이좋게 학교 진입로를 내려가는데, 그런 '마빡 튀기기'가 있던 날은 둘 다 앞이마 양쪽으로 빨간 뿔이 나서는 모자도 제대로 못 쓰고 가곤 하였다. 집에 가면, 어머니가 아침까지 없던 커다란 뾰루지 2개를 신기한 듯이 바라보시곤 하셨다.

HS는 공부도 참 잘했다. 그러나 장애인이라고 입학을 거부당해서, 우리와 같은 학교 의대를 들어가지 못하고 다른 학교로 진학을 했다. 그때만 해도 참으로 말이 안 되는 세상이었다. 의대를 마치고 유학을 간 HS는 Yale에서 MD와 Ph.D를 다 마치고 그때 막 생긴 J병원으로 돌아왔다. U대 의대 교수로…….

장애인이 살기 좋은 미국에서 그대로 살라는 주위의 많은 권유도 있었지만 그는 그냥 돌아왔다. '마빡 튀기기' 하려고 돌아온 건 아닐까?)

HS는 내 이야기를 새치한테서 들었던 모양이었다. 자기 병원에 마침 혈액학을 전공하신 분이 오셨는데, 한번 진찰을 받아보라는 것이다. 그래서 모든 기록을 가지고 그분에게 갔었다. 역시 마찬가지였다. Fact는 있고, 이상한 증상은 없고, 원인도 없고…….

그분 말씀은 정기적으로 체크해보는 수밖에 없다고 하셨다. 그리고 뜸금없이 나에게 물었다.

"혹시 chemical을 다루세요?" 나는 깜짝 놀랐다. 우린 화학약품과 뒹굴다시피 하는데……. "제 직업이 그런데요. 그런데 chemical이라면 어떤……."

"예를 들면 벤젠, 톨루엔, 메탄올 같은 거죠." 아주 친숙한 것들의 이름이 주루룩 나왔다. 그분의 말씀이, 자기가 조사해본 바로는, 화학약품을 다루었던 사람들에게서 후에 그런 혈액 이상이 많이 발견되었다는 보고가 많이 있더라는 것이다. 물론 그걸 증명한다는 것은 거의 불가능하지만, 그런 연관성이 많이 보고된다고 했다.

화학약품……. 내가 그걸 많이 다루었던가? 나는 아득해짐을 느꼈다. 화학약품…….

그때 내가 실험실에서 하던 일은 유기합성과 고분자 중합이었다. 매일 보고 만지는 것이 다 화학약품이었다. 벤젠, 톨루엔 등은 거의 물과 같이 친밀한 것들이었다.

나는 내가 그렇게 화학약품에 크게 노출되었던 적이 있었던지 되집어보았다.

대학원 때, 학교에서도 화학실험을 하였지만, 그때 내가 쓰던 약품들은 모두 아주 mild한 것들이었다. 그리고 실험실에 돈도 별로 없어서 초자 기구 세척용 용매, 에탄올이나 아세톤도 사 쓰지 못했고, 물로, 몸으로 때웠으니까 그다지 화학약품에 접촉되지는 않았을거다.

석사논문을 제출하고 바로 출근한 이 연구소에서는, 웬만큼 독한 것은 전부 후드 안에서 취급하니까 그런 대로 안전할 것이고……. 유리그릇 닦을 때 세척용으로 쓰는 에탄올, 아세톤을 가끔 맨손에 뿌려댄 것이 문제인가? 그것일까?

문득, 정말로 기억하고 싶지 않은 일이 생각이 났다. 만약 내 혈액의 이상이, 10년이 지난 지금은 명백해진 골수의 이상이 정말로 화학약품에 대한 노출 때문이라면……. 정말로 생각하기 싫은 그런 시절이 있었다.

*2000. 7. 14.*

## (3)

〈2000년 7월〉

'Would you know my name if I saw you in heaven…….'

불세출의 기타리스트 Eric Clapton의 'Tears in Heaven'의 앞부분이다. Eric Clapton의 아들 Conor가 뉴욕의 아파트 55층에서 떨어져 죽었다. 그 연락을 받고 내려간 Eric은, 그러나 엠뷸런스와 구경꾼으로 둘러싸인, 아들의 시신이 있는 현장을 그냥 지나쳐 지나가버린다. 후에 그 일을 회고하는 Eric은 차마 그 자리를 볼 수가 없었다고 하였다. 그리고 얼마 후 Eric은 아들을 기리며 이 짧은 노래 'Tears in Heaven' 을 발표하였다. 이 노래를 부르는 그의 모습에는, 어느 팬의 낙서였다던 "Eric Clapton is God"과 같은 神의 모습도, 20세기 3대 기타리스트라는 명성에 맞는 현란함도 볼 수가 없었다. 죽은 아들에 대한 그리움, 죄책감, 회한이 한데 녹아있는 듯한 이 노래.

'내가 천국에서 너를 만난다면, 너는 내 이름을 기억하겠니?
내가 천국에서 너를 본다면, 모든 게 예전과 똑같을까……?'

그 자신, 아버지도 모르고, 16살짜리 고등학생 미혼모에게서 태어나 할머니 손에서 컸다는 Eric. 음악학교에서도 쫓겨난 Eric. 그

가 이제는 외로움, 방황, 성공, 슬픔을 모두 벗어나 觀照(관조)하는 경지에 이른 게 아닌가 싶을 정도의 명곡이다.

괜찮다고 하는데도 출근길이라며 병원까지 태워다 준 아내는, 그래도 못 미더운지 기어코 주사실까지 따라 들어왔다. 조금 늦어진다는 간호사의 말에, 출근시간 때문에 아쉽게 발을 돌리는 아내를 주차장에서 배웅하며, 이 명곡 'Tears in Heaven'이 떠올랐다. 특히 그 노래의 가사 한 부분이…….

"I must be strong and carry on……."

무슨 일이 번갯불에 콩 구워 먹듯이 진행되는지 모르겠다. 얼떨떨하다.

어제 병원에 진찰을 받으러 갔었는데, 이 병원은 환자가 많지 않아서인지 여유가 있었다. 의사와 많은 이야기를 나누었다. 역시 내가 예상했던 치료법을 권하였다. 아마 내가 이 병에 대해 너무 공부를 많이 했나보다(나는 이 호기심이 문제다).

마구 몰아붙이는 의사에게 즉답을 피했다. 아직은 더 생각을 해보아야겠다. 그런데 또 의사가 당장 수혈을 받고 가라는 것이다. 성격이 급한 건지, 화끈한 건지…….

그리고 수혈? 물론 피가 모자라기 때문에 심장에 과부하가 걸리고, 임시방편이지만 수혈이 도움이 된다는 것은 알지만, 당장 수혈을 받으라는 데는 질리고 말았다. 게다가 저녁에 세미나가 예정되어 있는데……. 통사정을 했다. 다음 주에 받겠다고. 펄펄 뛰신다. 결국 다음 날, 바로 오늘 이 토요일 아침에 수혈을 받기로 하였다. 난생 처음으로……. 허 참, 얼마 전의 Euro 2000을 보니 축구를 농구하듯 하더니……. 이 의사도 축구선수 출신인 건 아닐까?

막상 수혈을 받으려니까 은근한 걱정이 앞선다. AIDS 생각도 나고……. 하여간 조금 찝찝한 마음이 들었다. 뭐든지 듣던 것과, 또 남의 일일 때와는 다른 법인가 보다.

간호사가 혈액형을 몇 번이나 확인하고 수혈을 시작하였다. 그리고 부작용을 없애는 주사도 놓았는데, 그 주사 자체도 부작용이 있을 수 있다는 것이었다. 온통 부작용 천지구먼……. 잠시 후 심장이 벌렁벌렁하며 신호가 왔다. 나도 모르게 주머니에 손을 넣어, 항상 가지고 다니는 매듭으로 된 묵주를 잡았다. '은총이 가득하신 마리아님, 기뻐하소서…….' 이러니까 벌을 받지. 평소에는 안 하다가…….

곧 편안해지는 것을 느끼며, 묵주기도를 하고 있었다고 생각했는데, 어느새 내가 잠이 들었었나보다. 누가 내 손을 잡는 느낌에 눈을 떠보니 처남이 침대 곁에 서 있었다. 어라? 아내가 전화를 한 모양이었다. 무슨 일이라도 날까봐 그랬겠지……. 처남과 이런저런 이야기를 하다, 문득 "처남, 올해는 왜 이 모양이지?" 하는 소리가 나왔다. 내 처남은 올 초에 임파암 수술을 하였었다. 올해, 올해라…….

〈올해 2월〉

이상하다. 작년 10월에는 설악산도 다녀왔었고, 지난 달에도 별 문제없이 산을 다녔는데 이 높지도 않은 산을 이렇게 못 올라갈 수가 있나? 숨을 턱에 차서 쉬었다가는 다시 움직이면 불과 댓 걸음

만에 다시 쉬어야 할 정도였다. 왜 이럴까? 산에 가는 전 날, 술을 많이 마시면 아무래도 힘이 더 들어서 요즘은 산행 전 날은 술을 안 마셨다. 그런데도 이렇게 산을 오르는 것이 힘이 드는 이유가 뭘까? 정상에서는 나를 기다리느라 일행들이 너무 오래 시간을 지체하였다. 소주를 12병이나 마셨단다.

내려가는 것은 그래도 문제가 없어서 무사히 내려왔다. 시산제도 무사히 치렀다. 돌아오는 차 안에서 많은 생각이 났다. 최근에 주변의 몇 사람이 나를 보고 얼굴색이 노랗다고 하였던 생각이 났다. 계단을 오르내리기도 숨이 차다는 것도 생각이 들었다. 그래서 헬스클럽의 런닝머신이 그렇게 힘이 들었나…….

병원을 가보기로 하였다. 아는 분이 소개해 준 의사에게서 첫 진료를 받았다. 역시 피검사에서부터 시작하였는데, 혈구의 수치가 모두 바닥을 기고 있다고 한다. 그래서 몸의 어디에서 피가 새는지를 의심해보았지만, 그런 징후는 나에게는 없었다. 예를 들면 치질, 또는 내출혈 등등……. 그래서 다음으로 장기를 모두 체크하였다. 아마 상반신은 거의 다 보는 모양이었다. 역시 특이한 사항이 없었다.

그래서 다른 전공의 의사에게로 관할이 넘어갔고, 결국 예측했던 대로 골수검사를 해보자는 의견이 나왔다. 아휴! 그 끔찍한 것을 또……. 그러나 수가 없으니…….

골수검사를 위한 골수 채취를 하기로 한 날이 되었다. 아내는 굳이 자기가 따라 가야한다고 휴가까지 냈다. 그럴 필요 없다고 그렇게 말해도 막무가내였다. 내가 경험한 바로는 한 10분이면 되고, 잠시 쉬고 운전해오면 되는데…….

아침 10시에 '처치실' 에 들어서니(또 처치실이다. 다른 이름 없나?), 간호사가 준비를 하고 있다. 잠시 후. 레지던트쯤 되어 보이는 젊은 여자의사가 내려왔다. 이 병원은 통닭을 좋아하지 않나 보다. 침대에 엎드리라고 한다. 다시 또 그 과정이 되풀이되었다. 차가운 소독솜으로 쓱쓱~ 날카로운 마취주사에 이어 뼈를 뚫는다. 나는 침대의 쇠창살을 움켜쥐고 있었다. 그런데 참으로 놀라운 일이다. 어떻게 10년이 지났는데도, 아직도 골수 채취는 똑같은 수공업에 머물러 있는가? 병원의 기기에 많은 진보가 있다고 들었는데, 골수 채취하는 방법만큼은 아무런 진보가 없다는 말인가? 골수 채취해야 하는 환자가 그렇게 적은가? 아직도 드릴로 뚫다니…….

이 여자의사는 당황하고 있었다. 나에게 묻는다. 운동하세요?(아니, 이 언니는 나같이 비쩍 마른 선비풍의 남자도 운동선수로 보이나?) 왜요? 뼈가 아주 단단해요. 잘 안 뚫어지는 모양이었다. 불길한 예감이 든다. 이 여의사가 다시 다른 구멍을 뚫겠다고 한다. 다시 쓱쓱~ 마취주사……. 날카로운 통증. 이어서 둔한 통증. 열심히 드릴을 돌리고 있나보다. 역시 안 되는 모양이다.

다시 다른 곳을 뚫겠다고 한다. OMG! 아니, 이런 경우도 있나? 결국 그렇게 몇 방을 뚫으려고 고생하다 결국 안 되겠는지 전화를 하는 소리가 들린다. 곧이어 남자 레지던트인 듯한 사람이 들어왔다. 힘으로 승부하겠다는 것이군…….

이 남자의사는 앞의 뚫다 만 구멍을 다 무시하고, 오른쪽 골반에 터를 골랐다. 다시 한번 처음부터 쓱쓱~ 날카로운 통증에 이은 둔한 아픔……. 땀이 나기 시작한다. 이제는 침대머리 쇠창살을 잡았던 손에 감각이 없다. 선생님, 정말 뼈가 단단하시네요? 기마민족이라 그렇소! 예? 기마민족요? 별수가 있겠나? 농담을 해가며 버티는 데도 좀체 진전이 없나보다. 선생님, 잠시 쉬었다 하겠습니다. 그러시던가…….

그렇게 쉬기를 두어 번. 어느 순간 간헐적으로 무엇인가가 빨려나가는 느낌이 들었는데……. 어? 이거 가지곤 안 되겠어. 좀 더 뚫어야겠는데……. 하는 소리가 들린다. 헉~~으악! 오늘 일진이 정말 너무 나쁘다.

다시 그 자리를 계속 더 뚫고, 다시 간헐적 suction의 느낌. 그리고… 이제 다 되었습니다. 고생하셨습니다. 선생님이 더 고생이 많았습니다. 그런데 왜 그렇게 뼈가 안 뚫렸을까요? 바로 그게 병인 것 같습니다. 그런가…….

간호사가 나를 바로 눕히고 있었다. 저 멀리서 지켜보던 아내가 달려왔다. 눈을 떠보니 아내의 눈에 눈물이 가득하다. 이 사람이… 울긴……. 사나이 맘 약해지게……. 나도 콧등이 찡해오는 걸 느꼈다. 얼른 고개를 돌려 시계를 보니 1시간이 지나 있었다. 내가 한 시간이나 주사와 드릴과 사투를 벌였구나……. 장하다, 기마민족! 노인과 바다의 감동……. 갑자기 아내가 '힘도 세게 생겨 가지고… 그것도 하나 못 하고… 몇 군데씩…' 이라고 한다. 무슨 소리인가 했더니 처음의 여의사를 비난하는 것이었다. 이 사람아, 여자가 팔뚝 굵다고 힘센 줄 아나?

빵꾸를 뚫었던 부위를 모래주머니로 압박하고 누워 네 시간을 보냈다.

마취가 풀리는지 본격적으로 아팠다. 결국 젊었을 때 익힌 가지가지 변형된 자세를 응용한 끝에 겨우 버텨내고, 아내가 운전하는 차를 타고 집으로 돌아왔다. 아내가 안 따라왔으면 어쩔 뻔했나…….

*2000. 7. 18.*

## (4)

〈이 '괴질부를 쓰고 나서부터, 만나거나 전화하는 사람마다 나를 병자로 보는 야릇한 분위기를 느낀다. 그럴 때마다 괜한 짓을 했나 하는 기분이다. 물론 나도 이 irreversible한 괴질이 걱정이 되긴 하지만, 개인적으로는 이게 다 나의 못된 성격 탓이라고 생각하고, 좀더 너그럽게 세상을 보려고 한다. 요즘 나는 아침마다 일종의 '정신수양'을 하러 다니는데, 오늘 아침도 또 '정신수양 선생님'에게 혼이 났다. 시험을 보러 왔느냐면서, 왜 그리 긴장을 하고 사느냐, 세상의 모든 것을 100점을 지향하고 살지 말아라…… 등등. 하여간 이 기회에 나를 많이 돌아본다.

그러니 이 글의 독자들도 나를 괴질에 걸린 병자로 보지 말고, 뒤늦게 환골탈태의 아픔을 겪고 있는 사람이라고 봐주길 바란다.

지난 주일에는 오전에 일이 있어서 저녁미사엘 갔다. 저녁미사는 한적하고 조용하다는 또 다른 맛이 있다. 미사시간보다 일찍 성당에 간 것이 화근이었다. 아내가 고백성사를 본다고 하길래, 나는 '당당하게' 다음 주에 보겠다고 하였다. 그랬더니 아내가 나를 고백소로 밀어넣다시피 하였다. 아니, 이런! 죄가 아직 정리가 안 됐는데……. 죄가 조금 많아서 Excel을 써야 정리가 되는데……. 어! 어!어! 하다가 고백소로 들어가고 말았다. 어쩔 수 없이 수많은 죄를 또 다시 '그밖에 기억 나지 않는 죄'에 쓸어 담고 말았다. 어휴

~ 기억이 나는데, 이 죄를 정말 어이할꼬……. 어쨌든 고백소를 나오는 기분은 안 해본 사람은 모른다. 카타르시스! 그 미사 중에 정말 오랜만에 성체를 모셨다. 영성체 후 기도를 하고 있는데, 둘리가 하는 말이 들린다. "엄마, 왜 울어?" 아내가 우는 모양이구나……. 찔찔이!

오랜만에 영성체를 한 것이 너무 감격스러워서 그러겠지. 찔찔이……〉

1주일 후에 골수검사결과를 보러 갔다. 골수검사의 소견서를 한참 보고 있던 의사가 고개를 갸웃~갸웃~ 하더니, '시료의 양이 모자라서 제대로 검사를 못했으니 다시 한번 합시다' 라고 한다. 나는 순간적으로 어지러움을 느꼈다. 빈혈 때문인지, 아니면 그 엽기적인 멘트 때문인지 모르지만. 그럴 리가 없는데……. 틀림없이 나중에 드릴질을 했던 그 남자 레지던트가 '다 됐습니다.' 라고 했는데……. 그나저나 에구구~~ 그 골수 뽑기를 또 해야 한다구? 어머니, 왜 저를 낳으셨나요?!

의사는 자기들 잘못이니까 다시 하는 골수 뽑기는 free of charge로 하겠다고 하였다. 그건 그래야겠지. 그런데 사실 돈이 문제가 아닌데……(아니다. 돈도 문제다. 골수 검사 한 번에 60여 만원이 든다. 작은 돈이 아니다). 그리고 뭔가 소견서에 메모를 해서 나를 주면서, 처치실로 가서 날짜를 잡아보라고 하였다. 나는 처치실로 가서 다시 '뽑기 날짜' 를 잡았다. 그 날 이러저러한 절차 때문에 병원 내의 여기저기를 왔다갔다 하면서 내내 마음이 착잡했다. 마음이 무거운 직접적 원인은 아무래도 '뽑기' 를 다시 해야 한다는 것이었겠지만, 한편으로는 이해가 가면서도 어이가 없기도 하고, 짜증이 나기도 하고……. 참 복잡한 마음이었다. 우리들도 실험 또는 분석을 하며, 그런 실수를 하기도 한다. 그렇지만 우리는 시료의 채취가 그렇게 공포스럽지는 않은데…….

나는 내가 속해 있는 고급사교계인 '동백회' 의 고문이시자, 그 병원의 의사이기도 한 H교수의 방에 들러보았다. 마침 방에 계셨다. 우리는 내 골수검사 의견서를 보며 이런저런 이야기를 나눴다. 내가 물었다. 이런 혈액 이상 또는 골수 이상의 원인이 무엇일까요? 그분 말씀이, 많은 경우가 있겠지만, 내 경우 화학약품에 노출된 것이 원인일 가능성이 아주 크다고 하신다. 10년만에 또 다시 듣는 '화학약품에 대한 노출' . 정말로 15년 전의 기억으로 돌아가야 할까보다.

〈1984년 1월〉

'광값, 광값, 광값, 광값…….' 나는 기차 창 밖으로 지나가는 회색조의 을씨년스런 풍경을 바라보며 '광값'을 되뇌고 있었다. 그때 우리(나와 우리 연구실의 최, 고, 두 기사)는, C 엔지니어링 회사의 몇몇 관계자들과 함께, 경상도 A시에 있는 B사 공장에 가는 중이었다. 신정연휴를 마치자마자 바로 내려가는 것이다. 3시간 이상 걸리는 기차여행이 지루하지 않도록 고스톱이나 치자는 C사 사람들의 꼬임에 넘어가 우리 일행은 엄청 퍼주고 있었다. 이러다 A시에 도착하기도 전에 출장비를 다 털릴지도 모르겠다. 우리야 고스톱을 칠 줄은 알아도 어디까지나 생 아마추어 수준이고, 그들은 단련될 대로 단련된 선수들이었다. 그들은 연신 우리의 돈을 긁어가면서 '황금어장'이라고 좋아했다. 내가 '광값'을 그렇게 되뇌는 이유는, 그 고스톱판에서는 광값을 후불로 하기로 했기 때문이다. 후불제에서는 판이 끝나면 광값 받을 사람이 알아서 claim을 해야지, 자칫 딴 정신을 팔다간 광값을 못 받는 수가 허다하였다. 일단 새 판을 위해 화투를 섞기 시작하면 광값 달란 소리를 못하게 되어 있었다. 그리고 의외로 사람들은 자기 광값을 잘 잊어버렸다. 그래서 내가 그렇게 비 맞은 중 같이 구시렁대고 있는 것이었다. '광값, 광값, 광값…….'

그 몇 해 전부터 우리 연구실에서는 정부와 B사의 연구비를 받아 당시 핫이슈였던 $$$$ 라는 고성능 고분자의 개발을 연구하고 있었다. 그것을 개발한 미국의 D사에서는 그 고분자를 'Golden Yellow Hope' 라고 하며 적극적으로 선전, 판매하고 있었고, 미국 정부는 국방 기밀의 차원에서 관련 기술의 이전을 철저히 금지하였다. 그런데 우리 연구실에서는 국내외 많은 전문가들의 회의적인 전망을 깨고, 기분 좋게 그 고분자의 重合에 성공하였다. 실험 실적으로……. 고생은 많이 했지만…….

(*중합 : 저분자량의 단량체를 가지고 고분자를 만드는 화학반응)

물론 고분자를 만들었다고 다 끝난 것은 아니다. 언제나 고분자는 어떤 식으로든 형상화해야 쓸모가 있는 것이다. 섬유로 만들든지, 필름을 만들든지……. 그 $$$$ 고분자의 섬유화 연구도 만만치 않았지만, 그때 이미 실험실 수준에서는 섬유도 잘 만들고 있었다.

그러니 가장 시급한 것은 scale-up이었다. 그렇다고 scale-up을 위해 연구비가 파격적으로 늘어나는 것은 아니었고, 결국 우리는 적은 연구비 안에서 pilot plant를 건설하고 시운전하기로 하였다.

Pilot plant는 경상도 A시에 있는 B사 공장 내에 짓기로 하고, 우리가 제공한 도면에 따라 C 엔지니어링 회사에서 시공을 하였다. 이제 그 공장의 기본 골격이 완성되어 우리가 내려가는 것이었다. 우리의 임무는 그 공장이 우리 설계대로 지어졌는지 확인을 하고, 잘못된 부분을 고치고, 시운전하는 것이었다. 그 후에는 가장 중요한 임무인 pilot plant를 실제 운전하여 $$$$를 생산해야 하는 것이었다. 좀 더 정확하게 그 설비로 $$$$의 생산이 가능하다는 것을 B사에 증명하여 주면 되는 것이었다. 쉽진 않겠지……. 얼마의 시간이 걸릴까?

우리 임무에 대한 중압감이 있긴 했지만, 그래도 오랜만에 가는 출장길은 마음을 설레게 하였다(불과 몇 달 후에는 지옥길이 되었지만……). 나를 부르는 소리에 돌아보니 다들 웃고 있다. 쯧, 또 광값 받는 것을 까먹었다. 우리가 굶지 않고 임무를 무사히 마치려면 저 독사들을 일단 멀리 해야겠구나…….

A시에 도착하여, 공장을 돌아보았다. 앙상한 파이프들과 vessel들로 이루어진 공장. 이 공장에서 앞으로 어떤 일이 벌어질지……. 이 곳이 한동안 내가 뒹굴어야 할 연구터란 말이지? 흐음……. 저녁에 B사 사람들과 회식을 하였다. B사에서는 이 공장을 'KK1' 이

라고 부르고 있었다. 그리고 나는 어느새 'KK1 공장장'이라고 불리고 있었다.

회식 후 이름만 호텔인 우리의 숙소에 짐을 풀었다. 얼마나 이 호텔에 있어야 할까? 이건 보통 때의 출장같이 하루 이틀 묵고 올라가는 것이 아니다 라는 생각이 들자 조금은 비감해졌다. 그래, 해보자.

*2000. 7. 23.*

## (5)

〈아래의 글은 평소에 공부에 취미가 없거나, 화학이나 고분자에 대해 관심이 없는 사람들은 안 보는 것이 낫겠다. 재미없는 이야기이니까…….〉

〈KK1〉

다음 날부터 'P & ID'를 들고, C사에서 지어 놓은 공장을 점검하기 시작했다.

(P & ID : Piping and Instrument Diagram. 말 그대로다. 공장 설계도이다.)

C엔지니어링사의 L대리가 나의 counterpart였다. 그는 공장을 지은 쪽의 대표이고, 나는 그 공장을 제대로 지었나 점검하는 사람

이었으니 우리는 거의 매일 의견을 달리하였다. 다행인 것은 L대리는 사람도 호인이었고 합리적이었다. 게다가 나와 동년배여서인지 허심탄회하게 문제를 풀 수 있었다. 지어 놓은 공장에 문제가 있어서 다시 고쳐야 하면 할수록 그들은 추가비용이 드니까 싫어하게 마련이다. L대리는 우리의 지적을 잘 수긍하는 편인 데 비해, 그의 직속상관 P과장은 거의 '멧돼지 + 뱀' 수준이었다. 무조건 안 된다고 버티고, 머리 굴리고……. 눈치를 보아하니 L대리는 거의 매일 P과장한테 깨지는 모양이었다. 결국 우리는 걸핏하면 P과장과 밀고 당기고 하여야 했다.

(P과장. 참 절묘한 사람이었다. 우리는 KK1에서 여러 사람을 만나보았다. 공부만 하고, 실험만 하던 우리가 기업체와 사회를 경험할 수 있는 좋은 기회였었다. 그때 만난 많은 사람들이 나름대로는 다 독특했는데, 이 P과장은 연구할 가치가 있었다. 이 사람은 승부욕이 유달리 강했다. 고스톱도, 테니스도 다 그런 승부욕으로 경지에 오른 사람이었다. 우리는 그 긴 출장의 초기에 고스톱에서 그에게 엄청나게 잃었다. 알고 보니 그 사람의 부하직원들도 그 사람에게 무지하게 퍼주었단다. 직원들 집들이나 명절 때 상사들에게 인사라도 가면 으레 잃곤 한단다. 워낙 잘 친다. 그리고 회의라도 하게 되면, 상대방이 정신 못 차리도록 큰 목소리로 마구 몰아붙이는 타입이었다. 기업체에서는 그런 사람이 살아남는 것 같았다.)

우리는 우선 모든 기기와 배관의 올바른 작동을 다 점검해야 했기 때문에, 첫 대목에서부터 예상외로 많은 시간을 보내게 되었다.

처음에는 물로, 나중에는 처리하기 쉬운 적당한 용매를 이용하여 line을 작동을 점검하였다. 아직 생산을 위한 시약은 투입하기도 전인데 문제는 계속 발생하였다. 이래서 scale이 커지면, 문제점은 exponential로 늘어난다고 하는 것인가보다.

고분자를 만드는 방법에는 크게 두 가지가 있다. 서로 반응할 수 있는 두 원료가 계속 반응하여 기다란 고분자가 되는 방법. 또 하나는 하나의 원료가 계속 자신에게 덧붙고, 덧붙고 해서 길어지는 방법. 나는 前者를 '陰陽重合(음양중합)'이라고 부른다(물론 공식적, 학문적 용어는 아니다). 왜냐면 그 반응은 마치 남과 여가 만나서, 뭔가 생산적인 일을 하는 것과 유사하기 때문이다. 반면, 하나의 원료가 자기 부가하여 고분자가 되는 것은, 마치 원시생물, '아메바' 의 자기 복제를 보는 듯해서 조금은 낮춰 보인다(물론, 내 전공은 前者, 즉 고상한 '음양 중합' 이다).

우리가 KK1에서 만들고자 하는 $$$$ 이라는 고분자는 바로 이 '음양 중합' 을 해야 하는 것이다. 이 '음양 중합' 은 '아메바' 중합과는 달리 두 개의 원료가 반응을 하여 길어지는 것이기 때문에, 반응의 가장 중요한 factor는 두 원료 물질의 '개수' 를 맞추는 것이다. 두 원료의 개수가 일치할수록 성능 좋은 $$$$ 고분자가 만들어진다. 전문용어로 stoichiometric balance를 맞추는 것이 첫째 관건인 것이다.

(이런, 거의 '高分子重合概論(고분자중합개론)' 이 되어버렸네……. 우리 놀기 좋아하는 독자들이 이걸 소화할 수 있을까? 으음, 이해가 안 되면 내 수업을 들으면 되는데…….)

또 두 원료는 어떤 식으로든 액체로 이송이 되어 반응기에 들어가기 때문에, 결국 두 line의 流量(유량)을 아주 정밀하게 제어하는 것이 이 공장의 최대 목표인 셈이었다. 그래서 나는 모든 점검 가운데에서도, 특히 flow control을 집중하여 check하였다.

(어라~ 점점 영어가 많아지네……. 독자들이 이해할까? 그러나 이 대목만 무사히 넘기면 중간고사 때까지는 크게 어려운 것이 없으니까, 정진합시다.)

나는 flow controller 와 metering pump 를 집중적으로 점검하였다. 점검하는 도중 metering pump 가 고장이 났다. 이 조그만 펌프는 무지하게 비싼 일제였다. 아마 내부에 미세한 이물질이 끼여든 모양이었다. 결국 일본에서 서비스맨이 올 때까지 기다려야 했다. 서울에서는 하루가 멀다하고 재촉을 해댔다. 젠장, 아직 준공검사 도장도 안 찍어준 상태인데……. 돌발사태는 튀어나오고, 일은 계획보다 늦어지고, 재촉은 받고……. 이런 스트레스는 없었다. 게다가 그 B사의 직원들의 말과 태도에서도 우리는 스트레스를 받았다. '요행히 실험실에서는 성공했어도 pilot plant에서 되겠어요?' 이런 식이었다. 이놈의 회사는 실패만 해봤나?

3일만에 일본인 서비스맨이 도착하였다. 그는 펌프를 분해하고 중요 부품을 갈아주었다. 그런데 이 선수가 나에게 꼬치꼬치 묻는 것이었다. 이 펌프가 이송하는 물질이 무엇이냐? 저 반대쪽 라인은 뭐가 들어가느냐? 온도는 어떻게 되느냐? 이송되는 유량은 어느 정도냐? 일본인들은 다 정보원이라더니 이 선수도 그런가보다. 안 되겠다 싶어 인상을 팍! 써주었다. 더 이상 질문을 안 하고 가버렸다. 짜아식! 때로는 험한 인상도 국익에 도움이 된다.

라인의 점검은 거의 끝나가는데, 아무리 해도 유량의 제어가 잘 되질 않았다. 무엇이 문제인가? 저녁마다 우리 셋은 회의를 하고는, 쌓이는 스트레스에 지쳐서 숙소로 돌아오고, 결국은 밤에는 술집에 가서 퍼마시곤 하였다. 그때 우리는 두 주일에 한 번씩 서울에 올라가곤 하였다. 어느 토요일, 두 기사들만 올라가라 하고 나는 숙소에 남았다. 아무래도 근본적으로 다시 생각해보아야 할 것 같았다. C사에서 받은 공장 설비의 모든 데이터와 우리 자료들을 놓고 꼬박 하룻밤을 새웠다. 나로서는 실제 화공장치에 대한 지식과 경험이 없었기 때문에, 그것도 공부할 겸해서 시작했는데, 결론적으로 도움이 많이 되었다. 아주 전문적인 지식은 skip 하였지만, 그 정도로도 충분하였다. 문제의 원인은 '과대 포장' 이었다.

우리가 제어해야 할 유량은 아주 작은 데 비해, 배관과 기기는 너무 큰 것이 문제였다. 사람이 드나들 만큼 커다란 하수도관에, 흐르는 물은 바닥을 기는데, 거기에다 유량 제어기 붙여놓고 제어를 하겠다는 것이나 마찬가지였다. 참, 다 돈이 모자라서 생긴 문제였다. 후진국 티 내는구먼……. 몸으로 때우라 이거지?

그때 나는 결혼한 지 1년이 조금 지난 때였다. 그런데 그 시골 공장에서 여섯 달을 보냈다. 혈기왕성한 기마민족의 후예에게는 참으로 가혹한 형벌이었지만, 결과적으로 우리 집에는 도움이 되기도 하였다.

결혼 후 첫 아이가 생겼는데, 자연유산이 되어버렸다. 아내의 실망이 이만저만이 아니었다. 아내가 몸을 추스르는 동안 6개월을 아주 조심(?)하였다. 그리고 다시 한번 '화이팅' 을 외치고 또 애를 가지기로 하였다. 아내가 다시 임신을 하였는데 또 상태가 좋지 않았다. 그때 아내가 다니던 병원에서는 유산을 권하였다. 그런데 문제는 이번에도 유산을 시키면 습관성 유산이 될 수 있다는 것이었다. 아주 어려운 결정을 해야만 했다. 아내의 걱정이 여간 아닌 모양이었다. 신 선생님을 찾아가보기로 하였다. 그 선생님은 그때 화곡동에 제법 큰 산부인과 병원을 개원하고 계셨는데, 나와 그 집안은 거의 한 식구같이 지내고 있었다. 화곡동 병원이 다니기가 멀었고, 마침 아내의 친정 근처에 큰 병원이 있어서 아내는 아직 신 선생님에게는 진찰을 받아보지 않았던 터였다. 신 선생님께서는 무작정 유산시키는 것을 반대하셨다. '요즘 젊은 의사들은 무조건 유산시키라고 한다' 시며 불편한 심기를 나타내셨는데, 약을 주면서 조금 두고 보자고 하셨다. 그리고 나에게는 6개월간 아내의 근처에도 가지 말라는 것이었다. 어라~ 선생님이 뭘 잘못 아셨나보다. 나는 애를 만드는 데 기여를 했지, 애가 불안정해진 데에는 책임이 없는데……. 그리고 6개월이라니요? 차라리 저에게 출가를 하라시지요?

왜, 뱃속의 아기가 불안해지면, 남자가 죄를 뒤집어쓰지? 그렇게 투덜대던 차에 그 공장 시운전이 시작되었던 것이었다. 타의로 아내 근처에는 몇 달 동안 다가갈 수가 없었다. 훗날 내가 서울에 돌아온 후 함께 병원을 갔더니, 선생님께서 나를 아주 대견하게 바라보셨다. 나는 영문을 몰라하다 아내에게 물었다. 아내의 말이, 선생님께서 진찰실에서 은근히 물어보시더란다. '철주 재가 덤벼들지 않데?' '정말? 여섯 달 동안 한 번도?' 나는 그 소릴 듣고 고개를 떨굴 수밖에 없었다. '덤벼들다' 니요? 제가 짐승입니까?

어쨌든 그때 선생님과 시운전 덕에 아이는 안정되었고, 그 애가 지금의 헐렁이가 되었다. 때로는 장기출장도 다닐 만한가 보다.

*2000. 7. 23.*

## (6)

나는 월요일, L대리에게 따졌다. 이런 식으로 반응조건을 무시하고 공장을 지으면 어떻게 하느냐고. 그의 말은 주어진 공사비로서는 최선의 방책이었다고 한다. Piping으로 지을 수 있는 가장 작은 사이즈의 공장이란다. 우리의 주문과 같이 작은 유량에 맞도록 지으려면……. 훨씬 돈이 많이 드는 tubing을 써야 하는 것이었다. 그리고 그런 공장은 C 엔지니어링 같은 '노가다' 들의 기술수준으로는 되지도 않는다. 그렇다고 지어놓은 공장에 맞춰서 유량을 늘리자니 관계된 모든 약품의 소요량이 전부 늘어나야 하고, 우리의 연구비로서는 감당할 수 없는 형편이었다.

허, 참! 난감하게 되었다. 분당 20ml 정도의 액체가 1인치 짜리 pipe를 통해서 흘러간다. 그것을 제어해야 한다. 하루 종일 양쪽 라인을 가동시키며 유량을 재고, controller를 조정하는 한편으로, 그 한심한 라인을 바라보며 묘수를 찾고 있었다. 결국 라인의 방향을 몇 군데 수정하고, 라인 중간중간에 유량 제어에 문제가 될 소지가 있는 부분들에 조치를 하였다.

발가벗겨진 상태의 라인과 vessel들, 기기들을 마지막으로 한번 둘러보는 것으로 일 단계 점검을 마치고, 보온공사를 의뢰하고 나는 서울로 올라왔다. 서울에 와서 현장에서 느낀 문제점과 건의사항을 보고했지만, 에이그! 애시당초 별 기대도 안 했지만, 황당한 소리만 들었다. 이것이 전쟁이라면 우리는 전멸이다. 戰場은 보지도 않고 책상에서 큰 소리만 치고 있으니…….

사흘이 지난 후 우리는 다시 그 지옥길을 가고 있었다. 이제는 지금까지보다 더 어려울 텐데……. 최, 고, 두 기사양반들도 별로 말이 없었다. 본거지에 돌아갔더니 격려의 말은 한 마디도 없고, 빨리 만들라는 소리만 들었으니……. 아직도 진짜 약품을 투입하려면 한참 더 있어야 하는데…….

도착하자마자 공장에 가보았다. 아니! 그 깔끔하던 공장이 아주 바보같이 되어버렸다. 라인에 보온 작업을 한다고 온통 두툼하게 동여매어 놓았으니……. 완전히 공장이 기브스하고 누워 있는 모습이었다. 히히… 공장도 기브스를 하는구나……. 어디가 어딘지 또 한참 찾아야겠네……. 이제는 공장이 더 포근하게 느껴진다.

그때 우리의 몰골에 대해 언급할 필요가 있겠다. 우리는 KIST의 회색 작업복을 위아래 싱글로 입었다(그 작업복은 지금은 거의 없어졌지만, 그래도 가끔 원내에서 볼 수 있다). 공장 바닥이 항상 물이나 다른 약품 등으로 질퍽하였기 때문에, 시장에 가서 장화를 한 켤레씩 사 신었다. 잠깐의 휴식을 위해 공장 밖, 나무 밑에 셋이 앉아서 담배라도 피고 있노라면… 참, 그런 노가다가 없었다. 그 B사의 연구소에 근무하고 있던 나의 대학 선후배들이 가끔 지나가는 길에 들렀는데, 때로는 나를 아주 측은하게 보는 듯했다. '저 똑똑하고 빤질하던 사람이 어쩌다 이 촌 공장에서 막노동을……. 나무관세음보살!'

가끔 라인을 청소하기 위해 1km쯤 떨어진 곳에서 메탄올을 받아 오는데, 메탄올 드럼통을 굴리며 공장을 관통하는 우리를 그 회사의 남녀공원들은 아주 이상하게 바라보곤 했다. '저건 어디서 나타난 노가다냐?' '키스트래…….'

가열 및 보온설비까지 마친 공장을 점검할 차례였다. 이제는 변수가 하나 더 생겼다. 라인 곳곳의 온도를 점검해야 하고, 혹시나 온도의 사각지대가 생겨서 라인이 국부적으로 얼어붙지는 않는지 봐야 하고, 뜨거운 액체에 대한 기기의 정상 작동 여부, 유량 제어 여부를 점검하였다. 그런데 그때부터는 문제가 생기면 조치하기가 힘들어졌다. 라인이 다 기브스를 했으니, 걸핏하면 기브스를 잘라내고, 경우에 따라 그 속의 열선마저 잘라내고 온통 기름 천지를 만들어놓기도 하였다.

(이 글을 읽는 사람들은 가만히 앉아서 새로운 경험을 하는 셈이다. 공장은 어떻게 지어지는가? 어마어마한 경험이다. 이름하여

'Pilot Plant Adventure'. 놀이동산?

성서의 산상설교 부분을 패러디하자면, 'Happy is the men, who read these articles…….' 내가 좀 오버했나? 더워서 그렇다)

그때쯤 우리는 알게 모르게 그 동네 주민이자 술꾼이 되어갔다. 시간에 쫓기고, B사 사람들의 회의에 찬 표정에 질리고, 하루도 편히 돌지 않는 공장에 지친 우리는 저녁 늦게 당구장으로, 술집으로 한 바퀴 돌아오는 것이 일과였다. 자연스럽게 그 동네 유지들과(각종 가게 주인들) 얼굴을 익히게 되었고, 어느덧 동네에 큰일이라도 있으면 당당히 같이 참여해 먹고, 떠들고 하였다. 참 좋은 사람들이었다.

우리는 출장비를 한 푼이라도 아껴서 술값을 보충해야 한다는 데 의견의 일치를 보았다. 그래서 저녁식사도 공장의 구내식당에서

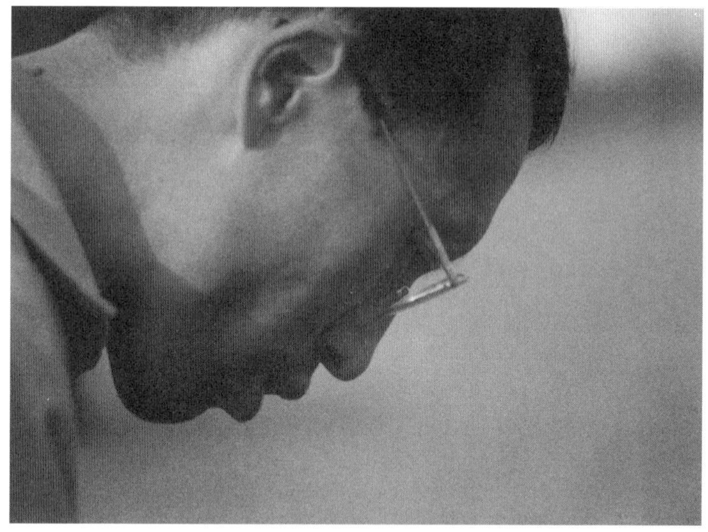

때우기 시작하였다. 그 식당은 공원들을 위하여 저렴하게 운영했는데, 한 끼에 200원이었다.

벌써 두 달 반을 보내고 있는데, 아직 약품 투입은 하지도 못하고……. 저녁 일 끝내고 그 B사 공장의 긴 담을 따라 우리의 숙소 xx호텔(?)로 돌아오는 발걸음은 항상 무거웠다. 매일 한 번씩 공장을 뜯었다, 붙였다…….

우리는 그 xx호텔의 온돌방을 하나 빌려서 셋이 같이 살았는데, 언제나 문제는 최 선생이었다. 이분은 목욕을 무지하게 좋아한다. 아침, 저녁으로 목욕을 하는데, 욕실에 한 번 들어가면 좀체 나오질 않는다. 껍질을 벗겨서 빨아 입는지……. 가지가지 방법을 강구해보았지만 소용이 없었다. 그분보다 먼저 들어가는 방법밖에 없었다.

또 어느 날인가는 두 기사양반이 뭐를 가지고 내꺼다, 니꺼다 하며 싱갱이를 벌였다. 그리곤 곧 조용하길래 돌아보니까, 두 양반이 '아래 런닝구' 를 하나씩 들고 열심히 뭔가를 찾고 있다. 이를 잡나? 아직도 이가 있나? 불결하게…….

자초지종은 이러하였다. 공교롭게도 두 분이 다 '아래 런닝구' 를 빨아 널었는데, 어떤 게 누구 것인지 구별이 안 되는 것이었다. 참고로 이 두 양반은 덩치가 무척 컸다. 옷도 XXL을 사 입는 양반들이니 팬티는 또 좀 큰가? 아마 여자들은 그 양반들 팬티 하나면 둘이 들어갈 수 있을거다. 무슨 선전매꼬로……. 그런데 덩치가 비슷하니 사이즈가 같은 것이었다. 또 지금은 각종 색에, 무늬에, 정말로 패션팬티 시대이니까 같은 것이 거의 없지만, 그때만 해도 오로

지 팬티는 흰색! 백의민족의 마지막 보루가 그렇게 바지 속에 남아 있었던 시대였다. 단지 구별은 三角이냐, 四角이냐뿐인데, 또 둘 다 사각이다. 깨끗이 빤 건데 그냥 아무거나 입지 그래요? 그것은 죽어도 안 된단다. 이유는 두 분이 특별히 위생적이라 그런 것이 아니었다. 남편이 그렇게 장기 출장을 다니면 부인들이 남편을 의심하기 십상이란다(왜, 요즘 그런 속옷 선전이 있었다. '믿으니까…….' 어쩌구 하는.). 그래서 팬티 어딘가에 표시를 해놓았을지도 모른다는 것이다. 구석에 토끼라도 한 마리 그려놓았으면 어떻게 하느냐며, 둘이 열심히 그걸 찾고 있는 것이었다. 히히히……. 행여 토끼 그림을 찾은 들, 어느 집에서 그려놓았는지는 어떻게 알지? 결국 아무거나 하나씩 입었는데, 두 분의 그 찝찝한 표정은 하루를 갔다. 그 주말에 집에 다녀왔는데도 둘 다 멀쩡한 것으로 봐서는 '토끼 그림'은 낭설이었던 모양이었다. 아니면 우연히 자기 것을 제대로 찾아 입었는지…….

우리가 가열, 보온설비까지 마친 공장을 점검하는 동안 실제 $$$$의 생산에 사용할 약품들과, 가장 중요한 것, 반응기가 속속 도착하였다. 이제 곧 본격적인 공장 가동에 들어가야 할 때가 되었다. 여전히 유량의 제어는 불안정한데……. 이런 상태의 공장이라면 유량이 제어되더라도 몇 시간밖에는 유지할 수 없는데…….

공장의 모든 라인과 기기를 완전히 깨끗이 한 다음, 뜨거운 질소를 불어 충분히 건조를 시키도록 하고 서울로 올라왔다. 이제 약품 투입을 시작하면 사태는 걷잡을 수 없을 수도 있다. 긴 회의 끝에 결론을 내렸다. 나의 임무는 저 공장을 가지고 가능한 모든 문제를 다 끌어내는 것이다. 그것이 더 큰 상업용 공장 건설을 위한 data의 축적일 테니까……. 그리고 몇 가지 불합리한 부분이 있더라도, 그 설계에 의해 $$$$의 제조가 가능하다는 것을 보여주는 것이다. 좋다! 그 정도라면 flow control이 몇 시간만 되어도 충분하다. 오히려 더 오래 가동했다간 제조된 고분자 쌓아놓을 데도 없다.

(실제로 우리나라가 선진국에 비해 가장 떨어지는 부분이 바로 그러한 공장화, 즉 'engineering 기술' 이란다. 나중에 내 친구 악어에게 듣기로는, 그때도 미국의 D사에서는 우리가 pilot plant를 짓고 시운전을 하는 것에 대해 몹시 냉소적이고, 회의적이었단다. 의아해할 사람들을 위한 부언 : 악어는 그때 그 미국 D사의 한국지사에 근무했었고, 한동안은 우리가 만들려는 바로 그 $$$$의 담당이었다. 알다시피 악어는 그때 미제물건을 팔고 있었고, $$$$도 그의 상품 중 하나였던 것이다. 우리가 D사 본사에서 온 임원들과 우리 특허에 대한 협상을 벌일 때도 악어가 안내를 맡았었다.)

그때까지도 나는, 또 우리는, 앞으로 부딪쳐야 할 문제점들과 그 황당함을 모르고 있었다. 그래서 마음 편하게 다시 기차를 탈 수 있었다. 마치 '해리 포터' 가 방학을 마치고, 즐겁게 '호그와트 마법학교' 로 돌아가듯이…….

*2000. 7. 25.*

## (7)

〈2000년 5월〉

다시 '골수 뽑기'를 하기로 한 날이 되었다. 아휴! 또 한번 장렬히 전사해야 하나? 아내까지 휴가를 내고 따라나섰다. 이번엔 아내를 말릴 명분이 없었다. 우리는 병원으로 가면서 썰렁한 대화를 나누었다. 이번엔 몇 구멍이나 뚫을까? 그 '팔뚝 여의사'를 원천 봉쇄해야 돼. 자꾸 뚫으면 뼈가 부서진대. 정말? 에구!

마지못해 머뭇거리며, 그 이름도 살벌한 '처치실'에 들어갔다(정말 이 이름은 바꿔야 한다). 친절함에 비해 인물이 조금 떨어지는, 낯익은 간호사가 반갑게 맞아주어 한결 기분이 좋아졌다. 역시 사람은 인물보다 친절이다.

간호사가 모니터를 한참 보면서 갸웃~갸웃~ 거리더니(이 병원 직원들은 목에 돌림병이 있나?), 이상하네요……. 오늘 할 검사가 안 떠요 하는 것이다. 뭐요? 예약까지 했잖아요? 맞아요. 그런데, 간호사 언니가 여기저기 전화를 하더니, 상황을 설명해 주었다.

그 날 나는 무료로 골수검사를 다시 받도록 되어있었는데, 병원의 모든 업무가 네트워크로 연결이 되어 있어서 '무료' 재검사가 안 된다는 것이었다. MIS의 한계! 그 병원의 시스템은 일견 잘되어 있었다. 의사가 환자에 대한 다음 조치를 모니터를 보며 인트라넷상에 체크를 해놓으면, 그 정보에 의해 환자는 수납을 하고, 정해진 날 정해진 곳에 가면 자신이 받아야 할 조치를 받을 수 있는 시스템. 진료카드 하나만 들고 다니면 되는 편리한 시스템이었다. 그

런데 역시 이런 편리함은 융통성이 없는 법. 무료로 하려니 네트워크에 검사항목을 체크 못 하고, 그러니 네트워크에 나에 대한 조치가 안 나타나고, 그러므로 나는 검사를 할 수 없다는 것이다. 허, 참! 두 사람의 휴가가 하늘로 날라가는군. 오늘 뼈 안 뚫는 걸 좋아해야 하나? 화를 내야 하나? 정신을 추스리고…….

이 변고를 담당의사 선생님에게 알려야 할텐데……. 1주일 후에나 진료 예약이 되어 있는데. 결국 부랴부랴 가장 가까운 날로 예약을 옮겼다.

갑자기 하루가, 그것도 주중의 하루가, 휑 뚫려버린 나와 아내. 영화나 한 프로 때릴까 하고 아내의 얼굴을 쳐다보니, 그럴 기분은 아닌 것 같다. 그냥 집으로 왔다. 아내는 엎어진 김에 쉬어 간다고, 반찬도 만들고, 머리도 하고……. 그 날의 계획을 주르르 읊어댄다. 아, 여자의 멍에! 직장 휴가 내고 반찬 만드는 여인의 굴레! 갑자기 더 예뻐 보인다. 심지어 sexy 해 보이기까지……. 후~르~릅!(혀로 위아래 입술을 적시며 입맛 다시는 소리) 젊었을 때는 이런 예기치 못한 상황, 즉 한 공간에 아내와 나 둘만이 있는 풍경이 되었을 때는 대뜸 생산적인 일을 벌이곤 했는데……. 이제는 나이를 먹어서리, 남세스럽구먼! 벌건 대낮에……. 환자가. 에라, 놀면 뭐하냐? 사무실에나 가자!

3일 후 다시 병원에 갔다. 울면서 고자질을 하리라 하며 갔다. 흐흑! 선상님. 글쎄, 저기 처치실의 언니가 뼈를 못 뚫어 준대요……. 의사선생님은 이미 알고 계셨다. 다 해주기로 했었는데……. 하시며 임상병리과에 전화를 하신다. 그런데 대화를 들어보니 뭔가가 이상하다. 무료는 안 된다고? 아니, 우리가 잘못한 것 아냐? 그럼 소견서에 이 표현은 뭐야? 다시 해서 결과가 나오는 것만 돈을 받는다고…….

또 다시 아득함을 느꼈다. 그리고 갑자기 썰렁한 기분이 들었다. 내가 생활보호대상자인가? 엉뚱하게도 '무료'라는 것으로 초점이 모아지고 있었다. 이게 아닌데! 또 처치실에 가서 뽑기 날짜 잡고, 진료 예약하고 사무실로 돌아왔다. 후~~ 석달이 다 되도록 무엇을 한 건가? 얼마 있으면 의사들도 파업한다는데, 그럼 또 어떻게 될까?

조금 가라앉은 기분이 되어 있을 때 savage, HS에게서 전화가 왔다.

10년 전에 나를 진찰했던 L선생에게, 요즘 나의 사태를 이야기

했더니 펄쩍 뛰면서 빨리 자기한테 오라고 하시더란다. 그분은 요즘 병원 내에 꽤 높은 보직을 맡고 있어서 몹시 바쁘시다고 들었는데……. HS가 대신 진료예약을 하고…….

나는 나의 진료기록을 복사해서는 진찰을 받으러 갔다. 한참 기록을 보시던 L선생은 지금의 이 괴질이 올 초나 작년 말에 갑자기 생겨난 게 아니라는 견해를 보이셨다. 양상도, 증상도 다르지만 10년 전의 혈소판 과다현상의 같은 스펙트럼이라는 것이었다. 그리고 나에 대한 그 선생의 10년 전 진료기록을 보여주시는데, 그 누렇게 변색된 기록부에 이런 comment가 쓰여 있었다.

'Myelofibrosis로 발전될 수도 있음.'

물론 그때 그런 진행 가능 상황을 예측했다 해도 근본적 치료방법이 없었으니까, 결과적으로는 마찬가지였겠지……. 나도 모르게 한숨이 나왔다. 계속된 L선생의 견해로는, '골수 이상' 의 여러 세부 class 가운데 무엇에 해당되는지 밝혀낸다는 것은 현재의 상황에서 너무 힘들 것이라는 것이었다. 골수를 또 뽑아서 다시 시험을 해본들, 세부 병명까지 밝히는 것은 불가능할 것이라고 하셨다. 만세! 다시 골수 뽑기는 안 한다! 그렇지만, 병명에 따라다니는 'probably' 는 안 없어지겠구먼……. 정확하게 sub-class의 병명까지를 밝히는 것은 힘들어도, 재미있는 것(?)은 아직 '골수 이상' 의 확실한 치료법은 공통적이라는 것이었다. 골수 이식…….

L선생은 나를 다른 의사에게 의뢰하셨다. 그래서 만난 L1 선생은 전공이 '골수 이식' 이란다. 아뿔싸! 사람은 모든 사물을 자기 전공의 눈으로 보게 마련인데…….

예측한 대로 '골수 이식'을 권하였다. 내가 나름대로 공부해본 결과도 그러하였었는데……. 확률은요? 50:50입니다. 나와 골수가 맞는 사람을 찾은 확률은요? less than 30%입니다.

나는 주저하지 않을 수 없었다. L1선생은 막 역정을 내었다. 의사를 믿고 따라야 한다면서……. 맞는 이야기이다. 그러나 이건 맹장 수술이나 편도선 수술이 아니다. 듣기도, 입에 담기도 꺼려지는 치료법을 거론하고는 10분도 지나지 않았는데, 나에게 yes를 강요한다는 것은 너무 가혹하지 않은가? 결국 그런 방향으로 일을 진행하겠다고 동의를 하고, 내 동생을 빠른 시일 내에 붙잡아와서 검사를 해보겠다고 하고, 그 상황을 벗어났다(형제간에는 골수가 맞을 확률이 가장 높다. 부모가 같으니까. 무려 25%나 된다. 그래서 자식은 많이 낳고 봐야 한다). 그러나 '수혈'은 피해 갈 수 없었다. 다

음 날 수혈을 하기로 하였다. 에이구, 별거 다 해보는구나…….

L1선생에게 앞으로 이 괴질이 어떻게 진행될 것 같으냐고 물었다. 'No body knows.' 란다. 갑자기 진행이 될지, 아니면 "쭈그렁 밤송이가 10년 간다"고 그렇게 빈혈을 안고 천수를 누릴지……. Only God knows.

찝찝하고 무거운 기분으로 진료실을 나왔다. 허, 참! 그런데 간호 언니가 나에게 동생 언제 데리고 올 거냐고 재촉이다. 동생하고 아직 연락도 못해 보았는데……. 이 병원은 말 나오기가 무섭구먼. 나에게 지금 당장 동생에게 전화해서 날을 잡으라는 것이다. 동생 전화번호도 모르는데……. 연락해주겠다고 하고 풀려났다.

그래도 하나 위안이 되는 것은 지난 3월, 최악의 컨디션일 때보다 헤모글로빈의 수치가 올라갔다는 것이다. 血(혈)은 氣(기)와 통한다던가…….

그 날, 그 병원 10층에는 내 친구 정 국장이 입원해 있었다. 지난번 대장암 수술 후 태안에 내려가 있다가 다시 입원하였다고 한다. Chemotheraphy인가? 나는 그 친구를 보고 갈까 하고 잠깐 고민하다가, 그냥 사무실로 돌아왔다. 올 여름을 넘기니 마니 하는 그 친구를 보며 표정 관리할 자신이 없었다. 게다가 나도 엄청난 소리를 듣지 않았는가? 그 친구를 보면 내가 더 비참해질 것 같았다.

사무실에 앉아서도 뒤숭숭하였다(정말 양심대로라면 월급을 반납해야 하는데……). 10년 전의 그 이상한 '혈소판 과다' 와 지금의 '심각한 빈혈' 이 하나의 병이라면, 그리고 그 괴질에 대하여 개연성이 가장 큰 원인이 역시 화학약품이라면……. 그때,

시간을 되돌릴 수는 없을까?

다시 한번의 기회는 없을까?

아서라! 往事勿追思(왕사물추사) 思思多悲愴(사사다비창)이라고 했거늘…….

이제는 눈에 보이는 사물도, 보이지 않는 개념들도 다 의미가 없어 보인다.

아내가 전화를 했다. 병원에 갔다와서 보고를 안 했더니……. 자꾸 캐묻는다. 뭐가 그리 급할까? 집에서, 이불 속에서 속닥속닥 이야기해도 될 텐데…….

*2000. 7. 28.*

## (8)

〈1984년 3월, KK1〉

대망의 약품 투입이 시작되었다.

이제 전투의 양상은 사뭇 달라질 것이었다. 이제부터 우리가 같이 뒹굴어야 하는 약품과 시약은, 그때까지의 라인 점검에 사용되었던 물이나 메탄올 같은 '간단한 용매' 들과는 차원이 다른 약품들이다. ('간단한 용매' : 말이 안 되는 말이다. 이 표현같이 평소 우습게 알고 막 쓰는 약품들. 그러나 이런 약품도 위험하다는 건 항상 너무 늦게 알게 마련이다.)

나는 서울에 올라가기 직전 그 B사의 Q과장을 만났었다. 나와 우리 일행들이 회의를 한 결과, 이제 실제 $$$$ 제조를 위한 약품을 투입하게 되면 다른 무엇보다도 약품의 'fume'이 가장 문제가 될 것이다. 그러니 KK1공장에, 약품의 fume을 제거하기 위한, 배기 hood를 설치해줄 수 없느냐고 사정을 하였다. 어차피 자기네 건물이고, 우리가 철수한 후에는 다 자기네 설비가 아닌가? KIST에 세워도 되는 이 pilot를 굳이 자기네 공장 안에 짓자고 한 것도, 그래서 우리가 이렇게 오랫동안 객지생활을 하는 것도 그 B사 측의 요구가 아니었는가?

그러나 Q과장의 대답은 아주 실망스러운 것이었다. 말을 빙빙 돌렸지만, 결국 못해준다는 것이었다. 나는 안다. Q과장뿐이 아니라, 그 위의 부장의 속내는 '성공할지 아닐지도 모르는 공장에 왜 투자를 하느냐?'는 것이었다. 그리고 마치 선심 쓰듯이 방독면을 세 개 내주길래 가지고 왔다.

방독면? 방독면의 생명은 필터이다. 주둥이 부분에 달린 둥그런 것. 그러나 필터는 취급 약품에 따라 적당한 것을 써야 효과가 있다. 뭐가 뭔지도 모르는, 누가 썼던 것인지도 모르는 방독면 세 개를 가지고 돌아온 나는 우리 일행들에게 면목도 없었고, 의욕도 없었다.

우리는 뭔가? 우리는 이렇게 용병으로 소모되는 것인가?

B사의 Q과장은 말끝마다 이 연구에 얼마나 많은 연구비를 투자한 줄 아느냐고 하였다. 그런데 그들의 계산이라는 것이 눈 가리고 아웅이다. 그 당시 연구에 투자한다는 기업이 다 그러했지만…….
이 연구에 관련하여 그들이 투자하여 구비하였다는 설비는 대부분

그들 공장 안에 있었는데, 사실 이 연구에 특별한 관련이 있는 기기라기보다는 범용 설비가 대부분이었다. 어차피 자기들이 구비해야 하는 설비를 이 연구에 관련되었다고 하면서 사놓은 것이었다. 또한 실제 우리 연구실의 프로젝트에 기여한 금액이라는 것도 그리 크지 않았다. 1년에 몇천만원 정도였다. 그 B사에서 낸 돈보다 정부에서 matching fund로 준 돈이 훨씬 더 많았는데도, 그들은 어마어마한 생색과 함께 우리를 새경 주는 머슴 취급을 하려했다. 물론 시골공대에서 갈고 닦은 '뻰질함' 으로 무장한 나는 요리조리 빠져나갔지만……. 게다가 군대를 졸병으로 나온 나 아닌가?

내가 삐딱하게 굴면 Q과장은 '몇천만원' 이라는 돈이 기업에서 얼마나 큰 줄 아느냐고 핏대를 올렸다. 사실 그렇기도 하였다. 그

예로, 마침 그 얼마 전에 'S신약' 이라는 제약회사가 부도가 난 사건이 있었다. 그런데 이 B사가(정확히 B그룹. 당시 재계에서 10 몇 위 정도의 규모였다) 그 S신약을 1억원에 접수해버렸다. 당연히 그 S신약의 엄청난 부채를 떠 안고……. 그것이 바로 대표적 '문어발식 기업 확장' 이다. 섬유공장으로 돈 벌어서 건설에, 호텔까지……. 여기저기 껄떡거리더니 제약회사마저 샀다. 부채? No Problem! 어느 누가 감히 재벌을 무너뜨리겠는가? 그 밑에서 밥 벌어먹고 사는 백성들이 얼마인데! 저 창 밖에 떼지어 지나가는 여공들의 수만 해도 얼마이고, 그들의 송금으로 사는 경상도 산골의 민초는 또 얼마인데…….

1억이면 번듯한(?) 제약회사 하나 살 수 있는데……. 그래서 기왕에 20 몇 개나 되는 거대한 재벌 그룹의 위용을 더욱 폼나게 할 수 있는데……. '몇천만원' 이라는 거금을 연구에 투자했으니, 고마움을 알아라라는 식이었다. 너희만 아니면 계열사가 하나 더 늘어날 수 있는데……. 자식들이, 은혜도 모르고!

으음! 이 회사는 일취월장하겠구나. 일개 계열사 연구소의 과장도 이런 엄청난 애사심과 경영 마인드를 가지고 있으니……. 그래 좋다! 후진국이 개인의 희생 없이 어떻게 선진국이 되겠는가? Fume? 몸으로 때우자! 나는 '군바리 위정자' 들이 우리 귀에 못이 박히도록 떠들어대던 '개발논리' 를 따르기로 하였다.

우리가 다시 공장으로 돌아와 약품 투입을 준비하고 있을 때, Q과장이 BK라는 자기네 기능직 사원을 한 명 우리에게 붙여주었다. 우리가 보기 딱해서 그런가? 글쎄, 나는 Q과장을 안다. 그는 우리의 operation을 바로 옆에서 배우도록 보낸 병력이다. 아무튼 좋다. 손이 하나 느는 것이 얼마인가?

우리는 약품을 하나씩 점검하였다. 그리고 바로 實戰(실전)이 시작되었다.

이제는 기본적 특허도 다 끝났고, 이 $$$$의 중합반응은 교과서에 실릴 정도가 되었다. 물론 반응조건과 조작상의 know-how는 아직 존재하지만, 그 반응에 사용되는 약품은 누구나 알고 있다. 이제 우리가 사용했던 약품을 열거하며, 우리가 얼마나 미련하고, 황당하게 '후진국 연구'를 하였는지 돌이키고 싶다. 화학과 화공과 고분자에 관심이 없는 사람은 안 읽어도 된다.

〈NMP〉

긴 이름은 궁금한 사람들만 찾아보도록 하고……. Merck Index를 참조하도록.

우리가 가장 많이 사용한 용매이다. 3급 amine 계통의 이 용매, NMP는 탁월한 용해능력을 갖추어서 같은 계열의 DMAc, DMF 등과 함께 여러 반응, 특히 고분자 중합반응에 많이 사용된다. 아민답게 약간 비린 냄새가 나는 NMP. 우리는 이제 이 amine을 '물'이라고 생각해야만 하였다.

그런데 이 NMP는 피부에 닿으면 다른 약품보다 훨씬 빨리 침투하는 특성이 있다. 같은 3급 아민 계열의 약품들도 마찬가지 특성을 가졌다. 일부 醫科學者들은 NMP의 이런 우수한 침투성과 강한 용해성을 이용하여, 치료제를 NMP에 녹여 피부를 통하여 투여하려는 연구를 한다고 한다. 주사 맞는 것보다 훨씬 덜 살벌하고, 병변 부위에 가깝게 투여할 수 있는 장점이 있다나……. NMP는 피부에 닿으면 약간 화끈한 느낌이 나는데, 정말로 빨리 몸 속으로 흡수되는 느낌이 들었다.

우리는 이 NMP 드럼통을 굴려와서 큰 '자보라'로 vessel에 투입하였다. 물론 이 '자보라'는 손으로 돌리는 것이었는데, 그래도 하나 위안이었던 것은 석유난로에 석유 집어넣는 플라스틱 '자보라'보다는 꽤 크다는 것이었다. '한일자동펌프'라도 하나 있었으면 싶었지만, 후진국의 열악한 연구비를 생각하면 이것만도 다행이라고 생각하고 열심히 핸들을 돌렸다. 325, 326, 327…….

시운전 도중, 라인을 청소해야 할 상황이 있었다. 그래서 라인 전체의 온도를 올리고, 거꾸로 질소로 불어내었다. 그런데 그 vent라

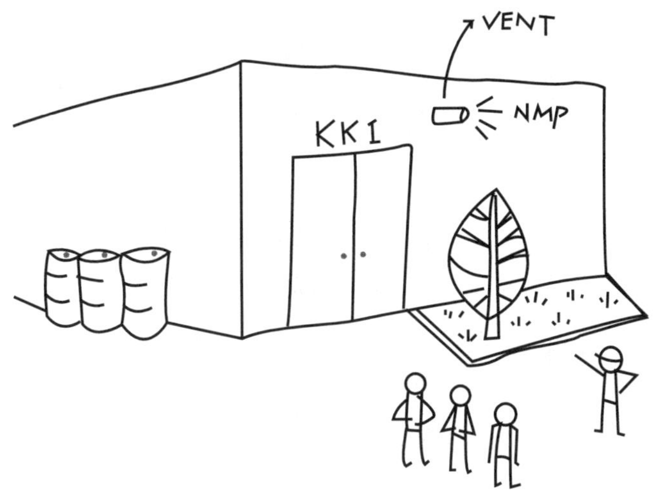


**그림 1** Vent에서 NMP가 뿜어지는 모습과 아저씨에게 야단 맞는 모습을 겹쳐 그렸다. 모자 쓴 아저씨에게 혼이 나는 세 사람 중 차렷 자세가 나다.

는 것이 웃기는 것이었다. 값싸게 할 것이 따로 있지……. 그냥 라인을(쇠파이프) 공장 벽을 뚫고서 바깥쪽으로 삐죽이 빼놓은 것이 전부였다. 마치 연통같이. 그걸 구부려서 옥상에라도 끌어올렸어도 좋았으련만……(그래도 대기에 뿜어내는 것은 똑같지만).(그림 1)

열을 가해 거의 증기상태가 된 NMP를 질소로 불어내니 공장 밖의 화단으로 뿜어져나간다. 한참 동안 불어내어 라인을 깨끗이 청소하였다. 여기까지는 아무 문제가 없었다.

이틀인가 지나서, 우리가 열심히 공장 안에서 작업을 하고 있을 때 웬 못 보던 아저씨가 나타나서 책임자를 찾는 것이었다. B사 작업복을 입고 있는 것으로 보아서는 그 공장의 직원인 모양이었다. 나는 의아해하면서 전데요? 하며 나섰다. 나와 우리 일행은 그때부터 약 30분간을 처참하게 혼이 났다. 그 사람이 가리키는 대로 공장 밖 화단을 보니 vent 파이프 밑의 향나무와 그 주변의 잔디가 다 누렇게 죽어 있었다. 아뿔싸! 그 독한 NMP를 그렇게 뿜어댔으니 저 나무와 풀이 안 죽고 배기나?

그 아저씨는 향나무가 이대로 죽으면 우리가 물어내야 한다면서 겁을 잔뜩 주고는 가버렸다. 그 사람의 눈에는, 출처도 모르는 '인부' 셋이서 '大B사'의 잔디밭과 향나무를 망가뜨렸다는 경멸의 빛이 가득하였다. 에이그, 이제는 향나무까지 사다 바쳐야 하나보다. 그러나 재발 방지가 무엇보다 시급했다. 다시 Q과장을 찾아갔다. 자초지종을 들은 Q과장은 고려해보겠다고 하였다. 에이, 모르겠다. 안 고쳐주면 그대로 하는 거지, 뭐. 우리 향나무냐? 툴툴대는 나와 시무룩한 우리 일행은 나무 그늘에서 연신 담배만 축내고 있었다.

며칠 후, 역시 작업이 한창 바쁜데, 문제의 그 아저씨가 다시 나타났다. 에구구… 최근엔 뿜어낸 것이 없는데……. 그럼 그 향나무가 결국 죽었나보구나……. 박복한 이내 팔자, 일하러 와서 나무까지 물어주게 생겼네. 우리는 다시 풀이 팍 죽어서 그 아저씨한테 갔다. 그런데 그 아저씨는 의외의 말을 하였다. 아이고 마, 수고하심다. 아, 예~ 예… 근데, 여기에 뿌린 약품이 뭐라캤던교? 예? 왜요? 결국 향나무가 죽었나요? 그게 아이고…….

아저씨가 가리키는 화단을 보고 우리는 아연하였다. 누렇게 죽어가던 향나무는 어느새 짙은 녹색의 아주 실한 향나무로 바뀌어 있었고, 그 주변의 잔디는 다른 잔디보다 3cm 이상 웃자라 있었다. 평소에 그곳을 유심히 들여다보지 않았던 우리는 그저 어리벙벙하였다. 그 아저씨는 이번에는 풀과 나무를 이렇게 잘 자라도록 하는 그 약품이 무엇인지 가르쳐달라고 조르고 있었다. 우리는 난감하였다. 이걸 가르쳐주는 것은 아무 것도 아니지만, 그럼 이 넓은 공장의 모든 화단은 NMP 천지가 될 텐데……. 물론 값이 비싼 약품이니 그럴 수도 없겠지만.

우린 그 아저씨에게 독성 때문에 안 된다고 사정사정해서 겨우 풀려날 수 있었다. 이번엔 그 아저씨의 눈에 '치사한 놈들…….' 하는 눈치가 가득하였다. 전후 사정이야 어떻든 향나무값 안 물어준 것만 해도 다행이었다. 나중에 어느 사람의 해석을 들어보니, 그 NMP가 질소비료의 역할을 해서 그런 '과도 성장'이 일어난 것이라고 하였다.

NMP가 질소비료인지, 아닌지는 잘 모르겠지만 참으로 황당한 경험이었다. 그 무섭던 조경 담당 아저씨의 직업의식도 인상적이었다. 아름다운 공장을 위해서라면 NMP라도 뿌리려는 그 자세.

그런데 이상한 것은, 우리는 그 NMP를 물같이 다루고 그 냄새를 매일 들이마셨지만, 아무도 더 이상 부쩍 커지지는 않았다는 것이다.

*2000. 8. 1.*

(9)

〈방금 전,

대덕 소재 H사 연구소의 고위직에 있는 '조명?' 로부터 전화를 받았다. 자기가 '한담' 을 일부 읽어보았단다. 헉! 어서 빨리 회원제로 전환해야지……. 저런 武林 邪派(무림사파)의 고수들이 기웃거리면 물버리는데……. 그의 말에 의하면 '한담' 이 너무 나의 자화자찬이라는 것이다. 허허, 이 사람아! 그런 맛도 없으면 글쓰는 재미가 어디 있겠는가? 내가 조만간 月谷辨談(월곡변담)이라는 방을 만들어 놓을 테니, '한담' 에 오류가 있거나, 억울한 일이 있으면 들려서 一喝(일갈)하시게…….〉

'Calcium Chloride'

CaCl2

역시 자세한 특성은 Merck Index를 찾아보는 것이 좋다.

염화칼슘. 강력한 흡습제. 겨울에 눈이 내리면 열심히 길에 뿌려대는 흰가루.

문제는 여기 있다. 실험실에서도 자주 쓰는 편이고, 실생활에서도 많이 들으니까, 흔히들 이 염화칼슘을 밀가루 정도로 안다. 또 실험실에서는 소량씩 쓰니까 그 진면목을 모르기 십상이다. 염화칼슘은 부식성이 있다. 겨울을 나면 차 바닥을 세차해주라는 권고가 있다. 염화칼슘이 차 바닥에 붙어 있어 차를 부식시킬 가능성이 있기 때문이다. 그런데 우리도 처음에는 이 염화칼슘을 우습게 생각했다.

앞서 이야기한 NMP와 같은 tertiary amine 계통의 용매에 '할로겐화 금속(Metal Halide)'을 첨가하면, 그 용액의 용해 능력은 원래의 용매에 비해 엄청나게 증가한다(이건 '完全화학'에는 안 나오는 것이다. 역시 '한담'을 읽으면 배울 게 많다). 그런데 고분자는 분자량이 일정 수준 이상이 되어야 좋은 성질이 나오기 때문에, 고분자를 만드는 반응에서는 사용하는 용매의 용해능력이 매우 중요한 factor이다. 그것이 우리가 염화칼슘을 사용하는 이유였다.

그런데 이 염화칼슘은 흡습성이 워낙 좋아서 쉽게 수분을 함유할 수 있는데, 수분은 우리 반응의 최대의 적이었다. 그래서 항상 사용 전에 철저히 건조시켜 사용하였다. 그래도 실험실에서는 사용량이 소량이었기 때문에 아무런 문제가 없었다.

Scale이 커지니까 투입하여야 하는 염화칼슘의 양이 장난이 아니었다. 그런데 공장에 만들어놓은 오븐이라는 것으로는 이 염화칼슘을 충분히 건조시키기에는 역부족이었다. 싸게 막으려고 했었는데……. 제대로 된 오븐을 만들려고 하니 그 비용도 엄청났다. 돌발 장애물인 셈이었다. 바로 인접한 B사 연구소 내의 실험실에서 소량씩 건조시키자는 안이 있었으나 턱도 없는 이야기였다. 그러면 아마 B사 연구소의 모든 오븐을 최소한 3일 정도는 우리가 써야 할 판이었다. 우리는 그 공장 내의 爐(furnace)를 수배하여보았다. 마침 그 공장 내의 대형 중합기 꼭대기에 큰 furnace가 있다는 것을 알았다. 1200도까지 올릴 수 있는……. 이야기도 잘 되어서 우리가 원하는 날 쓸 수 있게 되었다. 그런데 문제는 그 furnace가 우리 공장과 많이 떨어져 있다는 것이었다. 1km가 넘는 거리였다. 운반 도중에 수분의 흡수를 어떻게 막을 것인가? 경험상 뜨거운 오븐에서 막 꺼낸 염화칼슘을 용기에 넣어 밀폐한다든가 하는 조작을 한다는 것은 거의 불가능에 가까웠다. 서울에 계신 실장님과의 통화에서 그 문제를 말씀드렸다. 실장님은 오븐의 온도를 최대한 올려서 충분히 구운 다음, 단시간에 운반하면 가능하지 않겠느냐는 의견을 주셨다. 가능성이 있다는 판단이 들었다. 역시 경험 많은 실장님다운 아이디어였다. 우리는 온도를 600도까지 올리기로 하고(더 올리면 녹아 붙을 수 있다. 너무 많이 가르쳐 주나?), 밤새워 염화칼슘을 구웠다. 죽염 만드는 것보다는 조금 mild 하게…….

다음 날, 바싹 구워진 염화칼슘을 가지러 갈 때가 되었다. 최, 고 두 양반이 갔다 오겠다고 하신다. 나는 그동안 계량과 투입 준비를 하기로 하였다. 준비를 마치고 났는데도 두 양반은 좀체 나타나지 않는다. 무슨 일이 생겼나? 공장 밖에 나가서 기다리기를 한참, 멀리서 두 분이 카트를 밀고 달려오는 게 보였다. 그런데 갑자기 카트를 세우고는 두 분이 주저앉아 마치 토하는 듯한 몸짓을 보인다. 얼레~~ 콘티에 없는 액션이 막 나오네……. 애드립인가? 근데, 장난이 아닌 것 같은데…….

달려가 보았다. 카트 위의 염화칼슘은 꽤 멀리까지 후끈한 열기를 뿜어내고 있었다. 두 양반은 방독면을 벗고 캑캑거리고 있었다. 이 열기 때문에 저러진 않을 텐데……. 그러나 나는 어쨌든 염화칼슘을 빨리 운반해야 한다는 생각뿐이었다. 카트를 서둘러 밀고 뛰다보니 무슨 일인지 이해가 되었다. 염화칼슘 가루가 날리기 시작하는데, 방독면도 소용없었다. 약품을 설명할 때 종종 'irritation'이라는 말이 나오는데 그 게 무슨 뜻인지 알 것 같았다. 灼熱感(작열감). 목이 타는 듯이 쏘아댄다.

컥! 어, 이거 뭐야? 실험실에서는 이렇게 대량으로 흩날리는 염화칼슘을 만나본 적이 없었다. 숨을 쉴 수가 없었다. 그때부터 우

**그림 2** 방독면을 쓰고, 장화를 신고, 카트를 밀고 달리고, 캑캑대고…….
B사의 공원들은 우리를 훈련 중인 선수로 보고 있었다.

리는 교대로 밀고, 캑캑대면서 공장으로 달렸다(그림 2).

이상한 '이어달리기' 를 하는 우리를 지나가던 그 공장의 공원들이 신기한 듯 쳐다보고 있었다. 저 인부들, 지난 번엔 1인당 드럼통을 두 개씩 굴리면서 뛰더니, 이번엔 '밀가루 수레 이어달리기' 를 하네……. 무슨 대회 나가나? '인부 올림픽' 같은 거? 근데, 얼마나 심하게 연습을 했으면 저렇게 구역질까지 할까?

겨우겨우 공장에 도착하였다. 캑, 캑! 온몸은 땀에 젖어 있었다. '熱氣' 라는 것이 이런 것이구나……. 그런데, 이 방독면은 도대체 필터가 있는 거야 뭐야? 그 뜨거운 염화칼슘을 바께쓰에 담아 계량을 하면, 교대로 그 바께쓰를 들고 쇠 계단을 올라가서 NMP가 들어있는 vessel 위의 hopper에 들이붓고 내려왔다. Hopper에 들이부을 때는 어쩔 수 없이 바께쓰를 들어올려야 되는데, 그때는 뜨거운 그 가루를 들이마시지 않을 수 없었다. 모두들 그 대목에만 가면 바께쓰를 떨어뜨릴 것만 같았다. 세상에! 생각지도 않은 이런 강적이 있었다니…….

우리는 그후에도 염화칼슘을 투입할 때마다 그런 난리를 쳐야했다. 그리고 난리 후에는 공장 앞의 큼지막한 나무 밑에 앉아 땀을 식히며 담배만 피워대곤 하였다. 그런 날은 모두들 별로 말이 없었다. 목이 아파서 그런가? 먼지가 많이 나는 공장에 근무하는 사람들은 저녁에 꼭 돼지고기를 먹는다고 한다. 속설에 돼지고기가 그 먼지와 독성을 없애준다던가……. 우리는 그런 날마다 돼지고기를 꼭 먹지는 않았지만, 술은 꼭 마셨다. 아니지……. 그렇지 않아도

매일 마셨지…….

그 즈음, 연구실에서 O박사님이 위문차 내려오셨다. 이 O박사는 일과 술뿐이 모르는 별난 분이셨다. 새벽에 출근해서 실험을 시작하시는데, 반면에 특별하지 않으면 야근은 거의 안 하신다. 술 마시러 가니까……. 지금은 T시의 K대에 계신데 아직도 실험만 하신다. 대외활동도 거의 없고, 그냥 실험이 좋아서 하시는 분이다. 그 양반이 우리와 하루를 지내고서 하셨던 말. "여긴 술 안 마시면 못 살겠는걸……."

*2000. 8. 3.*

## (10)

〈1984년, 봄〉

남쪽은 봄이 빨리 오나보다. 그동안 우리는 세월 가는 줄도 모르고 몇 달을 보냈다. 하긴 아침 저녁으로 B사의 긴 철조망을 따라 출퇴근(?)하면서 맞았던 그 칼바람도 어느새 사라져버렸다. 풍경도 파릇파릇해진 듯하다. 우리 KK1 공장에서 약간 떨어져 있는 구내도로를 오가는 여공들의 웃음소리가 한결 높아졌다. 봄이다.

여공들. 한때 우리나라에 넘쳐났던 근로여성. '공순이' 라고 해야 더욱 그 뉘앙스가 쉽게 이해되겠지만, 옛날부터 그런 호칭은 어쩐지 부담스러웠다(게다가 이 '한담' 에 쓰기에도 조금은 거북하고……. 비하하는 듯한 뉘앙스가 있어서리…….).

이 B사에는 여공들이 많았다. B사뿐이 아니고, 이곳 A시에 즐비한 공장들에는 어느 곳이건 여공이 많았다(다른 회사도 그랬는지는 모르겠지만). 이 B사는 해마다 근처의 산골중학교 등을 통해 여공을 조달하였다. 그리고 공장 안에 정규 고등학교를 세워 이들에게 교육의 기회를 제공하였다.

중학교를 졸업한 후, 더 이상 진학하지 못할 형편인 여자아이들. 결국 집안일을 거들면서, '노동력으로서의 가치(+)' 와 '한 입으로서의 부담(−)' 사이에서 저울질당하다가, 어느 날 노동력에 비해 너무 많이 먹는다는 평가가 내려지면 가차없이 퇴출되어, 팔려가듯 시집을 가야했던 여자아이들. 가끔은 그런 산골생활이 지겹다고 보퉁이 하나 들고 도망가고, 반반한 인물과 노래솜씨 썩히기 아깝다고 DDR의 꿈을 안고 야반도주를 하기도 하고, 오래비나 남동생의 공부를 위해 대처로 공장일을 나가기도 했던 그녀들. 그녀들에게 안정된 직장과 함께 고등학교 과정의 공부를 시켜준다는 것은 아주 매력적인 것이었다. 아마 우리나라의 기업체들이 한 일 가운데, 몇 안 되는 착한 일이었을 것이다. 물론 기업체의 필요에 의한 조치라고 할 수도 있지만, 굳이 그렇게만 볼 일은 아니다. 그 꼬마 애들에게 취업뿐이 아니라 '교육' 의 기회를 준 것은 어쨌든 칭찬 받을 일이지 않은가?

그 애들이 공장에서 일하여 지 오래비나 남동생 학비를 대면서 고등학교를 졸업하게 되면(일단 졸업식 날, 눈물바다를 한번 이루고), 대개는 그 공장에서 몇 년 더 근무하다가 시집가는 것이 정석이란다. 그들 중 몇몇 아이들은 상급학교에 진학을 하기도 하고. 물론 그늘도 있었다. 일부의 아이들은 어디서 돈을 더 많이 준다는 소리를 듣고, 또는 어느 곳은 정말로 고졸 대우를 해준다는 소리를 듣고 공장을 그만둔단다. 말려도 '나도 이제는 고졸인데…….' 하며 뛰쳐나간단다. 그런데 세상이란 그리 만만한 곳이 아니잖은가? 그 애들이 아는 거라곤 학교, 공장, 기숙사, 고향집뿐이 더 있었던가? 식견이 좁아질 대로 좁아진 상태인 그 애들은 똥인지 된장인지도 모르고 덥석대기 마련이고……. 불과 몇 달만 지나면 그 애들을 술집에서 보았다는 소문이 파다하게 퍼진다. 나랑 친하였던 그 회사 부장 한 분도 그런 일을 겪었단다. 술집에 갔더니, 얼마 전까지 자기 직원이었던 여공(?)이 나타나더란다. 정말로 착참하더란다. 말리는 것을 뿌리치고 나가더니 기껏 술집이냐, 그리고 술집도 하필 그 동네냐고 푸념을 하셨었다(그래도 요즘보다는 낫지, 뭐. 요즘은 ‘공장 --〉 술집’ 의 순서도 없이 바로 ‘술집’ 인데……).

하여간 그 시절의 산업구조는 여공에 절대적으로 의존하는 것이었다.

Labor-oriented. 한 마디로 그 시절은 여공의 전성시대라 할 수 있었다. 그래서 그런 노동집약적인 사업을 하는 사람들은 그녀들 관리가 큰일이었다. 명절 때 고향집에 가면, 전국 각지의 여공들이 다 모여서 정보를 교환하고, 가장 대접이 후한 곳으로 대거 몰려가는 일이 비일비재하였다. 그래서 회사에서 관광버스를 대절해서 귀성도 시켜주고……. 그러나 그건 잠깐의, 터지기 직전의 풍선일 때 이야기였다.

곧 산업의 구조가 바뀌었다. 게다가 금방 몰아닥친 노동조합의

활성화는 수많은 노동쟁의를 일으키며 인건비를 엄청나게 올려버렸다. 이제는 인건비 부담을 최소화해야 살아 남는 시대가 되었다. 그래서 많은 공장에서 여공의 수를 줄이면서도 같은 일을 할 수 있도록 여공들에게 롤러 스케이트를 신기기도 하고, 공장설비를 자동화하기 시작하였다. 최근에 그 B사 공장을 방문하고 감회에 젖었었다. 우리가 인부로서 뛰어다니던 그 시절에는, 그 B사 공장 정문 근처에는 항상 사람이 바글바글하였다. 나가는 사람, 들어오는 사람, 수위실 뒤의 라면집에 라면 먹으러 가는 여공들, 면회 온 사람들……. 지금은 텅 비어 있었다. 교통 정리하는 수위아저씨 한 분만 서 있었다. 이 공장 닫았나? 그러나 공장은 그때보다 더 많은 제품을 만들어내고 있다. 그 많던 사람이 없어도 공장이 잘, 심지어 더 잘 돌아간다는 게 너무 이상했다. 그런 식의 변화 끝에 올해 결국 B사 안의 그 여공들 고등학교가 문을 닫았다. 세월의 무상함인가? 산업의 발전인가? 하여간 한 시대의 큰일을 했던 학교가 사라진다는 소식에 나도 감회에 젖었었다. 다시 본래의 이야기로 돌아가서… 참, 이 고질병! 옆으로 새는…….

B사의 봄은 그렇게 여공들의 높은 목소리와 웃음소리에 실려왔다. 그리고 유달리 쪼그맣고, 까맣고, 작업복도 헐렁한……. 갓 1학년으로 입학한 '어린이 여공' 들이 많은 걸 보면 봄이란 걸 알 수 있었다. 저놈들은 언제 세련되나? 촌티가 덕지덕지해서는……. 별 걱정을 다해주네, 우리 코가 석 자나 되는데!

우리는 잠시 공장 밖의 나무 밑에서 봄을 느끼고 있었다. 자, 이제 또…….

〈PPD〉

p-Phenylene diamine의 약자. 벌써 이름에서 풍기는 중후함(?)이 느껴지지 않는가?! $$$$의 실제 구성 성분으로 들어가는 물질. 언젠가 언급하였듯이 $$$$라는 고분자는, A와 B라는 두 원료물질이 연속적으로 陰陽(음양)반응을 하여 얻어지는 것인데, 그 중의 A(또는 B)라고 생각하면 된다.

이 약품은 비교적 쉽게 생각한다. 즉각적인 자극이나 독성이 없으니까. 가깝게는 머리 염색약으로도 많이 사용되지만, 요즘 어느 선전에도 나오듯이 '염색약도 약이다' 라는 것을 잊어서는 안 되는 약품이다. 한 마디로 은근히 만만치 않은 상대이다. 전부 그렇지는 않지만, 머리 염색약에 의한 부작용으로 고생한 사람도 꽤 있다. 최근 어느 병원의 의사 한 분도 '혈구수치 이상' 이 나타났는데(마치 10년 전의 나와 비슷하게……), 머리 염색약에 당한 것 같다고 들었다.

정제가 잘된 PPD는 백반이나 얼음 같은 투명한 덩어리인데, 가끔 그 투명함 속에 검은 티가 보이기도 한다. 흔히 쉽게 만나는 애로사항은 이 '검은 티' 이다. 이 약품은 염색약답게, 투명한 덩어리에 접촉이 되어도 잠시 후면 까만 흔적이 남는다. 별 문제가 없을 것 같아 보이는, 그 백반덩어리 같은 PPD를 맨손으로 만지고 하루만 자고 나면 손이 까매진다. 그렇다고 바로 손이 어떻게 되는 것은 아니지만, 당사자는 당황하게 된다. 손이 새까매졌는데……. 안 놀라면 오히려 이상한 거다. AIDS도 반점이 나타난다지…… 아마…….

어느 날인가, B사 연구소의 기능직 사원이 우리를 찾아왔다.

이거 괘야는 겁니꺼? 하며 손을 내미는데 손가락 끝과 손바닥 여기저기에 검은 반점들이 잔뜩이다. PPD 만졌어요? 하고 묻자 자기 과장이 일을 시켰는데, 아무런 주의사항도 듣지 못했다는 것이다. 결국 그 사원은 그 과장한테 항의하고 난리를 친 다음, 한 나절을 화강암 위에 걸터앉아서 손을 돌에 문지르고 있었다. 그런다고 그게 지워지나? 세월이 약이지……. 명색이 염색약인데, 문질러서 지워진다면 염색하고 모자 몇 번 썼다 벗으면 다 없어지게? 딱한 일이다. 그 과장을 뭐라 할 수도 없는 것이 PPD는 다뤄본 사람만이 안다. 그러나 맨손으로 화학약품을 만지지 않도록 주의를 주었어야 하는데……. 당사자도 참, 그걸 맨손으로 소변보는 정도로 알았나?

KK1 공장 내에서 그 PPD는 용매 NMP에 녹아서 돌아다닌다.

그래서 더욱 은밀히 피해를 입기 쉬운데, 단순히 용액이 튀었나보다 하면 다음 날 작업복 곳곳이 검게 변해 있는 일이 자주 있었다. 내 얼굴에 점이 많은 것도 그 때문이 아닐까 싶다.

(일전에 둘리가 손이 자주 가렵다고 해서 피부과에 데리고 갔었다. 한 눈에도 꼬장꼬장한 딸깍발이형 의사 선생님이 앉아 계시는데, 의외로 자상하고 상세하게 설명을 해주시고 약도 막 권하질 않으신다. 멋있는 분이셨다. 그런데 둘리의 진료가 끝나고 내가 한마디 여쭈었다. 선생님, 지 얼굴에 점이 많은데요, 이거 싹 없앨 수 없을까요? 그 딸깍발이 선생님은 나를 한참 보더니 '그냥 그대로 살지 그래…….'

그 선생님은 아름다워지고 싶은 우리 '신세대'를 너무 모르신다. 나도 아직 화류계에 가면 오빠 소리 듣는데…….)

*2000. 8. 4.*

## (11)

### 〈황태자〉

'황태자'는 술집 이름이다. 우리가 거의 하루도 안 거르고 다니던 술집.

우리는 완전히 철수할 때까지 그 A시에서 6개월을 지냈다. 당연히 공장 밖의 우리 생활도 틀이 잡혔었다. 거의 원주민이 되어갔다. 적응도 빠르지.

우리의 일과는 대충 이러했다.

아침에 일어나면 무조건 빨리 씻어야 한다. 최 선생에게 화장실을 先占당하면, 우리는 다리를 X자로 꼬고, 30분 이상 '람바다' 춤을 추어야 했기 때문이다. 그 고통은 당해본 사람만이 안다. 조이고, 비틀고, 애원하고……(조금 이상한데…….)

다 씻으면 단골식당에 가서 된장찌개를 먹는다. 그 A시는 경상도에 있다. 경상도 음식이라는 것이 짜고, 맵고, 맛이 없다는 아주 독특한 특징이 있다. 특히 그 A시는 해산물조차 없던 고장이라 그런지, 거의 '맛'이란 것이 없다고 할 수 있었다. 사실 6개월 후에 집에 돌아오니, 아내가 신경을 써서 음식을 해주는데도 아무런 맛을 느낄 수 없었다. 너무 강한 자극에 길들여져버렸기 때문이었다. 그래도 우리가 시도해 본 여러 아침식사 가운데, 그래도 된장찌개가 가장 무난했다. 매일, 매일…….

점심은 공장 구내식당에서 해결. Q과장은 다른 것은 해달래도 잘 안 해주면서 식권은 엄청 주었다. 우리 주머니엔 항상 식권이 남았다. 그 식권은 매당 200원인가 한다고 하였다. 공장 직원들의 복지 차원에서, 회사에서 많이 보조하는 대신 식권 값을 싸게 하였단다. 가끔 잘하는 짓도 있다. 그런데 이 구내식당의 음식이 재미있다. 내가 생전 처음 보는 메뉴가 허다했다. 어떤 메뉴는, 원래 고향이 그 근처인 최, 고 두 기사 양반들도 잘 몰랐다. 그리고 공원들을 배려해서라는데, 양을 엄청나게 많이 준다. 솔직히 첨 듣고 보는 xx시래기국에, 고봉으로 덮인 밥을 보면서 당황했던 적이 많았다. 그렇다고 남길 수는 없는 일. 열심히 먹었다.

저녁은 공장 안과 밖에서 반반 정도 먹었다. 공장 안에서 먹은 것은 사실 한 푼이라도 아끼려는 저의가 있어서였다. 한정된 출장비를 조금이라도 아껴서, 목에 낀 먼지와 독극물을 제거하기 위한 '음주 소독'을 하려고……. 밖에서 저녁을 먹을 때는 주로 삼겹살을 먹었다. 먼지 제거하는 데 좋다고 해서……. 어느 날인가는 삼계탕 간판만 보고는 마음이 동해서 음식점에 들어갔는데, 나온 삼계탕을 보고는 못 먹고 나온 적도 있었다. 닭이 얼마나 큰지 커다란 뚝배기 위로 엉덩이가 쑥 올라와 있었고, 뚝배기와 닭 사이로 숟가락 들어갈 틈조차 없었다. 정말 꽉 찼었다. 영계가 아니라 폐계인지? 아니면 오리인지도……. 그 동네 음식이 그랬다.

저녁을 먹고 나면 우리는 숙소(xx호텔)로 돌아와서 옷 갈아입고, 씻고, 특별한 일이 없는 한(예를 들면 아프다던가…) 당구장이나 술집으로 '마실'을 나간다. 당구장엘 가도 결국은 술집으로 가지만……. 어쨌거나 결국 마지막으로 들리는 집은 '황태자'였다. '황태자'는 그 당시에 유행하던 '스탠드 바'였는데, 우리 숙소인 xx호텔의 2층에 있었다. 그곳은 '스탠드 바' 원래의 개념에 충실하여서, 다른 곳과 같이 밴드가 있어 노래를 한다거나 하지는 않았다. 아주 조용한 분위기였다. 그저 스탠드에 앉아서 맥주나 축내다가, 방으로 돌아와 잠드는 것이 우리의 마지막 일과였다. 처음 '황태자'에 드나들 때는 어느 한 '코너'에만 앉아서 술을 마셨다. '황태자' 안에는 7~8개의 코너가 있었는데, 우리는 그저 입구에서 가까운 '코너'에 앉아서 맥주로 열심히 목을 씻어내었다. 그러나 우리

의 '황태자' 출입이 잦아지고, 결국은 매일 드나들게 되면서(이건 순전히 집이 붙어 있어서 이렇게 된 것이지만) 언제부터인가 우리는 그 스탠드 바의 '붙박이 그림'이 되어갔다.

어느 날인가, 맥주에 젖어서, 되는 소리 안 되는 소리를 비몽사몽 조잘대고 있었다(나는 술 마시면 곧잘 조잘댄다. 혼자서도……. 어느 사람은 나보고 고아 출신이냐고 물었었다. 또 어느 술집 주인 아줌마는 조잘대는 모습이 귀엽다고도 했다. 이 나이에 귀엽단 소리를 듣는다는 건 무엇이 잘못된 걸까?). 그런데 조용한 음악이 흐르던 스피커에서 갑자기 내 이름이 튀어나온다. 전화를 받으란다. 내가 여기 있는 걸 누가 아나? 전화를 받아보니 서울의 아내였다. 깨갱, 깨갱! 이게 웬 일이냐?

아내의 전화를 우리 방으로 연결해주었는데, 전화를 안 받자, 호텔 교환언니가 '황태자'로 돌린 것이었다. 우리가 저녁에 '황태자'

에 있는 것을 우예 알았노? 교환언니까지 안다는 것은, 미국 CIA, 소련의 KGB도 안다는 것 아닌가? 모골이 송연해졌다. 보안사에서도 알겠구먼! 그후에도 수시로 아내의 전화를 '황태자'에서 받았다. 아직도 술 마셔? 그만 들어가 자! 내 앞의 맥주병을 세면서 나는 아내의 그런 당부를 듣곤 했다. 다섯, 여섯, 셋, 넷…….(그림 3)

그렇게 '붙박이 그림'이던 시절이 조금 지난 후, 우리는 '황태자'의 vagabond로 돌변하였다. 취지는 단순했다. 우리가 매일 이렇게 마셔대는데, 어느 한 코너만 팔아주면 안 되지 않느냐? 우리는 중생을 위해, '황태자'의 여러 코너를 돌아다니며 술을 마시기 시작했다. 후에는 그것도 진화해서, 셋이 독립적으로 다니며 술을 마셨다. 이 코너에서 한 병, 저 코너에서 한 병, 맥주병 들고 다니며 걸치는 곳마다 한 잔……. 낮에는 약품에 절고, 밤에는 술에 절

**그림 3** 황태자 풍경. ① 취해 가는 사람, ② 취한 사람, ③ 아직도 돌아다니는 사람. 나는 누구였을까…….

고……. 우리는 '폐인으로 가는 지름길' 을 달리고 있었다. 훗날 완전히 철수한 다음 계산해 본 결과, 우리는 '황태자' 에 그 당시 시세로 작은 아파트 전세값 정도를 퍼부었다는 것을 알았다. 돈 쓸 것 별로 없더구먼…….

〈TPC〉

미국 사람들은 TCl이라고 불렀다. 좀더 정확히 T-Cl.

Terephthaloyl Chloride. 듣기만 해도 음산한 기운이 느껴지지 않는가? 이 TPC는 앞서 언급한 PPD와 陰陽의 짝을 이루어 $$$$의 구조를 형성하는 원료 물질이다.

원래는 Terephthalic acid(TPA)를 縮合(condensation)하여 그 구조를 고분자에 도입하려는 의도였는데, TPA의 반응성으로는 역부족이어서, acid chloride 형태로 된 이 TPC를 사용하는 것이다. Acid chloride 형태로 바뀌어 환상적인 반응성을 가지게 되었지만, 역시 마법의 힘이 세지면 악마에게 진 빚이 많아지는 법…….

이 TPC는 우리에게 공포의 대상이었다. 하나의 위안이 있다면 지독한(마치 염산 병을 코에 꽂아놓은 듯한) 냄새 덕분에 쉽게 과다 노출을 피할 수 있다는 것이었다. 이 TPC는 정말로 무지하게 성질이 급한 약품이고, 못된 약품이다.

이 TPC는 정제과정부터 상당한 know-how가 있을 정도로 다루기도 힘들었다. Trap을 아주 잘 설치해야 진공 펌프를 보호할 수 있었는데, 다른 약품과 달라 이 TPC는 한 번의 실수면 진공펌프를 못 쓰게 만들 수 있었다. 반응성이 좋은만큼 수분의 영향을 아주 쉽게 받는데, 이 수분의 제어가 우리 반응의 요체라 할 수 있었다. 실험실에서도 glove box를 가지고 한참 싱갱이를 하고 나면 온몸과 옷이 온통 땀과 TPC 냄새였다. 그런 약품을 이제는 바께쓰로 들고 다니고, 걸터앉아서 드라이버와 망치로 잘게 깨기도 하였다. 처음엔 방독면을 쓰고 이 약품을 다뤘지만, 곧 아무런 효과도 없고 덥기만 한 방독면을 쓰고 작업하는 사람은 아무도 없었다.

반응 도중 다른 라인에서 문제가 일어났을 때가 가장 괴로웠는데, 어렵사리 유량을 맞추어 놓은 이 TPC 라인을 세울 수가 없어서 공장 바닥에 계속 배출을 시켜야 했다. 용융이 되어 김이 무럭무럭 나는 TPC에서 나는 냄새는, 우리를 거의 미치도록 만들곤 하였다(굳이 경험해보고 싶은 사람은 한 번쯤 해봐도 나쁘지 않을 것이다. TPC가 주변에 없으면 thionyl chloride도 괜찮다. 아주 비슷하니까. 없으면 우리 실험실로 연락을 준다면 언제나, 기꺼이…….).

그 와중에서 우리는 문제가 된 라인의 유량을 맞추고, 수리를 하곤 하였다. 또 그런 상태에서 프랜지(flange)라도 풀어야 할 때는, 교대로, 볼트 넛트를 하나 풀고 뛰어나오고, 뛰어들어가서 또 하나를 풀고 하였다. 양 손에 스패너를 휘두르며, 마치 이어달리기를 하듯 공장을 뛰어 드나드는 우리를 유심

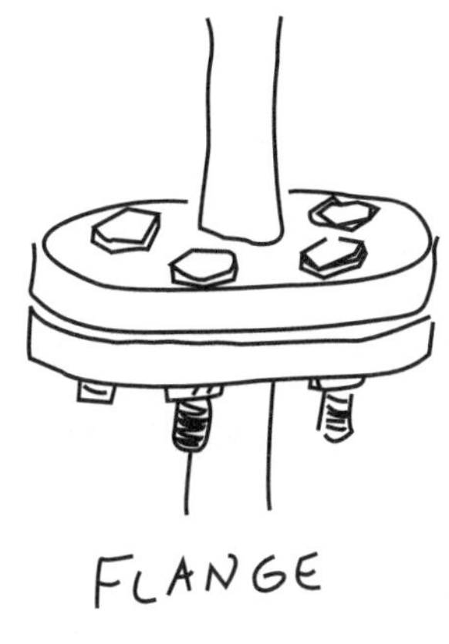

그림 4

히 봤다면 정말 재미있었을 것이다.

이렇게 응급조치를 하고, 두 라인을 반응기에 연결하고 나면, 우리는 또 그 공장 밖의 'old oak tree' 밑에 쓰러져 구역질을 하고, 땀과 TPC 냄새에 범벅이 된 몰골로 멀리 보이는 '영남 제일의 명산'을 바라보았었다. 산천은 의구한데, 인걸은 쓰러지고……(이 대목하고 안 맞나?).

*2000. 8. 7.*

## (12)

〈지금

창 밖에는 비가 엄청나게 퍼붓고 있다. 번개는 뻔쩍, 우르릉 쿵쾅! 세상의 무엇을 쓸어버리려고 저리 퍼부을까? 응? 난가?

나는 이렇게 천둥, 번개가 있는 폭우를 좋아한다. 그리고 그걸 보면서 술 한잔 하는 걸 아주 즐겼었다. 아내는 지금도 이런 비를 보면 나의 그 버릇을 들춰낸다. 예전에 나는 이런 비가 내리면 베란다 바깥 샤시를 모두 열어 젖히고, 아내에게 술상을 차려 오라 하였었다. 빠르게 차려온, 솜씨 좋은 아내의 술상을 받아들고는, 들이치는 비를 맞으며, 소리를 들으며, 번쩍이는 빛을 상대로 술을 마셨다. 그리곤 그런 광란이 끝날 때쯤이면 나는 그 자리에서 뒤로 길게 누워 잠이 들어버리곤 하였다. 아내는 비가 흥건한 베란다와 마루를 치우고, 젖어버린 빨래를 걷고, 그리곤 축쳐진 나를 방으로

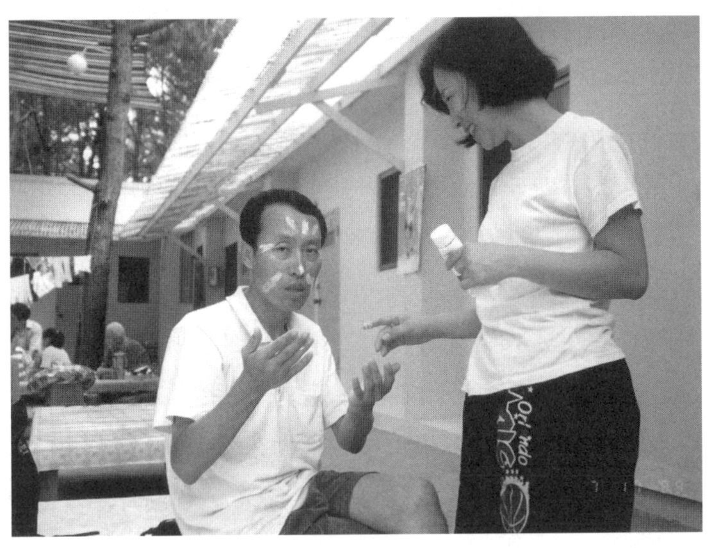

끌고 들어갔단다. 참 이상한 버릇이라고 생각했었단다.

미국에 갔다. 어느 휴일 오후, TV에서 갑자기 이상한 소리가 난다. 앞으로 30분간 'severe thunder storm'이 있을 예정이란다. 나는 갑자기 활기가 솟았다. 술상 차려라, 문 열어라, 지국총, 지국총, 어사와…….

나는 그 날 미국 아파트에 또 길게 누웠다. 그후 너무나 좋게도 거의 매일, 어떤 때는 하루에도 몇 번씩 storm이 찾아왔다. 꼭 천둥, 번개, 바람을 동반하고……. 그 아파트의 베란다 앞 카펫은 마를 날이 없었다. 어느 날, 불현듯이 내 몸이 축나고 있는 것을 알았다. 너무나 잦은 thunder storm! 너무 자주 풍류를 즐기다보니……. 그 이후로 나의 그런 '面雷雨 飮酒(면뇌우 음주)'의 버릇은 없어졌다.

후~ 그런데 이제는 그런 음주벽도 그리워지는구나…….〉

우리가 한참 공장을 돌릴 때(정말로 전투가 치열했을 때, 4월쯤이던가…….), 우리 KK1 공장 앞에 있는 농구장에, 근무시간인데도 불구하고 키 큰 남녀들이 나타나서 아주 조직적으로 연습을 하기 시작했다. 그 B사는 여자 농구팀이 있었는데, 그 팀의 은퇴선수들이 공장의 직원으로 근무하는 경우가 있었다. 키 큰 남자들도 농구선수 출신이라고 하였다. 왜 연습을 하는지는 몰랐지만, 농구를 참 잘한다고 생각하며 OOT(다 쓰기 번거로워 약자로 쓴다. old oak tree) 밑에서 담배를 피우며 그들의 연습을 지켜보곤 하였었다. 그후 한 달쯤 지나자 그 B그룹 계열사간 체육대회가 있다고 하였다. 으흥, 그랬구나~~. 그런데 저런 '프로'들이 나가면 게임이 되나?

우리의 예상대로 남녀 농구는 다 그 공장팀이 결승에 올랐다. 당근이지…….

그 즈음의 어느 날이었다. PPD 쪽 라인에 문제가 생겼다. 펌프에는 계속 압력이 차 오르는데 액은 feed되지 않았다. 어디가 막혔을까? 우선 반대쪽 라인 TPC를 바닥으로 쏟아내며, PPD 라인을 점검했지만 막힌 곳이 발견되지 않았다. 의심 가는 곳은 다 뜯어보았는데……. 이건 임시로 TPC를 버리면서 고칠 일이 아니었다. 양쪽 라인을 다 세우고 보니, TPC도 얼마 남지 않았다. 그래서 이 기회에 그 쪽 라인도 다 비우기로 하였다. TPC 쪽 라인과 vessel 전체의 온도를 올려놓고 퇴근하였다.

다음 날, TPC 라인을 질소로 불어내려고 하는데 농구장에 의자와 테이블을 가져다 놓고 무엇인가 부산하였다. 이건 또 뭐야? 알아보니 남녀 농구 결승전이 그곳에서 있다는 것이었다. 결승전은 실내체육관에서 하는 것이 아닌가? 대통령도 체육관에서 뽑던데……. 그런데 그 경기를 참관하러 B그룹의 최고 대장인 회장이 온다는 것이었다. 얼렐레~

최 선생이 나에게 걱정스런 얼굴로 물었다. 회장이 온다는데 라인을 불어내도 될까? 글쎄요……. 지난번에 NMP를 뿜어내서 조경아저씨에게 혼난 경험도 있고……. 그러나 우리는 강행하기로 하였다. 시간적 여유도 없었고, 또 NMP 사건 이후 Q과장이 사람들을 보내서 그 삐죽 나온 연통을 옥상 위로 연장하여 안쪽으로 구부려 놓았기 때문에 TPC를 뿜어도 방향이 반대이고, 농구장까지는 상당한 거리도 있고, 남은 TPC가 아주 소량이니까 괜찮을 것이라고 판단하였다. 질소를 틀었다. 쉬익 하는 소리와 함께 용융상태의 TPC가 뿜어져나갔다. 마치 수증기같이…….

우리는 농구경기를 보기로 하였다. TPC 라인을 완전히 불어내려면 3시간은 있어야 하니까 오랜만에 널널한 시간을 보낼 수 있었다. 농구경기는 완전히 일방적이었다. 그 공장과 서울의 B상사가 결승에서 붙었는데, 상대가 되지 않았다. 공장팀은 큰 키의 프로들이고, 상사팀은 배나온 40대 아저씨까지 헐떡이며 뛰는 아마추어인데 무슨 시합이 되겠는가? 그런 경기를 흐뭇하게 바라보고 있는 테이블의 높은 양반들이 이해가 되지 않았다. 가학증이 있는 거 아닌가? 묶어놓고 팬다는…….

그런 말도 안 되는 농구경기도 지겨워져서, 우리는 OOT 밑에 편안히 앉아서 담배를 때고 있었다. 문득 고 선생이, 저게 뭐야? 눈이 내리나? 하는 것이었다. 뭐가? 하며 자세히 보니 공장 앞과 농구장 위로 뭔가 빤짝이는 것들이 떠다니고 있었다. Oh~ My God! 얼른 공장 앞으로 달려가 보니, 아뿔싸, TPC가 눈과 같이 반짝이며 돌아다니고, 내리고 있는 것이었다. 용융상태의 TPC를 고온의 질소로 불어대니 거의 기체상태로 대기에 튀어나갔고, 그것들이 결정화되어 떠다니는 것이었다. 참으로 예쁜 결정들이 빤짝이며 하늘을 떠돌고 있었다. 그리고 자세히 보니 공장 앞과 농구장까지 온통 반짝이는 작은 결정들이었다. 환상적이었다. 아름다웠다.

물론 그런 환상적인 반짝이들의 유희를 즐길 상황이 아니었다. 최, 고 선생은 사색이 되었다. 아마 나도 그러했을 것이다. 이걸 어쩌나? 여기서 중단해야 하나? 그런데 다행이라면 워낙 미세한 결정들이라 그런지 TPC의 독특한 냄새가 나지 않는다는 것이었다. 우리는 잠시 생각하다가 그냥 진행시키기로 하였다(그림 5).

**그림 5** 장화 벗고 앉아서 박수 치는 게 나다. 농구를 좋아해서…….

그런 강행의 이면에는 우리 회장이냐 하는 이상한 반발심도 있었을 것이다. 그리고 그 날의 작업계획 때문에 시간을 지체할 수도 없었다. 그래, Keep going, going…….

우리는 한가롭게 OOT 밑에 앉아 있을 수 없었다. 그래서 공장 문 앞에서 서성대면서 농구장을 계속 주시하였다. 다행히 아무도 허공에 떠도는 무수한 반짝이를 알아채지 못하였다. 모두 그 일방적인 농구경기를 보면서 즐거워하고 있었다. 결국 경기가 끝나고, 시상식을 하고 모두 돌아갈 때까지 아무런 문제가 없었다. 그때도 하늘엔 TPC의 향연이 벌어지고 있었는데……. 회장님, 죄송합니다!

그렇게 아무도 눈치를 못채준 덕에 우리는 그 날의 작업을 계획대로 마칠 수 있었다. 그리고 그 날 밤, 우리는 눈처럼 날리는 TPC를 마셨다는 확실한 이유를 대며, '황태자' 를 휘저으며 술을 들이부었다. 음주소독…….

*2000. 8. 8.*

## (13)

〈오가는 길에서……〉

우리는 보통 두 주일에 한 번 서울의 집에 가곤 했다. 가끔 돌발적으로 작업계획이 틀어질 때는 일 주일만에 올라간 적도 있었다. 서울에 다녀올 때는 보통 토요일 오후 기차를 타고 올라가고, 월요일 이른 아침 차를 타고 내려가곤 하였다. 토요일 오전에 공장 일을 마무리짓고 올라가야 하니까, 서울 가는 날은 항상 아침부터 바쁘게 마련이었다. 그래서 늘 A역에는 열차시간에 임박해서 허둥대며 도착하곤 하였다. 그래서 항상 점심 챙기는 것이 일이었다.

어느 토요일, 또 허둥대면서 역으로 향했다. 역 건너편에서 택시를 내리니 열차시간 5분 전. 점심 먹고 가잔다. 으잉? 5분 전인데……. 우리는 바로 앞에 있는 중국집으로 뛰어들어갔다. 어섭쇼~~ 그 소리가 끝나기도 전에, 우리 짜장 셋. 빨리 줘야 돼. 예에…짜장 셋, 빨리요~ 우리는 종업원이 멋드러지게 주방에 대고 외치는 소리를 들으며 가까운 테이블에 앉았다. 내가 자리에 앉아 가방을 옆 자리에 놓고 났는데, 옆에 누가 서 있었다. 고개를 들어보니 얼렐레… 그 종업원이 짜장 그릇을 세 개 들고서 짜장 나왔습니다 하는 것이 아닌가? 헉! 이게 뭐야?

자리에 앉기가 무섭게 짜장이 나오자 우리는 황당하다 못해 말이 안 나왔다. 우리를 기다리고 있었나? 아니면 역 앞이라서 항상 이런 식으로 준비하고 있나? 어리벙벙해서 나무 젓가락도 못 째고 있는 우리 앞에 그 종업원은 닥광에, 양파를 신나게 내려놓고 있었다. 진상을 파악해야 직성이 풀리는 것이 연구원의 자세……. 이봐, 총각! 이거 재고 아냐? 아이, 아입니더. 중국집에 재고가 어딨능교? 방금 뽑은 깁니더. 그렇게 너스레를 늘어놓는 총각을 경이로운 눈초리로 바라보고 있는데, 불쑥 최 선생이 이봐, 여기 소주 하나 가져와! 하는 것이었다. 윽! 이 촌각을 다투는 와중에 대낮 반주까지……. 예에~~ 진로 드릴까예? 그래, 그래. 아무리 바빠도 할 소리, 물어볼 소리 다하는 손님과 종업원……. 나는 일단 진상 파악은 나중에 하기로 하고, 나무젓가락을 호쾌하게 가른 후, 무당파의 五行검법으로 짜장면을 비비기 시작했다. 종업원이 소주 한 병과 잔을 세 개 가지고 왔다. 그때 고 선생이 날린 멘트는 그 날의 하이라이트였다. 이봐 총각! 우리 바쁘니까 자네가 술 좀 따라라…….

우리는 오른손으로 짜장을 먹으며, 왼손에는 소줏잔을 들고, 그 총각은 옆에 소주병 들고 서서 잔이 비면 채우고…….

얼떨결에 점심과 반주까지 챙긴 우리는 시간에 맞추어 플랫폼에 나갈 수 있었다. 그런데 방송이 나오길 기차가 약 5분 늦어진단다. 곱배기 먹을걸……. 소주 한 병 더할걸……. 괜히 뛰었네……. 우리의 반응은 다 달랐다.

그 중국집. 아직도 그렇게 빨리 줄까?

또 다른 어느 주말이었다. 그 날은 조금 늦은 서울행 기차를 탔다. 점심도 걸렀고, 출출한 김에 기차에서 셋이 맥주를 마시기 시작했다. 워낙 술의 끝을 모른다는 최 선생. 원래는 술을 많이 못 마시지만, 이번 일에 휘말리면서 '황태자'에서 맹연습을 하여 거의 알코올 중독 수준이 되어버린 고 선생. 우리는 계속 맥주를 퍼부었다. 기차가 고속버스보다 좋은 점, 화장실이 있다. 우리들이 화장실 다녀오는 빈도와, 홍익회 수레 아저씨가 우리 자리를 지나다니는 빈도는 묘하게도 비례하였다. 뻔질나게 화장실을 왔다갔다 하는 사이에 기차는 어느덧 수원을 지나고 있었다. 술판을 정리하며 내릴 준비를 하는데, 우리 경리 담당 최 선생이, 어! 이거 어디 갔지? 하며 사방을 뒤지고 있었다. 기차표가 한 장 없어졌다는 것이다. 같이 둔 세 장의 표 가운데 하나만 없어졌다는 것이다. 말이 되니, 안 되니, 화장실에 빠뜨렸니, 어디 흘렸니…… 하며 최, 고 두 양반이 싱갱이를 벌였지만 현실은 현실…….

우리는 정면돌파를 하기로 하였다. 잘못해서 걸리면 셋 다 철도공안에게 끌려갈 각오를 하고……. 최 선생이 제일 앞, 내가 가운데, 맨 뒤에 표 두 장을 들고 고 선생. 우리는 눈치를 보면서 개찰구로 접근하였다. 사람이 많았다. 최 선생과 내 사이로 아가씨가 하나 끼어들었다. 대세에 지장이 없을 것 같아 그냥두었다.

드디어 최 선생이 개찰구에 들어섰다. 뒤에……. 하면서 천연덕스럽게 개찰구를 통과하였다. 역무원이 움찔하는 듯 하였다. 그런데 그 뒤의 아가씨가 자기 표 한 장만 달랑 내고 나가니까 역무원

아저씨가 혼란스러워지는 듯했다. 갑자기 저만치 앞에 가고 있는 최 선생을 불렀다. 이봐요, 이봐. 어이… 하면서. 그러나 최 선생은 못 들은 척하고 계속 앞만 보고 가고 있었다. 벌써 한참이나 앞선 최 선생이 서지 않고 계속 걸어가자, 역무원은 더 이상 참지 못하고 최 선생을 쫓아가는 것이었다. 이봐, 거기 서! 하면서……. 아마도 역무원은 오늘 드디어 무임승차 한 놈 잡았다 라고 생각했는지도 모른다. 원래 역무원들은 다른 손님들이 다 나가더라도 확실한 범인 하나만 잡는다던가?

역무원이 최 선생을 잡으러 뛰어나간 사이, 나는 빈손으로 표를 놓는 시늉만 하고 개찰구를 빠져나와 잰걸음으로 다른 방향으로 걸었다. 그때 역무원은 큰 소리를 지르며 뛰어서 거의 최 선생한테 다가갔는데, 최 선생은 그제야 자기를 부르는 것을 알아챈 양 뒤를 돌아보면서, 손으로는 자기를 가리키며, 저 말입니까? 하고 되묻고 있었다. 마치 '최후의 만찬' 때, 예수가 이 가운데에 배신 때릴 놈

**그림 6** 그림 안에는 쫓아가는 이, 되묻는 이, 옆으로 튀는 이, 기다리는 이, 그리고 행인이 하나 있다

이 하나 있다고 하니까 그게 자기냐고 되묻던 유다의 표정으로(그래도 이해가 안 되는 사람은 「최후의 만찬」 그림을 자세히 보도록……). 역무원은 아주 무서운 표정으로 도대체 누가 표를 낸다는 거요? 하고 딱딱거렸다. 그러자 최 선생은 저기 있잖아요? 하며 개찰구를 가리켰다. 개찰구에는 고 선생이 아직까지도 나오지 않고, 끈기 있게 표를 두 장 들고서 미소를 짓고 있었다. YES!(그림 6)

황당스런 표정의 역무원은 연신 고개를 갸우뚱하며 자기의 위치로 돌아갔다. 그리고 계속 갸우뚱, 갸우뚱……. 우리는 역을 완전히 빠져나온 후 합류하였다. 기념으로 한잔 더 하기로 하고, 종로로 가는 지하철을 탔다. 계속 웃어대는 우리를 다른 승객들이 이상하게 쳐다보았다.

그런데, 만약 이 정교한 시스템이 조금이라도 어긋났다면……. 가운데에 선 내가 가장 위험한 역할이었다. 그렇다면, 이 사람들이 일부러……?

*2000. 8. 9.*

(14)

〈언제나

연구소 정문을 지나면서 차창을 내린다. 시원함이 밀려들어온다. 문득 내가 다니던 학교에도 이런 숲길이 있었는데 하는 생각이 든다. 정문을 지나 왼쪽 길로 접어들면, 길 양쪽의 나무들 끝이 마주 닿아 하늘이 안 보이는 녹음진 길이 있었다. 그 길에 패인 탱크 바퀴자국을 밟으며 연못이 있는 사거리까지 걸으며, 나는 무슨 생각을 했었을까? 다시 연못가로 곧게 난 길을 따라 우리 과로 향하면서 나는 무슨 생각을 했었을까? 앞날? 저녁 미팅? 대리 출석? 마이티……?〉

(TV 뉴스를 보았다. 며칠 전 뉴스에는 야당 총재가, 그 다음 날 뉴스엔 여당 대표가, 어느 집 짓는 동네를 돌아보았단다. 자원봉사자들이 영호남의 접경지역에 집을 지어 무료로 입주를 시켜서……. 카터 대통령이 하는 그 비슷한 자원봉사라고 한다. 그런데 야당 총재나 여당 대표나 못질하는 것을 보니 참 가관이었다. 충분

히 이해가 갔다. 그분들이 못질해본 적이 얼마나 되겠는가? 그런데 멘트가 달랐다. 같은 방송국에서 하는 뉴스인데도……. 야당 총재를 보도할 때는 '어설프게' 못질을 했다고 하더니, 여당 대표는 '능숙하게' 못질을 했다는 것이다. 에라 이…….

세상이 많이 바뀌었다고들 하지만, 아직도 안 바뀐 것이 많다. '언론'이라는 것들은 여전히 주인 발 밑에서 할딱거리고 있다. 흡사 '독구' 같이……. 좋기로는 첫째, TV를 보지 말 것이고, 둘째, 마지못해 보게 되었을 때는 '삐딱'하게 볼 일이다. 팔 괴고 옆으로 누워서 TV를 보면, 그래도 세상이 조금은 보인다. 나는 왜 이리 나날이 삐딱해지는 걸까?)

(어서 빨리 이 시리즈를 끝내야겠다. 공연히 시끄럽게 한 것 같아서……. 으쌰!)

〈Pyridine〉

서울대 공대 어느 과의 교수 한 분이 젊은 나이에 유명을 달리했다. 후두암이라고 하였던 것 같다. 그 교수가 투병을 할 때부터 여러 가지 말이 돌아다녔다. 그 가운데 하나가 그분 암의 발병 원인이었는데, 박사학위 논문의 소재가 pyridine이었다는 것이었다. 그 소릴 듣고 사람들은 모두 고개를 끄덕거렸었다.

Pyridine! 두말 할 필요가 없는 엽기적인 약품. 화학구조를 보면 예쁘게 보이는데, 어떻게 그렇게 황당하고, 역겨운(영어론 disagreeable, 내 동기 K군의 말로는 country toilet) 냄새가 나는

지……. 게다가 그 냄새는 pyridine이 아주 조금만 있어도(문헌상 0.021ppm 이면) 느낄 수 있다. 실수로 반 컵을 마시고 죽었다는 기록이 이미 19세기 말에 나왔다는데, 어떻게 그런 냄새가 나는 액체를 입에 가져갈 수 있었는지 의문이다. 코가 막혔었나보다.

Pyridine은 폐나 피부를 통해 아주 쉽게 인체에 흡수되며, 대기 중에 3600ppm이면 즉사할 수도 있다고 한다. 이 피리딘에 지속적으로(매일 접촉하면 6개월 정도) 접촉하게 되면 환각효과, 두통, 어지러움, 나른함 등의 증세를 보이고, 파킨슨씨병에 걸린 예도 보고되었다. 그러나, 그 동안은 간과되었었지만, 무엇보다도 무서운 것은 이 약품의 mutagenicity 이다. '돌연변이 유발성' 이라고 해야 되나?

이 pyridine은 훌륭한 용매이지만, 우리의 반응에서는 반응 부산물인 HCl을 꼭 붙잡아서 나쁜짓을 못하게 하는 산포집제(acid acceptor)의 역할을 하였다. 반응을 정반응으로 유도하여 고분자의 중합도를 높이는 일을 하는 물질로 사용한 것이다. 그러니 다른 약품에 비해 소량 사용하였고, 실제로 실험실에서는 냄새가 역하다는 정도이지 크게 못 당할 정도는 아니었다. 그런데……. 이것이 공장 규모가 되니까 엄청난 괴물이 되어버렸다. 게다가 우리는 사용 양이 적다는 이유만으로, 바게쓰로 피리딘을 투입할 생각으로 공장을 설계하였던 것이다. 물론 그래서 파이롯트 프랜트가 필요한 것이겠지만……. 이게 다 돈 없는 탓이었다.

우리는 그 공장에서 철수할 때까지, 피리딘을 투입해야 하는 날을 가장 싫어하였다. 피리딘 투입은 일견 별것이 아닌 듯이 보인다. 저울에 바게쓰를 얹고, 피리딘을 정해진 양 따른다. 방독면을 쓰고, 바게쓰를 들고, 계단을 오르고, 쇠로 된 복도를 지나서 목적지인 vessel로 다가간다. 다시 vessel에 붙은 계단을 올라가서, hopper의 뚜껑과 valve를 열고 피리딘을 붓는다. 그리고 valve를 닫고, hopper 뚜껑을 닫고 아무 일도 없었다는 듯이 내려온다. 이건 이상적인 그림이고…….

현실은 이러했다. 우여곡절 끝에 계량을 마친다. 저울 주변이 온통 피리딘 천지가 된다. 방독면을 썼다가 다시 벗는다(아무런 효과도 없이 걸리적거리고 덥기만 한 방독면. 어지간하면 마음의 위안 삼아 쓰고 있으련만, 피리딘을 다룰 때는 마음의 위안보다 몸의 위안이 더 급하게 마련이었다). 바게쓰를 어떻게 하면 몸에서 멀리

들고 갈 수 있을까 하고 기묘한 폼을 다 동원하지만, 결국 피리딘만 쏟고, 옷에 다 튀고……. 우여곡절 끝에 vessel에까지 도착한다. 마지막으로 hopper에 붓기 위해 들어올린다. 이때가 코에 가장 근접하게 되는 시점이다. 아, 지옥! 아니 시골 화장실이 눈에 어른거린다.

이 대목에서 욱! 하면서 바게쓰를 내려놓고 구역질을 하는 선수. 그래도 바게쓰 안 엎은 것이 다행이다. 다른 선수가 얼른 뛰어 올라가서 들이붓는다. 그리고 내려와서 둘이 같이 구역질……. 어느 때는 너무 강한 자극에 들어 올렸던 바게쓰를 도로 내려놓았는데, 너무 세게 떨어뜨렸다. 피리딘이 다 튀어나와서 장화 속으로 들어가 버렸다. 약간 뜨듯한 느낌. NMP도 마찬가지이지만 피부 흡수를 잘하는 약품들은 피부에 닿으면 뜨듯한 느낌이 든다. 후다닥 뛰어 내려와서 장화, 양말 다 벗어 던지고 물을 끼얹는다. 그럼 뭐하나? 옷은 이미 온통 피리딘 범벅인데…….

항상 피리딘을 부을 때는 흘리게 마련이었는데 조금 튀긴 정도면 그대로 진행하였지만, 자칫 많이 흘리면 그 짓을 다시 한번 더 해야만 하였다. 우리는 셋이서 교대로 피리딘을 다뤘지만 어느 누구도 깔끔하게 처리한 적이 없었다.

일찍이 孤山 尹善道 선생께서, 우리의 KK1 공장 일을 예견하시고, 설파하셨다.

'내 벗이 몇이나 하니. (중략) 두어라, 이 다섯밖에 또 더하여 무엇하리…….'

이름하여 五友歌(오우가)!

(이 단어를 듣고 영화감독 '오우삼'을 연상한다면, 그는 홍콩 느와르 영화의 팬이기 이전에 국어공부를 등한시한 '불량감자'일 것이다. 말이 나와서 말인데, 오우삼 감독이 미국으로 건너가는 바람에 평소에 안 그러던 미국 애들도 권총을 두 자루씩 들고 설치고, X자로 쏘고, 옆으로 뉘어서 쏘고……. 참! 결국 '탐 크루즈'가 뒷발질까지 하고……. 액션의 진지함을 다 버려놨다. 공룡의 신비함은 신지식인의 용가리와 고질라와 불가사리가 버려놓고……. 그러나 좋은 소식도 있게 마련. 영화 '미인'을 꼭 보라는 영화 빠꼼이 x씨의 충고가 방금 도착했다. 인생관이 바뀔 수도 있단다. 그런데 이지현이 누구야? 그렇게 대단해? 또 딴소리를 했네. 덥다보니…….)

PPD, TPC, NMP, CaCl2, pyridine.

우리는 이 다섯을 벗(?)삼아 희대의 활극을 벌이기 시작하였다.

*2000. 8. 11.*

## (15)

〈온통

안타까움뿐이다. 말 안 듣고 집나간 자식놈, 끌려간 자식놈, 자기만 놔두고 떠난 야속한 부모……. 에이구, 왜 그리 사연도 많을까? 50 수년 전에, 별로 대수롭지 않게 했던 행동이 만든 결과를 보며,

그들은 지난 세월을 되돌리고 싶었을 게다. 병든 노모를 안고 우는 늙은 아들은 한줌도 안 되는 엄마의 품이 아쉬워 우는 걸까? 아니면 자신의 행동이 어머니와 가족들에게 얼마나 많은 굴곡을 주었는지 아쉬워 우는 걸까? 안타까움일 뿐이다.

북한에서는 '흩어진 가족'이라는 표현을 사용하였다. 흩어진…….

휴일이 많아서 그랬는지, 휴가철 분위기가 전염이 되었는지 도통 집중이 되질 않고 허공에 뜬 기분이었다. 그래서 그랬을까? 수염을 1주일 정도 깎질 않았다. 계속 기를까 말까 하다 아내에게 물어보았다. 나, '조지 클루니' 같지 않아?

오늘 아침 깨끗하게 밀어버렸다. '환자 같애…….'〉

〈1984년 4월, 좌절 그리고 오기〉

확! 다 부숴버리고 새로 지었으면 좋겠다는 생각이 하루에도 몇 번씩 들었다. 아무리 돈이 모자라도 그렇지, 어떻게 이렇게……. 그리고 공장을 직접 지은 C엔지니어링 회사 사람들 원망도 많이 하였다. 비록 우리가 제공한 concept과 설계에 의해 지은 공장이지만, 우리는 실험실 규모의 합성이 전공이고 자기들은 공장 만드는 것이 업인 사람들 아닌가? 뭔가 불합리한 것을 알았을 텐데, 그냥 돈 핑계만 대고 이렇게 지었나 싶어 야속하기까지 했다. 정말로 성질 버리기 딱 좋은 공장이었다. 아마 부처님이 이 KK1의 시운전을 하셨어도 욕을 안 하실 수는 없었을 것이다. 착하고 성질 좋다고 천지사방에 알려진 나도 이때 많이 망가졌던 것 같다.

우리가 그 공장에서 못견뎌하였던 첫째는 역시 냄새였다. NMP, TPC, 피리딘 모두 냄새에서는 한 가닥씩 하는 약품들이다. 이런 것들을 후드도 없는 공간에 한꺼번에 몰아넣고서 함께 뒹굴어야 하였으니……. 참 견디기 힘들었다. 또 날이 따뜻해짐에 따라 공장 안의 열기가 견디기 힘들어졌다. 라인을 熱媒(뜨거운 기름)가 흐르는 copper tubing으로 감고, 그 위를 기브스하듯이 동여매었는데, 조금만 작업을 하면 땀범벅이 되곤 하였다.

그러나 그런 것들보다 우리를 정말 미치게 만드는 것은 작업의 '불연속성'이었다. 참고로, 제대로 된 $$$$가 만들어지는 모습을 표현하면 이렇다. 양쪽 라인에서 공급되는 약품들을 '연속 반응기'로 투입하면, 처음에는 당량비(stoichimetry)가 맞지 않는다. 이때는 반응기 밖으로 토출 되어 나오는 '반응물'이 거의 흐르는 진흙

수준인데, 점점 양쪽 라인의 유량이 안정되면서 당량비가 맞게 되면, 중합도가 기하급수적으로 올라가면서 '덩어리'가 되어 나온다. $$$$의 중합도가 충분히 증가하면, 용매인 NMP가 아주 많이 포함되어 있는데도 불구하고, 거의 고체인 덩어리 상태로 반응기에서 토출되는 것이다. 반응기에서 토출되어 나오는 모양새는 (좋게 표현하면) 굵은 가래떡이 나오는 모습과 같은데, $$$$는 노란색에서 갈색 사이의 색을 가지고 있고, 반응열에 의해 덩어리는 뜨듯하고, 김이 나는 모양새가 영락없이 굵은 'ㄸ'과 같다(음, 흉하게 되어가는구먼……. 그래서 우리는 흔히 '똥덩어리 언제 보나?' 하곤 했다).

똥덩어리건 가래떡이건, 반응물이 그런 상태가 될 정도로 당량이 맞고 유량이 안정되려면, 공장의 상태에 따라 30분에서 길게는 두 시간이나 지나야 하는데, 그 전에 문제가 생기곤 하였다. 라인이 막힌다거나, 유량의 제어가 원활치 못한 것이 주원인이었다. 유량에 비해 턱없이 큰 라인의 규모. 마치 애가 어른 쓰레빠 신고 축구하는 것과 같은 그 상태에서 유량을 정확하게, 장시간 제어한다는 것은 참으로 힘들었다. 그렇게 유량을 맞추는 사이, 라인의 어느 곳이 막히면 도로아미타불이 된다. 어느 한 라인이 막히면 상대 라인을 다른 곳으로 흘려 버리던가 되돌려야 하는데, 막힌 부위를 빨리 조치하지 못하면 결국 두 라인을 모두 완전히 세워야 하였다. 이런 경우는 비일비재하였다.

이런 식으로 일이 중간에 끊기는 것도 짜증스러운데, 라인의 막힌 곳을 찾아 조치하는 것도 큰일이었다. 우선, 보온까지 해서 투박한 라인은 해체하기가 어려웠다. 그리고 주변 라인을 차단하였어도, 프랜지를 풀면 라인에 남아 있는 액이 튀어나와 온몸에 약품을 뒤집어쓰는 일도 흔하였다. 결국 라인의 모든 이음새와 굴곡 부분이 다 한 번씩 문제를 일으켰다. 참 신기하게도…….

걸핏하면 공장을 멈추고, 뜯고, 고치고……. 도저히 안정적으로 반응이 일어날 것 같지 않았다. 반면에 다 뜯고 새로 짓는다면 틀림없이 성공적으로 $$$$을 만들 것 같았다. 모든 상태가 최적이어서 기대를 하면서 공장을 돌리다가, 한 순간 덜컥대더니, 아예 공장을 세우게까지 되면, 정말이지 아무리 성질 좋은 사람도 스패너를 집어 던지고 싶어진다. 그리고는 깊은 좌절에 빠져 버린다. OOT 밑에서.

어느 날인가는 아무리 찾아봐도 막힐 만한 곳을 찾지 못했다. 의심이 가는 마지막을 확인하기 위해 어마어마하게 무식한 작업을 시작하였다. 가장 큰 vessel의 뚜껑을 열기로 하였다. 커다란 원통형 본체와 연결된 둥그런 뚜껑을 분리하여 여는 작업이었는데, 볼트/넛트가 50개쯤 조여져 있었다. 그리고 뚜껑은 위의 관과 꽉 물려있어 움직일 틈이 거의 없었으며, 본체와 뚜껑사이에는 테프론 가스켓이 끼어 있었다. 볼트/넛트도 당연히 엄청 큰 사이즈였다. 셋이서 대형 스패너를 가지고, 처음에는 발로, 나중에는 온몸으로 버티며 그 많은 볼트를 다 풀었다. 기대와는 달리 아무 소득도 없이 다시 뚜껑을 조여야 했는데, 가스켓을 제 위치에 넣기 위해 우리는 거의 까무러치기 직전까지 힘을 써야 했다. 다시 원래의 모습으로 만들어 놓은 후 우리는 덥고, 냄새나는 그 공장 계단과 바닥에, 약품에 여기저기 젖은 작업복 차림으로, 무슨 액체가 언제 들어갔는지 질척한 장화를 신은 채로 널부러지고 말았다. OMG! 정말로 일어서기조차 싫었다. 거의 기다시피 공장 밖으로 나간 우리는 OOT 밑에서 장화를 벗고 한식경을 죽은 듯이 누워 있었다.

하루에도 몇 번씩 닥치는 돌발사태. 그때마다 피어오르는 자포자기. 정말로 언제나 '똥덩어리'를 손에 들어 볼 것인가? 아니 그것이 가능하긴 한 것일까?

그런 상태에서 우리를 지탱시켜 준 힘은 아마 오기(傲氣)였을 것이다. 돌발사태를 해결했을 때, 또는 너무 엄두가 안 나는 일에 질렸을 때, 우리는 공장 밖의 OOT 밑으로 가서 담배를 피웠다. 그러면 참으로 신기하게도 마음이 진정이 되었고, 또 이런 것이 파이롯트의 본래 의미이겠지 하는 생각이 들었다. 그리고 이 시운전을 성공적으로 마치지 못하고 돌아가는 우리의 초라한 모습이 떠오르면, 피우던 담배도 집어던지고 다시 공장으로 들어가곤 하였다.

4월 말이 되어서, 이제 라인에서 막힐 만한 부분은 다 한 번씩 사고를 쳤다는 생각이 들었다. 이제는 문제가 없겠지……. 정말 출발이 좋았다. 30분도 안 되어서 유량이 안정되었다. 토출 되는 고분자의 모양이 급하게 바뀌기 시작하였다. 똥덩어리……. 입이 바짝 타들어온다. 길이가 4, 50cm 되는 몇 덩어리의 가래떡이 얻어졌는데, 갑자기 덩어리의 모양이 엉망이 되면서, 강한 TPC 냄새가 공장에 진동을 하였다. PPD쪽 라인이 멈추어버린 것이다. 계속해서 튀어나오는 TPC는 반응할 상대를 만나지 못해, 지독한 냄새만 남긴 채 장렬히 산화(散華, 酸化)하고 있었다. 날벼락도 이런 날벼락이……. 결국 두 라인을 다 세울 수밖에 없었다. 도대체 아직도 막힐 곳이 남아 있단 말야? 우리 세 명은 일부러 장난을 친 누군가가 있는 듯, 그래서 잡히기만 하면 가만두지 않을 듯한 눈으로 식식대고 있었다. 이럴 수가…….

오리무중이었다. 결국 마지막으로 굴곡진 strainer(일종의 필터)를 풀어보았다. 그곳을 의심하지 않은 이유는, 그 앞의 프랜지들마다 이물질을 거르려고 메쉬(mesh)를 끼워놓았기 때문에, 정작 이물질을 거르는 것이 주목적인 strainer는 할 일이 없었기 때문이었다. Strainer를 풀어보니 그 안을 육면체의 예쁜 결정들이 막고 있었다. 용액중의 염화칼슘이 잘 흘러가다가, strainer의 굴곡진 부분에서 평형을 잃고 분리되고, 자라서 결정화된 것이었다. 투명한 육면체 결정이 아름답게는 보였지만, 그렇게도 관이 막히는 것을 보고는 기가 막혔었다.

*2000. 8. 16.*

## (16)

### 〈깔딱고개……〉

우리나라의 산에는 '깔딱고개'라는 곳이 많이 있다. 급한 경사의 등산로인데, 그곳을 지날 때는 갑자기 고도를 높이느라 숨이 깔딱 넘어갈 지경이 된다. 그러나 일단 그곳을 지나면 완만한 등산로나 능선길이 기다리고 있어, 충분한 보상을 받는 곳이기도 하다. 우리는 1984년 4월 말, 그런 깔딱고개를 오르는 느낌이었다.

이제 라인은 거의 다 해결이 된 것 같았다. 물론 아직도 상습적으로 막히는 곳이 있었지만, 그런 곳은 우리도 상습적으로 뚫어버렸다. 이제는 그런 사소한(?) 문제를 만날 때는, '짜아식이~~ 까불고 있어~~' 할 정도의 수준이 되었다. 비록 작업복과 온몸에 약품이 튀고, 후끈함과 냄새에 찌들었지만 뭔가 될 것 같다는 기대감은 우리를 들뜨고 안타깝게 하였다. 비록 계속 실패만 하고 있었지만.

라인의 문제를 평정하고 난 후, 나의 모든 관심은 '유량의 제어와 지속' 이었다. Flow controller는 처음부터 나의 담당이었고, 덕분에 집에 가는 것도 몇 번 빼먹을 수밖에 없었었다. 나는 대학 때 '자동제어' 에 관련하여서는 Laplace transform만 배우다 말았다. 수학문제만 풀었으니 뭘 알겠나? 시운전 초기에 P, I, D control이 뭔지도 모르면서 controller를 만지다가, 어느 날 '그렇게 살면 안

된다' 는 옛날 누구의 말이 불현듯 떠올라서, 책도 구해보고, controller의 manual도 꺼내보고 하면서 집중적으로 공부를 해보았었다. 머리가 많이 아팠다. 한동안 안 쓰던 걸 쓰려니 빽빽해가지고……. 공부의 결과는, '알쏭달쏭' 이었다. 그래서 한동안 나는 머리를 갸우뚱거리며 다녔다. 스톱워치와 graduated cylinder, 빨간 줄 파란 줄이 그려진 chart paper를 들고 갸우뚱거리고, 공부도 좀 해보니 controller가 친숙해지기 시작하였다. 그때가 시운전 초기였는데, 라인의 문제가 거의 해결된 그때까지도 유량문제는 아직 해결이 안 되고 있었다.

이 문제는 의외로 '압력' 을 이용하면서 해결되었다. 물론 완벽하고 영구적인 해결책은 다 뜯어내고 다시 짓는 것이었지만, 조절이 가능한 모든 것들(예를 들면, controller, 스위치, 심지어 밸브까지)을 조합하여 잘 조절하면, 몇 시간(내 경험상 최대 14시간)은 유량을 제어할 수 있었다. 언제나 유량을 설정해놓고나면 라인에 압력이 차오르기 시작한다. 후퇴라곤 모르는 미터링 펌프는 점점 더 숨가쁜 소리를 내고, 그러다 어느 순간 safety valve가 열리며 압력이 빠져버린다. 물론 그때는 유량이 개판이 된다. 유량을 나타내는 차트 페이퍼의 붉은 줄은 흡사 지진계와 같이 되어버리고. 이런 과정도 하도 많이 하다보니까, 요령이 생기는 것일까? 점차 압력이 차오르는 것을 늦출 수 있었다. 3시간, 5시간……. 이제는 ㄸ덩어리를 만져보는 것이 가능하지 않을까? 어차피 우리의 임무는 가능성만 보여주면 되는 것이라는데…….

이렇게 손으로 이것저것 조작해서 유량을 맞춘다는 것이 우습기도 하였지만, 반면에 이런 것이 공장 운전 경험의 소득이 아닐까 하는 생각이 들었다. 어느 날, 아주 괜찮게 세팅이 된 것 같았다. 그래서 그 날 저녁에 라인을 돌린 채 공장을 떠났다. 그 날 밤, '황태자' 에 앉아 술을 마시는데, 집중이 되질 않았다. 다른 일도 그렇지만 술 마실 때 집중이 안 되면 정말 짜증스럽다. 몸 축내가면서 술 마시는데 잡생각이 끼어 들면, (무협소설에 의하면) 내상을 입을 수도 있다. Safety valve가 터졌을까? 펌프의 다이아프램(diaphragm, 그 라인의 펌프는 다이아프램식이었다. 얇은 막의 가운데 부분이 왔다갔다하며 용액을 밀어낸다. 염통 같이)이 찢어진 것은 아닐까? 아니면 공장이 통째로 터진 건 아닐까? 다음 날 아침, 공장으로 향할 때는, 빨리 가보고 싶은 마음과 가고 싶지 않은 마음이 뒤섞여 속이 쓰려왔다(훗날 KIST로 복귀한 후에도 속이 쓰리곤 해서, 내시경검사를 해보니 위염이란다. 남들은 술을 의심하지만, 나는 안다. 다 이런 맘 고생 때문이었다).

멀리서 공장이 바라보이는데 멀쩡하였다. 으음…! 공장이 날라가지는 않았군. 조심, 조심 공장 문을 열고 들어갔다. 처버덕~ 처버덕~ 펌프 소리도 그대로였다. PI(pressure indicator, 압력계라고 하려고 했는데, 이렇게 쓰는 게 더 있어 보일 것 같아서……)를 보니 어제 퇴근 때와 같은 압력이었다. 오호라! 가망이 있네……. 나는 살금살금, 까치발로 control room으로 향했다. 마치 내 발걸음에 안정된 라인이 다시 개판 될 것 같아서……. Chart paper를 보니 어제 저녁부터 그때까지 아주 안정된 유량이 유지되었다. YES!

비록 땜빵이지만 가능성이 보였다.

이제 마지막 관문은 반응기였다. 비싼 돈 들여 사온 기계인데, 이게 또 뭐가 안 맞는다. 반응기는 양쪽 라인에서 나오는 약품들을 효과적으로 섞어 반응을 일으키면서, 한편으론 반응물을 밖으로 밀어내는 역할을 하는 기계였다. 우리는 가능한 모든 조작을 해보았지만 중합도는 오르지 않았다. 결국 반응기의 혼합 성능(교반 성능)을 의심하게 되었다. 그래서 양쪽 라인의 약품이 처음 만나 섞여 들어가는 '뚜껑 부분'을 보완하기로 하고, 얄궂은 구조의 '보조 반응기'를 설계 제작하여 반응기 투입구에 설치하였다. 이 '보조 반응기'를 만드는 데 또 하루가 걸렸다. 그나마 B사 공작실의 전폭적인 도움 덕이었다. 아마 다시 KIST로 올라와서 주문하고, 만들고 했으면 한 달은 걸렸을 것이다.

'보조 반응기' 를 달고 다시 시작. TPC 라인이 꼼짝도 않는다. 용융되어 이송되는 TPC가 '보조 반응기' 에 들어서면서 굳어버린 것이다. 크지도 않은 '보조 반응기' 라서 굳기 전에 충분히 통과하리라고 생각한 것이 패착이었다. 그래서 이번에는 막힌 반응기를 뚫는다고, 공장 전체를 TPC 냄새로 채워버렸다. 땀을 뻘뻘 흘리며 낑낑대다간, 교대로 욱! 캑! 하기를 무릇 幾何(기하)였던가? 나중엔 염산에 빠졌다 나온 사람들같이 온 몸에 TPC 냄새가 배어버렸다. 결국 '보조 반응기' 를 보온하기로 하였다. 그 기괴한 스텐 덩어리에 copper tubing을 감을 수도 없고, 결국 스텐 덩어리안의 약품라인을 건드리지 않도록 구멍을 내고 copper tubing을 연결해서 熱媒(열매)를 직접 통과시키기로 하였다. 아우, 복잡해…….

다음 날이 바로 토요일이었다. 최, 고 두 양반은 머뭇거리고 계셨다. 참, 내……. 등을 떠밀어서 서울로 올려보냈다. 나는 아직 애가 없었지만, 그 두 분은 귀여운 자식들이 있었다. 그 꼬마들이 얼마나 보고 싶을텐데……. 혼자서 몇 시간 하면 되는 copper tubing 작업에 전부 달려들 이유도 없었고. 두 분을 올려 보내고, 토요일 오후, 조용한 공장 안에서 반응기에 copper tubing을 연결하였다. 구부리고, 잇고, 조이고……. 어느덧 밤이 되어버렸다. '황태자' 에 들어서니 사람도 없다. 다들 어디 갔나? 술을 몇 잔하고 나니 잠이 몰려왔다. 결국 일요일 종일토록 잠을 잤다. 그렇게 깊이, 오래 잠을 잔 적이 언제 있었었나?

월요일. 다시 심기일전해서 달려들었지만 또 실패. TPC는 잘 나오는데……. 그러면 반응기의 보온 때문에 이번엔 반대쪽 라인에 문제가 생긴 걸까? 반대쪽 라인은 온도가 낮아야 하는데……. 며칠 동안 별의 별 수를 다 써보았지만 소용이 없었다. 막간을 이용해 라인이 문제를 일으키기도 했지만, 그런 건 이제 단 큐에 처리할 정도로 우리의 무예는 수준에 올라 있었다. 호잇! 그런데 왜 안 될까? 이제 안 해본 짓거리는 푸닥거리를 비롯한 몇 가지 종교의식뿐인데…….

우리는 다시 또 좌절하였다. 다시 또, 언젠가 끝이 안 보일 때 하던 대로, 저녁마다 퍼마시고 있었다. 그런데 이제는 잘 취하지도 않았다. 면역이 되었나?

어느 저녁, 우리 셋 다 술이 꼴아서 떠들다가, 문득 우리가 일을 너무 복잡하게 이해하는 것이 아닌가 하는 이야기가 나왔다. 그럴 수 있다. 무엇이든지 가장 간단하고, 벌거벗은 상태에서 시작하는 것이 해결의 지름길일 텐데…….

다음 날 공장에 도착하자마자 '보조 반응기' 를 떼어버렸다. 떼어내고 나니 무엇보다 반응기에 붙어 있던 뜨거운 copper tubing에 더 이상 데일 염려가 없는 것이 너무 좋았다. 그 동안 우리는 반응기 주위에서 일을 하다가, 기브스도 안 하고 노출된, tubing에 걸핏하면 팔뚝을 데이곤 했었다. 에이~ 시원하다. 없애는 김에 원래 있던 '뚜껑' 도 없애버렸다. 생각해보니 그 뚜껑은 아무 의미도 없는 것이었다.

이제 양쪽 라인의 끝을 우리 눈으로 직접 보며 작업을 할 수 있었다. 약품이 쏟아져나오는 양 라인의 끝을 반응기 투입구에 집어넣고, 반응기를 조작하게 되니까 한결 마음도 편했다.

역시 뭐든지 문제가 있을 때는 벌거벗고 뛰는 게 상책이다.

〈최근 몇 편을 자세히 보면, 누구나 $$$$를 만들 수 있을 것 같다. 너무 공장 이야기에 치우쳤나보다. 재미 추구, 단순무지형 독자들은 참 힘들었겠다…….〉

*2000. 8. 17.*

## (17)

〈오늘,

8월 18일. 아침. 드물게도 늦잠을 잤다. 늙으면 잠이 없어진다두만, 이게 웬 주책인지……. 아침식사를 하면서 TV를 흘낏거리고 있었다. 북에서 온 분들이 다시 돌아가는 모양이다. 올 때는 근엄들 하시더니, '장군님' 을 그리도 들먹이시더니, 간다는 버스 안에서 펑펑 울어대고 있다.

공연히 만나게 해드렸나? 눌러놓았던 마음의 병을 터뜨린 것은 아닐까? 저러다 또 몇 분 돌아가실 것 같다. 북의 자식놈을 위해 절에서 혼자 사시며 기도만 하신다는 저 할머니. 여기 식구도 없다는데, 같이 타고 가시면 좋으련만. 안타까운 세상.

근데, 어떤 나쁜 노무 시키들이 이렇게 만들어논 거야! 왜놈야? 양놈야? 아님 우리야? 에이~ 썅!〉

〈오~ ㄸ덩어리! 1984년 5월 초〉

그 날! 우리는 마술에 걸렸었다.

물론 우리는 그 날이 그 날인지 몰랐다. 오늘도 안 되면 용하다는 만신 불러다 푸닥거리라도 한 판 해야지 하는 맘으로 공장에 들어섰다. 공장의 control room부터 라인에 붙어있는 각종 계기까지 다 점검. OK!(물론, 이 단계까지는 매일 OK이다. 그때까지 그 정도도 안 되었으면 그건 직무유기지……. 배신이지…….)

펌프 가동. 라인의 밸브들을 조작하여 용액은 circulation 시킨다. 그리고 우리가 사무실로 쓰는 방으로 가서 자판기 커피를 한 잔씩 때린다. 이 즈음은 회의도 없다. 그 날 해야 하는 일이 무엇인지 우리 모두가 너무 잘 아니까.

옷을 갈아입는다. 이 칙칙한 회색 작업복이 대 KIST의 공식 패션이라는 데 쪽팔림을 느낀다. 우리가 숙소로 쓰는 그 여관형 호텔에는 일본인들이 많이 드나든다. 대부분 그 동네 공장에 기술을 가르쳐주러 왔거나 AS 나온 사람들인데, 그 倭人들 작업복은 색도, 디자인도 참 예쁠 정도였다. 그런데 우린 국가 대표 연구소라는 곳이 이런 작업복이라니……. 장화를 신는다. 이 대목이 제일 싫다. 저녁에 장화를 벗을 때는 땀에, 약품에 절어서 늘 질퍽거린다. 그 후 나는 무좀이 없어졌다(무좀이 있는 사람들은 한번 해 보시길……. NMP나 pyridine을 신발에 담고 다니면 무좀이 없어질 거다. 약품을 원하시는 분은 나에게 메일을……). 고무장갑과 면 장갑을 챙기고, 잘 쓰지도 않으면서 버릇처럼 방독면을 목에 두른다.

공장으로 가는 길에 주변을 돌아본다. 계절의 여왕다운 날씨, 여공들의 높은 웃음소리, 멀리 보이는 영남 제일 명산의 능선…….

좋은 날이다.

공장에 들어선다. 문제가 없다. 밸브를 조작해서 물꼬를 돌렸다. 압력이 차 오른다. 신경 안 쓴다. 20분이 지나니 유량이 안정된다. 실린더에 받아 check해보니 잘 맞는다. 라인의 끝을 반응기 투입구에 직접 집어넣었다. 반응기의 회전 속도는 저속으로 해 놓았다.

아직 우리가 못 푼 관계식 하나.

반응기의 회전 속도와 교반 효과와 중합도와 체류시간.

우리의 목표인 '高중합도'에는 교반효과와 체류시간(반응시간)이 함께 작용하여야 한다. 그런데 이 $$$$의 중합반응은 무지무지하게 빠르다. 실험실에서 하는 중합은 순식간에 끝나버린다(어느 지체 높으신, 그러나 음탕한 분이 우리가 실험실에서 중합하는 것을 견학하고는 '꼭 토끼 같구먼…….' 하고 갔다. 천한 분!). 처음에

는 이 '빠른' 반응에 기대를 걸었다. 냅다 돌리는 것이 무조건 유리하겠지 하면서…….

회전속도가 높으면, 교반효과는 좋아지지만, 체류시간이 짧아진다(이 반응기는 무조건 밀어내는 방식이다. 용서가 없다). 그런데 체류시간이 충분치 못한 모양이었다. 토출되어 나오는 반응물은 형편없었다. 노란 색의 heterogeneous 한 것이 흘러나오는데, 중합도는 형편없는(중합이 되었다고도 할 수 없는) 모양새였다.

반대로 회전수를 낮추어도, 토출되어 나오는 것은 변화가 없었다. 반응기에서 오래 머무르기는 하지만, 교반효과는 형편없다는 뜻이다. 일단 반응물들, PPD와 TPC가 많이 부딪쳐야 뭐가 일어날 것이 아닌가? 하늘을 봐야 별을 따지…….

(하늘을 봐야 별을 따지? 그 대목에서 갑자기 노총각 내 후배가 생각났다. 여자들이 자기를 못 알아본다고 한탄만 하면서, 여자 소개시켜주면 변변히 말도 안 하고, '소개꾼' 한테 술이나 사라고 하고, 그러면서 세월만 보내고 있는 놈. 내 그놈한테 소개시켜 준 여자가 무릇 몇이며, 사준 술값이 또 얼마인가?

사실 그 자리에 나온 여자 선수들은 엄청 기대하고 나왔단다. 이미 결혼을 해버려서 아쉽긴 하지만, 터프하고, 인격적인 '어느 분' 이 소개시켜 준다지, 남자 선수는 그 '어느 분' 의 후배라지……. 그래서 평소보다 비싼 미장원 가서 공들이고, 예쁘게 차려입고 경기장에 나타났는데, 남자 선수라는 놈은 머리만 벅벅 긁고 있다. 흥! 매너 없는 놈! 그러더니 저 멋있는 '소개 오빠' 에게 술 사라고 조른다. 어머머! 나쁜 놈! 그녀들은 그래도 그 멋진 '소개 오빠' 와 같이 한잔 할 수 있는 것으로 그 날의 불운을 달래곤 했다. 음~~ 이쁜 것들……. 지금 다 뭐하나? 내 전화가 019-…….

먼 훗날. 내가 지구의 반대편에서 벼락치는 풍광을 즐기며 위스키를 홀짝대고 있을 때, 엽서가 한 장 날아들었다. 청첩장에 '괴발개발' 써댄 사연인 즉, "형님, 저도 갑니다. 형님이 안 계시니 가게 되는군요." 아니? 이런 썩을 놈이 있나? 내가 가지 말랬나? 그런데 이상하게 그의 글에는 自嘲(자조)가 섞여 있었다. 내 그래도 행간을 읽는 재주는 있는데……. 이놈이 가기 싫은 걸 가나? 혹시 술 처먹고 나쁜 짓을? 강제로, 그 짓을……. 사람 겉 보고 모른다더니……. 하긴, 능히 그럴 놈이지. 짐승!

돌아와서 들어보니 부인되는 분이 거의 종교적 차원에서 구제한 것이란다. 그럼 그렇지……. 自力(자력)으로 갈 놈이 아니지. 그건 참으로 부인의 숭고한 행동이었다. 그치만, 그 뒷감당을 우얄라꼬……. 그런데 국산이 35년 이상 묵었는데 기계적인 문제는 없을까? 그는 우리 부부의 이런 염려를 깨고 애를 셋이나 낳았다. 짐승! 어쩌다 이야기가 이렇게 번졌나? 다시 본론으로…….)

우리가 예상하고 있는 반응기의 이상적 거동은 이러하였다.

반응기의 입구에는 두 라인에서 액체가 들어간다. 그리고 교반에 의해 반응이 진행되어 중합도가 올라가면서 출구쪽으로 이동한다. 결국 반응기의 출구 부분에서는, 중합도가 아주 높아져서, 고점도의 액체를 지나 거의 고체상 gel이 된다. 이렇게 되면 역으로, 이 gel 같은 생성 고분자가 반응기의 출구를 적당한 압력으로 막아주면서 체류시간을 연장시킨다. 그러면 반응기의 회전수를 증가시켜도 체류시간이 짧아지지 않는다. 이때는 교반효과도 극대화되고, 충분한 체류시간(반응시간)을 달성할 수 있다. "State of Nirvana"

이 state는 우리만의 상상이 아니었다. 그런 기계에 경험이 많은 분들의 자문도 얻고 해서 완성한 가능성 높은 그림이었다.

양 라인은 아주 안정되어 있다. 유량도 좋다. 돌발사태만 없기를 바라며 반응기의 회전수를 아주 천천히 증가시켰다. 처음부터 높은 rpm은 아무 효과가 없었으니까. 내 드럽고 급한 성질을 최대한 죽이며, 반응기의 회전수를 아주 천천히 증가시키면서 토출물의 상태를 보았다. 물론 이때에도 내 코앞에서 흘러나오는, 김이 모락모락 나는 액체에서는 다섯 가지 '五友(오우) 약품'의 냄새가 강하게 퍼지고 있었다. 가장 강한 TPC 냄새가 주로 느껴졌다. 그런데 만약 반응이 잘 된다면 TPC는 소모될 테니까, 당연히 공포의

pyridine 냄새가 판을 치겠지……. 이런 생각을 하고 있는데, 갑자기 pyridine의 그 역한 country toilet 냄새가 확 끼쳤다. 욱! 하며 뒤로 물러서면서 보니 마치 나무껍질 뜯어놓은 것과 같은 갈색 덩어리들이 툭툭 떨어지고 있었다. 아아니! 이게 뭐이냐? 맨날 줄줄 흐르는 것만 보다가 이상한 고체-like 한 쪼가리들을 보니 소름이 막 돋았다. 이것 좀 봐요. 두 분도 그것을 보고 무언가 심상치 않은 조짐을 느낀 모양이었다. 우리 셋은 잠시 서로 얼굴을 마주 보았다. 그리고 우리는 그때 그 상태에서 가장 중요한 것이 무엇인지 충분히 잘 알고 있었다. 두 분이 아주 빠르고 숙달된 솜씨로 라인을 점검하였다. 아주 좋은 상태였다.

다시 회전수를 증가시켰다. 왕손의 그 급한 성질 다 팽겨치고, 아주 천천히……. 내가 '예쁜 후배' 손 잡을 때도 이렇게 천천히는 안 했는데…….

회전수가 높아지면서 쪼가리들이 점점 커지고, 토출구의 모양을 따라 둥그렇게 되면서 점차 원의 모습을 갖추어갔다. 제발……. 그 쪼가리들이 점점 이어지고 커지더니, 어느 순간. 굵은 가래떡이 되어 나오기 시작하였다. Oh~~My God!!

직경 10cm 굵기의 갈색 가래떡이 김을 모락모락 내며 밀려나온다. 30cm 정도 나오다가는 자기 중량에 못 이겨 아래로 툭! 끊어지면서 떨어진다. 한동안 우리는 그 모든 걸 바라만 보고 있었다. 도대체 이게 뭐야? 이것이 진짜 우리가 그렇게 바라던, 바로 그 ㄸ덩어리야? 망연히 바라만 보고 있는데, 최 선생의 저거 받아야 돼 하는 소리에 정신이 퍼뜩 들었다. 급히 푸대를 구해서 그 적당히, 자진해서 잘라지는 덩어리들을 받았다. Pyridine 냄새가 나는 지도 몰랐다.

나는 회전수를 더 증가시켰다. 이제는 회전수를 거의 최대로 증가시켜도 덩어리가 토출 되는 속도에 큰 변화가 없었다. 오오~~예스! State of Nirvana!

고분자의 중합도를 알기 위해서는 덩어리에서 시료를 채취해서, 고분자만을 잘 분리하고 세척, 건조한 다음 적당한 용매에 녹여 점도를 재야 한다. 절차가 제법 길어서 결과를 알려면 최소한 하루는 걸린다. 최 선생은 여기저기서 시료를 채취하고 있다. 고 선생은 계속 라인을 체크하고 있다. 이 상태를 오래 유지하기 위해서, 혹시 있을 지 모르는 돌발사태를 막기 위해서 눈을 부라리고 있는 것이다.

나는 두 분에게 밖으로 나가자고 눈짓을 하였다. 마치 말을 하면 라인과 기기들이 흔들릴까봐. 우리는 살살 걸어나가서 OOT 밑에 앉았다. 담배를 한 대씩 피워 물고, 맘을 진정하고, 처음부터 다시 되짚어보았다.

지금이 우리가 할 수 있는 모든 일의 최선인가? 머리가 텅 비어버렸는지 답이 떠오르지 않았다. 그래! 최선인지 아닌지는 모르지만 문제가 있는 것은 없다.

저 덩어리는 뭘까? 저 덩어리…….

그런 안정된 상태는 우리가 공장을 세울 때까지 계속되었다. 3시간 이상을 ㄸ덩어리들을 계속 토해내고 있는 반응기와 공장을 가끔씩 돌아보고, 덩어리를 받는 푸대를 교환해주면서, 우리는 OOT

밑에서 담배만 피우고 있었다. 수시로 공장쪽을 돌아보면서. 한편으론 편안하고, 한편으론 초조한 마음이었다. 우리 일을 돕던 B사 직원이 어느새 쪼르르 달려가서 보고를 했나보다(저 시키는 우리 편야? 프락치야? 프락치겠지!). B사 연구소의 이런저런 사람들이 우르르 나타나더니 공장을 드나들면서 보고, 묻고 하였다. 귀찮았다. 평소에는 코빼기도 안 보이던 것들이, 행여 나타나도 30초도 공장에 있지 못하고 코를 쥐고 기어 나오던 인간들이 전부 나타나서 웅성거린다. 저것들이 껀수 잡았구먼. 이제 저 인간들 중 최소 다섯은 표창을 받겠지."$$$$ 시운전을 성공리에……." 하면서. 그렇게, 평소의 나답게 비실비실 쪼개면서, 그 군상들의 출랑거림을 보고 있는데, 저쪽에 이 부장님이 지나가시는 것이 보였다. "이 부장님!" 내가 존경하는 인격자. 나는 얼른 뛰어가서 막 떠들었다. "부장님, 저희가요, 어쩌고 저쩌고……." 부장님은 마구 잡아끄는 내 손에 이끌려 공장을 돌아보셨고, ㄸ덩어리가 밀려나오는 그 장엄한 광경을 한참 바라보셨다.

"야! 정말로 수고했다." 그 말에 나는 정말로 감격하였다. 사람은 자기가 존경하는 사람의 칭찬에 껌뻑 가는 법이 아닌가?

3시간이 훨씬 지났다. 커다란 푸대 3개가 덩어리들로 꽉 찼다. 우린 점도만 재면 되는데, 그러니까 5g만 있어도 뒤집어쓰는데, 이건 너무 많다. 안정되게 나온다는 증거도 이 정도면 되었다. 마침 TPC가 거의 다 소모되어갔다. TPC를 더 투입할까 하다가 그만 두었다. 저 덩어리들이 우리의 목표에 맞는 $$$$인지는 아직 확인은 안 되었지만, 이 싸구려 공장 시스템으로는 더 이상의 grade-up

은 힘들다는 생각이 들었다. 그래서 가동을 멈추고, 다음 날부터 다시 정비와 점검을 '철저히' 하기로 하였다. 라인도 철저히 비우고, 완전히 처음부터 다시 해보자는 마음이었다. 처음부터 다시 했는데 이런 덩어리들을 다시 못 만든다면, 그동안 우리는 헛일을 한 것이라는 생각도 들었다. 최, 고 선생 두 분도 내 생각이 무엇인지 이해하시고 흔쾌히 따라 일어나 공장 가동을 멈추기 시작했다. 염화시중의 미소. 이심전심.

아직 대낮인데, 그리고 고분자도 잘 나오고 있는데, 나무에 기대서 담배만 피우던 촌스런 회색 작업복의 인부들이 갑자기 분연히 일어나더니, 공장을 닫는다. 그 모습을 보고, 웅성대던 B사 사람들이 어리둥절한 모양이었다. Q과장이 나에게 물었다. 왜 그래? Line Flush입니다. 야! 잘나오고 있는데 웬 라인 프러쉬야? 저흰 원래 깔끔이거든요. 그리고 공장을 부수든, 팔아먹든 아직은 KK1 공장장인 제 맘입니다. 우리는 망연자실 바라보고 있는 B사 사람들의 눈초리를 뒤통수에 달고서 공장문을 닫고 퇴근해버렸다. 뒤에서 수군거리는 소리가 들렸다. 아마 이런 소리였을 것이다. 저놈들이 드디어 맛이 갔구먼. 매일 냄새에 취해서 해롱대더니……. 쯧쯧……. 잘 나오는 공장 문 닫는 놈들은 첨 봤네……. 저것들 KIST 애들 맞아?

그때가 오후 3시경이었다.

그 날 밤 '황태자' 에서 우리는 축배를 들고 있었다. 아직 그 덩어리의 정확한 실체가 파악되지는 않았지만, 덩어리를 보았다는 것만으로도 술독에 빠질 만하였다. 우리가 그렸던 그림, State of Nirvana를 확인하지 않았는가? 교반속도와 체류시간을 둘 다 만족시키지 않았는가? 그래도 중합도가 안 오른다면, 반응기를 바꿔야 한다. 옳소! 부어라, 마셔라. '황태자' 의 여러 코너에 있는 아가씨들이 우리를 이상하게 바라보고 있었다. 저 서울서 온 알콜 중독자들이 오늘은 뽕까지 맞았나? 공연히 실실거리고……. 박수치고…….

그렇게 떠들고 퍼 마셨지만, 우리 셋은 뭔가 미진하고 안타까운 마음마저 숨기지는 못했다. 중합도……重合度…….

*2000. 8. 19.*

## (18)

〈사람들〉

이ㅅㅈ부장님. 바로 전편에 언급한 이 부장님. 후에 그 B사의 연구소장을 거쳐, xx사업본부장, 전무로 계시던 어느 날 갑자기, 쉰이 조금 넘은 너무 이른 나이에 돌아가신 그분. 나의 대학 선배, 정확히 10년 선배이기도 하셨지만, 그래서 내가 그분을 존경하는 것은 아니다.

그분은 누구나 인정하는 인격자이셨다. 공정하고 자애로운 상사였고, 앞에서 끌고 가는 '리더' 라기보다는 뒤에서 엉덩이를 토닥거리며, 사기를 올려주며, 몰아가는 '리더' 였다는 평가를 받는다. 막강한 정보력을 자랑하는 미국의 D사의 평가이기도 하다(그 시키들은 CI랑 뭔가 연관이 있나보다. 별걸 다 알고 있었다. 헉! 그럼 나의 비리도… '황태자' 도…….)

그때 그분은 바로 그 B사 연구소에 부장으로 계셨는데, 담당하고 계신 연구분야가 우리 일과는 관계가 없었다. 그러나 수시로 지나가는 길에 들리셔서 진심으로 용기를 주시고, 자신의 경험에 의한 조언도 해주셨다. 그분은 입사 초기에 일본서 들여온 그 공장의 거대한 반응기들을 시운전하셨던 경험을 가지고 계셨다. 우리가 너무 지쳐 보일 때는, 억지로라도 끌고 나가셔서 술을 사주시며 용기를 주셨다(술 사줬다고 그분을 존경하는 건 정말 아니다. 끅~).

나는 점심시간에 그분이 운동장에서 (그 운동장은 우리 KK1공장 바로 밑에 있었다. 지금은 살기가 좋아져서 그곳도 주차장으로 바뀌었다), 젊은 직원들이랑 야구건, 축구건 열심히 뛰시는 것을 보고 재미있어했다. 나도 나중에 저래야지…….

어느 날 이 부장님이 다리에 기브스를 하고 목발을 짚고 나타나셨다. 야구를 하다 다리가 부러지셨단다. 내 평생 어휘가 안 떠오르기는 그때가 처음이었다. 대학교 1학년 때, 그 살벌했던 미팅 파트너 '옹니' 에게도 할 말은 했던 난데……. 그분의 기브스를 보고는 할 말이 없었다.

(으, 옹니! 결국 다 나오네……. 이 해프닝은 대학교 1학년 때의 일이었다. 그리고 70년대니까 일어난 일이지, 지금의 개방적이고 직선적인 젊은이들이라면 그런 일도 안 일어났을 것이다.

그때 대학교에 진학을 하면, 남학생이건 여학생이건 외양부터 변화하기 시작하였다. 그 시절 고등학교 남학생들은 스포츠형 짧은 머리, 여학생은 단발머리가 주였고, 지금 애들처럼 특별히 사복을 입을 일도 많지 않았던만큼, 대학생으로 탈바꿈하는 것은 꽤 시간이 걸리는 일이었다. 그래도 여학생들은 빨리 모양이 바뀌었다. 지금같이 중학생도 화장하는 '변장의 시대' 도 아니었고, 대학생이 되어도 기껏 로숀이나 바르는 것이 화장의 전부였던 '뽀송 맨살의 시대' 였지만, 그래도 여학생들은 빨리 세련되어졌다. 아마 여성 특유의 감각이리라. 본능. 상대적으로 남학생들은 고삐리 티를 벗는데 길면 1년씩 걸리곤 하였다. 집에서 입학선물로 해준 양복을 입고 다니는 놈이건, 깡촌에서 올라와 교복 한 벌로 버티는 놈이건, 다들 어딘가 어색하였다. 특히 여학생들에 비하면 얼빵하기까지

한 것을 감출 수 없었던 것이 대학 1학년이었다. 남자는 아무래도 여자보다 늦게 변화하나보다. 내 서클 동기 여학생은, 1학년 때 하도 촌스러워서 차버렸던 남자애를 2학년 때 봤더니 너무너무……. 킹카가 돼 있더란다. 아쉬워 잠도 안 오더라나……. 여학생은 갈수록 값이 떨어지고 남학생은 오른다는 격언이 실감나더란다. 그래서 여학생은 4학년이 되면 불독이 되고, 졸업하면 狂犬이 된다고 했던가? 물면 안 놓는 불독, 아무나 무는 狂犬…….

대학생이 되면 단순히 이런 외모의 변화 말고도, 다른 많은 변화를 겪게 된다. 그 중 뭐니뭐니해도 가장 큰 변화는 이성교제일 것이다. 우리 시절에는 고등학생 때의 미팅은 거의 없었고, 빨리 해봐야 입학시험 치르고 하는 정도였다. 그러니 봄학기에는 거의 동시다발적으로 일어나는 새로운 이성교제 열풍에  정신이 없을 정

도였다. 장안의 이름있는 다방은 떼거지로 몰려온 학생들이 누군가의 지휘에 따라 우루루, 우왕좌왕……. 이럴 때, 신입생들은 선배나 친지들에게서 많은 조언과 지침을 듣고, 매너와 예의를 배운다. 그런데 여학생들은 이때 많은 것을 잘못 배웠고, 그래서 많은 1학년 여학생들은 심각한 '아씨병' 증세들을 보이곤 하였다. 그 병을 못 고치고 졸업하면 공주병이 된다던가? 하여간 무조건 튕기고, 톡톡 쏘고, 애프터 안 받아주고……. 솔직히 누군 좋아서 애프터 신청하나? 무조건 신청하는 것이 예의라고 배웠으니 하지. 게다가 죽어도 돈 안 내고……. 씨…….

이 일도 그런 종류의 일이었다. 사건은 내 친구 Y의 누나에게서 비롯된다. 그때 Y의 누나도 대학생이었는데, 자기네 과 신입생들과 우리를 미팅시키려고 애를 쓰고 계셨다. 누나는 멋진 동생과 그 친구들을 자기 학교 후배들에게 자랑하고 싶어했는지도 모르겠다. 누나는 우리의 합격자 발표가 난 직후부터 미팅을 부르짖었지만, 우리가 그리 한가한 학상들이 아니잖은가? 돌아다녀야 할 사교계도 많고, 관리해야 할 언니들도 많고……. 결국 5월이나 되어서 스케쥴을 맞출 수 있었다.

충무로의 스카라극장. 지금도 있나? 70미리 영화를 상영할 수 있었던 영화관. 3층에 앉아서 70미리 영화를 보면, 마치 절벽에 매달려서 보는 느낌이 들던 것. 그 스카라극장 건너편에서 약간 위로 올라가면 '숲속의 빈터(Glade)' 라는 그럴싸한 커피집이 있었다. 그곳에서 6쌍이 미팅을 하기로 하였다. 누나는 무조건 애프터를 신청해야 한다고 우리를 다그쳤다. 누나 수준이면 난 죽어도 애프터 신청 못하지 하는 내 말에 누나는 자기보다 다 괜찮단다. 주선자가 선수 나쁘다는 것 들어봤나?

결전의 날. 종이 접은 것을 하나씩 골라서 짝을 찾아 앉으란다. 주최측의 농간이 감지되었지만, 그까짓 것! don' y care 였다. 내 파트너 앞에 앉았는데, 어딘가 unbalance 해 보였다. 나중에 그녀가 말을 할 때 보니까 '옹니' 였다. 나는 원래 어느 자리엘 가건 파트너의 외모는 별로 신경을 쓰지 않는다. 의도적으로 그렇게 노력도 하고. 나 자체도 만만치 않은 대형폭탄인데, 뭐 그런 걸 따지나? 그냥 분위기를 좋게 이끌어가다, 정 마음에 안 들면 각자 집에 가면 되는 것이지. 이런 cool한 사고의 보유자인 나도 '옹니' 에는 당황하였다. 갑자기 떠오른 옛말. '곱슬머리에, 옹니에, ㅊ씨이면, …….' (뒷말은 각자 알아서 메꾸시길…….)

으으, 무지하게 깐깐하겠구나. 게다가 얼굴에서 풍기는 저 칼바람! 어머니가 지난 주일에 교회같이 가자실 때 갈걸……. 요즘 들어 왜 이리 '사교발' 이 딸릴까……. 좀 쉬라는 하늘의 계시인가? 이름을 물었다. 나는 다시 한번 놀랐다. 姓(성)이 매우 특이했다. 훈민정음 순서로 보면 거의 타의 추종을 불허하는 성씨였다. 출석을 부를 때는 무조건 1번일 것이다. 그런데 그 성씨의 느낌이 조금… 그랬다.

전혀 예상외의 '식전 행사' 에 나는 페이스를 잃고 허둥댔다. 참 예쁘시네요, 어머니께서 미인이신가봐요, 눈이 상큼하게 생기셨군요, 어깨에서 가슴 선이 예술이군요, 그리고 언니 이름 넘 이쁘다 또는 앙징맞군요, 이렇게 나가도 뭐할 판에……. 사교계에서 첨 만

나는 옹니에, 난생 첨 보는 희귀성 ㄱ씨. 나는 마구 버벅대고 있었다. 화제를 잃고 가련하게 버둥대면서 나는 무지하게 씹혔다. 내가 내 페이스를 찾았을 때는 이미 말도 붙이기 힘든 상황이 되어버렸다. 원래 쌀쌀맞은 성격인 듯했는데, 게다가 도도한 대학교 1학년이지, 파트너라는 건 정신 못 차리지……. 그녀는 정말로 화가 난 표정이었다. 별 연고가 없는 미팅이면 이 정도에서 마무리나 잘해서 C+ 정도로 끝내련만, 이 미팅은 Y의 누나가 관계되어 있잖은가? 잘못되면 다시는 Y의 누나가 끓여주는 라면은 못 먹을 것이다. 나는 이제 비굴해지기로 하였다. 한 번만 다시 만나주시면……. 분골쇄신……. 그 날은 수업이 많아요, 그 날은 미팅 있어요, 그 날은 친구들이랑 영화 가기로 했어요. 결국 무지무지하게 바쁘다는(별로 바쁠 것 같지 않은데……) 그녀의 시간을 구걸해서 하나 얻었다. 씨… 누나만 아니면……. 나랑 비슷하게 깨진 친구놈과 둘이서 명동으로 넘어가 '카이저호프'에서 생맥주를 퍼 제꼈다.

집에 돌아가는 길에 Y의 집에 들렀더니 누나가 신이 나 있었다. 넌 어땠니? 애프터는 신청했지? 마구 쏟아내는 누나. 나는 그 학교 학생들의 구강구조에 대해 질문을 하고 싶었지만 참고 집으로 돌아왔다. 다시 만나기로 한 날. 이 날은 정말 가관이었다. 마치 억지로 아까운 시간 내서 나를 만나준다는 식이었는데, 나중엔 혹시 이 여자도 그 누나 땜에 마지못해 애프터에 나온 건가 싶은 생각마저 들었다. 밉쌀스러워서 짜장면도 안 사주고, 커피 한 잔으로 시간만 끌다가 헤어졌다. 배 좀 고팠을 것이다. 굴러 들어온 짜장을 자기 발로 차버린 것이다. 쌤통! 그 옹니녀와는 이제 마감을 했으면 싶었지만, Y의 누나가 라면 끓이고 있는 모습이 떠올라서 굴욕을 참고 또 다시 애프터 신청(이렇게 비굴하게 살아야 하나?). 이번에도 역시 시간 없다고 뽀개는 옹니에게 빌고, 사정해서 얻어낸 날은 공교롭게도 우리 교련수업이 있는 날 저녁. 교련수업이 있는 날은 공연히 바쁘고, 정신도 없고, 피곤하고 해서 사교생활은 잘 안 하는데, 어쩔 수 없었다. 누나와 의리를 지키기 위해, 아니 라면을 지키기 위해…….

운명의 그 날. 정말 인연이 아닌가 보았다. 매사가 순조로운 것이 없었다. 교련수업이 끝나고, 옷 갈아입고(교련복 차림으로 나갈 순 없었다. 그 옹니에게 무슨 수모를 당하려고……), 그 날 따라 늑장부리는 스쿨버스 아저씨에게 사정사정해서(그땐 학교에서 청량리 근처까지 다니는 비정기 스쿨버스가 있었다. 승객수에 따라, 운전수 아저씨 맘대로 떠나는 것이 특징이었다) 청량리까지, 거기서 버스 갈아타고 무교동으로, 숨이 턱에 닿아서 다방에 뛰어 들었을 때는 15분 정도 늦어 있었다. 에이구~~ 박복한 놈의 팔자. 오늘은 또 얼마나 씹힐까? 살짝 그녀를 쳐다보다 흠찔! 놀랐다. 눈에는 불이 훨훨 나고 있었고, 앙 다문 입은 가히 엽기적이었다. 한동안 말없이 나를 째려보던 그녀는 벌떡 일어나더니, 다음 주 같은 날, 같은 시간에 만나요, 그리고 오늘 20분 늦었으니까, 그 날 내가 20분 늦을꺼예요 하고 나가려고 한다. 나는 얼른 그녀를 불러세우고 다음 주는 좋다, 그렇지만 오늘은 이렇게 힘들게 왔는데, 그냥 가는거냐? 예의가 아니지 않느냐며 따졌다. 옹니는 아니 이런 발칙한 것이 하는 눈으로 아무 말 없이 싸늘하게 위아래를 훑어보더니 나가버렸다.

이젠 더 이상 참을 수 없었다. 라면의 유혹도 접어두기로 하였다. 기고만장도 유분수지……. 감히 왕손을 이리 능멸하다니. 그리고 아무리 1학년이래도 그렇지. 빼개는 것도 정도가 있지……. 나는 차라리 속이 시원하였다. 그렇지만 일방적으로 정했어도 약속은 약속. 나는 일주일 후, 다시 필사의 노력을 하여 제 시간에 그 다방에 도착하였다. 그리고 눈에 불을 켜고 20분을 기다린 후, 메모지를 써놓고 다방을 나와 집으로 와버렸다. "20분 기다리다 갑니다. 그동안……."

그후 Y의 집에 놀러 갔을 때 누나가 어떻게 되어가냐고 해서 끝났다고 했다. 자꾸 캐물었지만 더 이상 할 말이 없었다. 사실 그랬다. 아는 거라곤 그녀의 옹니와 그녀의 姓(성)과, 찬바람 나는 성깔뿐이었으니…….

세월은 흘러 가을이 되었다. Y의 말이, 누나가 좀 보잔다고 하였다. 누나는 라면을 맛있게 끓여주더니 용건을 말하는데, 곧 자기네 학교 축제가 있는데 옹니의 파트너로 좀 가라는 것이었다. 으악! 여름도 다 지나갔는데, 이 무슨 '月下(월하)의 공동……' 입니까? 나는 고개를 설레설레 흔들었다. 그런데 Y가 옆에서 자기도 간다면서 바람을 잡는 것이었다. 나는 모르고 있었는데, Y는 그때의 파트너를 아직 사귀고 있었나보다. 짜아식. 미팅할 때부터 걔랑 파트너 하려고 수 쓰더니……. 한참을 싱갱이한 끝에 승낙을 하고 말았다. 아이구, 큰일났네~~

축제날 다시 만났는데, 그녀는 눈에 살기가 없어져 있었다. 옹니는 그대로였지만. 서먹할 줄 알았는데 오히려 담담하였다. 축제 도

중 춤을 추는 시간이 있었지만 추지 않았다. 부르스는 더더욱. 출 줄도 모르고……. 진짜다.

돌아오는 버스에서, 그녀가 먼저 내리면서 전화번호 적은 쪽지를 건네주었다. 물론 전화하지 않았다. 그냥 그러는게 cool할 것 같아서. 그녀는 선배들의 잘못된 오리엔테이션의 희생자였다. 무조건 빼개야 돼. 눈에 힘주고, 톡톡 쏴…….

그래서 킹카를 놓친 것이다.)

그런데 지금 어쩌다 이렇게 흘러왔나?

*2000. 8. 21.*

## (19)

〈게가 납쪼가리를 먹는 지 처음 알았다. 아니, 그렇게 큰 것도 먹을 수 있다는 것을 처음 알았다. 생전 게가 뭘 어떻게 먹는지 보았어야지. 이햐~ 그것도 여러 개씩이나. 그냥 납쪼가리를 산 게에게 주면 먹는 모양이다. 허~~참.

중국에서 들어오는 게는 앞으로 금속탐지기 검사를 한단다. 그런 아이디어를 내고 잡혀 들어간 것은 한국사람인데 말이다. 허~~참!〉

이 부장님 이야기를 하면서 그때 만났던 여러 사람들과의 에피소드를 이야기하고 싶었는데 맘이 변했다. 별로 재미도 없을 것 같고……. 공연히 옛날 미팅했던 것만 털어놓았네……. 그런데 그때 그 옹니 언니한테 좀더 잘해줄 걸 하는 생각이 든다.

〈1984년 5월, 그 다음 날〉

우리는 아침부터 바빴다. 라인 안에 들어 있는 모든 약품들을 다 없애느라. 라인의 온도를 올리면서, 한편으론 질소로 불어내면서……. 공장 안이 '쉭' 소리로 꽉 차서 귀가 멍멍할 정도였다. 최 선생은 일찍 그 넓은 B사 공장의 반대편에 있는 시험실로 갔다. 어제 그 덩어리들, 고분자의 점도를 재러.

어제의 소문을 아직도 확인 못 한 사람이 남았는지, 아침부터 심심찮게 사람들이 드나든다. $$$$에 관심이 있어 왔다기보다는, 그

동안 하도 우리가 이상한 몰골로 여러 가지 해프닝을 벌여서, '도대체 뭣을 만들었다는 거냐' 며 구경을 온 사람들이 대부분이었다. 심지어 '조경 아저씨' 까지 나타났다. 그 아저씨는 아마 우리가 NMP를 주지 않고, 몰래 도망갈까봐 온 것이 아닐까 싶었다. 그 아저씨를 보고 나는 무의식적으로 부동자세를 취했다. 역시 초장에 한번 깨지면 오래가는 것인가보다. L과장님도 오셨다. 성공했다메? 아직 모르겠어요, 점도도 아직 안 나왔고. 그럼 담은 우리가 문제구먼. 오히려 그쪽이 만만치 않을 겁니다.

(L과장. 개고기의 달인. 정말로 좋아하고, 품질을 볼 줄 아는 real pro. 내가 대학을 졸업하고 갓 대학원에 입학해 다니고 있을 때, 그 선배가 대학원에 복학해 오셨다. 거의 선글라스 수준의 짙은 안경에, 갈색 머리(요즘같이 물들인 것이 아니다. 워낙 그 선배의 머리는 가늘고 색이 옅었다)의 그 양반은 카리스마가 대단했다. 어느 날 그 양반의 나를 따르라 하는 소리에, 사람을 낚는 어부를 만들어 준다는 줄 알고 따라나섰다. 학교를 나서서 시내 쪽으로 언덕을 말없이 걸어 올라가셨다. 한 정거장을 가면 옆으로 원자력연구소로 가는 길이 있었다. 옆으로는 배밭과 공동묘지가 있었고. 그 선배가 그 길로 접어든다. 아니? 이 길은 왜? 다행히 머리 굴릴 시간도 없었다. 조금 걸어 들어가자 오른쪽으로 아주 허름한 개고기집이 있었다. 그 날 나는 xxx 맛의 새로운 차원을 느꼈다. 역시 개는 유익한 동물이야……. 이야기 그만해야겠다. 침도 고이고, 또 잘못 빠지면 미팅한 것 뽀롱날 수 있다.)

그 L과장은 고분자로 실 만드는 것(방사)에 一家를 이룬 사람이다. 만약 $$$$이 성공적으로 만들어지면, 다음 단계로 $$$$으로 실을 만들어야 하는데, 이것이 또 만만치 않은 일이었다. 물론 후에 그분이 그걸 맡아서 성공적으로 실을 만들었다.

점심때가 거의 다 되어서 일을 정리하고 사무실로 향했다. 최 선생이 시험실에서 막 돌아왔다며 앉아 계셨다. IV가 얼마 나온 지 알아요? 하면서 웃는다. 5.7이 나왔단다. 우리의 목표는 5.0 이었다. 그 수치 이상의 점도는 되어야 훌륭한 물성을 가진다고 해서 정해놓은 목표였다. 나는 맥이 탁 풀렸다. 한동안 아무 생각도 나질 않았다. 나는 다른 사무실로 가서 서울로 전화를 하였다(우리 사무실에는 전화가 없었다). 실장님에게 IV 5.7짜리 $$$$을 만들어 냈다고 보고하였다. 수고했다고 하셨다. 폴짝폴짝 좋아하시는 느낌이 전화로도 느껴졌다. 음~~ 오늘 점심식사 후에 손님깨나 몰고 사무실로 돌아 오시겠구먼. 미스 전은 손님들 커피 타 드리느라 바쁘겠구나. 방으로 돌아오니 어느 새 Q과장과 몇 명의 B사 직원이 와 있었다. 웃음소리가 끊이질 않았다. 나도 좋았다. 그러나 몸에 힘이 하나도 없었다.

그 날 오후에는 아무 생각 없이 일을 하였다. 라인을 완전히 청소하고 나면 B사의 선수들이 대거 달려들기로 하였다. 이제 우리는 언제라도 서울로 올라갈 수 있었기 때문에, 조금이라도 빨리 공장 운전을 배워두려는 Q과장의 작전이었다. 머리는 참 잘 돌아간다. 훌륭한 조직원이다.

그 날 저녁. 별로 술 생각은 나질 않았지만, 어디서 소문을 들었는지, 그동안 우리랑 친해졌던 우리 숙소 근처의 원주민들과 축배를 들게 되었다. 제비같이 생긴 당구장 주인과 그의 세게 생긴 마누라. xx식당의 잘 생긴 젊은 총각 사장과 그에게 목을 메고 있는 황태자 8번 코너의 박양. xx造景회사 사장 동생, 터프가이 L. 이래저래 그동안 그곳에서 사귄 사람도 많았다.

다음 날 아침, 라인을 건조중이라 특별히 할 일이 없었지만, 버릇처럼 공장으로 가보았다. 무슨 공사가 한창이다. 이게 뭐하는 거야? 어떻게 우리도 모르는 공사가 있나? B사 직원의 말로는 duct 공사라고 하였다. Duct? 그럼 '배기 hood' 라는 말 아닌가? 우리가 냄새와 독성 때문에 죽겠다고, 설치해 달라고 사정했을 때는 못 들은 척 하더니……. 기분이 나빠졌다. B사 직원의 다음 말은 더 심했다. 너무 냄새가 심해서 일을 할 수 없고, 또 앞으로 社內의 높은 양반들이 많이 시찰을 오실 텐데 냄새 때문에 불편하실 것이란 것이다. 배신감이 밀려왔다. 물론 자기 회사 돈 가지고 자기네가 공사하는데 내가 뭐랄 것은 아니다. 그리고 예전에 우리가 해달랠 때 안 해준 이유도 알고 있다. 만약 실패하면 duct 설치비용만 날리는 셈이었으니까. 그러나 걸핏하면 우리는 한 배를 탄 운명이라는 둥 하더니……. 아마 냄새 때문에 작업을 할 수 없어서라는 핑계는 거짓일 것이다. 높은 사람들이 문제였겠지. 하루 종일 기분이 나빴다.

오후에 실장님이 내려오셨다. 반응기에서 덩어리가 나오는 현장을 보여드리지 못하는 것이 조금 아쉽기는 했지만, 만들어진 $$$$ 덩어리를 보시고도 좋아하신다. 특유의 호언장담이 이어지고 있었다. 그 날 저녁, B사 연구소에서 저녁을 거하게 냈다. 우리가 그 고장에 드나든 이후 처음으로 소갈비를 먹었다. 비싼 소갈비.

바로 주말이 되었고 연휴였다. 빨리 마무리를 짓고 아예 철수하자는 생각에 아무도 서울에 올라가지 않았다. 공장상태를 점검해 보았다. 월요일부터 새로 시작하면 될 것 같았다. 특별히 할 일도 없는 일요일. 오랜만에 느끼는 한가로움과 따뜻함이었다. 정말로 날씨는 더 말할 나위 없이 좋았다. 우리는 낙동강에 가기로 하였다. 우리 공장에서 남쪽으로 조금만 내려가면 낙동강이었다. 그곳의 큰 다리를 지나 아래로 내려가니 강변에 오래 된 술집이 있었다. 민물 매운탕과 튀김 등을 파는 집이었다. 우리는 널직한 마루가 다락같이 매달린 곳으로 올라가서 시원한 강바람을 맞으며, 술을 마셨다. 옛 사람들은 이럴 때 시를 지었겠지……. 우리 셋은 오랜만에 정말로 편안한 술자리를 가졌다. 급할 것도 없고, 불안할 것도 없고……. 술을 마시다 취기가 오르면 그 자리에 쓰러져 한잠 자고, 깨어나면 시원한 바람 맞으며 다시 한 잔 하고……. 그렇게 그 5월 초의 오후를 즐겼다. 아~~ 언제 다시 그런 술자리를 가질 수 있을까?

월요일, 우리는 다시 약품을 투입하기 시작하였다. 이제는 B사 직원들이 있었기 때문에 우리가 직접 바게쓰 들고 뛰어 다니지 않아도 되었다. 그 대신 그 선수들은 처음 겪어보는 그 엄청난 냄새에 혼비백산하고 있었다. 우리는 그들을 가르치는 틈틈이 OOT 밑에 앉아서, 담배를 피우며, 그동안의 악몽 같았던 일들을 웃으며

되새기고 있었다. 망각의 속도는 참 빠르다.

화요일 5월 8일. 지금의 기억으로 그 날이 휴일이었다. 그런데, 왜 휴일이었지?

그 날이 기억나는 것은, 그 날 아내가 그곳 A시로 나들이를 했기 때문이었다. 남편이 5달째 내려가서 뭔가 일을 저지르고 있는 곳. 이번엔 또 무슨 사고를 치는 것인지 불안하였나보다. 말로는 힘들다는데, 그거야 출장간 남자들이 집에 와서 항상 하는 말이라지. 아내는 드디어 남편이 사는 형편을 직접 보리라 하는 마음에 오겠다고 하였다. 나 또한 흔쾌히 오라 하였다. 내가 역으로 마중을 나가려고 하였더니, 그러지 말라고 한다. 알아서 찾아오라 하였다. 그것이 더  이곳의 상황을 이해하기 쉬울 것 같아서였다. 점심을 막 먹고 났는데, 공장에 있는 나에게 B사 직원이 와서 면회 왔다고 알려주었다. 그래서 우리는 모두 공장 정문으로 '면회객' 을 맞으러 나갔다. 멀리 파란 원피스를 입고 수위실 앞에 서 있는 아내가 보였다. 배를 쑤욱~ 내밀고. 전혀 다른 곳에서 만나는 아내가 무척 반가웠다. 최, 고 두 양반도 반갑게 인사를 하였다. 그런데 아내가 우리를 위아래로 자꾸 살핀다. 그제야 우리는 우리의 모양새를 보고 웃었다. 그럴 만도 하지. 예의 회색 작업복 싱글. 검은 장화. 목에는 방독면이 대롱대롱…….

아내의 말에 의하면, 아내가 수위실에 우리의 면회신청을 하니 잘 모르더란다. 그래서 장황하게 설명을 하였단다. 한참을 듣던 수위 아저씨가 '아~~ 거, 서울 KIST에서 작업 나온 사람들?' 하더란다. 그 소리에 아내는 조금 당황했었던 모양이었다. 아니? 우리 남편 말은 어마어마한 프로젝트를 하러 여기 간다고 했는데……. 그런데 나타난 우리의 몰골을 보니 이해가 가더란다. 으응~ 어마어마한 작업을 하는구나……. 우리는 즉시 공장 문을 닫고, 옷을 갈아입고, 이틀 전에 갔던 낙동강으로 향하였다. 그곳에서 술도 마시고, 아내가 가져온 내 아끼던 사진기로 사진도 찍었다. 때는 보리가 꽤 크게 자랐을 때였다. 보리밭을 배경으로 사진도 찍고, 보리밭에 들어가서도 찍고…….

그 날 저녁, '황태자' 까지 순시를 마친 아내는, 별 문제가 없다는 판정을 내리고 다음 날 서울로 올라갔다.

*2000. 8. 23.*

## (20)

〈비가

많이 온다. 갑자기, 비가 안 오는 고장의 삶은 어떨까 하는 생각이 들었다. 그런 곳이 있을까? 사막? 극지방? 비를 못 보는 것은 불행인데…….

언젠가? 그젠가? 일년에 몇 번 정말로 몹씨 바쁠 때가 있다. 요즘이다. 그래서 나답지 않게 집에까지 일거리를 가지고 가서 두드리는데, 귀에 들려오는 소리가 범상하지 않다. 국민소득을 …… 끌어 올리고, 물가를…… 묶고, 주택보급률을 100%……. 웬 파라다이스? 언제? 후천개벽이 일어날 때? 예수가 재림했을 때? 내가 마구 쏟아내는 질문에 아내는 묵묵부답이다. 그래서 내가 친히 확인을 해보았다. 그랬더니 에구! 2002년, 2003년에 그리 된단다. WWW!(What a Wonderful World!의 약자이다.)

옛날에는 '산천은 의구한데 인걸은 간 데 없다' 고 하였는데, 요즘은 인걸도 의구한 모양이다. 박정희시대에 듣던 이야기가 아직도 나오고 있으니……. 〉

〈1984년, 그 뒤〉

그 후부터는 일이 한결 쉬워졌다. 몸이 덜 고단해졌다는 뜻이다. B사의 연구원들과 기사들이 그 공장에 득시글거리기 시작했다. 공장 안의 valve, PI, TI, pump, s/w를 다 합친 수보다 많은 것 같았다(이 영어 약자가 무슨 뜻인 줄 모르는 사람들은 '한담 공부' 를 더 열심히 할 필요가 있다. 조만간 시험을 한번 봐서 불량독자들을 솎아낼 생각이다. 아~ s/w는 말 안 해주었다. switch이다).

조작을 해야 하는 모든 것에 사람이 하나씩 붙어 있다면……. 좀 편할까? 야, C3 밸브 ON! 7번 TI, 몇 도야? 〈Walking Remote Controller〉가 아니겠는가? 지능형 로봇인가? 그때 KK1 공장 안이 그런 지경이었다. 첨단공장.

그런 바글거림과 함께 공장 안은 빠르게 변해갔다. 처음에는 냄새를 빼줄 배기 hood를 설치하더니, pyridine을 쉽게 투입할 수 있도록 뭘 붙여주었다. 좋겠다~ 우리같이 pyridine 투입한다고 바게쓰 들고, 그 높은 vessel 꼭대기까지 기어 올라가지 않아도 되고. TPC도, 냄새가 심하다고 누가 그랬는지, 공장 바깥에서 투입하도록 하고……. 그걸 바라보는 우리들은 솔직히 서운하였고, 심지어 불쾌하였다. 물론 연구비가 모자라서 그렇게뿐이 못 지었지만, B사 측에서 최소한 배기 hood 정도는 해줄 수도 있는 것 아닌가? 어차피 자기네 건물인데……. 당연히 Q과장의 계산이었을 것이다. 머리 잘 돌아가는 그 사람이니까. 만약 실패하면, 최소한의 문책이라도 피해가려고, 지출도 최소화하려 했겠지.

그럼 우리는 뭐였단 말인가? 최전방 수색중대인가? 死地에 집어넣어서 살아나오면 우리 편, 죽으면 그만. 哀悼! 실험실 새장의 십자매와 같은 신세였나? (십자매가 독성 기체에 훨씬 민감하다는 전설이 있다. 그래서 많이 기른다. 실제로 모 실험실에서는 사람은 아직 멀쩡할 때 십자매가 죽은 일도 있었다. 이 이야기가 프랑스의 '바르도' 언니에게는 안 들어갔으면 좋겠다. 그랬다간 이번엔 십자매 학대한다고 악악댈 것 아닌가?) 라이언 일병이었나? 그래도 라이언 일병은 구하러 오는 사람이나 있었지?

우리가 B사 직원들에게 공장 운전을 가르치고 있던 그 즈음의 어느 날. 사무실로 Q과장이 왔다. 만면에 미소를 지으며. 뭔가 있구나. 별 의미 없는 이런저런 이야기를 하던 끝에 Q과장의 본론이 나왔다. 우리에게 B사의 작업복을 입고 공장 운전을 한번 해달라는 것이었다. 회사 홍보용과 윗분들에게 보일 비디오를 제작하려고 한다는 것이었다. 당근! 거절했다. 나는 KIST의 연구원이지 B사 직원이 아닙니다. 최, 고 두 양반도 어이가 없다는 눈치였다. 갑자기 Q과장이 화를 버럭 냈다. 그동안 해준 게 얼마인데 그럴 수 있느냐는 것이었다. 그래? 말 잘나왔다. 나도 마구 해대었다. 도대체 돈이 많이 들었다는데 한번 보자. Hood도 이제 설치했는데, 그런 것도 다 우리한테 들어간 돈이냐? 다다다다다… 마구 쏴대었다.

막 대드는 나를 보며 얼굴이 벌개서 씩씩대고 있던 Q과장이 갑자기 '식권 도로 내놔!' 하는 것이었다. 우리는 일순 당황했다. 이 것이 무슨 소리냐? 식권? 구내식당 식권을 말하는 모양이었다. 그동안 우리가 고맙게 먹기도 했지만, 시도 때도 없이 잔뜩 주어서 항상 주머니에 남아돌던 식권(왜 그 식권은 그렇게 자주, 많이 주었는지 모르겠다). 우리 셋은 묵묵히 주머니마다 뒤져서, 그 빨간 식권을 모두 꺼내 테이블 위에 놓았다. 그리고 옷을 갈아입고 바로 나와버렸다. 사람이 열을 받으면 이성적이지 못한 말과 행동을 할 때가 있다. 그게 바로 '理性을 잃었다'는 것이다. 그러나 식권을 거론한 것은 정말 우스웠다. 우리는 한동안 그 일만 생각하면 웃음이

나왔었다.

그 일은 Q과장이 사과를 해와서 끝이 났다. 그리고 비디오는 B사 직원들이 찍었다. 비디오 촬영이라는 것은 얼마든지 편집이 가능하고, 가짜가 가능한 것인데, 그걸 생각하지 못하고 우리에게 출연을 해달라던 Q과장. 사람의 머리가 항상 잘 돌아가는 것은 아닌 모양이다. 나 같으면 그 공장 비디오에 당시 잘 나가는 여자 탤런트들을 출연시키겠다. 나시, 배꼽 작업복 윗도리에 핫팬츠 작업복 바지. 멋지지 않은가? 돈은 많이 들 거다. 잘못하면 '강압에 의해 찍었다'고 고소당할 수도 있다. 호텔에서 울면서 기자회견이라도 하는 날이면 회사 체면도 말이 아니고…….

어쨌든 우리는 우리가 가진 노하우를 다 전해주고 돌아왔다. 곧이어 연구보고서를 써야 할 때가 되었다. 이것도 황당한 일이었다. 보고서에 그 공장 운전법과 engineering data를 다 써넣을 수도 없고(그런 걸 know-how라고 한다), 그걸 빼자니 쓸게 없고……. 마침 Q과장이 전화를 하였다. 보고서 쓸 때, 특히 주의해 달라고……. 어쩔 수 없이 공장에 들어간 보편적인 기기만 언급하였다. 만약 누가 그 보고서를 어렵사리 구해 보았다면 무지 실망했을 것이다. 쓴 놈을 죽이고 싶었을 거다. 그런데 이것도 나중에 시빗거리가 되었다. 몇 년 후, 어느 회의자리에서 Q과장이 또 상투적인 이야기를 하였다. B사가 이 연구에 얼마나 많은 돈을 투자했는지 아느냐면서 침을 튀기다가, 갑자기 그런데 KIST는 너무 성의가 없다는 둥 하더니 그 보고서를 거론하였다. 이런, 썅! 나는 핏대를 내면서 쏘아 붙였다. 비밀이 어쩌고 하면서 그렇게 써달라고 신신당부한 게 누군데, 이제 와서 망발이냐고 악악대었다. 아무 대꾸도 못했다. 그게 기업인 모양이었다. 그리고 그런 처세를 하는 사람이 잘되는 모양이다. Q과장, 아니 지금은……. 잘 나가고 있다.

몇 년 후, 어느 날 아침. 실장님이 화가 나 계셨다. B사 사람들, 몹쓸 사람들야 하신다. 사정을 들어보니……. 참!

언젠가도 언급을 하였지만, 그 연구과제는 정부와 B사가 공동으로 투자하여 수행한 것이다. 그럴 경우, 연구의 열매를 따는 과정에서 주도권은 B사가 가진다. 전문적인 용어로 '우선실시권' 이라던가, 경우에 따라선 협상권도. 그러나 열매는 정부와 기업이 낸 돈의 비율대로 가져가야 한다. 그러니까 관련 특허를 남에게 팔아서 수입이 생기면, 수입의 일정 부분을 KIST에 주어야 하는 것이다. 그런데 이 B사에서는 그 것이 아까웠던 모양이었다. 뒷간에 들어가서 급한 불 끄고, 가만히 앉아 생각하니 남에게 줄 떡이 아까웠겠지. 그래서 그 B사는 어느 국제변호사 회사에 그 열매를 다 먹을 방법이 없느냐며 상담을 했던 모양이었다. 그러나 세상은 참 좁은 법이다. 그 B사에서 상담한 Law Firm에는 바로 우리 실장님 아들이 변호사로 근무하고 있었다. 자기 담당은 아니었지만, 지나가는 어휘에서 자기 아버지의 함자가 들리길래 알아보았더니 그렇고 그런 사연이더란다. 실장님이 열 받으실 만도 했다.

그게 기업인 모양이다.

우리가 철수하고 얼마 후, B사에서 대대적인 표창이 있었다고 한다. 뭘 했다고 해서 표창을 받았을까? KIST 인부들 잘 이용했다고 표창을 받았을까?

그게 기업인 모양이다.

그후, 우리보다 더 전문적인 KIST의 공장 설계 연구팀이 B사와 함께 그 뒷일을 이어갔다. 우리는 연구 팔아먹고 사는 사람들답게 다른 연구를 시작하였다.

그게 연구소이다.

*2000. 8. 25.*

## (21)

〈FAQ, 그리고 신신당부〉

그동안 이 글을 읽으신 여러 분들과의 대화 내용 요약, 이른바 FAQ.

(FAQ? Frequently Asked Questions. 친절! 친절!)

1. 이런 글을 왜 쓰느냐? 고소하려고?

나는 그렇게 미국적이지 못하다. 고소는 무슨? 그냥 기록이다. 어리석은 짓에 대한. 그리고 젊은이들이 이 글을 보고, 경각심을 가진다면……. 그게 전부다.

2. 그 병이 정말 화학약품의 과다 노출 때문인가? 증명할 수 있는가?

당근, 없다. 그 메커니즘을 어떻게 증명할 수 있나? 담배 피워서 폐암 걸린 메커니즘이 증명되었나? 통계적인 추론일 뿐이다. 어떤 병을 가진 사람들을 연구해보니, 많은 경우에 어떠한 history가 있더라 하는 추론이다. 왜… 메뚜기 뒷다리를 떼어내고 뛰라고 명령해도 못 뛰는 것을 보고, 메뚜기는 청각기관이 뒷다리에 있다는 것을 밝혀낸 노벨상 수상자도 있지 않은가?

3. 담배의 경우, 발병의 메카니즘이 명백하게 밝혀지지 않았다면서 최근 미국에서 담배회사에 엄청난 배상을 판결한 것은 무슨 이유인가?

예전에는 소송을 제기한 사람(피해자)이 그걸 증명해야 했었다. 그러니까 내가 담배를 피워서 폐암이 걸렸다는 것을 증명해야 했었다. 그래서 다 깨졌다. 그러나 이제는 법이 바뀌어, 역으로 强者(가해자)가 담배와 질병이 관계없다는 것을 증명해야 한다. 담배를 피워도 폐암이 안 걸린다는 것을. 그래서 그렇게 된 것이다.

4. 그런 비슷한 환경을 겪은 사람들이 다 그런 것은 아니지 않은가? 예로, 같이 일한 최, 고 두 분도 그런 병이 있는가?

물론 아니다. 하루에 3갑씩 담배를 피우고도 90살 넘게 튼튼하게 산 사람도 많다. 통계적으로 담배를 피우는 사람의 1/3이 담배로 인한 것으로 추정되는 병으로 죽는다. 체질적인 차이일 것이다.

나는 이 글을 읽는 사람들, 특히 실험을 하는 사람들에게 꼭 해주고 싶은 말이 있다. 언제나 자기 몸 간수는 자기가 하는 것이다. 나는 실험실에 새로 들어온 식구가 안경을 안 썼으면 '맏보기' 안경을 하나 해준다. 그것도 패션스러운 것으로. 어차피 goggle은 번거롭다고 잘 안 쓰기 때문에, 최소한의 보호장치로 해주는 것이다. 그런데도 실험실에 가보면 잘 안 쓰고 실험을 한다. 야단도 치고, 지랄도 해 보지만, 그때뿐이다. 그러다 애꾸라도 되면 어쩔 것인가?

다소 귀찮고, 어깨 좀스러워 보인다고 생각하지 말고 써야 한다.

더 나쁜 위험. 냄새나는 실험은 무조건 후드 속으로, 냄새가 안 나도(이게 더 나쁘다) 화학약품은 무조건 후드 속으로. 후드 없으면 만들어 줄 때까지 실험하지 말아라. 거부할 줄 알아야 한다. 자기 몸은 자기가 챙겨야 한다. 술자리에서 안주만 챙기는 사람은 비난의 대상이지만, 실험실에서 자기 몸 챙기는 사람은 모범의 대상이어야 한다. 그래도 안주 killer는 나쁘다.

다음, 절대 용감하지 말아라. 심지어 군대에도 이런 격언이 있다. 용감한 병사는 아무 소용없다고. 공연히 앞장서 뛰어나가다 제일 먼저 총 맞아 죽는다. 자기네 편에 아무 도움이 안 된다. 아군은 병력만 하나 잃은 꼴이 된다.

용감하다는 것은 겁이 없다는 뜻이기도 하다. 실험실에 유독 가스가 새어나왔다. 번거롭게 굴 것 없이 그냥 뛰어들어가서 얼른 조치하면 될 것을……. 쪼잔하게……. 하면서 숨을 멈추고 뛰어들어가서 밸브를 잠궜다. 짝짝짝! 이 소리가 박수 소리여서는 안 된다. 팀장이 따귀 때리는 소리여야 한다. 100번 뛰어들어가서 99번 성공했다고 하자. 100번째는 불귀의 객이 된다. 그리곤 밤마다 화장실에 나타나서, '가스가 무서버. 밸브 좀 잠궈 줘' 해봐야 퇴마사들에게 혼만 나게 되어있다.

절대로 만용은 금물이다. 신중하고 겁쟁이가 되어야 한다. 우리가 듣고 자란 신화들. 지폐에 그려진 거북선 보여주고 주문 따와서 유조선을 거뜬히 만들었다는 둥, 크레바스를 우회하지 않고 사다리 걸쳐놓고 건너갔더니, 남들보다 히말라야의 고봉을 보름 먼저 올랐다는 둥 이제는 그런 신화에서 벗어날 때가 되었다. 특히나 실험과 연구에서는 그런 무모하고, 거칠고, 황당한 개발논리를 의도적으로 멀리해야 한다. 생긴 건 산적 같아도 손은 '섬섬옥수' 여야 하는 것이다(나만 산적인가?).

마지막으로(무슨 연설하는 것 같네……), 이건 참고로, 연구의 신화에서도 깨어나야 한다. 케큘레가 뱀 패거리가 출연하는 꿈을 꾸고 벤젠의 구조를 알았다는 둥, 뉴턴이 사과 떨어지는 걸 보고……. 그러나 절대 'Suddenly,' 또는 'One day,"라는 것은 없다. 어마어마한 노력이 선행되었으니까 꿈도 꾸는 것이고, 사과도 떨어지는 것이다. 우리는 그 앞 귀절을 안 배울 뿐이다.

한 큐에 세상을 뒤집으려는 환상에 젖지 마라. 그러다 보면 사람이 무모해지고, 다치고……. 결국은 망가지는 것이다, Physically and Mentally…….

(갑자기 어떤 '과학자' 가 생각난다. 노벨상을 타야 한다고 애를 쓰시던……. 잠깐! 눈물 없이는 들을 수 없는 이 '어느 과학자의 도전과 좌절' 은 따로 한 편으로 써야겠다. 기대. 기대!)

아껴야 한다. 자기를……. 목표가 자신을 앞설 수는 없으니까…….

〈2000년 8월, 지금 그리고 마무리〉

이 글을 쓰려고 하면서, 또 쓰면서도 항상, 망설였다. 그래서 썼다 없애고, 또 없애고 하였다. 어느 부분에서는 내 자신이 너무 처량하게 느껴지고, 후회스러워서 안절부절 못하였다. 그럴 때는 글

이 너무 '신파'가 될까봐, 몇 번이고 推敲(퇴고)하였다. 남들이 내 글을 보고 나를 동정한다면, 못 견딜 것 같았기 때문이었다.

어제 내 동생이 HLA typing 검사를 하였다. 만약 골수이식을 받는다면, 맞는 골수를 찾아야 하고, 그럴 때는 형제가 확률이 가장 높다고 해서 동생이 검사를 받은 것이다. 그러나 난 아직 잘 모르겠다. 어떻게 해야 하는 것인지…….

남의 이야기 같았던 '골수이식'이라는 단어. 내 나름대로 공부를 해본 어설픈 결과에서도 방법은 그것뿐인 것 같았고, 그래서 그러려니 하였었지만, 정작 의사의 입에서 그 소리를 듣자 세상이 다르게 보였다. 친구조차도 말하기를 꺼려하던 그런 단어를 듣고도 초연하다면 그것이 거짓이었겠지…….

그 소리를 처음 듣고 난 뒤로 한 달 정도 지났나……. 벌써 옛일

같이 느껴진다. 지금 내 몸 안에서는 어떤 일이 벌어지는 지도 모르면서. 처음 의사에게 그 얘기를 듣고 나는 손가락부터 꼽았다. 그리고 속으로 빌었다. 10년만 이대로 더 살 수 없을까요? 라고. 10년. 10년이면 둘리가 대학을 졸업할 수 있다(재수 안 하면). 그때쯤 되면 내가 없어도 큰 무리는 없겠지(이제 생각해보면 오버도 한참 오버였다. 지금 당장 내가 없어진다 해도 집이 무너지는 것도 아니고, 대단한 타격을 받을 것도 아닌데……. 물론 soft money가 조금 딸리겠지만. 남자란 다 이렇게 자기 아니면 안 된다는 생각에 사는 모양이다).

다음으로 떠오른 생각은 이제는 재미있게 살아야지 하는 것이었다. 가까운 사람들과……. 특히 아내랑. 만약 죽어야 한다면 가까웠던 사람들이 좋은 추억으로 나를 생각하는 가운데 죽고 싶었기 때문이었다. 그렇다고 그동안 재미있게 살지 못했다는 것은 아니다. 그냥 이제부터는 좋은 추억만 만들고 싶다는 생각이었다. 그런 즐거운 추억의 기간이 몇 달이 되건, 몇 년이 되건, 몇 십년이 되건 간에…….

그리고 옛날부터 해보고 싶었지만 실행하지 못했던 것들, '아내'를 주제로 한 사진전, 경비행기 조정… 도 해보고 싶다. 이제야 철이 나는지…….

그런데 그런 충격 속의 비장한 각오에 하나 빠진 것이 있었다(창피하게……. 그것도 최근에야 깨달았다). 어머니였다. 자기가 죽을 수도 있다는 소리를 듣고, "제발 이것만은……." 또는 "앞으로는……." 하면서도 정작 어머니 생각은 못하는 것. 이것을 어려운 한자 두 글자로 "不孝"라고 하나보다. 어머니보다 먼저 죽으면 안 된다는 생각을 미처 하지 못했다. 자식을 앞세운 어머니들의 '斷腸의 哀' 를 익히 들어 알면서도. 그러나 장담을 할 수 있을까? 어쨌든 어머니 생각을 하자 더 의지(will)가 생기는 것을 느낄 수 있었다. 그래서 '어머니' 는 위대한 존재인가보다.

기원(祈願). 어떤 종교든, 하다못해 논두렁의 뱀을 믿어도, 바라고 빌어야 종교를 믿는 것이라고 한다. 기도가 곧 종교의 요체라는 말일 것이다. 평생 기도라고는 안 해본 사람도 기도를 하고 싶을 때가 있다. 그런 때가 절대 오지 않을 줄 알았는데…….

생각나는 대로 주절댄 기분이다.

그래서? So What? 나도 모르겠다. 그러나 홀가분하다. 그리고 지금 나의 기분은…….

何如一醉盡忘機(여하일취진망기)…….

술 한번 취해서 다 잊으면 어떠하리…….

('백거이' 의 '술에 대한 다섯 수의 시' 가운데 첫 수에서…….)

*2000. 8. 26.*

# 괴질부 후기

(1)

괴질부(怪疾賦).

요즘 극성을 떨고 있는 사스(SARS) 이야기가 아니다. 내 이야기다.

그리고 후기(後記)다. 즉 언젠가 했던 이상한 병 이야기의 뒷이야기이다.

나는 내가 가지고 있는 이 괴상한 병의 행패와 나의 상태에 대해 기록을 남기고 있다. 정기적으로(물론 의사의 지시에 따라 때론 자주, 때론 띄엄띄엄) 병원에 가서 피를 뽑고, 그 결과를 보고, 그에 따라 기쁘기도 우울하기도 하고, 돌아와선 혈액검사 결과의 수치를 엑셀에 넣고, 도표로 그려보고, 다시 희망을 가져보기도 하고, 때론 창밖을 내다보기도 한다.

이렇게 기록하고, 그래프를 그려보는 것은 뭐든지 얄궂은 걸 보면 궁금해 못 견디는 이공계 연구원의 습성이기도 하지만, 그보다는 내가 이 병의 어디쯤에 서 있는지 길잡이를 잃고 싶지 않은 조바심의 발로이기도 하다. 알아야 안심이 된다고나 할까…….

이 병을 만나게 된 것과 당시의 상황에 대해서는 이미 글을 남겼다. 그런데 그때 상황이 종료된 것이 아니었던만큼, 그후에도 많은 일이 있었다.

병은 알려야 낫는다는 옛말이 있긴 하지만(그리고 옛말은 그르지 않다는 것이 내 믿음이지만), 솔직히 난 나의 괴질에 대해선 더 언급하고 싶지 않았다. 남들이 나의 괴질에 대해 많이 아는 것도 그렇고, 그들의 걱정도 부담스럽고, 그리고 무엇보다 그게 뭐 그리 자랑스러운 일이 아니기 때문이었다. 또 한가롭고 편안해야 할 '한담'이 우울해지면 어쩌나 하는 노파심도 있었다. 그런데 이제 이렇게 후기를 쓰게 된 것은 며칠 전에 겪은 일이 동기가 되었다. 또 그날 일뿐만 아니라 이 괴질에 대한 기록을 다시 한번 정리해 둘 필요도 느꼈다. 그래서 괴질부의 후기를 쓴다.

* 전 날 저녁에 회식이 있었다. 나의 전임자이신 분의 영전과 새로이 우리 부의 센터장이 되신 분들을 축하하는 자리였다. 그 회식은 우리 부(部)의 인사이동의 마무리를 뜻하는 것이기도 해서 모두들 편안하게 마셨고, 많은 이야기를 나눴다. 노래방엘 들렀다 집에 오느라 술이 많이 깨긴 했어도 요 근래 들어 드물게 많이 마신 날이었다. 적당히 지치고, 적당히 취한 상태에서 기분 좋게 잠자리에 들었다.

아침. 울컥~ 하는 느낌에 놀라서 자리에서 일어났다. 시간은 이미 평소에 일어날 시간이었다. 그런데, 무엇일까? 울컥한 것은……. 잠이 덜 깬 것 같이 어리둥절해하다 문득 베개를 보니 뻘건 둥근 원이 보였다. 에구머니! 이게 뭐이여? 그리고 그제야 입안에서 이상한 이물감이 느껴지기 시작했다. 입에서 피가 흘러내리고 있었다.

화장실로 뛰어들어가 한 모금 뱉어내니 피가 가득이었다. 반쯤 피떡이 되어버린 이상한 건데기와 선혈이 섞여 있었다. 눈을 들어 거울을 보니 인상 사납고 비썩 마른 중년의 사내가 입술이 피범벅인 채 서 있었다. 윽! 런닝셔츠 차림의 드라큐라? 그것도 동양인 버전? 그런데 자세히 보니 그게 나였다.

자꾸 입을 헹궈내면서 피가 어디서 나는지를 찾아보았다. 피는 어금니와 잇몸 사이에서 나고 있었다. 안심이 되었다. 나는 그때까지도 목 밑에서 피가 올라오는 것이 아닌가 하는 무시무시한 상상을 하고 있었기 때문이었다. 다행히 속에서 피가 나는 것은 아닌데, 도무지 피가 멈출 기색을 보이지 않는다. 뱉어도 고이고, 또 고이고…….

식탁에 앉았지만 입안에 피가 흐른다는 생각에 식사를 제대로 할 수 없었다. 밥을 대충 마시다시피 하고는 거즈를 물고 출근을 했다. 그 날따라 아침 일찍 회의가 있는 날이었는데, 할 말도 못 하고 입을 꾹 다물고 있었다. 회의는 원만하게 진행되었다. 내가 문제였나보다.

목으로 넘어가는 피가 상당한데도 입술로 피가 배어나오는 느낌이었다. 회의 끝나기가 무섭게 화장실로 뛰어가 거울을 보니 입술에 피가 말라붙어 있었다. 입 꾹 다문 드라큐라. 과묵한 드라큐라. 아무래도 자연히 지혈이 되기를 기대하기는 힘들 것 같았다. 다음 행사가 있었지만 사정을 설명하고 치과로 냅다 달렸다.

내가 왜 치과로 갔을까? 잇몸에서 피가 났기 때문이기도 하지만, 그보다는 치과의사 선생님이 내 대부(代父)라는 게 더 큰 이유였을 것 같다. 사실은 또 다른 이유도 있었고…….

대부님은 내가 J성당을 다닐 때 처음 뵈었고, 한참 동안 함께 성당일을 했었다. 연배는 나보다 10년 정도 위이셨는데, 술 좋아하시고, 말씀 잘하시고, 정이 많은 분이시다. 그리고 내가 견진성사를 받을 때 기꺼이 대부가 되어 주셨다. 훌륭한 분이시다. 사람 보는 눈도 높으시고……. 그런데 현재는 공교롭게도 나와 어느 면에서 비슷한 처지가 되었다. 갑자기 건강에 이상이 생겼고, 그 여파로 현재는 '조심조심' 살고 계시다. 나도 조심조심 사는데, 대부님도 그렇다. 그것도 닮아가나보다.

허겁지겁 치과로 뛰어들어가자 마침 환자를 보고 계시던 대부님이 깜짝 놀라신다. 늘 상냥한 간호사 아줌마의 안부인사도 대충 흘리고 '아이고 나 죽소' 하고 소파에 털썩 주저앉았다. 대부님은 보시던 환자를 서둘러 정리하시고(나 때문에 그 환자를 끝낸 건 아닐 게다. 아마 치료 끝머리였겠지) 나의 상태를 확인하셨다. 아~~

그런데 상황이 이상하게 돌아갔다. 내 입 속을 들여다보신 대부님께서 간호사 아줌마에게 외국어로 뭐라뭐라 하시더니 대뜸 어딘가로 전화를 하시는 것이었다. 역시 외국어가 섞인 대화였다. 통화를 마친 대부님께서는 그 근처의 큰 대학병원 치과로 빨리 가라고 하셨다. 당신의 친구에게 전화를 해 놓았으니 바로 올라가 만나보라는 것이었다.

언제나 그렇듯이, '큰 병원', '다른 병원'으로 가라는 말은 정말 사람을 난감하게 만든다. 불안감이 엄습하고, 때론 알 수 없는 절망감도 느끼곤 한다. 난 '큰 병원'이 무섭다.

어쩔 것인가? 작은 동네 치과에서 해결할 문제가 아니라는데……. 한편으로는 불안하고, 한편으론 위안이 되었다. 불안한 마음은 괴질을 가지고 있는 자의 원죄 같은 것이었다. 혹시 그 괴질 때문에 피가 안 멈추는 것은 아닐까 하는 조바심. 그래도 위안이 되었던 것은 아직 '치과'를 벗어나지 않았다는 것이었다. 치과에서 해결할 수 있으니까 나를 큰 치과로 보내는 것이 아닐까? '내 논에 물대기' 식으로 생각하며 택시를 타고 큰 병원으로 향했다.

큰 병원 치과. 깨끗하다. 왜 다른 과는 실내장식을 이렇게 하지 않을까 하는 한가한(?) 생각을 하다가 간호사의 질문을 놓칠 뻔했다. 곧 이어 치과부장이라는 맘씨 좋게 생긴 의사선생님이 맞아주었다. 대부님과 동기라더니 두 분이 분위기가 비슷하다. 치과용 의자에 눕자 내 시야에 눈동자가 여럿 들어왔다. 5명 쯤 되는 수련의들이 내 입 속을 들여다보려고 기웃거리고 있었다. 아, 대학병원이란…….

내 입 속을 들여다보길 잠시. 그 치과부장이란 의사선생님이 내게 현재 앓고 있는 질병이 있느냐고 물었다. 결국 때가 온 것이다. 가급적 밝히고 싶지 않은 일이지만, 어쨌든 피를 멈추는 게 급선무니까 이실직고 할 수밖에. 어쩌구저쩌구…….

내 괴질에 대해 설명을 하면서 나는 또 다시 의사선생님이 내릴 결론을 알고 있었다. 피가 멈추지 않는 증상이 있는 자가, 알고보니까 피가 이상한 병을 앓고 있다는데 더 이상 무슨 진찰이 필요하겠는가? 예상대로 의사는 나에게 정기적으로 다니던 병원으로 가볼 것을 권했다. 정말 피가 이상해서 그렇다면, 치과에선 할 일이 없다는 것이다. 맞는 말이다. 그리고 당연히 그렇게 하는 것이 순서다. 피가 이상해서, 즉 혈소판의 수가 형편없이 적다든가, 다른 지혈에 관계되는 요소에 문제가 있어서 피가 멈추지 않는다면 외과적 처치는 전혀 효과가 없을 테니까. 나도 그건 알고 있었다. 이젠 무지랭이 초보환자가 아니니까. 그러나 솔직히 나는 그것이 두려웠다. 만약 나의 괴질이 지혈이 안 되는 증상을 보이기 시작했다면 나는 앞으로 어떻게 해야 하나? 피가 안 나기만을 바라야 하나……. 그런 생각이 두려웠고, 그래서 치과에서 해결되었으면 하고 치과로 뛰어간 것이었다.

불과 9일 전에 정기점검을 받았다. 그때 의사도 특별한 말이 없었다. 특히 혈소판은 정상인의 범위에 들어 있었다. 아무리 어디로 튈지 모르는 게 이 괴질의 특징이라지만 9일만에 피가 응고되지 않을 정도로 변화가 있었을까? 믿어지지 않았다. 믿고 싶지도 않았고.

내가 다니던 병원의 담당의사와 통화를 해보았다. 예상대로였다. 확실하게 체크를 해야 하니까 응급실로 오라는 것이었다. 가야지, 피가 계속 나는데 안 갈 수 있나…….

A병원으로 가기 위해 내 차로 향하다 문득 누군가 같이 있어야 할 것 같은 생각이 들었다. 응급실에 가면 번거로운 것도 많을 테

고, 일일이 혼자 돌아다니지도 못할 테니까. 아내를 부를까 하다 그만두었다. 열심히 근무하고 있을 사람에게 불쑥 전화해서 놀라게 하고 싶지 않았다. 난 아직 괜찮다는 마음도 있었고. 연구실의 L군에게 도움을 청했다. 놀라서 헐레벌떡 뛰어온 L군을 태우고 나는 차를 몰고 A병원으로 향했다.

A병원으로 가는 차 안에서 많은 생각을 했다. 정말 피가 문제일까? 아니라면 무엇일까? 그러다가 문득, '혹시 그 것 때문에?' 하는 생각이 들었다. 혹시…….

*2003. 6. 3.*

## (2)

응급실.

절박하고 걱정스러운 사람들을 가장 많이 만날 수 있는 곳. 가능하면 출입하고 싶지 않은 곳. 그곳에 내 발로 걸어들어갔다. 보무도 당당하게. 나는 늘 씩씩하다. 겉으론.

응급실은 바빴다. 어지럽게 복도에까지 놓여 있는 침대에는 어김없이 한 명씩 누워 있고, 그 옆에는 잔뜩 긴장하고 걱정스런 표정의 보호자들이 있었다. 아주 큰 소리로 앓아대는 아주머니가 있는가 하면, 죽은 듯이 누워 있는 아저씨가 있다. 뭔가 끊임없이 움직이고 있고 소란스러운 것 같지만, 자세히 보면 그 움직임과 소람함은 주로 간호사들이 일으키는 것이다.

선수 등록을 하고 나니까 우선 침대부터 하나 배당해준다. 그리고 침대에 꼬리표를 단다. 난 눕고 싶지 않아서(실제로 한번 누워보니까 피가 목으로 넘어가려고 해서 더 불편했다) 침대에 걸터앉아 있었다. 휘 돌아보니 이상한 사람들이 있었다. 검은 양복에 짧은 머리, 꼬불꼬불한 선 한 줄이 귀에서 나와 목 뒤의 옷 속으로 들어간, '보청기 낀 조폭' 같기도 하고 경호원 같기도 한 건장한 젊은이 둘이 아까부터 복도에 서 있었다. 뭐하는 사람들일까? 응급실이라 흥분해서 행패부리는 사람들이 많은 모양이라고 생각해 보았지만, 그래도 병원이란 분위기에 영 안 어울리는 사람들이었다.

잠시 후 아까부터 영 껄끄럽던 그 조폭스러운 젊은이 하나가 다가왔다. 그 검은 양복은 나에게 침대에 누우라고 하였다. 원 세상에……. 환자가 편한 대로 있으면 되지 왜 누워야 한단 말인가? 앉아 있는 것이 더 편하다고 하자, 마치 나같이 말 안 듣는 환자 때문에 응급실의 질서가 깨진다는 표정을 잠시 짓더니 물러갔다. 난 그때부터 그들을 눈여겨보았다. 그들이 하는 일이란 빈 침대 정리하는 일이 고작이었다. 간호사들이 바쁘면 침대에 새 시트 까는 일도 했다. 저런 게 할 일은 아닐 텐데……. 검은 양복에 보청기까지 끼고……. 양복 값이 있지…….

응급실에서는 그저 가만히 있어야 한다. 간호사가 찾으러 올 때까지. 병원에 가면 누구나 일단 기가 죽게 마련이지만, 특히나 응급실에선 환자는 고객이 아니라 약자일 뿐이다. 후덥지근한 공기에 땀을 흘리면서(그 날은 정장이었다. 타이까지 매고), 수시로 입 안의 거즈를 갈아 물고 고인 피를 뱉어내면서 앉아 있기를 한참. 마침내 간호사가 왔다. 그녀는 몇 가지 질문을 하더니 돌아갔다. 짧은 만남, 긴 인내!

간호사가 돌아간 한참 후. 젊은 의사가 하나 나타났다. 인턴인 것 같았다. 손에는 파일을 들고 있었다. 내 임상기록인 것 같았다. 그때부터 그의 질문이 시작되었다. 대학병원이니까 하면서 이해를 하지만 늘 그런 인터뷰는 지겹다. 먼 옛날부터 있었던 내 병력(病歷)을 새로운 의사를 만날 때마다 다시 읊어야 한다는 건 별로 유쾌하지 않다.

나도 이젠 익숙하게 나의 병 이야기를 풀어나간다. 역시 환자도 경력이 중요하다. 이름하여 '의사급 환자' 다. 의사가 특히 관심을 가질 만한 부분은 좀더 극적으로 말하고, 흘려듣는 기색이 보이면 대충 건너뛰기도 한다. 많이 늘었다. 그 젊은 의사는 인터뷰를 하고나더니 가타부타 아무 말도 없이 가버린다. 다시 멍~

간호사가 오더니 피를 뽑는다. 당연한 수순이다. 그런데 결과는 2시간 후에 나온단다. 참 이상하다. 외래에서 피를 뽑으면 결과가 1시간 후에 나온다. 그런데 응급실은 2시간 후에 나온다니. 응급실은 바빠서 그렇다고 하는데, 그럼 뭐가 '응급' 인지 모르겠다. 급해서 들어온 사람들의 검사가 더 오래 걸린다는 건 거의 '농담' 이다. 어쨌거나 그런 사소한(?) 궁금증 또는 원칙론으로 간호사 아줌마 비위를 긁어놓을 필요는 없다. 그러나 한 마디는 했다. 불과 9일 전에 이 병원에서 피검사를 했었는데, 또 해야 하느냐고 물었다. 예상대로 또 해야 한단다. 피를 뽑고 다시 후덥지근한 응급실, 침대 위에서 기대도 보고 고추 앉아도 보고……. 시간을 보냈다. 땀만 삐질삐질…….

너무 후덥지근하고 답답해서 간호사에게 물었다. 겁도 없이. 입에선 계속 피가 나는데 아무런 조치도 없느냐? 그저 이렇게 거즈만 한 움큼 물고 있다가 피범벅이 되면 다시 바꿔 물고 있는 게 다냐? 약도 없느냐? 어쩌구저쩌구……. 간호사의 말은 방법이 없단다. 오잉? 방법이 없다고? 간호사는 피검사 결과가 나와봐야 안다며 그저 거즈나 물고 있다가 바꾸라는 것이다. 물론 맞는 말이다. 원인을 찾아 치료를 해야 하는 것은 당연하다. 그렇지만 피검사 결과가 나올 때까지 계속 이렇게 피를 흘리며 기다려야 한단 말인가? 빛나는 현대의학이 고작 기다림인가? 그런데, 피는 이렇게 흘려도 괜찮은 건가? 벌써 몇 시간짼데…….

덥고 습한 응급실에서 무턱대고 기다린다는 건 체력전이었다. 몸이 지쳤는지, 정신이 혼미해진 건지……. 눈이 침침해질 때쯤 간호사가 다시 나타났다. 시계를 보니 다섯 시가 다 되었다. 약속한 대로 2시간을 넘기고야 피검사 결과가 나온 모양이다. 그런데 간호사의 말이 얄궂다. 피검사 결과는 크게 이상하지 않다는 것이다. 즉 왜 피가 멈추지 않는지 피검사로는 알 수 없다는 것이다. 혈소판의 개수도 문제가 안 되고, 단지 지혈능력이 정상의 경우보다(70 정도라나……. 무슨 숫자인지는 몰라도) 조금 낮은데(56이라나…….) 그 정도는 문제가 안 된다는 것이다. 그러면서 계속 왜 그럴까 하면서 갸우뚱거린다. 매우 진지한 간호사다.

"혹시 아스피린을 먹어서 이럴까요?"

갑자기 간호사의 얼굴이 밝아진다. 아스피린을 먹었느냐, 얼마나 먹었느냐 하면서 호들갑에 가까운 모습을 보인다. 그래서 솔직하게 고백을 하였다. 내가 가끔 관절과 근육통이 있을 때면 아스피린을 먹었다고. 한 달 정도 되었고, 2, 3일에 한 알 정도 먹었다고 했다. 간호사는 아주 밝은 얼굴로, 발걸음도 가볍게 의사에게로 돌아갔다.

아스피린에 항혈전성이 있다는 것은 나도 알고 있었다. 항혈전성은 피가 응고되는 것을 방해하는 작용이다. 그 작용을 잘 이용하면 노인네들이 혈관이 막혀서 생기는 변고를 예방할 수 있어서, 일부러 아스피린을 소량씩 늘 드시는 노인들도 있을 정도다. 나도 그런 정도는 알고 있었다. 그러나 그 항혈전성이 이 정도로 지혈을 방해할 것이라고는 생각지 않았었다. 선무당이 사람 잡는다고, 설마 하는 생각으로 아플 때 아스피린을 먹은 게 이런 화를 불러일으킨 모양이다. 부끄럽고 후회되는 일이지만 어찌할 것인가? 일단 피가 멈춘 다음에 남은 아스피린을 부숴버리든가 해야 할 것 아닌가? 그냥 타이레놀을 계속 먹을 걸…….

잠시 후 역시 얼굴이 환해진 젊은 의사가 다시 왔다. 또 다시 질문과 필기. 아까 간호사한테 한 이야기를 또다시 묻고 있다. 그 시간에도 입에서는 피가 뚝뚝 떨어지는데……. 인터뷰를 마치고 의사는 돌아가고……. 다시 감감.

아무래도 아내에게 전화를 해야 할 것 같았다. 아침에 피 흘리며 나가는 걸 봤지만 금방 멈춰버렸을 것으로 알고 있을 텐데, 놀랄 것 같아 응급실에 있다고 전화하기가 뭐 했었다. 그런데 이제는 저녁이 다 되었고……. 전화를 해야 할 것 같았다. 역시 충격을 받은 목소리다. 괜히 전화했나?

아내에게 전화를 하고났을 때 간호사가 다시 왔다. 우선 치과에 가서 치료를 받고, 그리고 혈장을 수혈받자고 하였다. 혈장을 수혈? 수혈? 수혈이라고? 난 수혈 소리만 들으면 흥분하는 경향이 있다. 수혈은 몇 년 전에 한번 해봤는데 참 기분이 묘했다. 나에게 필요해서 하면서도 찜찜하고 유쾌하지 못했다. 그런데 비록 혈액은 아니고 혈장이지만 또 수혈이라니?

난 억지로 말소리를 낮춰서 간호사에게 따졌다. 최대한 정중하게. 자칫하면 내 풀에 내가 흥분해서 열을 낼까봐.

'아까 피검사에서는 별 문제 없다고 했지 않느냐? 그런데 왜 수혈이냐?'

참 버릇없는 환자다. 의사가 필요해서 하겠다는데……. 간호사의 답변도 재미있었다. 자기도 이해가 안 된다는 것이다. 혈소판의 수치도 괜찮고, 지혈능력이 조금 떨어지지만 혈장 수혈이 필요한 사람들(그 경우는 10정도란다)에 비할 정도가 아닌데, 의사의 지시가 그렇다고 하는 것이다. 나는 내 담당의사에게 전화를 걸었다.

'지금 응급실인데, 응급실의 의사가 혈장 수혈을 하자고 한다. 피검사의 결과도 나쁘지 않은데 수혈까지 필요하겠는가?' 하면서 마구 고자질을 했다. 그러자 담당의사가 직접 응급실 의사에게 전화하겠다고 했다. 젊은 의사? 쌤통이다. 메롱이다.

(내가 정기적으로 다니는 병원인데도, 외래가 없는 날은 담당의사를 만날 수 없다. 대학병원이니까 의사가 해야 할 일이 많긴 하다. 연구도 해야 하고, 수술도 해야 하고……. 그래서 어쨌든 담당 환자에게 급한 일이 생겼을 때, 환자가 의사를 볼 수 있는 방법은 입원을 하거나 응급실로 뛰어들어가는 수밖에 없다. 그러나 응급실에 간다고 의사를 볼 수 있는 건 아니다. 다시 첨부터 응급실의 젊은 애송이 의사한테 시시콜콜 인터뷰를 당해야 하고, 경우에 따라선 담당의사의 의견과 다른 치료를 받을 수도 있다. 뭐가 이상하지 않은가? 정기적으로 그 병원에 다니며 점검과 조치를 받고 있는 환자가 엉뚱하게 새로운 진료를 받아야 하다니…….)

막 전화를 끊자 간호사가 치과로 올라가라고 한다. 수혈 여부는 나중에 듣기로 하고 일단 치과로 올라갔다. 역시 기가 막히게 실내장식을 해놓았다. 훨씬 편안한 느낌이 든다. 왜 대학병원마다 치과만 이렇게 다르게 해놓을까? 치과라는 이미지 때문일까? 그럼 다른 과는 이렇게 해놓으면 안 될까? 돈이 많이 들어서 그런가? 피를 흘리면서도 생각이 많다.

치과에 가자 다시 젊은 의사가 하나 다가온다. 역시 필기도구로 무장을 하고. 다시 인터뷰. 약 20분에 걸쳐서 길고 긴 신세한탄을 해주었다. 아~ 제발 이젠 그만 물어봐라. 생각하기도 싫은 괴질의 역사를 오늘만 벌써 몇 번째냐? 짜증도 나지 않았다. 힘만 빠질 뿐…….

인터뷰를 끝내고 진료실로 들어가 치과 특유의 기계의자에 누웠다. 그런데 나를 치료하려고 온 의사는 또 다른 사람이다. 보기 드문 꽃미남 스타일이다. 꽃미남이 꽃미남을 치료하는 드문 일이 벌어진 것이다. 가끔씩 일어나는 인생의 아이러니다. 아까 인터뷰한 의사는 이 의사의 후배인 모양이다. 새 꽃미남 의사는 그 인터뷰 기록을 보고 또 질문을 한다. 길진 않았지만……. 질문과 대답. 정말 지겹다.

치료가 시작되었다. 치료를 하는 의사는 하나인데, 나를 둘러싼 목소리는 네다섯쯤 된다. 그들의 대화는 나의 상태나 치료방법이 아니었다. 조금 전에 치료한 어느 20살 먹은 여자 이야기였다.

'담배를 얼마나 피웠으면 그렇게 되었을까? 구강 전체가 썩었더라. 이도 안 닦는 것 같더라. 그런 여자도 사귀는 남자가 있을까? 대기실에서 웬 남자와 물고 빨고 난리블루스를 췄다더라. 뭐 하는 애인 것 같으냐? 이빨 상태를 보면 모르느냐? 생 날나리 일거다…….'

치과의사들은 구강의 상태를 보고 사람의 됨됨이뿐 아니라 직업까지 짐작하는 모양이다. 조심해야 할 일이다. 그들의 이야기를 듣느라 치료받는 동안이 지겹지 않았다. 오늘 이 병원에 들어와서 받은 최고의 서비스였다.

아마 피가 나는 부위를 누르기 위해서 그랬던 모양이다. 의사는 내 입 속에 어마어마한 양의 거즈를 꽉꽉 눌러 집어넣었다. 내 입이 이렇게 컸다니……. 입을 거즈로 가득 채운 기괴한 모습으로, 마치 예전에 유행했던 두 얼굴의 사나이 Hulk 같은 얼굴로, 응급실로 돌아왔다. 아내가 와 있었다. 아내는 잔뜩 걱정스러운 얼굴이었다가 나의 기괴한, 아래가 위보다 더 넓어진 얼굴 모습을 보고는 황당해하는 모습이었다. 나라도 그랬을 거다.

입 안이 거즈로 꽉 차 있어서 불편하기는 했지만 확실히 지혈효과는 있는 모양이었다. 아까보다는 훨씬 편안했다. 역시 피가 날 때는 눌러주는 것이 좋다. 그런데 잠시 후 간호사가 오더니, 어떻게 됐나 본다고 입안의 거즈를 다 꺼내버렸다. 그대로 두었으면 오히려 피가 멈추었을지도 모르는데……. 간호사는 한번 들여다보더니 거즈 하나 달랑 물려주곤 가버렸다. 기껏 치과까지 올라가서 처치를 하고 온 걸 한순간에 뽑아버리다니……. 병원시스템이 어딘가 잘못된 것 같은데 뭐라 할 처지도 아니고……. 그저 거즈만 물고 있었다.

잠시 후 다시 돌아온 간호사의 말로는 혈장 수혈은 하지 않기로 했단다. 내 담당의사의 전화가 주효했던 모양이다. 대신(지혈작용이 있는) 비타민을 두 봉지 놓았다. 그리고 나서는 입 안에 지혈제를 바르고 뭔가 치료를 한다. 실로 감격이 아닐 수 없었다. 내가 피를 흘린 지 12시간이 지났고, 응급실로 들어간 지 6시간이 지나서 처음 받은 치료였다. 전문적인 의료진이 알아서 할 일이지만, 아까는 아무런 조치를 취할 것이 없다고 그냥 거즈나 물고 있으라고 하더니 이제는 출혈 부위에 뭔가를 바른다. 그 사이 치료법이 새로 생겼나?

치료를 받고 났지만 피는 여전히 멈추지 않았다. 간호사는 피가 멈추지 않으면 입원해야 한다고 하더니, 밤 9시가 넘자 나의 간곡한 눈빛에 감화를 받았는지 일단 퇴원해서 상황을 봐도 좋다고 하였다. 상황이 아주 나빠지면 다시 오라고 하였다. 그러면서 아까는 없다던 약도 챙겨주었다. 그새 새로 생겼나보다.

집으로 돌아오는 차 안에서, 어금니로 거즈를 옹골차게 물고, 창

밖으로 흐르는 밤거리를 바라보다가 한순간 힘이 쭉 빠지는 걸 느꼈다. 아직 끝난 건 아니지만, 참으로 긴 하루였다. 그리고 참 황당한 해프닝이었다. 이렇게 길어진 것이 다 괴질 때문이 아닌가……. 처량하고 비참한 기분이었다. 어쩌다 이렇게 되었을까…….

집에 돌아와 거울을 보니 피가 멈춰 있었다. 아이구 좋아라 하기보다는 겁이 덜컥 났다. 이러다 다시 터지면 어쩌나? 피가 멈추자 허기가 느껴졌다. 배는 고프지만 조심조심 식사를 했다. 터지면 안 된다고 주문을 외면서 먹었다.

그 날 15시간 이상 피를 흘린 셈이다. 억지로 틀어막기도 했었으니까 그보다야 적게 흘렸겠지만 생각해보면 끔찍한 일이었다. 출혈의 양이 많았다면 무슨 일이 일어났을까? 이제는 잘못된다는 것이 먼 이야기가 아니란 생각이 들었다.

이것이 길었던 그 날 이야기이고, 괴질부 뒷이야기를 쓰도록 만든 직접적인 사건이었다.

*2003. 6. 23.*

# 여 행

# 을왕리

## (1)

〈나는 휴식보다는 여행을 좋아한다. '여행'이라는 거창한 이름보다는 '돌아다니기'를 좋아한다. 기마약탈민족의 후예라 그런지…….〉

용유도 을왕리. 바닷가.

지금은 월미도에서 차를 배에 싣고 영종도로 넘어가서, 30분만 달리면 닿는 그 바닷가. 지금은 조그만 해변에 MT온 학생들만이 떠들썩한 그 바닷가. 지금은 밥집과 MT집으로 꽉 찬 그 바닷가……. 을왕리.

중학교 3학년의 여름이었다. 여자 형제 많은, 그래서 그런지 성격이 정의가 안 되는 나의 친구 ㅊ이 캠핑을 제안해왔다. 그 친구의 큰누이네가 피서를 가는데, 우리 친구 몇이 묻어가는 것이 어떻겠느냐고 한다. 나에게 같이 가자고 하는 내 친구 ㅊ의 속셈은 빤했다. 자기 식구들에게 나 같은 모범생 친구가 있다는 것을 보여주고 싶었으리라……. 한번은 튕겼지만, 속으론 'Why Not?' 이었다.

여러 가지 심사를 거쳐서 진용이 결정되었다. 주최측 ㅊ, 나, 친구1, 친구2. 우리는 친구 누이네 식구들, 친구 식구들과 함께 인천 연안부두에서 배를 탔다. 전부 10여명이 되었는데 짐이 몹시 많았던 기억이 난다. 게다가 요즘같이 전문화되고, 가벼운 캠핑 장비가 없었던 때인지라 매우 무거웠다. 3시간의 긴 항해 끝에 우리는 그 섬에 도착했다. 후에 알았는데, 직선거리는 얼마 되지 않지만 물이 얕아 돌아가느라 그리 오래 걸렸단다.

요즘과 같이 여가문화가 발달하지 않았던 시절, 기껏해야 아버지 따라 직원들 야유회나 끼어가는 것이 고작이었던 그때……. 캠핑, 그것도 친구들과의 첫 캠핑. 생각만 해도 맘이 설레지 않는가?

우리는 선착장에 늘어선 '민박 유치 아줌마' (아줌마들을 삐끼라고 하기는 좀……)들을 의기양양하게 뿌리치고 해변으로 내려섰다. '우리는 캠핑을 왔단 말입니다' 라고 큰소리로 외치고 싶었다. 흔치 않은 '텐트' 를 가지고 온 우리를 감히 '민박' 이라는 저런 유치한 놀이문화에 끌어들이려 하다니……. 이미 나는 출발 전 연안

부두에서 우리 일행들에게 '캠핑의 정의와 놀이문화의 사회학'을 설파했었다. 나의 말을 듣고 얼굴 가득 자부심이 충만해진 내 친구들에게 절대로 '천막'이라는 천한 말은 쓰지 말라고 했다. 우리는 곧 죽어도 '텐트'를 치고 산다! 또 '빠나'로 밥 해먹는다! 비록 알코올 버너지만…….

평생 그렇게 조수간만의 차이가 큰 바다를 본 적이 없던 우리는 감탄을 연발했다. 물이 빠져 빈 그릇과 같아 보이는 바다…….

우리는 해변의 한 곁, 둔덕 위에 자리를 잡았다. 큰 텐트 2개를 세워서 친구 누이네와 친구네가 쓰기로 했고, 우리에게도 커다란 텐트 꾸러미 하나가 배당되었다. 우리는 '우리들만의 텐트'를 칠 자리를 물색했는데, 아무래도 식구들과는 조금 떨어진 곳이 우리의 꿈을 펼치는 데 유리할 것이라는 tacit agreement도 있었고, 마침 식구들 텐트 곁에는 마땅한 공간도 없었다. 주변을 둘러보니, 식구들 텐트를 친 둔덕 아래에 땅도 고르고 너른 곳이 있었다. 왜 이런 곳을 비워 놓는가……. 이상한 사람들이구나…….

우리는 꾸러미를 풀었다. 그 무겁던 꾸러미를 조각그림 맞추듯 해서 우여곡절 끝에 텐트를 세웠다. 세워놓고 보니 어이가 없었다. 이게 저 무겁던 텐트꾸러미의 실체인가……. 후에 알고 보니 그것이 '미군용 2인용 A텐트'란다. 세워놓은 모양이 뾰족하니 A자 같아서 그런 이름이 붙었나 보다. 청바지 기지보다 더 두껍고 무거운 천으로 되어 있으니 무거울 수밖에 없었다. 그리고 아무리 미군이 덩치가 크다지만 우리도 꽤 큰 장정들인데 네 명이 저 안에서 어떻게 잘까 싶었다. 그래도 집 나온 해방감은 그런 우려를 덮어주었다. 우리는 서둘러 저녁을 먹고 엄청난 거리를 걸어서 물가로 갔다. 즐겁게 놀고, 떠들고……. 그리고 집 떠난 첫밤을 맞았다.

나는 그때 미군도 별로 크지 않다는 것을 알았다. 우리는 참으로 기기묘묘한 자세를 취하며 자고 있었다. 인도의 요가는 불편한 잠자리에서 비롯된 것이 아닌가 하는 생각이 들었다. 몸은 불편했지만 파도소리 들리는 잠자리는 정말 환상이었는데, 그런 환상적인 파도소리도 잠자리가 불편해서인지 어느덧 시끄러워지고 있었다. 좋은 꿈, 나쁜 꿈이 오락가락했는데 '아무래도 이건 아니지…….' 하는 느낌이 들었다. 앗, 그렇다!

"야…야… 빨리 일어나." 나는 나무토막 같이 자고 있는 내 친구들을 마구 두드려 깨웠다. 밖으로 뛰어나오기도 전에 벌써 물이 텐트에 들어오기 시작했다. 군용 A텐트는 바닥도 없다. 사정없이 들어왔다 나가는 바닷물에 냄비가 따라나가고 있었다. "냄비 잡아." '저 웬수는 설거지 마치고 왜 냄비는 이리 가지고 와가지고…….' 친구 야단칠 때가 아니었다. 냄비를 붙잡고 돌아보니 다른 그릇들도 떠다니고 있었고, 우리의 잠자리는 이미 아수라장이 되어가고 있었다. 우리 네 명의 울부짖음과 몸부림으로 그 한밤의 을왕리는 다시 깨어나고 있었다. 어떻게 수습을 했는지…….

아침이 되어 우리의 옮겨진 주거지, 아니 폐허를 바라보니 기가 막혔다. 바다를 보니 어제는 빈 그릇 같던 바다가 물이 꽉 찬 그릇이었다. 바다는 아름답지만 바닷물은 왜 그리 끈적거리는지……. 쓰러진 텐트와 젖은 옷가지, 담요, 짝 안 맞는 냄비들……. 그 와중에 방학숙제 젖었다고 징징거리는 친구2. 꼭 공부 못하는 ㄴ이 놀러가는데 책 가지고 오는 법이다. 우리 넷 중에 제일 빠진다는 것은 ㅅ중학 전체가 다 아는데…….

우리가 그곳에 텐트를 칠 때 말리지 않은 친구 누이와 매부도 원망스러웠다. 아침에 보니 초보자인 우리가 봐도 밀물 때는 물들어오는 곳인데, '인천 출신 바다 전문가' 라는 사람들이 우리를 말리지 않다니……(후에 들은 말로는 우릴 골탕 먹이려고 모른 척했단다. 크게 위험하지도 않고 해서 그냥 놔두었다는데, 당하는 우리 초보자들은 정말 놀랐었다).

그러나 우리가 누구인가. 들풀과 같이 밟아도, 밟아도 다시 일어서는 배달민족 아닌가……. 우리는 수해성금 한 푼 받지 않고도 다시 일어섰다. 이제는 누이도, 식구들도 믿지 말자고 굳게 다짐하면서……. 한편으로는 빨아 널면서 또 한편으론 뛰어놀면서 하루를 보냈다. 친구2는 저녁 때까지 젖어버린 방학숙제 때문에 징징거리고 있었다. 다시는 저 선수와는 놀러가지 않으리라…….

밤이 되었다. 비록 꼬박 하루에 걸친 난리에 피곤하였지만, 바닷가의 밤은 우리를 다시 생기발랄하게 만들었다. 이제는 추억을 만들 때라는 사명감에 의기투합한 우리는 우리 또래의 여학생들을 꼬시기로 하고 임무를 분담하였다. 우선 직접 꼬시는 역할 '꼬심이' : 애들은 전부 인물 준수하고 허우대 멀쩡한 나를 지목하였지만, 워낙 숫기가 없는 나는 극구 사양했다. 애들도 맨날 공부만 하는 애가 어떻게 여자들에게 말을 걸겠냐며 이해해주었다. 친구1이 자진해 나섰지만 만장일치로 부결되었다. 그 친구는 그때 벌써 새치가 많았었다. 중3 또래의 여자 애들한테 그 새치가 말을 붙이면 아마 파출소에 신고가 들어갈지도 몰랐다. 아버지뻘 되는 ㄴ이 애들 집적거린다고…….

주최측 ㅊ. 너무 덤벙대고, 돌쇠 스타일의 저돌성이 문제가 되었다. 그 친구가 꼬셔서 넘어올 정도의 여자 애들이라면 그냥 우리끼리 노는 게 낫다는 극단적인 의견마저 있었다. 결국 선택의 여지없이 친구2가 '꼬심이' 가 되었다. 그 친구는 inherently 불량기도 있었고, 적당히 뻰대 기질도 있어서 조금 떨어지는 인물과 교양을 커버할 수 있을 것 같았다. 가장 중요한 역을 정하고나니 다음엔 일사천리였다. 돌쇠 ㅊ은 '소품조' 가 되었다. 장소를 물색하고, 과자 등을 준비하고, 분위기 잡는 데 최고라는 캠프파이어용 나무를 준비하기로 했다. 가장 적합한 배역이다. 나는 '분위기조' 가 되었는데, 가끔 유식한 말 한마디씩 해서 우리가 그렇게 불량하지 않다는 것을 보여주는 역이다. 다음은 '새치' . 우리 모두의 속마음은 새치만은 그냥 자 주었으면 하는 것이었는데, 본인은 신이 나서 적극적인 참여를 주장하고 나섰다. 결국 달래고, 협박하고……. '靜物조'가 되었다. '정물조'란 그냥 벽에 걸린 그림처럼 가만 있는 역을 말한다. 게다가 새치는 심한 음치였다. 나는 그에게 여자애들과 놀 때, 혹시 아는 노래가 나오더라도 절대로 따라 하지 말라는 다짐을 수도 없이 했다. 그 대신 가끔 한 마디 하는 것은 허용하기로 했다.

우리는 비장한 각오로 거사를 시작하였다.

*1999. 9. 15.*

## (2)

'Beautiful,

Beautiful Brown Eyes… Beautiful, Beautiful Brown Eyes…

///…

Willy, I love you my darling, Love you with all my heart…

///…

I never love blue eyes again…'

지금도 그 노래를 생각하면 가슴이 콩닥거린다. 을왕리 밤 바닷가. 여기저기 불이 피어오르고……. 그때 유행하던 '조개껍질 묶어 그녀에 목에 걸고……' 하는 노랫소리도 들리고……. 어느 곳에선 '야전' 에서 키보이스의 '해변으로 가요' 가 흘러나오고 있다. 질풍노도의 나이가 아니라도 껌벅 갈 만한 분위기였다.

('야전' : '야외전축' 의 준말인데, 한마디로 휴대용 턴테이블이다. 요즘은 볼 수 없지만 그때는 놀러가는 사람들이 야전을 많이 가지고 다녔다. 당연히 LP판도 가지고 다녔고……. 그러니 짐이 많을 수밖에…….)

꼬심이로 나갔던 친구2가 돌아왔다. 시큰둥한 표정이다.

"중3은 없는데……." 잔뜩 기대하고 있던 나의 분노가 폭발했다.

"야, 너 정말 머리가 나쁜 거 아니냐? 중3 아니면 어때? 고3이면 어떻냐? 우리가 고3이면 되지……. 이 삽자루야……." 운동능력에 비해 지적 능력이 떨어지는 친구2는 아직도 무슨 소린지 모르는 듯했다. 흰머리는 많아도 머리는 잘 돌아가는 새치의 설명을 3번이나 듣고, 꼬심이는 다시 출동을 했다.

(그때 꼬심이를 하던 친구2는 나의 면박에 충격을 받아서, 후일 나와는 다른 길을 간다며 문과를 선택했다. 잘했다. 그 수학실력으로는 문과가 낫다. 지금은 모 은행의 잘 나가는 지점장을 하고 있다. 다 내 덕이다.)

잠시 후 우리는 우리의 눈을 의심했다. 의기양양하게 '으쓰까빠' 하며 돌아오는 친구2의 뒤로 여학생이 무려 다섯이나 따라오고 있었다. Bingo! 그때 나는 다음에 놀러 갈때도 친구2와 꼭 같이 가겠다고 다짐했다.

여학생들은 약간 떨어진 곳에서 우리쪽을 흘낏거리며 남학생들의 품질을 재보는 듯했다. 나와 돌쇠 ㅊ을 보고는 흡족한 표정을 지었는데, 새치를 보더니 당황하는 기색이 역력했다. '아니, 지도교사까지 있잖아…….' 이미 몇몇은 쓰러지려고 하고 있었다. 우리나라 여학생들은 너무 몸이 약하다. 지도교사 좀 봤다고 벌써 혼절하려 하다니……. 결국 좀더 가까이 와서 새치의 피부를 확인한 다음에야 안심하는 눈치였다. 하지만 그 여학생들은 그 날 모임 내내 새치와는 멀리 떨어져 앉아 있었다.

여학생들은 ㅂㅎ여고 1학년이라고 했다. 좋은 때다. 그때는 서울도 좁았고, 학교도 빤했다. 그리고 특히 여학생들은 독특한 교복으로 인해 쉽게 구별이 되었었다. ㅂㅎ여고, 괜찮은 명문이었다. 어쨌든 졸지에 우리도 고1이 되었다.

우리는 불을 피우고 둘러 앉았다. 그것이 나에게는 이성과 처음 가까이 앉아보는 것이었다. 그래서 불행하게도 그 날 우리가 무슨 놀이를 하고 놀았고, 무슨 노래를 했고 이런 것이 하나도 기억이 나지 않는다. 단지 기억이 나는 것은 향기롭다는 느낌과 위의 'Brown Eyes' 라는 팝송뿐이다. 향기롭다는 느낌은 지금도 선명한데, 그 여학생들이 화장을 한 것도 아니고, 또 우리들이 꼭 붙어 앉아 논 것도 아니었는데, 그런 느낌이 들었다. 아마 15 나이에 처음으로 이성과 만나게 된 어린 학생의 정서적 충격이었으리라. 구름 위에 있는 기분……. 감미로웠다. 'Brown Eyes' 라는 팝송은 그 여학생들이 합창을 했던 노래였는데, 사실 그때까지 나는 그 노래가 그렇게 아름다운 노래인 줄 몰랐었다.

그래서 그후 나도 그 노래를 좋아했는데, 아직도 가사의 일부가 기억이 나는 걸 보면 첫 이성교제의 감격은 오래가는가보다. 꿈같이 흘러간 시간……. 기억도 안 나는 시간……. 우리는 그렇게 놀았고, 심지어 다음날 다시 만나기로 하는 의외의 소득도 거두었다. 야호!

꼬심이는 의기양양했다. 이번만큼은 누구도 그의 공로를 부인하지 않았다. 나는 흥분한 나머지 돌아가면 그의 방학숙제를 적극적으로 도와주겠다는 후회막급의 실언마저 서슴지 않았다. 우리는 너무나 신이 나서 마구 떠들며 '요가수련장'으로 향했다. 조물주가 남녀를 갈라 놓은 이유가 있었다.

아마 나는 공부할 팔자인가보다. 내 복에 무슨 이성교제는…….
우리 앞에는 어마어마한 참상이 기다리고 있었다. 興盡悲來(흥진비래)라고 했던가…….

주최측 돌쇠 ㅊ의 누이와 매부는 인천이 고향이셨는데, 두 분은 '짠물' 출신답게 수영을 기가 막히게 하셨다. 그때도 두 분이 을왕리 바다에 들어가서 수평선 쪽으로 수영을 해가면 결국 우리의 시야에서 사라져버리곤 했다. 한참 후에 나타나시는 두 분을 보면서 참 부러웠다. 그래서 나도 열심히 수영을 배우려고 노력했었는데……. 아마 나는 비중이 높은 모양이다.

그 날 낮 우리가 옷가지 등을 빨아 널고 하면서 수해 복구에 땀을 쏟고 있을 때, 일말의 도의적 책임을 느꼈던지 ㅊ의 매부가 우리에게 꽃게를 한 마리씩 돌렸다. 그 용유도 지역도 꽃게가 유명한 고장인데, 꽃게를 쪄서 한 마리씩 준 것이었다. 정말 맛있게 먹었다. 그런데 우리의 새치가 탈이 났다.

여학생들과 푸른 초원을 뛰어노는 그림 같은 꿈을 꾸고 있는데, 새치가 막 흔들어 깨운다. 배탈이 난 것이었다. 다같이 꽃게를 먹었는데 그 친구만 탈이 났다. 그때부터 우리는 요가수련장에 앉아서 밤을 지샜다. 수시로 들락거리는 새치를 부축하여 화장실로 가고, 다시 데리고 오고……. 요즘도 시설 나쁜 해수욕장에 가면 화장실이 오죽한가……. 그때 을왕리의 임시화장실은 대단했다. 화장실에서 나온 사람은 10m 정도 떨어진 곳에서도 알 수 있을 정도였다. 어느덧 냄새 투성이가 되어버린 새치를 부축하고 우린 밤새 을왕리 바닷가를 배회하고 있었다. 한번은 갑자기 급하다고 하는 새치를 부축하고 화장실을 갔다. 볼일을 마치고 나오는 새치의 손에 그의 흰 '사루마다'가 들려 있었다. "지… 렸… 어…" 하면서 나에게 내민다. Oh, My God… 이걸 왜 나를 주냐고 묻지도 못하고 받아 들었다. 버리라는 건지……. 하여간 조심스럽게 들고 와 텐트 바깥에 놓아 두었다. 그 와중에도 새치는 "내일 ㅂㅎ여고생들 만나야 하는데……." 하고 있었고, 꼬심이는 그때까지는 괜찮을 수 있냐고 묻고 있었다. 아프다면서 이성교제 걱정하는 ㄴ이나, 아픈 사람에게 이성교제에 지장이 없어야 한다고 윽박지르는 ㄴ이나……. 나의 친구들이었다.

날이 밝고, 밤새 난리를 치른 것을 안 누이네 식구들은 울상이 되었다. 특히 물난리를 치게 만든 게 미안해서 게를 사주었던 매부는 이젠 식중독의 주범으로 몰린 현실에 난감해하고 있었다. 아마 그 매부는 속으로 다짐했을 거다. 다시는 처남과 그 친구ㄴ들과는 상종을 앓겠다고…….

다같이 먹었는데 새치만 그런 것을 봐선 매부의 잘못이 아니고 새치의 소화기관이 문제라고 내가 열심히 위로해 드리고 있는데, ㅊ의 여동생 ㅇㄹ이가 "오빠, 이게 뭐야?" 한다. 돌아보니 새치가 벗어준 ㄸ묻은 사루마다를 들고 있다. 아무리 국민학생이고 친구 여동생이지만 그래도 여자인데, 이런 개망신이 없었다. "으응, 그거… 그거 걸렌데……. 그대로 들고 가서 버려라." "응." 얼른 돌아서서 단발머리 나풀거리며 뛰어가는 ㅇㄹ이에게 나는 다급히 소리쳤다. "야, 야! 뛰지 마. 위험해. 살~ 살 가. 사알~ 사알~ 흔들지 말고……." 마치 텔레토비 같은 말투로 살살 가라고 했다. 뭐가 위험한 지 영문 몰라 하면서도 살살 걸어가는 ㅇㄹ이의 뒷모습을 보며 한숨이 나왔다. 이 일련의 사태가 나에게 주는 의미가 뭘까? 나는 나의 앞날이 순탄치 않을지도 모른다는 불안감을 느꼈다. 난 왜 이렇게 친구복이 없을까…….

*1999. 9. 16.*

(3)

〈하늘이

훌쩍 높아졌다. 2, 3일 새에 가을이 되었다. 역시 연구소의 아침은 좋다. 조금 일찍 출근하면 더 좋다.

출장의 후유증이 이렇게 오래가는 걸 보면 나도 downside에 들어섰나보다. 그래도 오랜만에 일찍 자고 일찍 일어나서, 연구소의 이른 가을 아침을 밟으니 힘이 난다. 이런 맛으로라도 구겨진 자존심들을 추스려야 할 텐데…….

요즘 왜 이리 '한담'의 동네가 평화로운가 하였더니 의xx의 ㅊ이 안 보인다. ㅊ도 며칠 안 보이니까 심심하다. 돌아오면 잘 해줘야겠다. 좋은 아침.〉

그 날은 아침부터 비가 내렸다.

누가 바다를 아름답다고 했는가……. 비좁은 A텐트, 방수도 안 되는 면으로 된 텐트. 물을 먹어 축 처진 텐트자락은 등판에 닿아 추근거리고, 푹 꺼진 부분에선 물이 떨어지고……. 우리 넷은 거기 있었다.

그래도 새치는 환자니까 누울 수 있었지만 나머지 우리는 정통 요가를 하고 있었다. 가랑비 정도였으면 나도 바다에 뛰어들고 싶었다. 우리는 학교의 승인 없이 이성교제를 한 대가를 너무나 처참하게 치르고 있었다. 반은 졸면서……. 나는 꿈을 꾸고 있었다. 'Beautiful, beautiful brown eyes…….'

약을 먹어서 그랬는지 아니면 다 쏟아내서 그랬는지 새치는 어제 밤같이 화장실을 들락거리지는 않았다. 완전히 널부러진 새치는 너무 힘이 들었었나보다. 헛소리를 하고 있었다. "ㅂㅎ여고, ㅂㅎ여고……." 꾸벅꾸벅 졸고 있던 꼬심이는 장단을 맞추고 있었다. "오늘 밤……. 오늘 밤……."

오후 들어서도 비는 그치지 않았고, 새치도 일어나질 못했다. 꼬심이가 안절부절 못하고 있었다. 하늘이 주신 기회가 날아갈 수도 있다는 것이 너무 아쉬운 모양이었다. 더구나 자신의 업적이고, 처음으로 친구들한테 칭찬 받은 일이었으니 그럴 만도 했다. 나는 속으로 '이놈아, 정신차려라! 니 누나뻘이다…….' 라고 하고 있었다.

어쨌거나 시간은 흘러가고 비는 점점 더 내리고……. 새치가 아니더라도 밤 프로그램은 못하게 생겼다. 우리는 아직 미련이 남아 있었지만 이제는 결정할 수밖에 없었다.

* 새치는 말했다. "너희들이라도 가서 놀다 와." 충무공 이순신 장군의 비장함이 느껴졌다. 아! 그러니까 그게 이순신 장군의 고유 성품이 아니고 우리 배달민족의 공통된 품성이구나……. 희생정신. 그런데 저 ㄴ이 밖에 비오는 거 알면서 생색내는 건 아닐까……. 하는 나쁜 생각이 들었다.

* 돌쇠 ㅊ은 말한다. "혼자 변소도 못 가는 놈을 두고 어딜 가냐?" 저 ㄴ은 꼭 변소라고 한다. 그럼 tough해 보이나? 돌쇠 같은 ㄴ.

* 꼬심이는 고민 중이었다. 평생 처음 칭찬받은 일의 마무리가

이렇게뿐이 안 되다니……. 나에게도 그의 아픔이 느껴졌다. 아마 그는 그때의 아픔 때문에 훗날 그리도 여자 꼬시는 일에 몰두했었나보다. 체질에도 맞았겠지만……. 대학 1학년 때 모 여자대학의 축제에서 그를 만났다. 반갑게 다가가는 나에게 그는 눈을 찡긋거리고 있었다. 그의 금빛 단추 반짝이는 짙은 곤색 윗도리에 착 달라붙은 그의 파트너는 4학년이었다. 그 여자는 나를 보고 속으로 그랬을 거다. '도둑놈. 4학년씩이나 된 놈이 1학년 어린애를 데리고 다니냐?" 그는 을왕리에서 연상의 여인의 매력마저 깨달았었나보다. 빠른 ㄴ.

* 나는 아무 생각이 없었다. 어서 이 빗속의 척척한 텐트나 벗어나고 싶었다. 본디 여자보다는 전쟁에 관심이 많은 게 우리 기마민족의 피 아닌가…….

결국 돌쇠를 특사로 파견하기로 했다. 꼬심이는 자기도 面이 있다며 죽어도 못 간다고 했다. 우리는 돌쇠 ㅊ에게 오버하지 않도록 철저하게 교육을 시킨 후에 ㅂㅎ여고생들에게 보냈다. 오늘 저녁 프로그램을 취소할 수밖에 없다고……. 눈물을 머금고……. 새치는 신신당부하고 있었다. "내 설사 이야기는 하지 마……."

예상시간을 한참이나 지나서 ㅊ이 돌아왔다. 그새 거기서 사생활을 즐긴 모양이었다. 짐승 같은 ㄴ. 지 말마따나 친구는 변소도 혼자 못 가는데…….

너무 비가 거세고 환자도 있는 것이 아무래도 신경이 쓰이셨는지, 아니면 새치의 설사에 도의적 책임을 느끼셨는지 ㅊ의 매부가 결단을 내리셨다. 을왕리에서 바다를 바라보고 오른쪽 끝의 언덕 위, 지금은 커피숍이 되어버린 건물, 그 당시에는 상당히 파격이었던 그 흰 집으로 이동하기로 했다. 내가 그렇게 강조하던 캠핑의 자랑스러움도 자연의 힘 앞에서는 너무나 무력했다. 우리는 그 축축한 가운데서 짐을 꾸렸다. 집 떠나면 고생이라더니…….

버릴 것을 모아서 쓰레기 구덩이로 가다 보니 ㅊ의 동생 ㅇㄹ이가 구덩이 앞에서 서성이고 있었다. 그때 을왕리에는 임시 쓰레기장으로 커다란 구덩이를 파 놓았었다. 그곳의 몰골은 '한담' 의 품위를 위해서도 언급하지 않겠다. "너 거기서 뭐 하니?" 나를 돌아보는 ㅇㄹ이의 얼굴은 거의 울상이었다. "ㅅㅊ오빠가 자기 빤쓰 찾아 오래……." 아니 이런 우라질 ㄴ이……. 설사 지려놓고, 그걸 찾아오라고 어린애를 시키다니……. 저 구덩이에서…….

"왜 찾아 오래?" "빤쓰 잃어버리고 가면 엄마한테 혼난대……." 순간 평안도 출신인 괄괄한 새치의 엄마 얼굴이 떠올랐다. 상상이 되었다. 그렇지만 만약 아버지가 빤쓰 잃어버리고 오면 징벌의 대상이지만, 우리같이 여물지도 않은 중학생이야 그게 무슨 큰 죄가 되겠나 싶은 생각도 들었다.

또 새치도 그렇다. 그걸 찾아서 어쩌겠다고 어린애를 보내나……. 저러다 ㅇㄹ이의 잠재의식에 상처라도 줘서 나중에 시집 안 가겠다고 버티면 어쩌나……. 나는 별 생각이 다 들었다(그런데 그 사건의 영향은 우리의 예상을 뒤집었다. ㅇㄹ이는 대학교 2학년 때 결혼을 했다. 우리를 더욱 놀라게 한 것은 결혼 후 몇 달도 안 돼서 애 엄마가 되어버린 것이다. 이게 다 그 새치의 빤쓰 때문이었다고 나는 생각한다. 그때의 충격에 의해 ㅇㄹ이는 태아 발육 촉진 작용을 하는 촉매 호르몬의 분비가 왕성해진 것이다. 물론 확인된 것은 아니다.)

"내가 알아서 할 테니 넌 그냥 가." ㅇㄹ이는 그래도 선뜻 가지 못하고 있었다. 도대체 새치 이 ㄴ이 얼마나 무섭게 협박을 했으면 애가 저렇게 되나……. 나는 ㅇㄹ이를 데리고 돌아가 새치한테 말했다. "야! 찾긴 찾았는데 도저히 안 되겠더라. ㄸ에, 고추장에, 된장에, 김치에, 라면에 범벅이 되었는데, 너 그거 가지고 집에 갔다간 니 엄마한테 죽도록 맞겠더라……." 지 엄마한테 맞을 거라는 내 말에 새치는 마지못해 미련을 버렸다. 가정교육이 잘된 집이다.

집을 옮기고 나니 우선 축축하지 않아 좋았다. 밤이 되어 비도 그쳤고, 새치도 이제는 제법 추스리고 앉을 수 있었다. 물론 담요를 둘둘 말고 있긴 했지만……. 꼬심이가 한마디 했다. "이 정도면 놀 수 있을 텐데……." 참, 힘도 좋다. 나는 졸려 죽겠는데……. 첫날은 물 난리, 다음날은 설사 난리……. 놀러온 건지, 극기훈련 온 건지……. 다행히 돌쇠 ㅊ도 더 이상 이성교제에 적극적이지 않아서 우리는 저녁식사 후 그 집 마당의 테이블에 앉아 이런저런 이야기를 나누다 일찍 잘 수 있었다. 꿈도 꾸질 않았다.

다음 날 돌아오는 뱃전에서 멀어져가는 용유도 을왕리를 보며 언제 또 올 수 있을까 하는 생각을 했었다. 대학 때 미팅의 파트너가 ㅂㅎ여고를 나왔다고 했을 때는 다시 향기를 느꼈다. 알싸하고 감미로운 향기, Beautiful Brown Eyes의 선율……. 그리고 뒤이은 또 다른 향기……. 냄새 범벅 새치의 향기…….

나의 첫 이성과의 접촉은 그렇듯이 지나갔다. 두 가지 향기와 하나의 노래를 남기고…….

## 후 기

### 〈좁은 세상〉

몇 년 전 우리 부의 한 연구원이 나를 찾아왔다. 곧 결혼하고 유학을 떠난다고 알고 있었는데……. 그 선수가 돌쇠 ㅊ의 이름을 거론하며 아느냐고 물었다. 나는 순간적으로 마리를 굴렸다. 친구를 보면 그 사람의 됨됨이를 알 수 있다고 했는데, ㅊ을 안다고 해야 하나 모른다고 해야 하나……. 그래도 나는 베드로가 저지른 실수를 범하고 싶지 않아서 솔직하게 말하였다. “그래, 내 ㅂㅇ친구지. 그런데?” 그 친구 말은 ㅊ이 자기의 신부될 여자의 외삼촌이란다.

머리를 굴려보았다. 그 신부감이 바로 그 식중독의 주범 ㅊ의 매부의 큰 아이, 그 꼬맹이였다. 이런 세상에……. 그 애가 벌써……. 나는 인생의 황혼을 보았다. 그 매부도 이젠 할아버지가 되셨다.

### 〈인과응보〉

우리가 고등학교 때 ㅊ의 누이네가 학교 근처로 이사를 왔다. ㅊ도 그 집에서 학교를 다녔는데, 우리는 그 집에 수시로 드나들면서 밥, 라면을 얻어 먹고, 그 집의 훌륭한 앰프로 팝송을 듣곤 했다. 어느 겨울 날, 운동장에서 농구를 실컷 한 우리들은 또 그 집으로 몰려갔다. 신나게 먹고 놀고 돌아왔는데, 다음 날 ㅊ의 말이 어제 자기 누이가 쓰러지셨다 깨어나셨는데 아직까지 두통을 호소하신다고 한다. 우리는 우리의 훌륭한 후원자가 변을 당했다는 소식에 놀라서 원인을 물었더니, ㅊ의 말이, 누이가 어제 우리가 놀다 간 방에 들어가서 금방 쓰러지신 것을 봐서는 우리들의 발 냄새가 원인인 것 같다고 한다. 우리는 일제히 말이 안 된다고 ㅊ을 윽박질렀지만 일리가 있는 말이었다. 그 날은 우리가 생각해도 오징어 굽는 냄새가 심했었다. 게다가 춥다고 난로 켜 놓았지, 문 꼭 닫았지……. 누이는 을왕리에서 우리의 이성교제를 망쳤던 죄값이라고 생각하시고 그 후 '불경 필사작업'에 더욱 정성을 쏟으셨다. 그 누이도 벌써 할머니가 되셨다.

*1999. 9. 17.*

# 금곡능

(1)

내가 중,
고등학교를 다닐 때의 학생들의 음악 취향은 지금과 사뭇 달랐다. 그때의 대중음악은 전통의 '뽕짝'과 팝송, 그리고 그 몇 년 전부터 유행한 포크송이 있었는데, 그때 학생들이 가장 많이 선호했던 것은 남의 나라 노래인 팝송이었다. 우리 친구들 중 많은 수가 국민학교 6학년 또는 중학교 때부터 팝송을 들었다. 그때 우리들이 팝송을 듣고 청바지니 통키타니 했던 것은, 지금의 아이들이 우리가 이해하기 힘든 음악을 즐기며 신세대라고 하는 것과 같은 편가르기 같은 것이었다. 우리 말 노래는 통키타로 표현되던 포크송이 우리 편이었다.

그러다보니 적군으로 치부되는 뽕짝 풍의 노래는 몹시 혐오했었는데, 왜 그런지 그런 노래는 곧 저질이라는 등식마저 배어 있었다

(사실 상당히 많은 뽕짝의 가사를 보면 그런 등식이 꼭 틀리지는 않는다는 것을 알 수 있다. 어쨌든 그래도 지금 되짚어 생각하면 '태진아' 씨한테 미안한 마음이 든다. 송대관씨도……).

그런데 문제는 뽕짝뿐이 아니고 국악이나 민요도 함께 '혐오/저질/적군' 으로 취급했었다는 것이다. 참 치졸하고 무지한 우리들이었다(하긴 국악과 민요도 재미있을 수 있다는 것을 안 지 얼마 되지 않는다. 어느 부부 국악인의 재담 섞인 설명과 함께 들으니 정말 재미있었다. 그러나 아직도 TV에서 국악 프로가 나오면 채널을 돌리는 것이 나뿐이 아닐 것이다. 국악과 민요를 어떻게 국민에게 알려야 하는지 생각해 볼 일이다).

나는 송추로 가는 버스 안에서도 열심히 여성 동지들을 힐끔거렸다. 누구 하나 빠지지 않고 좋은 애들 같았다. 그런데도 특히 눈에 띄는 여학생이 있었다. 특별히 나서거나 떠드는 것이 아닌데도 내 눈에 계속 들어왔다. 나에게는 어디선가 본 듯한 느낌이 들었는데, 그래서 그런지 더욱 그 여학생에게 나의 안테나는 끌리고 있었다. 으음… 오늘은 목표가 있어 좋은 날이 되겠군……. 더욱 수준 있게 행동해야 되겠군……. 이럴 줄 알았으면 이 낡은 청바지 대신 아버지 '기지 바지' 를 입고 올 것을 하는 후회도 일었다.

그런 나와는 달리 수준 낮은 우리 남성 동지들은 계속 나의 청바지만 힐끔거리고 있었다. 저질들… 그까짓 청바지에 인생을 걸고 있는 닭들……. 좀더 '인문사회적으로' 눈을 떠서 '진정한 남녀관계' 라든가, 뭐 이런 것에 관심을 가져야 할 나이에……. 아! 내가 저 저질들과 같은 학교를 다닌다니……. 심지어 이 웬수들은 내려서 camp site를 찾아 계곡을 따라 올라갈 때도 계속 나의 '폼 나는 청바지' 에 대해 관심을 보였다.

계곡엔 늦가을의 쓸쓸함이 만연한데도 어느 너른 바위에서는 한 떼의 아주머니, 아저씨들이 음악을 틀어놓고 춤을 추고 있었다. 우리는 못 볼 것을 본 양 고개를 돌리고 그곳을 지나쳤다. 도대체 저런 사람들은 누구일까? 내가 공연히 창피하고 짜증이 났다. 마치 그들 중에 나의 가족이라도 있은 듯이 고개를 숙이고 서둘러 그곳을 지나쳤다. 온통 저질 투성이구나…….

(이제 그때보다 거의 서른 살을 더 먹었다. 이제는 그런 모습을 봐도 그리 나빠 보이지 않는다. 물론 적극적으로 좋아보이는 것도 아니지만……. 운전을 하고 가다보면 관광버스가 들썩거리도록 할머니, 할아버지들이 일어나 춤을 추고 있는 버스들을 종종 본다. 사고가 날까 걱정하는 맘은 있어도 예전처럼 분개하지는 않는다. 오히려 나도 모르게 싱긋이 웃을 때도 있다. 나도 나이를 먹어가는 것인가, 아니면 놀이문화가 달라지는 것인가?)

한참을 올라가서 한적한 곳에 터를 잡았다. 약간 쌀쌀한 기운이 있어서 우리는 서둘러 텐트를 치기로 하였다. 한 해 전, 용유도 을왕리의 경험 이후 우리들은 등산이다 캠핑이다 하며 제법 다녔기 때문에 어지간히 경험도 쌓여 있었고, 여학생들도 보고 있어 더욱 신이 나서 우리의 능력을 보여주려 하였다. 휘파람을 불며 일을 시작했다.

원래 텐트는 두 개를 가져오기로 하였다. 돌쇠가 작년 가을 어디선지 구한 나이론 텐트는 그때 우리가 즐겨 쓰던 것이었다. 폴대를 세우고 보면 어딘가 길이와 균형이 안 맞는, 아마 불량품을 빼돌린 듯한 그 텐트. 돌쇠의 말에 의하면, 텐트는 규격품인데 동대문시장에서 산 폴대가 불량이란다. 그래도 우리는 을왕리에서 사용했던 그 무거운 군용 A텐트에 질렸기 때문에, 이 '불균형 나이론 텐트'에 감지덕지하였다. 그건 우리 남자들이 쓰기로 하였고, 여학생들이 사용할 텐트는 팝송 잘 부르는 ㅎㅇ이가 가져오기로 하였었다. ㅎㅇ이의 말로는 자기 집에 기가 막히게 좋은 큰 텐트가 있다고 하여서 그것을 여학생용으로 하기로 하였었다.

나는 우리가 쓸 '불균형 나이론 텐트'를 익숙한 솜씨로, 야전삽을 휘두르며, 보란 듯이 폼 잡아가며 설치하고 있었다. 그런데, 여학생 텐트를 치기로 한 ㅅㅊ이 쪽의 대화가 이상하였다.

"어, 이게 뭐야?" "폴대도 없네……." 그때도 그 텐트 주인, 팝송 잘 하는 ㅎㅇ이는 저만치 돌 위에 걸터앉아 키타를 치고 있었다. 나는 우리가 '분위기 메이커'를 데리고 온 것이 아니고 '베짱이'를 데리고 왔다는 불길한 생각이 들었다. 뒤이어 ㅅㅊ이의 말이 들린다.

"야, ㅎㅇ아! 니네 집 철물점 하냐?" "아니, 왜?"

그 이상한 소리에 무슨 일인가 돌아보았다. 얼른 사태 파악이 안 되었다. 한참을 보고나니 어이가 없었다. 땅바닥에는 무지하게 큰 천막, 파랗고 하얗고 한 천이 펼쳐져 있었다. ㅅㅊ이가 “야, 이건 철물점에 차양으로 쓰는 거잖아…….” 한다. 그렇다. 그것은 시장 가면 가게마다 올리고 내리는 차양과 같은 모양이었다. “니들이 천막 가져 오랬잖아…….” ㅎㅇ이의 태연한 대답이었다.

“너, 이 천막 써봤어?” “아니. 우리 집은 천막 같은 것 안 쳐…….” 저 베짱이 집안은 그냥 노래만 하나보다. “그럼, 이건 뭐야?” 짜증난 ㅅㅊ이의 질문이 이어졌다. “천막이잖아. 우리 집 광에 있던 거야!” 베짱이의 대답. 베짱이 ㅎㅇ이는 자기 집 광에 굴러다니던 이 천막 뭉치를 텐트라고 생각하고 가져온 것이다. 그제야 왜 그리 무거웠는지 알 것 같았다. 따지고 보면, ㅎㅇ이의 잘못도 아니다. 캠핑이라곤 처음이라는 애가 무얼 알겠나? 베짱이가…….

우리는 대안을 찾아야 했다. 여름이라면 우리 텐트를 여학생들에게 주고 우리는 노숙을 해도 되겠지만, 그 늦가을에는 무리였다. 난감하였다. 우리가 너무 흥행 위주의 계획을 짠 것이 패착이었다.

주변을 돌아보았다. 제법 큰 바위들이 가깝게 붙어 있는 곳이 있었다. 그 바위들 위를 천막으로 가리면 그 아래로 꽤 넓은 공간이 나올 것이라는 데 의견이 맞았다. 드디어 원시인의 삶을 체험할 기회가 온 것이었다.

*1999. 11. 23.*

## (2)

우리는 그 바위들 근처로 자리를 옮겼다. 우리의 텐트를 여학생들에게 양보하고, 우리는 바위 사이로 천막을 걸치고 움집생활을 한번 해보리라 하였지만, 이도저도 가능하지 않았다. 결국 텐트 두 개를 다 바위 위에 걸치고 펴고 한 끝에 움집을 만들었다. 좁았다. 베짱이랑 여자애들은 그런 움집이 신기한지 좋아하고 있었다. 나는 그때야 왜 '개미와 베짱이'라는 이야기에서 개미가 좋은 나라인지 이해할 수 있었다.

처음부터 일이 이상하게 흘러간 것에 뒤틀린 나는 씩씩거리며 밥을 하고 있었다. 심지어 아무 생각 없이 사는 돌쇠마저도 심사가 불편한지 말없이 꽁치통조림을 까고 있었다. 베짱이 ㅎㅇ이는 아직도 노래를 하고 있었다. 노래도, 키타도 대단한 수준은 안 되는 것 같은데……. 어떻게 해서 저 웬수가 분위기 메이커로 섭외가 되었는지…….

ㅈㅌ는 뭐가 좋은지 휘파람을 불고 있었다. 혹시 저 인간이 '혼숙'을 한다는 것이 좋아서 저러나 싶은 생각이 들었다. 앗! 혼숙! 불량 청소년들 말만 나오면 따라나오는 말……. 지금 우리가 그런 설레는 경험을……. 내 얼굴이 달아오르는 것이 느껴졌다. 남이 눈치를 챌까 창피해서 고개를 숙이는데…….

"이거, 물이 너무 많지 않니?" 나는 화들짝 놀랐다. 내 생각이 들킨 줄 알고……. 거기엔 아까부터 내 안테나가 끌리던 그 여학생, 이해심 많은 '누이의 미소'를 가진 그 여학생이 있었다. 나는 나도 모르게 "아녜요. 버너 불이 세서 물이 이 정도는 돼야 돼요." 존대말을 하고 있었다. 그 여학생의 까르르 웃는 소리에 나는 다시 한 번 놀랐다. 갑자기 웬 존댓말이냐며 웃는 그녀 앞에 나는 더욱 쪼그라 들고 있었다. 말소리는 별로 크지 않은 데 비해 목젖이 보이도록 크게 활짝 웃는 웃음소리는 맑고 높았다. 겨우 정신을 추스린 나는 그 여학생과 이런저런 이야기를 하며 식사준비를 하였다. 식사준비가 그렇게 즐거운 일인지 몰랐었는데……. 여자 앞에서 얍삭해지는 사춘기 소년의 갈대 같은 마음. 갑자기 세상이 온통 환해진 기분이었다. 돌쇠까지 끼어선 신나게 떠들며 상을 차렸다.

여학생들은 우리가 만든 반찬에 대해서 물었다. 아까 틀림없이 꽁치통조림을 개봉했는데, 그 꽁치는 어디 갔는가 하는 것이었다. 꽁치를 횡령했다는 의혹이 제기되고, 축소 조작의 혐의까지 들먹이는 바람에 진실을 말할 수밖에 없었다. 돌쇠, ㅅㅊ 등과 등산을 다니면 자주 해먹는 것이 '꽁치통조림 가미 잡탕 고추장 범벅'이었다. 그런데 식사시간에는 꼭 젓가락들이 꼬일 정도로 싱갱이를 한다(물론 나는 아니다). 꽁치 왕건이를 차지하려는 싸움이었다. 몇 번 그릇을 쏟고나서 우리가 찾아낸 방법이 왕건이를 없애는 방법이었다. 큼지막한 미제 군용 숟가락으로 왕건이를 으깨서 거의 추어탕 수준으로 만들어 먹으니까 쌈이 안 나서 좋았다. 먹는 맛은 조금 떨어지지만……. 그 여학생들도 꽁치 왕건이를 찾는 눈치였다. 어머… 어머… 저렇게 예쁜 입으로 어떻게 비린내나는 꽁치를……. 그것도 왕건이를! 나는 이해할 수가 없었다. 아니, 그럴 리 없다고 굳게 믿었다.

모든 것이 정리가 되고 드디어 오락시간이 되었다. 우린 베짱이의 반주에 맞추어 감미로운 포크 송들을 불렀다. 그런데 베짱이가 오버하기 시작했다. 다같이 제창하는 분위기였는데, 베짱이는 감정을 넣는다고 혼자 튀어나가는 소리를 질렀다. 그것도 나훈아의 창법으로……. 분위기가 썰렁해졌다. 나훈아씨가 무대에서 쓰는 징한 사투리 '고마, 손 쫌 잡아 주이소.' 라는 멘트만 곁들였으면 대지극장의 쇼와 구별이 안 될 상황이었다. 우리는 베짱이에게 립싱크를 강요했다. '너는 키타만 치는 기계다. 더 이상 나서려고 하지 말아라.' 불량한 베짱이였지만 모두가 한 목소리로 강요하자 노래는 포기했다. 그제야 분위기가 살아났다. 그때의 포크 송들은 어찌도 그리 사춘기의 분위기를 알았는지……. 아마 그 노래들 때문에 인생 진로가 바뀐 사람도 많았을 것이다.

그 여학생들은 정말 노래를 잘했다. 곱게 부른다는 말이 딱 맞았다. 특히 눈을 내리깔고 노래를 부르는 '누이의 미소' 의 모습은 기가 막혔다. "너의 침묵에 메마른 나의 입술……." 「이루어질 수 없는 사랑」이라는 노래였다(베짱이 저 자식은 선곡을 해도 꼭 저런 노래를… 불길하게……). 작은 호야불이 흔들려 contrast 심한 그녀의 그림자가 흔들릴 때는 정말 환상이었다. 여자란 저렇게 가녀릴 수도 있는 것이구나……. 새로운 감동이었다.

한참 노래를 불러 분위기가 무르익었을 때, 자연스레 누군가 가져온 카드로 게임을 하였다. 벌칙은 놀이에 따라 달랐다. 어떤 게임에서는 손들을 포개놓고 패기도 하고, 또 다른 게임에서는 손을 잡고 손목을 때리기도 했다. 그때 유심히 보면 서로간의 감정의 흐름을 느낄 수 있었다.

ㅅㅊ이는 우리가 손들을 포개고 처분을 기다릴 때, '여학생 2' 의 손이 제일 위에 있으면 내리치는 손의 스피드가 눈에 띄게 느렸다. 그것도 무협영화에서 이소룡이 지르는 괴상한 소리를 내면서 내리쳐서 피할 수 있도록 배려하였다(치사한 놈). 그러나 우리들 남자의 손이 맨 위에 있을 때는 카드를 추스리는 척하다가 묵묵히, 꼭 최민수같이, 철퍼덕 내리쳤다. 그때마다 신기하게도 돌쇠만 맞았는데, 그 포개진 손들 사이에서도 그 애의 손만 맞았다. 맨 위에 있을 때도, 심지어 맨 밑에 있을 때도……. 처음엔 너무 재미있고, 신기해서 우리 모두 꺾어질 정도로 웃어댔는데, 어느 순간 웃을 일이 아닌 분위기가 되어버렸다. 돌쇠가 갑자기 말이 없어지면서 눈에 핏발이 섰기 때문이다. 그래서 얼른 놀이를 바꾸었는데, 이제는 역전이 되어서 돌쇠의 독무대가 되었다.

그는 계속 '최후의 승자' 가 되어서 모두의 손목을 패댔는데, 역시 여학생의 손목과 우리의 손목은 차별화되었다(또 치사한 놈). 특히 ㅅㅊ이를 팰 때는 그 짧은 혀로 위 아래 입술을 돌아가며 쓱~~~ 입맛을 한번 다시고 난 후, 역시 그 짧은 둘째, 셋째 손가락을 모아서는 착! 착! 소리 나도록 패댔다. 돌쇠는 손가락이 짧은 약점을 물리시간에 배운 모멘트의 원리를 이용해서 커버하고 있었다. 그 패는 소리는 마치 고통을 살 깊이 전이시키는 느낌이었는데, 아마 이근안도 그런 기술은 없었으리라. ㅅㅊ이의 손목은 금세 지렁이가 지나간 듯이 벌건 줄이 생겨났다. 역시 다시 웃기만 할 분위기가 아닌 것을 알 수 있었다. 아무래도 움집에 있으니 원시성, 야성이 나타나는 모양이었다.

우리는 잠시 쉬기로 하였다. 우리는 움집 바깥으로 나와서 별도 보고, 숨도 고르면서 늦가을, 아니 초겨울을 느꼈다. 나와 '누이의 미소' 는 어느 새 근처에 앉아(절대로 가까이 앉지는 않았다) 여러 이야기를 하였다. 나는 대화 내용이 다 신기하였다. 나는 어린 시절의 대부분, 국민학교까지를 외아들, 그것도 무녀독남으로 자랐다. 그래서 그런지 동년배 여학생의 이야기와 높은 웃음은 청량음료와 같은 느낌이었다. 또 말소리는 크지 않으면서도 거침없고 자신 있는 그 '누이의 미소' 의 당당한 태도는 참으로 시원하였다. 물론 나는 그에 따라 점점 말에 힘이 없어지고 있었다(예나 지금이나, 나는 너무 숫기가 없다).

우리는 다시 움집에 모였다. 돌쇠와 ㅅㅊ이도 진정이 된 모양이었다. 이제는 그렇게 패는 벌칙이 없는 놀이를 하기로 했다. ㅅㅊ이가 나섰다. 주로 교회에서 많이 하던 놀이, 콩팥콩팥 앉아서 하는 놀이. '짜장, 둘.' '짜장, 짜장, 짬봉 셋.' '짬뽕, 짬뽕, 짬뽕…….' 이런 놀이가 이어졌다. 재미있었다.

목소리가 아주 낭랑한 '여학생 3'가 실수를 하였다. 벌칙으로 노래를 시켰다. 여러 가지 다른 벌칙도 있었지만 미풍양속의 측면과 폭력성의 측면을 고려하여 노래로 하였다. 그런데 그 '여학생 3'는 놀랍게도, 추호의 망설임도 없이 노래를 시작하였다. 선곡의 과정도 없었다. 보통은 뜸을 들이는 데…….

"새으가 나라드으ㄴ다… 웬갖 잡 새으가 날아 드으ㄴ다……."

'으악!' 나는 거의 비명을 지를 뻔하였다. 아니 저런 저질노래를……. 저렇게 고운 모습에서 저런 저질노래가 나오다니……. 그때까지의 분위기가 다 뒤집어지는 듯했다.

그런 충격은 나뿐이 아니었다. 남학생은 모두가 입을 딱 벌리고 있었다. 실망의 빛이 역력하였다. 그러나 그 여학생은 그 노래를 흥이 나게 불렀다. 다시 놀이는 시작되었다. 눈에 띄게 흥이 빠져 있었다.

그래도 억지로 흥을 돋구고 있었는데, 이번에는 '누이의 미소'가 걸렸다. 난 기대가 되었다. 그래서 다른 애들의 눈치도 외면한 채 크게 박수를 쳐대었다. 'Brown Eyes' 나 'Let it be', 'Love me tender' 정도는 나오리라 생각하면서……. '누이의 미소' 는 조금 망설이는 듯하였다. 아, 역시 저 저질 '여학생 3' 와는 다르구나……. '누이의 미소' 는 자리에서 일어났다. 아니, 가곡을 하려나 보다. 가곡은 보통 서서 하니까……. '누이의 미소' 의 머리가 천막에 닿으려 하였다. 저러면 신경 쓰여서 노래에 지장 있을 텐데……. 이때 '누이의 미소' 의 그 맑고 높은 목소리가 튀어나왔다.

"낙야~~ㅇ성, 십리 허에," '십리 허에,' (다른 여학생들이 합창하는 장단).

"높고 낮으ㄴ 저 무더 으ㅁ 은……."

나는 시야가 까맣게 되는 것을 느꼈다. 이럴 수가! 노래를 하는 '누이의 미소' 는 더 이상 누이가 아니라 '아줌마의 미소' 였다. 그래서 그렇게 원숙하게 분위기를 이끌었구나……. 그런데 옆에서 장단 맞추는 재들은 또 뭐냐? 아줌마들 계 모임에 끼어들었나보다……. 여러 가지 생각이 오락가락하고 있었다.

"에에라 만수… 에라……." 나는 갑자기 졸음이 밀려옴을 느꼈다.

의식이 가물가물해지는데도 나는 들었다. "저 건너 잔솔밭에…" 참으로 희한한 것은 그 사건 이후, 다음 날 서울로 돌아 올 때까지의 기억이 하나도 남아 있지 않다는 것이다. 아마 철저히 기억하고 싶지 않았음일 것이다. 지나고 생각해보니 우리의 무지와 편견이 얼마나 심했던가 몹시 부끄러웠다. 뽕짝이면 어떻고, 트로트면 어떠한가. 지금은 가끔 그 선율이 더 가슴에 와 닿기도 하는데…….

게다가 그녀들이 부른 「새타령」과 「성주풀이」는 우리의 민요이다. 국악을 전공하는 학생들이 민요를 노래하는 것이나, 신이 나서 장단을 맞추는 것이 당연한 일인데……. 그것을 깨달은 것은 오랜 세월이 흐른 뒤였다. 그때 내게 그런 일이 일어난 것은, 곧 고2가 되니 공부나 열심히 하라는 하늘의 뜻이었으리라.

아니면 나는 이성교제와는 인연이 멀다는 계시였던가……(사실 난 지금도 난 이성에 대해 숫기가 너무 없다. 팔자인가보다).

그러한 충격은 우리 일행들에게 모두 마찬가지였다. '미모'에 빠진 ㅈㅌ만 빼고……. 그후 아무도 미팅하자는 소리를 꺼내지 않았다. ㅈㅌ는 꾸준히 '미모'를 만나는 모양이었는데, 한두 번 같이 나가자고 하는 걸 거절했더니 더 이상 그녀들 이야기는 꺼내지 않았다. ㅈㅌ가 수업시간에 창 밖을 보는 시간이 점점 길어지면서 성적도 점점 떨어지기 시작하였다. 결국 우열반으로 나누는 고2 때 그와 나는 다른 반이 되었다. 그 나이의 우리는 이성교제를 하며 학교생활도 잘하기가 참 어려웠었나 보다. ㅈㅌ가 보고 싶다.

*1999. 11. 30.*

# 신혼여행

(1)

〈어느 TV 드라마에 기가 막힌 풍광이 있는 바닷가로 신혼여행을 간 내용이 나왔다. 히야! 저곳이 어드멘고? 알고보니 제주도란다. 나는 남의 나라인 줄 알았다. 제주도가 그렇게 좋다고 하던데…….

나는 제주도에 '딱' 한 번 가보았다. 그것도 제주도의 아름다움을 느긋하게 즐길 수 있는 그런 여행은 아니었다. 내가 제주도에 갔던 것은 정말로 바쁜 '신혼여행' 이었다.〉

아내는 굉장히 시대를 앞서가는 면이 있다. 우리의 결혼식을 얼마 남겨놓지 않았던 어느 날, '예쁜 후배' 가 무늬가 많이 들어 있는 유럽풍의 털 스웨터와 골덴바지를 두 벌씩 사가지고 와서 흔들어 댔다. 이게 뭐냐고 하니, 신혼여행 때 입고 갈 옷이란다. 그러니까 그 스웨터와 골덴바지가 우리의 '신혼여행 유니폼' 인 것이었다. 요즘 젊은이들이 즐겨 입는 '커플 티' 와 같은, 즉 '커플 룩' 인 셈이었다. 나는 좀 황당해졌다.

그 시절, 1982년 겨울은, 굳이 무식살벌한 전두환 정권 때문은 아니었겠지만, 신혼여행을 그렇게 스웨터와 골덴바지 같은 casual 복장으로 간다는 것은 거의 상상할 수 없었다. 게다가 둘이 같은 옷을 입는 '커플 룩' 은 듣도 보도 못했었다. 그리고 시대상황 때문에 조금은 더 찜찜했다. 혹시 '집시법' 위반으로 문제가 되지 않을까……. 잡아 넣으려면 맘대로 하던 때니까…….

나는 '예쁜 후배' 의 그런 '커플 룩' 발상이 마치 어떤 물건을 소유하게 되면 이름을 또박또박 써넣는 취향과 통하는 것 같아 더 야릇해졌다. '예쁜 후배' 야 흔치 않은 귀한 '물건' (?)을 얻었으니 그런 식으로 옷이라도 같이 입어서 자기 것이라는 표시를 하고 싶었을 게다. 흠, 이해가 간다. 어쨌든 그 며칠 전에 '예쁜 후배' 와 나는 정장, 심지어 한복 차림에 비슷비슷한 '쓰리쎄븐' 가방을 들고 신혼여행 가는 풍토를 함께 성토하였었다. 그래도 그것이 이렇게 '커플 룩' 으로 발전할 줄이야.

나는 결혼을 갑자기, 그러다보니 정신없이 하게 되었다.

82년 초여름부터 가을에 걸쳐……. 졸업논문을 학교에 제출하자마자 위촉연구원으로 근무를 시작했고, 가을 졸업을 하고, 정식 연구원이 되고…….

정신없이 바빴던 그 해 가을. 무지하게 가물었던 설악산을 길게 종단하고 나서야 내 정신이 돌아왔다.

취직을 했으니 내 월급으로 둘의 끼니는 이을 수 있을 것 같았고(나중에 보니 꼭 그렇지도 않았지만……), 더 기다릴 특별한 이유도 없고, 해를 넘기기도 그렇고……. 무엇보다도 같이 껴안고 자고 싶어서 서둘렀다. 그래서 추운 12월에 결혼을 하였다(추울 때 결혼하면 서로의 체온을 필요로 하기 때문에, 더운 여름보다 금실이 훨씬 좋다는 내 친구의 지극히 동물적이고, 열역학적인 충고를 참고한 것도 사실이다. interaction 〉 repulsion, 금슬의 강도는…….)

교미도(交尾島)……. 제주도의 다른 말. 한때 신혼여행지의 대명사.

내가 아주 어렸을 때, 어른들은 결혼을 하면 택시(초기엔 찝차 같은 '시발택시' 였던 것 같은데, 나중엔 보통 승용차형 택시였다)를 타고, 택시에는 장식을 하고, 남산을 한 바퀴 돌아 내려오는 것으로 신혼여행을 대신했었다.

그리고 내가 조금 컸을 때는 결혼식이 끝나면 대부분 온양온천으로 갔었다.

(이 대목에서 우리는 '나라의 발전과 교통, 수송과의 관계' 를 고찰해야 한다. 왜 온양온천이었을까? 그 시절의 교통, 도로 사정으로는 아마 결혼식이 끝나고 그 날 저녁으로 갈 수 있는 가장 먼 명승지가 아니었을까 한다. 항공편이 아직 보편화되지 않았을 때이고, 예나 지금이나 신혼 부부들은 부모와 자신의 근거지에서 최대한 멀리 도망가서 신방을 차리려는 습성이 있는 것을 고려하면 충

분히 맞는 이야기이다. 그래서 지금도 아무리 멀고 피곤해도 지구 반대편까지 신혼여행을 가는 것이다.

예전의 나의 보스의 증언에 의하면, 70년대 초, 포항에서 아침 6시에 승용차로 출발하여 삼척에 도착하니 저녁 6시가 되더란다. 비포장길이었단다. 지금과 소요시간만으로 비교하여봐도 격세지감이 느껴지겠지만, 그것을 '물류와 수송'이라는 분야에 적용시켜보면 엄청난 경제적 격차를 알 수 있다. 차 망가지는 것은 빼고도……. 그래서 길을 넓혀야 하는 것이다. 그래서 '재건대'와 '삼청교육대'가 이 나라의 '교통, 수송분야'에는 은인인 것이다).

조금 더 지나니 신혼여행을 부산으로 가는 어른들이 잠시 보이더니, 이내 신혼여행 하면 교미도, 아니 제주도가 되어버렸다. 소득도 많아져서이겠지만, 지겨운 부모의 곁을 바다 건너로 '확실히' 떠날 수 있다는 심리적 안정감, 독립감이 컸을 것이다. 육지로 연결되어 있는 곳은 최악의 경우 그 피곤한 부모, 일가 친척들이 언제 신방으로 들이닥칠지 모른다는 일말의 불안감이 있었을 텐데……. 신혼부부에게는 이런 천혜의 섬이 우리나라에 있다는 것이 얼마나 큰 축복인가? 그럼, 제주도가 없었다면……. 조금 불편해도 육지에서 '멀리' 떨어진 홍도, 흑산도 등이 떴을 것이다. 역시 신혼여행지는 불편해도 먼 곳이 제격이니까…….

이야기가 조금 빠졌지만……. 나도 그 섬으로 갔다.

그때는 아직 해외로 신혼여행을 가는 사람이 없을 때였다(그때는 전두환이 자랑하는 업적인 '여행자유화' 조치 이전이었다). 나는 두 달 가량 남겨놓고 갑자기 결혼식을 준비하는 바람에 신혼여행을 제주도에 갈 수 있게 된 것조차 감지덕지하였다. 사실 나의 신혼여행은 너무 임박해서 추진했던 관계로 주변의 여러 친지들의 도움으로 겨우 제주도로 갈 수 있게 되었다. 호텔이건, 관광이건 내 입맛에 맞게 선택할 수 있는 여지조차 없었다.

어쨌건 우린 결혼식과 피로연이 끝나자 서둘러 '커플 룩'으로 변신을 하고, 쓰리세븐 가방 대신에 배낭을 하나씩 메고 신혼여행길에 올랐다. 채 지우지 못한 신부화장에 casual한 복장을 한 아내를 보니 우습기도 했지만 뭐 어떤가? 우리는 'Just Married' 아닌가…….

(사실 화장을 그리 하지 않던 아내가 신부화장을 하니 사람이 달라 보였다. 결혼식 직전, 식장 앞에서 손님을 맞고 있을 때 드레스를 입은 '후배'가 내 앞을 지나갔지만 나는 몰라 보았다. 그 교회에는 그 날 우리의 결혼식뿐이었는데도……. 그것 때문에 후에 혼도 좀 났지만…….)

화려한 화장과 casual한 복장의 이상한 fusion mode를 한 couple은 '사교계' 신도들의 열화와 같은 환송을 뒤로하고 비행기에 올랐다.

*2000. 4. 3.*

(2)

〈경상도 사람들……. 쓰이 안 되는 verbal handicapped(문법적으론 verbally가 맞지만, '한담'이니까…….) '인생의 쓴맛'이라는 별명이 있는 폭탄주는 어찌 부를까?〉

12월 삭풍에 제주도로 관광 가는 사람도 드물고……. 하여간 그 비행기 안에는 정확히 남녀가 동수였다. 약간 삭은 아저씨도 있었지만 탑승객은 모두 신혼 커플이었다. 복장도 갓 결혼한 티가 물씬 났다. 특히 여자들은 한복 아니면, 얄궂은 양장이었다. 길이는 약간 짧지만 아래로 활짝 펼쳐지는, 여러 겹으로 된 빳빳해 보이는 주름 치마. 일부는 거기에 '마타하리' 가 쓰고 다녔을 것 같은 '신여성 모자' 까지 갖추었다. 나는 속으로 저런 옷은 언제 또 입을 수 있을까, 제주도와 김포공항 말고는 어디서 또 입을 수 있을까 하는 의구심이 있었다. 아무리 평생에 한 번 있는 행사지만 지나치게 비합리적이라는 생각이었다. 몹시 불편해 보이지만 본인들이 좋다니까…….

비행기가 정상고도에 올랐을 무렵, 사방에서 소곤소곤 하고 있을 때, 그 비행기의 사무장이 다가왔다. 우리더러 일본인이냐고 물었다. 한국말로 아니라고 하니까, 일본 사람들은 가끔 이렇게 '커플룩' 으로 다니는 사람을 보았지만, 한국 사람은 처음이라고 하였다. 그리곤 축하한다고 했다.

공항에 내리자 casual의 진가가 발휘되었다. 우리는 우리 배낭을 금방 찾았지만, 다른 사람들은 난리를 치고 있었다. 다들 거의 똑 같은 모양과 무늬의 신혼여행 가방(쓰리세븐)을 가져왔으니, 가방마다 들어보고 내던지고 바뀌고……. 딱한 노릇이었다. 그 불편한 양장차림으로 가로 뛰고, 세로 뛰고…….

어쨌건 우리는 호텔 차를 타고 가서 check-in을 하고, 보건사회부에서 정해준 순서대로 저녁 겸 술 한 잔 하고, 교대로 씻고,…, …, 잤다. 문제는 다음 날 아침이었다. 서울서 예약을 할 때 단체관광을 신청한 것이 화근이 되었다. 나는 피곤해서 몇 시간만 더 잤으면 하였지만 관광버스 올 시간에 맞추어 일어나려니 죽을 맛이었다. 서울에서 예약할 때 택시를 대절할까, 단체관광을 할까 하였는데 누구 말에 단체관광이 재미있다고 하였다. 택시를 대절하면 시간적 여유가 있고 사진도 잘 찍어준다고 하였지만, 나는 그런 건 별 문제가 안 된다고 생각했었다. 재미있는 게 제일이지……. 결국 꺼칠한 모습으로, 마치 한잠도 못 자고 신혼 첫날을 보낸 몰골로 관광버스에 올랐다. 역시 전원이 커플이었다. 안내양의 사회에 따라 자기 소개를 하고 관광에 들어갔는데……. 자기소개라는 것이 가관이었다. 처음에 몇 커플까지는 극히 사무적으로 소개를 하더니 점점 소개의 말이 길어지고, 나중엔 농담도 하기 시작했다. 재미있었던 것은 누가 묻지도 않았는데 어제 그냥 잤다는 커플들이 많다는 것이었다. 술이 취해서…… 피곤해서…… 등등. 신혼여행 가면 당연히 해도 되는 일을 왜 굳이 안 했다고 하는지……. 그래서 자기는 아직 총각이고, 처녀이고……. 참 이상한 농담이었다. 그럼 또 웃고. 아마 그때만 해도 그런 게 남세스러웠었나보다. 요즘은 어떨지 궁금하다.

사람이란 참 쉽게도 친해지는 것이다. 특히 우리나라 사람은 친해지면 금세 형제같이 되어버린다. 몇몇 튀는 사람들이 주축이 되어서는 관광 후 밤에 모여서 술 한잔 하자는 의견이 나오고, 약속이 잡히고……. 나도 첫날은 그 모임에 가서 술을 많이 마셨었다.

남자들이란 참…….

그때 나는 사진에 꽤 미쳐 있었다. 그래서 신혼여행 짐에 사진장비도 많이 가져갔었고, 택시를 대절 안 한 이유도 사진은 내가 찍는다는 사명감, 자신감 때문이기도 했다. 그러나 그것은 무지한 착각이었다. 단체관광이라는 것은 차 안에서 다음 관광지의 설명을 듣고, 목적지에 내려서는 안내양이 정해준 시간 내에 그곳을 한번 돌아보고 오는 것이었다. 항상 시간에 쫓겼다. 배경 좋은 곳에 가면 얼른 아내 한 장 찍어주고, 삼발이 세워서 둘이 찍으려고 하면 그 사이 시간은 다 지나가기 일쑤였다. 다른 커플도 아주 여유롭지는 않았지만, 대개 편하게 찍을 수 있는 소형 카메라를 가지고 다녔으니 남에게 부탁하기도 편하고 시간을 지키기도 편했다. 우리 부부는 매번 최후의 탑승객으로 찍히기 시작하였다. 결국 동행들의 유무언의 비난을 피하기 위해 아주 시간이 많지 않을 때는 아내만 세워놓고 찍어주었다. 그 무거운 장비를 잔뜩 짊어지고, 아내 사진만 찍어대려니 서로 미안하고……. 지금 생각해도 참 미련한 짓이었다. 장비도 1/3이면 충분했을 것을…….

(신혼여행이 끝나고 필름을 맡겼는데 15통이나 되었다. 한 통은 사진점에서 잃어버렸고 14통을 찾았는데, 둘이 함께 찍힌 사진이 손꼽을 정도였다. 이런 현상은 얼마 전까지도 계속되었는데, 아내의 강력한 항의에 요즘은 무거워도 꼭 삼발이를 가지고 다닌다.)

둘째 날 관광 때였다. 그 날 일정에 한라산을 관통하는 도로를 지나게 되어 있었다. 그런데 겨울이라 도로에는 눈이 많이 쌓여 있었다. 어렵사리 기어기어 꽤 높이 올라갔는데, 어느 곳에 이르러서는 더 이상 올라가지를 못하더니 오히려 갑자기 버스가 뒤로 미끄러지고 있었다. '어… 어… ' 소리가 여기저기서 터져나왔다. 결국 버스는 길 옆에 겨우 섰는데, 버스기사 아저씨의 표정은 십년감수한 얼굴이었다. 내려보니 이해가 되었다. 길 옆은 버스가 충분히 구를 정도의 낭떠러지(?)였는데, 뒷바퀴가 거의 가장자리에 닿아 있을 정도였다. 머리털이 삐쭉 솟았다.

모두 버스에서 내려서 추위 속이지만 마음을 가라앉히고 있는데, 한쪽이 소란해졌다. 가서 사정을 알아보았다. 버스 맨 뒤에서 두번째 자리에 앉았던 커플이 싸우고 있었는데, 버스가 뒤로 미끄러질 때 남자만 창문으로 탈출하였다는 것이다. 뒤에서 두번째 자리이니 그 남자의 위치에서 보면 영락없이 절벽으로 떨어지는 상황이었을 것이다. 남자들은 이해해주려고 애쓰는 분위기였지만, 워낙 지은 죄가 중해서 그런지 잠시 후에는 여자들 목소리만 들렸다. 어쨌든 몸이 굉장히 날랜 사람이었다. 미끄러지는 차의 창으로 뛰어내리다니……. 그렇지만 저 원죄를 안고 평생을 어찌 살아갈꼬……. 그저 아내의 자비와 관대함만 빌어야지……. 아니면 또 하나 거리의 철학자가 태어날 판이었다.

하나 사람의 앞날은 모르는 것. 우리에도 만만치 않은 시련이 기다리고 있었다.

*2000. 4. 4.*

(3)

〈'구제역' 이라는

병이 큰일이다. 축산 농가들은 아무리 나라에서 보상을 해준다지만 청천벽력일 것이다. 오죽하면 도살 직전에 자기 돼지를 몰래 빼돌리다 적발된 사람들도 있겠는가?

그런데 이번에도 국민의 애국심을 부추기려는 조짐이 보인다. 아직까지는 '고기를 먹어도 좋다' 는 수준이지만, 무슨 파동만 나면 꼭 그렇듯이 고기 소비를 권장, 독려하려는 분위기가 보인다. 관직에 있는 분들은 육회를 드시면서(비위 약한 사람은 관직도 힘들겠다), 학계에 계신 분은 학문적 근거를 들어 고기 먹기를 권한다. 그러다보니 이런 '語錄(어록)' 이 생겼다.

'영국 퍼브라이트 연구소에서 일하는 동안 세계 각국에서 보내온 시료를 다루면서, 빨대로 구제역 바이러스를 옮기면서 바이러스가 직접 입 속으로 들어간 적도 있지만 인체에 아무런 영향도 없었다.' 서울대 수의대 ㅂ교수, 4월 3일 농림부 기자실에서 구제역 인체 무해를 주장하며…….(한국일보)

'빨대로… 옮기면서… 입 속으로…' 그 말을 하신 교수님께서 그런 일을 하신 것이 어느 시절인지 모르지만……. 빨대를 입으로 빨았단다. 그것도 바이러스를……. 우리 실험실에서는 거의 물같이 취급하는 시약을 다룰 때도 입으론 안 빤다. 자살할 의도가 없다면……. 원 세상에…… 말 많은 내가 다 할 말을 잃었다.

빨대를 입으로 빠는 것은 내가 국민학교 시절에나 있었던 일이다. '샘표간장' 같이 정량으로 나오는 왜간장 말고, 시장에서는 말통에 들어 있는 왜간장을 따라 팔기도 하였다('신앙촌' 에서 만든 '시온' 표 왜간장이 유명하였다). 간장 장수는 긴 호스를 입으로 쭉 빨아서 '사이폰' 현상을 이용하여 간장을 딸아 팔곤 했었다. 그 이후론 '빨대를 입으로 빨아서……' 같은 일은 참 드물었는데……. 그런 일이 영국에 남아 있다니……. 전통의 보존이 잘된 나라라서 그런가?

우리 연구소 의xx연구센터의 바이러스 전문가 ㅂ박사의 말씀에 의하면, 음식을 먹을 때 '꼭꼭', angstrom 단위까지 씹어 먹으면 바이러스의 침입을 원천봉쇄할 수 있다고 한다. 내가 들어본 방법 중에 가장 원천적이고 확실한 예방법이다. 그래서 어릴 때부터 음식은 '꼭꼭' 씹어 먹으라고 가르쳤나보다. 나는 이 방법이 정말 타당하다고 생각해서 집안 식구들에게도 가르쳐주었는데, 돌아오는 반응은 참으로 실망스러웠다. 아! 무지몽매한 식솔들. 역시 진리의 설파는 끝 없는 고행인가보다. 그래도 '빨대' 운운 하는 말에 위안을 받기보다는 확실하게 씹는 것이 더 안심일 텐데…….

내가 요즘 정말 '꼭꼭' 씹어 먹어보니까, 바이러스들이 이빨 사이에서 터져 죽는 소리가 들리는 듯했다. 틱! 토독, 틱! 으악…….〉

무슨 사건이 있는 날은 언제나 조짐이 있는 법이다. 신혼여행에서 돌아오는 날이 그랬다. 계획은 아침 일찍 여수행 페리호를 타고 여수로 가기로 되어 있었다. 그래서 또 아침 일찍 일어나서 짐 싸고 하면서 부산을 떨어야 했다.

나는 원래 새벽녘까지 깊은 잠에 들지 못한다. 아마 그 옛날 대륙에서 말 달리던 때의 경계심이 유전으로 굳어졌는지도 모른다. 밤새 얕은 잠에서 긴장하던 나는 아침 동이 트고 나서야 깊은 잠에 들고, 그때의 짧은 잠이 나의 하루를 좌우하곤 하였다. 나는 그것을 '마무리 잠' 이라고 하였고 아내도 그것만큼은 인정해준다. 나와 사뭇 다른 수면 패턴의 아내와 살면서 마치 밤에는 내가 아내를, 새벽에는 아내가 나를 지켜주는 양상이 되어버렸다.

그 날 아침에도 나는 정신이 없었다. 새벽의 마무리 잠이 나에게는 '원비 디' 또는 '아로나민 골드' 인데 그걸 못 취했으니……. 비몽사몽이었다(전혀 약품 선전의 목적이 아니다).

대충 짐을 싸놓고 아내가 화장하는 동안 눈을 감고 침대에 누워 있었다. 곧 나가야 하니 잠을 잘 수 있는 상황은 아니었다. 목이 말라 아내에게 물을 달라고 하였다. 아무 대답이 없었다. 다시 달라고 하였다. 대답이 없었다. 또 달라고 하였는데 또 대답이 없었다. 갑자기 화가 폭발해서 소리를 빽 질렀다. 눈을 떠보니 아내가 눈을 동그랗게 뜨고 나를 쳐다보고 있다. 어? 뭐가 이상한데……. 그런 생각이 들었지만 나는 멈출 수 없었다. '사람이 부르는데 왜 대답이 없느냐' 부터 와다다다……. 그에 맞추어 점점 변하는 아내의 얼굴. 아내는 내가 부르는 소리를 듣지 못했다는 것이다. 아차 싶었지만 남자가 성질을 부렸는데 어떻게 금방 풀어질 것인가? 한바탕 신경질을 냈다. 나중에는 아내도 화가 난 표정이었다. 공식적으로 첫번째 부부싸움이었다.

(훗날 생각해보니 참 웃기는 사건이었다. 목이 마르면 내가 가서 물 마시면 될 걸……. 내가 그리 피곤했었나? 참, 알다가도 모를 일이다.)

호텔을 check out하고, 택시를 타고 페리호 부두로 가면서도 둘 사이는 냉랭하였다. 부두에서 택시를 내리는데, 문득 불안한 맘이 들어, 뒤따라 내리는 아내에게 '지갑을 잊지 말라' 고 하였다. 그때 아내의 눈과 내 눈이 마주쳤는데, 아내는 약간 볼멘 얼굴이었다. 그런데…….

우리는 택시를 내려 부두의 매표소로 갔다. 승차권으로 바꾸려고 아내에게 지갑에 있는 예약표를 달라고 하였다. 반응이 없어 뒤를 돌아보니 아내는 사색이 되어가고 있었다. 택시에 지갑을 두고 내린 것이었다. 아니, 아까 내가 한번 더 remind시켰건만……. 나는 벌어진 입을 다물 수가 없었다. 이미 내 뚜껑은 열려서 김이 모락모락 나는데, 아내의 울 것 같은 얼굴을 보니 거기서 폭발했다간 아내가 자살이라도 할 것 같고……. 나는 얼른 택시정류장으로 달려갔지만 이미 차는 없었다.

달걀은 한 바구니에 담지 말랬던가……. 그런 광고가 진작 나왔어야지……. 나와 아내는 돈과 예약표를 비롯한 모든 것을 아내의 지갑에 넣어두었었다. 또 배를 탄다고, 나와 아내의 주민등록증까지 함께……(그땐 배를 탈 때는 꽤 까다로웠다). 이제 돈이라곤 내 주머니의 잔돈 몇 푼뿐, 이 섬을 빠져나갈 방법이 없었다. 매표소에 가서 사정을 했지만 예약표가 없으면 안 된다는 말뿐이었다. 가지고 있는 돈으론 3등 칸에도 턱없이 모자랐다.

대합실에 앉아 담배를 한 대 피우며 생각을 했지만 방법이 없었다. 그래! 가지고 있는 물건을 팔자……. 나는 선물로 산 꿀을 팔기로 하고 대합실과 그 근처의 가게를 돌아다녔다(지금 생각하면 웃기는 짓이다. 공짜로 준다면 모를까, 자기들도 관광객한테 팔려고 꿀을 산더미같이 쌓아 놓았는데 살 리가 있겠나? 그것도 신혼여행 와서 돈 떨어진 한심한 녀석한테……. 지금도 나는 가끔 지갑 잃어버린 사건을 들어 아내의 기를 죽이는데, 그때마다 아내는 꿀 팔러 다닌 이야기를 해서 위기를 모면한다. 물론 우리는 한번 죽도록 웃는다).

결국 포기를 하고, 다시 담배 한 대. 갑자기 이왕 대책을 찾을 것이면 좀 안락한 곳으로 가자는 생각이 들었다. 그래서 우리는 check out했던 호텔로 되돌아갔다. 사정이 생겨 되돌아왔다고 하니, 두시까지 check out해 달라는 당부와 함께 다시 방 열쇠를 내주었다. 하기 아직 이른 아침이니까…….

호텔 방의 안락한 침대에 누워서 방안을 강구하였으나 떠오르질 않았다. 당연히 아내는 죄인의 자세로 고개를 떨군 채 앉아 있었다. 음, 완전히 1:0 이군……. 기선을 제압했군……. 흐뭇하구먼……. 그러나 그때는 한 골 차의 리드에 흐뭇하고 있을 상황이 아니었다. 나는 우선 분실신고를 내고, 여기저기 파출소, 택시회사 등에 혹시 지갑이 있을까 알아보았지만 '역시나' 였다. 그렇게 여기저기 전화하던 중 '관광불편신고센터' 라는 전화번호가 눈에 띄었다. 전화를 했다. 이것도 '불편' 인가? 이건 '불출' 인 거 같은데…….

자총지종을 들은 불편신고센터에서는, 그 페리회사에 연락을 해서 뱃삯을 정가의 30%로 깎아주었다. 그것이 자기들이 할 수 있는 최대한이란다. 고마웠다. 관광지라 그래도 그런 제도가 다 있구나 하며 감사했는데, 문제는 그 30% 뱃삯도 우리에겐 없다는 현실에 있었다.

갑자기 아내의 얼굴이 확 펴지며 정색을 하였다(아니! 국으로 한쪽에 콱 찌그러져 있어도 죄를 용서 받을까 말까 한데……. 방자하게……. 나는 심히 못마땅하다는 표정을 지으며 아내를 지긋이 바라 보았다). 그런데 아내의 말을 들어보니, 내키진 않지만 괜찮은 아이디어였다. 아내와 2년 동안 같은 연구실을 쓰던 절친한 대학원 동기가 우리 결혼식 다음 날 결혼을 하고, 제주에 신혼여행을 와 있었다. 그들은 그 날 서귀포에 있었고, 전 날 밤에도 아내와 친구는 한참 전화를 하였었다. 창피를 무릅쓰고 그들에게 군자금을 빌리기로 하였다. 그 부부는 깜짝 놀라서 제주로 서둘러 와주었고, 우리는 그들에게서 서울 갈 정도의 돈을 빌렸다.

오후를 어찌어찌 보내고 우리는 저녁에 출발하는 부산행 페리의 3등칸을 30%의 가격으로 사서 승선하였다. 여수를 거쳐 서울로 가려던 당초 계획은 부산을 거치는 '임진왜란' 의 경로를 밟게 되었다. 그리 피해가려고 했던 부산을 거쳐 가게 되는 것을 보면, 나는 어찌할 수 없는 '호국 특공대' 팔자인가보았다.

밤바다 속으로 그 큰 나룻배 페리는 출발하였다. 우리는 황량하게 넓은 마루인 삼등칸의 한 편에, 여기저기 쓰러져 잠을 청하는 아주머니들을 피해 기대어 앉아 있었다. 나도 지치고, 아내도 지쳐 있었다. 특별히 육체적으로 힘든 일을 한 것은 아니지만, 우리에게 그 날은 충분히 힘들었다. 자는 것도 아니고, 그저 멍하니 기대어 앉은 '커플 룩' 의 우리들. 어느 제복 입은 할아버지가 우리에게 다가왔다. 신혼부부냐고 물었다. 그렇다고 하니 따라오라고 하였다. 그분은 그 페리의 사무장이라 하셨다. 따라갔더니 빈 방을 하나 내주셨다. 신혼부부가 삼등칸에서 다른 사람들 — 주로 상인인 듯한 아주머니들 — 과 뒤섞여 있는 것이 보기 안쓰러웠었나보다.

우리는 그분에게 진심으로 감사를 드렸다. 그리고나니 조금 힘이 났다. 우리는 방에 짐을 두고 배 위로 올라가서 간단히 술도 한잔 할 여유가 생겼다. 겨울 밤바다는 시원했다. 며칠간 정신이 없었지만, 그래도 이제 우리는 진짜 부부가 되었구나 하는 마음이 들었다.

아내가 피곤해하는 기색이 보이길래 방으로 돌아왔다. 그리고 비록 우여곡절 끝에 우리가 이 방까지 흘러왔지만, 그래도 우리는 나라의 무궁한 발전을 위해 '신혼부부가 하여야 할 일', 정부에서도 권장하는 '그 일' 을 게을리하면 안 된다고 아내를 설득하였다. 처음엔 피곤하다, 배멀미가 난다 하면서 난색을 표명하던 아내도 나의 논리정연한 설득에 결국 동의하였다. 그래서 우리는 제주-부산 사이의 바다 위에서 조국의 미래를 짊어지고갈 2세를 만들기 위해 '우리의 의무' 를 다하였다. 피곤을 무릅쓰고……. 그때 나는 배가 작았으면 '우리의 의무' 를 다하기에 더 좋았을걸 하는 생각을 하였다. 왜 그랬을까…….

우리는 다음 날 아침 부산항에 내렸고, 연락받고 나온 나의 방우 동생(군에서 내 사무실에 근무하던 방위병이었던 친구이다. 제대 후 형, 아우로 지내오던 사이였다)의 안내로 복으로 속을 풀고, 서울로 올라왔다. 기차로…….

집에 도착해서 둘의 주머니를 다 털어보니 딱 500원이 있었다.

*2000. 4. 6.*

# 안양루 安養樓

〈일요일
저녁, 모처럼 식구가 다 모여서 저녁식사를 했다. 참 오랜만이었다. 뭐가 그리들 바빠서 일요일 저녁식사마저도 같이 못하는지…….

식사를 마치고 나니 포만감에, 飯酒의 취기에 마음이 스스로 한갓진데……. TV를 돌리다 보니 말도 많던 불륜극 「푸른 안개」를 하고 있었다. 아내가 있을 때는 그 극은 보지 않는 것이 예의라던가? 나도 예의를 차리느라 여기저기 기웃거리다 결국 그 극을 보았다. 전혀 비현실적인 결말을 그리고 있었다. 이 극도 결국 대중을 상대로 하는 TV극의 한계를 뛰어넘지 못한다. 극을 보는 도중, 둘리란 놈이 툭 던진다.

'저런 바람 피는 드라마는 말을 괜히 어렵게 해. 빙빙 돌리고. 음

악도 어느 나라 말인지 알지 못하는 것만 나오고…….'

그 소리가 우스워서 고개를 돌려 둘리를 보니 문득 훌쩍 커 있었다. 키도 자기 엄마보다 커졌고, 발은 나보다 더 크다. 언제 저리 컸노?

그러나 녀석은 몸만 컸지, 아직도 애기인가보다. 사랑을 하면 말도 어려운 것만 나오고, 빙 돌려 말하게 되고, 해 지는 나라 포르투갈의 애절한 노래가 가슴에 젖는 것을 아직 모른다.

그래, 아들아! 너도 곧 아픈 노래 들으며 어려운 말 할 때가 올게다. 그 아픔을 잘 넘겨야 할 텐데…….〉

정말 오랜만에 출장을 다녀왔다. 그리고 정말 오랜만에 긴 운전을 했다. 다녀와서는 바로 행사들……. 마치 일주일을 다른 세상에 다녀온 듯 한다. 꿈을 꾸었던가…….

나에게 있어 출장이라는 것은 보통 회의를 해서 어떤 합의를 만들거나, 또는 연구에 문제가 있을 때 그 전문가들을 찾아 자문을 받고자 하는 것이다. 이번 출장에는 그 두 가지 목적이 다 있었는데, 아쉽게도 문제 해결의 목적은 참담한 결과만을 얻었다. 내가 하고 있는 그 접근방법으로는 그 연구가 도저히 불가능하다는 결과만 얻었다. '정직이 제일 좋은 방책이다(Honesty is the best policy)' 라는 서양의 금언대로 빨리 그 방법의 불가능함을 인정하고, 새로운 접근방법을 찾아야겠다. 보고서에도 그렇게 써야겠지……. 얼마나 깨질까…….

회의건 자문이건 출장 업무를 다한 뒤에는 보통 저녁식사와 함께 술자리가 있게 마련인데, 이는 어디에서건 그곳의 지인들을 챙겨 보고 싶은 人之常情(인지상정) 때문이련만, 이 술자리가 꼭 길어지거나 과해져서 다음날 힘들어지곤 한다. 나도 이 술버릇 못 고치면 오래 못 살 거다. 잘 안다. 못 고쳐서 그렇지…….

출장을 마치고 서울로 올라오는 길이었다.

전 날까지는 비가 오락가락 어둑하던 날씨였는데 그 날은 해가 쨍쨍하다. 황사 때문인지 약간 뿌옇긴 해도. 전 날의 숙취가 아직 완전히 빠져나가지 않은 무거운 머리였지만, 서둘러 올라가서 쉬는 것이 더 나을 것 같아 일찍 출발했다.

차가 서대구IC에 접근했을 때, 표지판 하나가 내 눈을 끌었다. 14번 고속도로, 중앙고속도로, '영주' 방면을 가리키는 표지판이었다. '영주', '영주'… 영주에 무엇이 있더라? 주입식 교육의 DB를 돌려보았다. 그래, 浮石寺(부석사)…….

대학 때부터 그렇게 가보고 싶었는데도 인연이 닿지 않던 절집. 부석사.

나는 망설일 것도 없이 차를 북쪽으로 향하는 '중앙고속도로'로 돌렸다. 크진 않지만 준수한 산 사이로 시원하게 뻗은 도로. 이 도로는……. 애팔래치아산맥을 지나는 고속도로와 흡사하였다. 차도 없었다. 170을 밟는다. 차가 날아갈 듯한다. 오~히~유~~ 이것이 웬 호강인가? 얼마만에 이렇게 밟아보나?(참고로 내 차는 10년이 넘은 차다. 170뿐이 안 나간다고 비웃지 마라.)

'풍기' 에서 나가서(아직 풍기까지만 길이 열렸다) 바로 만나는 2차선 국도. 호강도 더불어 오는가? 이런 국도의 정겨움이 언제였던가? 여기저기 '눈 참견' 을 하다보니 곧 부석사 주차장이다. 예외없이 받는 주차비. 쩝! 이거야말로 표준화작업이 있어야 하는 건데……. 아무 데나 주차비야…….

이 절집은 참 가파르다. 일주문을 지나 천왕문(天王門)에 이르는 길은 참 간만에 보는 흙길이었다. 가파르지만 흙길이라는 정에 끌려 걸음을 옮기다 문득 하늘을 보니, 길가의 나무가 모두 은행이 아닌가? 허! 그럼 가을의 정취는 오죽할까?

(아니나 다를까? 절의 유물전시관에는 가을의 진입로를 찍은 사진을 팔고 있었다.)

조금 더 올라가니 한 쪽은 아직 은행인데, 다른 쪽은 탱자라……. 허어! 그런데 탱자가 왜 그리 많이 열었는지……. 우리 애들 어릴 때, 기저귀 갈아줄 때 보던 '알' 만한 것들이 주렁주렁 들어찼다. 탱자는 가뭄과 상관이 없나보다.

늘 그렇듯이 천왕문에는 무서운 아저씨들[四天王]이 있다. 그리고 그 아래에서는 아주머니, 할머니들이 연신 머리를 조아린다. 나는 그곳을 자켓 하나 어깨에 걸치고 지나갔다. 건방지게스리……. 조금은 맘이 뜨셨다. 특히 비파를 뜯고 있는 그 아저씨가 나를 째

려보는 것 같았는데……. 으~~~

천왕문을 지나면 바닥은 너른 바위들로 되어 있다. 언젠가 함양의 양반가에서 보았던 그 너른 바위들. 우리 조상들은 집 안마당을 저렇게 큼직한 돌로, 마치 대충대충인 듯이 만들었나보다. 참… 멋있다. 나도 집이 크면 저리 할 텐데…….

다음 길은 가팔라진다. 계단도 왜 이리 가파른가? 숨 짧은 놈은 부처님 근처에 오지 말라는 말인가? 에구… 부처님도 낯을 가리시나?

법종각(梵鐘閣).

이 범종각은 여느 절집의 범종각같이 곁으로 비켜 앉지 않았다. 당당하게 한가운데에 버티고 서있는 범종각. 그런데 아쉽게도 보수중이었다. 일견 보기에도 옛스럽고, 도도한 누각을 질러 올라가지 못하는 아쉬움이 있었으나 어찌하겠는가?

(그런 멋진 누각들을 한가운데에 배치한 것은, 부석사가 화엄종의 태조사찰인만큼 가람 배치를 '華(화)' 자형으로 만들었기 때문일 것이다. 멋진 가람들 아래를 가운데 길을 따라, '華' 자의 가운데 획에 해당하는 길, 그것도 상당히 가파른 길을 오르게 한 것은 틀림없이 이유가 있을 것이다.)

옆길을 돌아 올라가니 아주 옛스런 정자가 하나 있고, 그 밑으로 통로가 뚫려 있는데……. 학생 몇이 그 통로에 앉아 시원한 바람을 맞고 있었다. '안양루' 였다.

안양루(安養樓)!

자연스레 산비탈(slope)에 걸터앉은 안양루. 그리고 그 밑을 지나 본전인 무량수전에 오르게 되어 있는 안양문. 그 문을 지나려면 머리를 숙이도록 분위기가 되어 있다. 옛사람들이 옹색해서 그 문의 높이를 그리 만들었겠는가? 본전에 올라, 또는 안양루에 올라 사바세계를 내려보려면 그 정도의 머리숙임은 당연한 대가가 아닐까? 유체역학적 근거가 있는지는 몰라도 안양문을 지나는 바람은 시원하다.

안양문을 오르면 그 level이 곧 본전인 무량수전이다. 나는 한 달음에 달려가 껴안아보고 싶었던 무량수전을 애써 외면하며 돌아섰다. 안양루의 동남방이 얼마나 짱하기에 그 많은 이들이 안양루를 읊었을까 하는 맘도 있었고……. 얼마나 보고 싶었던 무량수전인데……. 쉽게 눈을 주고 싶지 않았던 맘도 있었다.

안양루! 그곳에서 보는 동남의 모습은 산… 산… 산이다. 남의 나라 산같이 뾰족하고 크진 않지만, 편안한 산들이 겹치고, 겹치고, 또 겹쳐 있다. 도대체 몇 겹의 산들인지……. 그리고 이 고장 풍기가 그리 시골인지…….

무량수전. 이 건물을 보고 最古의 목조건물이 어떻고, 貢包(공포)의 양식이 어떻고 하는 것은 군더더기일 뿐이다. 그 무량수전의 단아한 모습은 마치 고결한 기품의 여인을 보는 듯했다. 화장을 한 듯, 안 한 듯……. 간결한 한복을 입은, 흩어짐 없이 쪽진 모습의 사대부집 여인. 나는 이번엔 무량수전을 한동안 넋 놓고 보고 있었다(남들이 이상한 놈이라고 했을 것 같다. 모두들 행락 차림인데,

나 혼자만 싱글에 타이까지 메고서는 멍하니 건물만 보고 서 있었으니…….).

무량수전의 부처님은 가운데에 모셔져 있지 않다. 서쪽 벽을 등지고 동쪽을 향해 자리를 잡으셨는데, 언젠가 그 이유를 들은 적이 있었지만 새겨두지 않아서 기억이 나지 않는다. 마침 지나는 스님에게 여쭐까 하다 그만두었다. 다른 곳에서 할머니 신도들을 인솔해서 오신 스님인 듯했는데(그럴 리는 없겠지만), 만약 그 스님이 모르시면 어쩌나 싶어서였다(별 걱정 다 한다).

부석사에는 仙妙閣(선묘각)이라는 작은 건물이 있는데, 이는 중국에 유학간 의상대사를 사모했던 선묘낭자를 기리는 집이다. 선묘낭자는 의상대사가 귀국하는 배를 따라 바다에 뛰어들어 용이 되었다고 하는데, 그 후에도 의상대사를 뒤에서 도왔다고 한다. 의상대사가 부석사를 세울 때도, 무뢰배(어느 설에는 기존의 얄궂은 종교집단이라고도 한다)들이 방해를 하였었는데, 그 선묘낭자가 변한 용이 큰 바위를 들어 무력시위를 벌여 쫓아버렸다고 한다. 그 바위가 바로 浮石이다. 그리고 그 용은 무량수전의 앞에 자리를 잡고 있다고 한다. 이 설화에서 느낄 수 있는 것은 일단 사람은 잘생기고 봐야 한다는 것이다. 만약 의상대사가 멋이 없었다면 그 중국녀가 좋아했을 리도 없고, 의상대사가 떠난다고 바다에 뛰어들 리도 없고, 심지어 용이 되어 뒤를 봐줄 리도 없지 않은가?(갑자기 슬퍼진다. 내 처지가……. )

나는 다시 안양루 앞에 섰다. 안을 들여다보니 많은 판액들이 붙어 있다. 왔다간 표로 시를 적어 놓기도 하였고, 이름들만 죽 적혀 있기도 하다. 오른쪽 끝에 유달리 깨끗한 판이 있었는데, 거기에는 김삿갓 시인의 시가 적혀 있었다. 내 실력에 그 시를 잘 지었네 아니네 할 처지는 아니나, '그렇게도 와보고 싶었는데 白首(백수)가 되어서야 오게 되었다' 는 싯귀에는 웬지 마음이 징하였다. 그리고 안양루에서 동남향을 바라보는 마음이 나나 그 위대한 시인이나 비슷하다는 것에 공연히 미소가 지어졌다. 그 누각에서 작은 소반에 소박한 술상 차려 놓고 청주 한 잔 할 수 있다면 무슨 원이 더 있을까 싶었다(아무 때나 술타령……. 병이다 병).

안양루. 꼭 가볼 곳이다. 꼭!

내려오는 길에 범종각 옆의 유물전시관엘 들렀다. 그곳에는 의상대사를 모신 祖師堂(조사당)에서 떼어낸 벽화가 전시되어 있다. 국보다. 그 벽화는 이 절의 조사인 의상대사를 호위하도록 사천왕을 그려넣은 것 같은데, 왜놈들이 자기네 나라로 가져가려고 벽을 떼어냈다가 못 가져갔다는 것이다(참, 왜놈들 한 짓을 보면 예뻐할 수가 없다. 웃기는 놈들이다).

아직도 부석사같이 조용한 절집이 있다는 것이 고마웠다. 스님들마저 비켜나버린 백담사, 절 아래 놀이동산을 만들어 놓은 용문사……. 이렇게 절집들이 망가져가는 때에 아직도 이런 절이 있다니……. 이 절도 고속도로가 다 되면 또 변하겠지…….

돌아오는 길에 소수서원에 들렀다. 그곳은 역시 '서원' 자리였

다. 공부를 할 수밖에 없도록 되어 있다. 이해가 안 되는 사람들은 한번 가보면 알 것이다.

서울로 올라오는 길에 소백산 竹嶺(죽령)을 넘었다. 10수년만인가? 얼마 후 고속도로가 완공되면 이 죽령을 넘을 일도 없겠지 하는 맘이 들었다.

올 가을 은행잎이 노랗게 물들 때쯤 다시 한번 들려볼 생각이다.

(너무 오랫동안 글을 못 올렸다. 송구한 마음으로 최근 사진을 하나 올린다.

나와 둘리와 독꾸. 그런데 우리 독꾸는 정녕 평범한 개가 아닌 것 같다. 사진 찍을 때 눈감는 개 있으면 나와보라고 해라. 참! 대단한 독꾸다.)

*2001. 5. 29.*

# Repubblica di Entropia

〈출장

가기 전에 내가 타고 있었던 택시를 들이받았던 승합차의 운전자가 전화를 해왔다. 며칠 전에도 전화를 했었는데 출장중이라는 메시지만 나오더라며, 괜찮냐고 물어왔다. 출장을 떠날 때까지는 뒷목이 빼근했었는데 지금은 괜찮다고 대답해주었다. 그래도 자꾸 괜찮냐고 묻길래 출장 가서 고생을 많이 했더니 잊혀진 모양이라고 답해주고, 걱정하지 말라고 하였다. 그래도 못 미더운지 "택시 기사는 입원했는데요……." 한다. 당연한 소리. 택시기사는 몸이 약해서 그 정도면 '당근' 입원이지. 나는 기사가 아니니 몸이 튼튼한 거고.

거꾸로 내가 그 사람을 안심시키고 전화를 끊으려는데, 그 사람이 질문이 하나 있다는 것이었다. "저… 혹시… K대학 근처의 C라는 술집에 자주 안 가시나요?"

컥! 제가 그 집 주주입니다' 하는 소리가 입안에 맴돌았지만, 얼른 냉정을 되찾고,

"가끔……. 회식이 있을 때 가긴 합니다만……." (으~ 이게 어찌 된 일이지?)

"역시 그렇군요. 어째 낯이 익어서……. 그 집에서 자주 뵌 것 같더라고요."

(자주? 일마가 지금 뭔 소리 하노? 하긴 내가 쪼매 자주 가긴 하지…….)

내 얼굴이 특이한가? 아님 내가 그 집엘 너무 많이 갔나? 어쨌든 아~ 팔린다! 나를 기억하는 데 술집이 나오다니……. 이렇게 살면 안 되는데…….

그러나 느낀 것도 있다. 사람은 어디서 아는 사람을 만날 줄 모른다는 것을 알았다. 행여 내가 엄살부리며 가짜입원이라도 했었는데, 나를 알아봤으면 창피해서 어쩔 뻔했나?

앞으론 룸으로 되어 있는 술집만 가야지…….〉

* 기차가 멈춰 서버렸다. 웬 일일까? 우리나라에서도 여간해서는 아주 서는 경우는 없는데. 다시 움직이기도 잠시, 기차는 또 서버렸다. 우리 뒷자리에 앉아 있던(모든 의자가 마주보고 앉게 되어 있으니 뒷자리인지 앞자리인지…….) '잭 니콜슨' 하고 똑같이 생긴 할아버지가 벌떡 일어서더니 윗창문을 내리고 밖을 내다본다. 순식간에 얼굴이 빨개져 있다. 아마 성질이 팍 나셨나보다. 둘리는 그것이 뭐 그리 우스운지 낄낄거리고 있다.

기차는 계속 '가다 서다'를 반복하고 있다. 이미 다음 정거장 Padova 도착시간을 30분 이상 넘기고 있었다. 이제는 기차가 서면 거의 모든 Italiano들이 일어나서 창 밖으로 머리를 내밀고 있었다. 나도 안 낄 수가 있나? 나도 윗창문을 내리고 쑥~ 대가리를 내밀고 오른쪽을 보니 윽! 바로 옆창의 선글라스! Ciao! 얼른 고개를 왼쪽으로 돌리니 윽! '잭 니콜슨' 할아버지. 얼굴이 시뻘건……. 선글라스를 껴서 자세한 표정은 읽을 수 없었지만, 무지 화가 난 모습이다. 기차 옆으로 주렁주렁 나온 Italiano들의 대가리……. 대가리…….

기차가 움직이면 전부 창문을 닫고 자리에 앉는다. 그리고 기차가 서면 모두 일어나 창문을 열고 대가리를 쑥~. 허, 참. 규칙적이기도 하지. 게다가 남자들은 노소에 관계없이 모두 선글라스를 하나씩. 나라에서 주는 건가?

Padova를 어렵사리 통과한 기차가 잠시 후부터 또 가다 서다 한다. 이미 Venezia 도착시간을 한참 넘겼는데……. 승객들은 여지없이 일어났다 앉았다……. 그런데 어느 순간, 문제가 해결되었나 보다. 기차가 움직이기 시작하더니 이내 마구 달리기 시작했다. 흔들리는 정도가 위태할 정도였다. 달리면서 경적을 울려대는데……. 나와 둘리는 웃음이 나와서 어쩌질 못했다.

시간 늦었으니 달리는 건 그렇다 치더라도 기차가 경적을 울리면서 달리는 것은 너무 웃기지 않는가? 비켜! 비켜! 나 급해! 빽~ 삐익~~ 하여간 정신없이 밟아 댄 운전수 덕에 Venezia에 30분뿐이 늦지 않았다. 그런데 정신을 차려보니 '잭 니콜슨' 할아버지가 보이지 않는다. 모두 궁금해하고 있는데 일행 중 한 명이 한다는 말.

"내려서 택시 타고 갔나봐!"

능히 그럴 만하다. 원 성질도 급하긴…….

* Ravenna가 좋다는 학회의 안내언니 말을 듣고 Ravenna에 가보기로 하였다(정말 가볼 만하다. 그곳의 비잔틴 양식의 미술에 대해 나의 '말도 안 되는' 해설을 듣고 싶은 사람은 메일을 보내시길). 아침에 기차역에 기차시간 30분 전에 도착하였다. 충분하겠지 하면서 제법 긴 줄 끝에 섰는데 줄이 줄어들지 않는다. 표를 사는 사람은 질문이 무지 많은 듯했고, 안에서 표 파는 사람은 연신 다른 사람에게 묻는지, 농담하는지……. 담배를 몇 대씩 피워 물면서도 아직 표 사는 이와 합의가 안 되었는지, 아직도 대화중. 나는 초조해지기 시작했다. 이 기차 놓치면 1시간 뒤인데…….

그런데 아무도 조바심을 내는 사람이 없었다. 하긴 정 안 되면 기차 안에서 돈을 내면 되긴 하니까 그렇겠지만, 우리 같은 객들은 그래도 만사를 확실히 해놓는 것이 좋은데……. 내 뒤의 독일인들이 투덜대기 시작한다. 역시 그들의 잘 짜여진 사회에선 용서가 안 되는 상황인가보다. 하긴 만만치 않게 얼렁뚱땅인 한국에서 온 나도 초조한데, 오죽하겠나?

그런데, 엉뚱하게도 줄 뒤쪽의 한 Italiano 아저씨가 분연히 창구로 다가서는 것이 아닌가? 그러더니 냅다 뭐라고 쏘아대는데……. 창구 안의 표 파는 아저씨 또한 벌떡 일어나서는 삿대질을 해대며 같이 쏴댄다. 얼씨구? 그렇게 둘이 한 30초간 각자 떠들더니 아저씨는 싹 돌아서서 다시 줄에 가 서고, 표 파는 아저씨는 다시 자리에 앉아서, 20분 이상 정겹게 상담을 하던 고객과 다시 $^@^@$#^……. 상담을 계속하는 것이 아닌가?

아니? 이럴 수가……. 싸움이 붙었으면 결말이 있어야지……. 뭐 하는 거야? 나는 너무나 천연덕스런 두 사람을 번갈아 쳐다보았다. 이 사람들은 싸움 뒤끝이 없나보다.

나는 결국 기차시간 5분을 남겨놓고, 아까부터 눈여겨보았던 티켓 자동 판매기에 과감히 도전했고, 다행히 영어를 선택할 수 있어서 무사히 일행의 표를 살 수 있었다. 그것도 family로 할인해서. 그런데 희한한 것은 Italiano들이 그 자판기를 안 쓴다는 것이다. 내가 시간에 쫓겨 그 자판기로 가서 뭔가 하니까, 그때야 몇몇이 몰려와서 들여다보는 것이었다. 그 동네가 시골이라 그런가? 시골 사람은 어디나 보수적이라 기계를 신뢰하지 않으니까…….

이후에는 어디서나 기차표 파는 창구를 믿지 않았다. 30분이 아니라 최소한 3시간 전에는 가야 안심할 것 같았기 때문이다. 정말 창구의 아저씨들은 세월아 네월아였다. 표 팔다 말고 담배 피고, 옆 사람이랑 농담하고, 누가 부르면 갔다 오고……. 이래저래 독일 사람들만 분통 터지게 생겼다. 원 성질도 느긋하기는…….

* 내가 묵던 호텔에서 학회장까지는 제법 먼 거리였다. 아침에 셔틀이 한 번 돈다고 해서 그것을 이용했다. 그런데 이 셔틀버스가

온 동네 호텔을 다 돌아다니느라 금세 버스는 만원이 되었다. 에이, 씨… 좀 여러 대 제공하면 안 되나?

셔틀이 학회장에 도착해서 우르르 안으로 들어갔는데 안에는 아직 창구도 열지 않았다. 어쭈? 우리 같으면 사람들 몰려오기 30분 전부터 미리 대기하고 기다리는데……. 모두들 서성대고 있는데 저쪽에서 쭈~욱 빠진 언니들 몇이 걸어온다. 같은 유니폼을 입고. 그 언니들은 한편으로 덮어놓은 천막을 걷고, 한편으론 손님을 맞기 시작하는데 이 또한 어수선하다. 여느 학회에 가면 항상 '사전등록' 창구와 '현장등록' 창구가 따로 표시되어 있고, 그것도 모자라서 이름을 알파벳별로 분리해서 손님을 맞게 마련인데, 여긴 아무 구분이 없다. 그냥 언니들 서 있는 앞에 주~욱 서 있을 수밖에.

나는 '뭐 이렇게 비조직적인 데가 다 있나?' 하면서 황당해하였는데, 잠시 후에 보니 그게 아니었다. 줄이 팍팍팍팍 줄어드는 것이 아닌가? 아무런 구분은 없었지만, 쉽게 쉽게 일이 처리되고 있는 것이었다. 허어~ 이럴 수가……. 내 뒤에 서서 투덜대던 독일 청년도 할 말이 없는 모양이었다. 그럼 우리가 통상적으로 국제학회 때 하는 그런 호들갑은 별것이 아닌 것일까? 알다가도 모를 일이다.

학회의 점심식사 시간. 커다란 홀에서 buffet 식으로 제공하는데, 참으로 음식 종류가 많다. 각종 빵, 케익, 과일 등등. 이탈리아가 얼마나 풍요로운 땅인지 알 것 같았다. 그런데 문제는 와인을 제공한다는 것이다. 점심시간에, 그것도 학회인데……. 아무리 유럽 전체의 재료학회라고는 해도 이탈리아에서 개최되면 참가자 대부분은 이탈리아 사람들이게 마련이고, 모든 학회 풍습(?)도 이탈리아식이게 마련이다. 그러니 점심시간에 와인을 주는 것도 이탈리아식일 것이다. 점심시간은 공식적으로 1시간 반을 주었는데, 그 시간을 지키는 사람은 별로 보이지 않았다. 그저 말 잘 안 통하고 수줍은 일본인들(이럴 때 보면 참 새색시같이 숫기가 없는 왜인들이건만……)이나, 항상 바쁜 독일인들이 시간 내에 점심을 끝내는 것 같았다. 우리네 조선족들도 먹고 마시고 떠드는 데는 일가견들이 있어서(우리 일행만 그랬나?) 점심시간을 꽉 채워가며 식사를 즐겼다.

나의 발표는 점심식사 바로 직후였다. 어째 불길한 생각이 들었었는데, 아니나 다를까……. 시간이 되어도 아무도 오지 않는다. 시간에 맞춰 좌장(chairman)과 그의 친구만이 들어오더니, 사람들 올 때까지 기다리자고 하고는, 둘이 연신 뭐가 그리 즐거운지 낄낄거리고 있다. 15분 정도 지나서야 우리 일행 빼고 5명 정도 사람이 들어왔고 발표를 시작했다. 여기선 발표시간을 넘겨도 종도 치지 않는다. 15분 발표를 25분을 해도 아무런 제재도 없다. 발표하고 싶은 대로 맘대로 발표하라는 뜻인가보다. 그래도 학회 일정에 지장이 없는 모양이다. 세상에 이렇게 여유만만한 학회가 있다니…….

* Pisa 역에 내려서 Duomo(중앙, 중심이라는 뜻이다. 옛날 이탈리아의 마을에는 중앙에 성당이 있었던 모양이다. 그래서 유명한 성당은 Duomo에 많다. Pisa도 Duomo에 성당과 세례당, 그리

고 유명한 'falling tower', 사탑이 있다) 가는 버스를 찾으려니 쉽지가 않다. 의외로 버스가 노선도 많고 정류장도 여러 곳이었다. 나는 무슨 선입견으로 Pisa를 작은 동네라고 생각했을까? 그런데 마침 두리번거리고 있는 내 앞에 경찰관이 복장 정돈을 하고 있었다. 그래서 Duomo 가는 버스를 물었는데……. 이 선수 참! 아주 당황하더니(물론 그에게서 영어가 나오리라고는 기대도 하지 않았었지만), 이탈리아말로 어쩌구저쩌구 허둥대더니, 모르겠다는 것이었다. Pisa에 오는 사람의 99%는 Duomo의 사탑과 성당을 보고자 오는 것일 텐데……. 경찰이 모르겠다니? 그것도 역 앞의 경찰이. 고맙다고 하고 돌아서려다보니 그 경찰의 옆에 오토바이가 보였다. 아하~ 오토바이 경찰이라 버스 노선은 모르는 모양이구나……. 세상에!

Roma에서 우리가 묵을 호텔의 주소와 약도를 보니 바로 베네치아광장 앞이었다. 이 정도면 충분히 찾을 수 있겠다 싶어서 Termini역(로마 중앙역이다. '종착역' 이라는 뜻이라는데, 터미널 terminal의 어원이라고 한다)에서 택시를 타지 않고 버스를 탔다. 둘리는 피곤해서 택시를 탔으면 하는 눈치였지만, 이런 것도 여행의 경험인데 싶어 버스를 탔다. 버스정류장 찾는 것도 쉽지는 않았지만. 베네치아광장에는 잘 도착을 했는데 세상에 우리가 묵을 호텔을 찾을 수가 없었다. 엄연히 지도에는 있는데 호텔이 없다. 이 무슨 조화냐…….

마침 경찰차와 경찰이 눈에 보였다. 지도와 주소를 내밀었더니 옆길로 돌아가라는 것이었다. 아무래도 그게 아닐 것 같은데……. 결국 1시간을 빙빙 돈 끝에 아까 경찰에게 길을 물었던 자리로 돌아왔는데, 그 앞의 bar의 이름에 내가 찾는 호텔의 이름 일부가 들어있는 것이 아닌가? 바에 들어가 물었더니 바로 옆집이란다. 옆집? 아, 골목 같은 게 있고 쑥 들어가서 조그만 유리문이 하나 있었다. 이게 그 호텔이라고? 그제야 자세히 보니 유리문 앞에 사방 10cm 정도로 된 판이 하나 붙어 있다. 호텔이 맞았다. 이런 ㅆ…….

돌아보니 아직도 그 경찰은 그 자리에 서서 동료들과 히히덕거리고 있었다. 참… 내…….

Roma의 경찰이야 그렇다 치자. 他地 사람이라면 어찌 거리를 다 알 것이며, 간판도 없는 호텔이야 모를 수도 있지(물론 근무태도는 거의 소풍 나온 수준이었지만). 그러나 Pisa의 경찰은 그게 아니다. 역 앞에서 근무를 하며 Duomo 가는 버스를 모른다는 것은 우리네 상식으로는 이해가 되지 않는 일이다.

이들뿐이 아니다. 계단 난간에 걸터앉아 있다가, 철길을 무단횡단해서 플랫폼으로 가려는 사람을 보면, 휘파람으로 휘익! 그리고 손가락으로 지하로 내려가라는 신호를 하는 Bologna역의 역무원. 30분 이상 줄을 서 있는 사람들이 있는데도 미리 말 한 마디 없다가 갑자기 창구에 'CHIUSO' 표지를 내걸고 일어서버리는 Venezia역의 표 파는 아저씨.

(chiuso는 closed라는 뜻인데, 우리 경상도 사투리 '치우소!' 와 비슷해서 많이 웃었다. 뜻도 비슷하고…….)

이들에게선 도통 '조직적' 이라는 것을 찾아보기 힘들다. 누군가 이탈리아 사람들이 국가를 위해 자기 역량의 극히 일부만이라도 모은다면 대단한 나라가 될 것이라고 하더니 정말인 것 같았다. 그럼 그들의 가장 큰 관심의 대상은 무엇일까? '개인' 은 아닌 것 같았다. 일요일날 광장에 그렇게 쏟아져나와서 몇 시간이고 모여 떠들 수 있다는 것은 무언가 공동의 관심사가 있다는 것이니까. 아마도 그들에게는 지역 공동체 'Commune' 이 최고의 가치 아닐까? 불과 100여년 전까지 여러 개의 나라였던 이탈리아. 아직도 남의 동네를 무지하게 싫어한다는 그들. 그래서 그렇게 죽자고 자기 동네 축구를 응원한다는 그들.

Order보다는 disorder의 나라. Entropy의 나라. 그들이 그렇게 좋아하는 '공화국'을 붙여서 'Entropy 공화국'. Republic of Entropy. 이왕 말 만드는 김에 이탈리아식으로…….

Repubblica di Entropia!

알다가도 모를 나라다. 우리와 비슷하기도 하고. 그러나 그들은 먹을 것이 풍요롭고, 무엇보다 조상이 남겨준 돈덩어리, 돌덩어리가 지천이다. 그런데 우리는…….

*2001. 6. 26.*

# Vino della Casa

〈어쩌다 보니
제목이 계속 알파벳으로 되어버렸다. 어떤 뜻이 있는 것은 아니다.〉

가만 생각해보면, 아내가 늘 주장하는 대로, 내 성격이 못되긴 못된 것 같다. 여행을 다닐 때도 그렇다. 지도를 몇 번이고 봐서 딸딸 외울 정도가 되어야 직성이 풀리고, 동네 명물에 대한 설명은 꼭 미리 읽어야 하고, 게다가 시간 내서 술도 마셔야 하고……. 아무튼 동행들은 가이드가 있다고 좋아한더만, 나는 무지 바쁘고 피곤하다. 어서 이런 패턴의 여행을 버리고 가이드 붙여서 하는 여행으로, 버스나 전철 타고 다니는 여행보다 택시로 다니는 패턴으로 바꿔야 할 텐데……. 점점 나이도 드는데.

로마를 떠나기 전 날이었다. 다음 날 아침에 로마공항(세계의 여러 공항 중 가장 이름이 그럴싸하다. Leonardo da Vinci 공항)에 가야 할 계획을 짜야 했다. 그냥 버스와 기차를 이용하면 (2.000 + 17.000) x 2 = 38.000lire면 되는데, 둘리의 모습을 보니 많이 지친 것 같아 좀 더 편안한 교통편을 알아보기로 하였다. 바티칸 미술관 옆에서 셔틀서비스 전단을 받은 게 있어서 전화를 했더니, 둘이면 50.000lire 라고 하는 것이다. 그 정도면 이용할 만하겠다 싶어 예약을 하려고 하니, 비행시간 3시간 전에 타라는 것이었다. 여러 호텔을 돌아다니는 셔틀이라 그렇다고 한다. 그러다 보니 아침 7시 20분에 호텔 앞에서 타기로 했는데, 갑자기 금액이 70.000 lire 라는 것이 아닌가? 어? 그 사람 말이 아침 8시까지는 night charge를 받는단다. 우리 식으로 하면 '심야할증요금' 인 셈인데, 아침 8시까지 심야할증이라고? 아침 8시면 노고지리 우짖는 대낮이지 어떻게 밤이냐? 어이가 없어서 생각해보겠다고 하고 전화를 끊었다.

(금액을 쓸 때 1000마다 우리는 콤마를 찍는데 이들은 '쩜', dot를 찍는 것이 독특했다. 반대로 소수점은 콤마로 찍는다. 나는 그것을 보고 연구계획서 쓸 때 참 편리하겠다는 생각이 들었다. 직업은 못 속이나보다. 나는 숫자를 쳐넣을 때, 컴퓨터 키보드의 오른쪽 숫자판을 주로 쓰는데 그곳에는 콤마가 없다. 그래서 돈을 입력할 때는 늘 콤마 때문에 손이 바쁜 불편이 있었는데, 이들같이 '쩜'으로 쓰면 좀 편할까? 아니면 누가 그 옆에 콤마 자판 하나 더 넣은

키보드 좀 만들어서 안 파나? 내가 하나 당장 살 텐데…….)

호텔 프론트에 전화를 해서 택시를 불러 공항으로 가면 얼마냐고 하니까 85.000lire라고 한다. 훨씬 늦게 출발해도 되고, 아무런 extra charge 도 없다고 한다. 그래, 이제 체력도 바닥이 났는데……. 둘리도 그동안 이 극성스런 아빠 따라 다니느라 지쳤는데……. 한번 쏘자!

택시를 예약해버렸다.

학회장소인 Rimini에서 아침에 깨어 밖을 내다보고 황당했던 생각이 난다. 7시가 넘었는데도 사람도, 차도 거의 없다. 이탈리아의 하루는 늦게 시작되는 모양이었다. 밤에는 그리 늦게까지도 왁자하두만. 미국사람들의 부지런함(?, 단순화하여 부지런함이라고 하는 것은 어폐가 있을 수도 있겠다. 내 말뜻은 미국인들이 일찍 일어난다는 뜻이다)을 생각해보면 참 의외였다. 둘리가 아침에 해변에 나가보겠다고 나갔었는데, 호텔 문이 나가긴 해도 맘대로 들어오지는 못하게 되어 있어서 들어오지 못하고 문 밖에 앉아 있었다고 한다. 7시 반이 되서야 종업원이 호텔문을 열더란다. 이탈리아의 아침은 하여간 늦게 온다.

어쨌든 때아닌 호사로 택시를 타고 공항으로 가게 되었는데, 공항에 도착하자 택시 운전사가 100.000lire를 달라고 한다. What? 호텔 언니가 85.000이라고 했고 No extra charge라고 했는데 무슨 소리냐고 인상을 팍 썼더니(이탈리아 여행에서 는 건 택시비 따지는 것이고, 잃은 건 내 고운 품성이 사나워졌다는 것이다), 자기가 설명해준다고 하면서 종이에 볼펜으로 뭘 막 적는다. 다 적고 합계를 내더니 89.000lire라고 하는 것이다. 뭐야? 이 사람 바보 아냐? 나는 어이가 없어서 피식 웃고 말았다. 자기가 100.000이라고 했고, 그걸 항목별로 적어서 설명해 준다고 했으면 억지로라도 100.000을 만들던가? 기껏 이것저것 썼는데 89.000뿐이 안 되니……. 웃음뿐이 안 나온다.

나는 90.000lire를 주고 "Keep the change, Signore" 하고 말았다. 그러자 얼굴 가득 함박 웃음을 지으며 Grazie!를 외치는 그 운전사를 보면서 또 웃음이 나왔다. 둘리도 우스워서 어쩔 줄 모른다. 이 사람들이 순진해서 그런 건가? 이런 얄궂은 Italiano의 mentality는 10년 이상 살아봐야 이해가 될 것 같았다.

나는 공항으로 가는 택시 안에서 계속 길가의 차선을 보고 있었다. 로마 시내에는 여간해서는 차선이 없었다. 교차로 근처에야 약간 차선이 그려져 있었고, 대부분의 도로는 중앙선만 희미하게 있을 뿐이었다. 물론 고속도로는 차선이 아주 잘 그려져 있었지만. 우리가 묵던 호텔 앞은 로마의 한가운데 베네치아 광장 Piazza Venezia이었다. 이 광장은 5군데 정도의 입출구가 있는 로터리식으로 되어 있는데, 꼭 완전한 로터리라고도 할 수 없는 것이 직진과 좌회전도 막 섞여 있는 광장이다. 그런데 이곳에 신호등이 하나도 없다. 게다가 이곳에도 관광객이 득시글대고 있다. 아무데로나

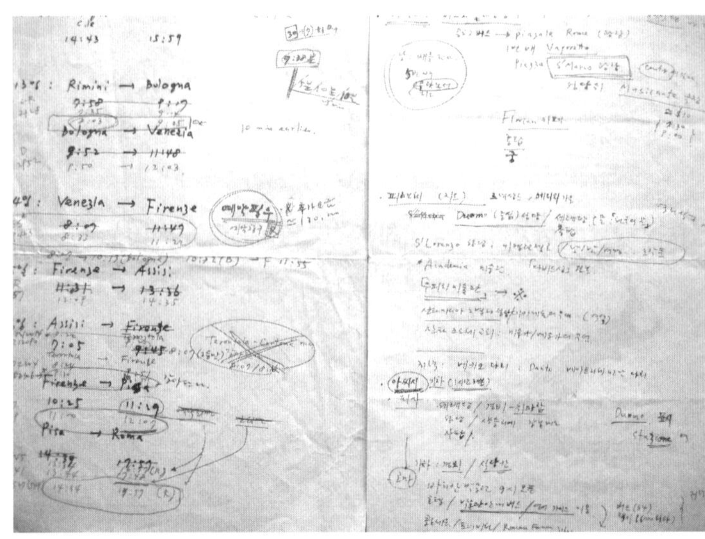


건너는 행인들, 오토바이들, 차들……. 나 같은 객은 정신이 하나도 없는데 그렇다고 큰 문제가 있는 것도 아니다. Chaos이긴 하지만, 틀림없이 어떤 질서가 존재하는 듯이 자연스럽다. 가끔 빵빵대는 차들이 없는 것은 아니지만, 그 정도야 활기찬 이탈리아에서는 애교 정도다. 나는 길가 바에 앉아서 광장을 한참 보았는데 참 재미있고 신기하기만 하였다. 아마 Italiano들은 차선과 같은 규제가 싫은가보다.

(이 광장과 비교할 수 있는 곳이 우리나라 울산의 어느 로터리이다. '공업탑 로터리' 던가? 난 울산에 가서 그 로터리를 지날 때마다 가슴이 철렁했었다. 거긴 로터리가 아니다. 그냥 너른 공터에 차들이 각자 자기 방향으로 가는 곳이다. 내가 탄 차가 가는데 옆

쪽에서 대형 트럭이 직접 내게로 달려오질 않나? 그것에 신경쓰다 보면 다른 옆구리에서 택시가 빵빵대질 않나? 사고도 잦다고 하는데, 사고가 나면 무조건 '50:50 쌍방과실' 이라던가? 그곳에서는 그렇게 할 수밖에 없을 것 같았다.)

혹자는 이탈리아가 잘 못사는(그래도 그들은 G7국가이다. 그리고 삶의 만족도는 매우 높아 보였다. 도대체 걱정이 없는 것 같아 보인다) 이유가 그들의 지나친 지방색 때문이라고 했다. 역사적으로도 북부와 중부 이탈리아는 Commune라는 자치체 형식의 도시국가로 오랫동안 존재하였다. 그들 도시국가간의 전쟁도 상당했던 모양이었다. 그런 전쟁의 현대판이 축구경기가 아닐까 하는 생각도 든다.

이런 지방색 때문인지는 몰라도, 이상한 일을 경험했다.

이탈리아에서 가장 어색했던 것은 '물' 이었다. 이 나라는 대리석, 석회석이 많은 나라라서 그런지 물이 좋지가 않단다. 강물도 맑지가 않다. 그래서 자고로 마실 물이 귀했던 모양이다. 식당에서 음식을 다 주문하면 꼭 drink를 묻는데, 이때 물을 시켜야 한다. 절대로 공짜물은 없다. 우리네같이 우물가에서 나뭇잎 띄운 물 한 바가지 얻어마시고, 백년해로하기도 하는 물인심 좋은 나라 백성은 당황스럽다. 한번은 길가의 바에 물 한 병 시켜놓고 앉아 이야기를 하고 있는 사람들을 보았는데, 그걸 보면 이들에게는 물이 최소한 콜라 정도의 취급을 받는 것 같았다.

나와 둘리는 둘 다 물을 많이 마신다. 하루 밤에 한 병씩은 마시는데, 문제는 호텔에도 공짜 마실 물이 없다는 것이었다. 그래서 둘리를 가게에 심부름 보내 물을 사오라고 했다. 그런데 이들의 물 aqua은 두 종류가 있다. naturale와 frizzante 인데, naturale는 보통 물이고, frizzante는 sparkling, 즉 탄산수다. 무지 쓰다. 둘리는 frizzante를 사가지고 왔다. 둘리가 헷갈린 이유는 물의 상표 때문이었는데 상표에는 'Aqua Naturale' 라고 쓰여 있다. 우리 식으로 하면 '천연수' 라는 뜻일 것이다. 그리고 라벨의 맨 밑줄에 naturale 또는 frizzante를 표기해 놓았다. 둘리는 밑의 표기는 보지 않고 상표만 보고 쓴 물을 사온 것이었다. 'Naturale 맞는데…….' 하면서.

한편 그곳에서도 물을 쉽게 구분할 수 있도록 병 뚜껑의 색을 다르게 해놓았고, 라벨도 색을 다르게 해놓았다. 붉은색은 naturale, 파란색은 frizzante. 그 뒤로는 물을 잘못 사 먹는 일은 없었다. 적어도 Venezia까지는.

그러나… Venezia에서 Firenze로 넘어온 다음에 낭패를 겪었다. 그동안의 관행으로 당연히 붉은 딱지의 물만 사먹던 우리는 Firenze에서는 그 색깔 표지가 반대라는 것에 아연해질 수밖에 없었다. 아무 생각없이 들이킨 물이 쓴 물일 때의 그 기분. 게다가 그 물을 마시고 설사를 할 때의 그 참담함. Katharsis? Never!

왜 이런 일이 생길 수 있을까? 같은 나라에서 물의 표지가 다르다는 것을 어떻게 설명해야 할까? 나는 그 이유를 지방색이라고 생각했다. 달리 무슨 이유가 있을까? 맞는지 틀리는지……. 업자 맘인지도 모르고……. 그래도 아마 지방색 때문일 거야……. 암! 그렇고 말고……. 이 물 색깔은 로마에 오니 또 달라졌다. 그렇다면 Firenze만 다르다는 말인데……. 한때의 首都로서 자존심일까? 에이, 모르겠다!

지방색이 심한 이 나라 사람들은 다른 고장 이야기를 하면 싫어한다고 한다. 나는 한번도 그렇게 다른 고장 이야기를 할 기회가 없어서 잘은 모르지만. 그리고 이탈리아는 프랑스 못지않은 대단한 wine의 강국이다. 역사적으로는 누가 더 오래되었는지 몰라도 이탈리아 사람들도 와인에 관한 한 자존심이 무지 세다(역사적으로는 로마시대에 프랑스에 포도를 전해주었고, 와인 담그는 것을 권장했다고 한다).

와인에 대한 자존심, 자기 고장에 대한 자부심……. 그들은 자기 동네 와인에 대한 긍지가 있다. 그래서 식당에서 메뉴를 들추다가 공연히 아는 와인 이름 있다고 폼잡고 시켜봐야 그들의 냉소만 산다는 말까지 있다. 물론 손님 앞에서야 대놓고 그러겠냐만……. 나는 그래서 이탈리아에 가자마자 얼른 'Vino della Casa' 라는 말을 외웠다. Vino는 wine이라는 말이고, della야 of일 것이고, Casa는 집 아니겠는가?(스페인 노래던가? Casa Blanca라고. '하얀 집'. 그러니 말 비슷한 동네니까 Casa는 집이겠지.) 그 뜻은 영어로

house wine인 셈이다. 좋은 식당일수록 house wined에 대한 자부심이 있다. 자기네가 담근 술이 없으면 그 동네 술이라도 내어주면서 좋아하는 법이다.

(잘 알지도 못하면서, 때로는 잘 알더라도, 공연히 wine의 본고장에 가서 떠들 일이 아니다. 나는 우리나라에서도 wine에 대하여 어느 해는 가물어서 wine이 달고, 어느 해는 어쩌고 하는 전문가 때문에 술맛을 버린 적이 있다. 그 사람이야 아는지 모르겠지만, 나는 아무래도 상관없다. 내가 와인 맛을 얼마나 구별할 줄 알겠나? 조선놈이……. 공연히 아는 것을 말하느라 진을 빼면서 술맛을 버리느니……. 그냥 편하게 마시면 되는 것이거늘……. 그리고 와인을 잘 알면 문화인인 듯한 어설픈 취향도 나는 경멸한다. 내 평생 가장 맛있게 마신 와인은 신부님과 함께 축성된 미사주를 퍼대고는 대취한 때였다. 얼마나 좋은가? 술이지… 게다가 축복까지 받았대지……. 마시고 강복 받고……. 버디하고 돈 따고.)

나는 식당에 가기만 하면 'Vino della Casa'를 외쳐댔다. 천박한 놈. 아는 게 그것뿐이니…….

그리고 곧 'Bianco'를 추가했다. '白' 포도주란 말이다. 어쨌든 식당 사람들은 좋아했다. Rimini의 호텔에서는 자기네 라벨이 붙은 와인을 내주며 즐거워했고, Assisi호텔 식당의 '멜 깁슨' 닮은 지배인은 멋있게 병따개를 돌리며 정말 기분좋게 서브하였다. 그런데 이 'Vino della Casa'가 안 먹히는 곳이 있었다.

이탈리아의 음식 간은 내 입맛에 딱 좋았다. 음식이 맛이 있느냐 없느냐가 아니라 간은 맞더라는 뜻이다. 그래도 역시 남의 나라 음식은 어쩔 수 없는지, 열흘이 지나자 뭔가 돌파구가 있으면 하는 맘이 생겼다.

그러던 참에 눈에 띈 것이 바로 짱꿰! 중국집이었다. 그 집에서 볶음밥과 hot and sour soup(우리나라 중국집에 가서 '쌀라탕' 을 달라고 하면 이 hot and sour가 나온다. '쌀라' 가 hot and sour란 뜻이라는데……. 술 마시고 속 푸는 데 제격이다. 제기동에 '쌀라탕' 잘하는 집이 있는데, 생각 있는 사람은 참가비 지참하고 오시길……)을 시켜 먹었는데, 완전히 한국 중국집의 볶음밥이었다. 아니? 이런 일이……. 로마의 베네치아 광장에서 한국식 볶음밥을 먹을 수 있다니……. 나는 웨이터/지배인/주인을 불렀다.

음식이 입맛에 잘 맞는데 어디서 왔느냐? 고 물었더니 '쓰촨' 에서 왔다고 한다. 사천지방의 음식맛이 우리네와 비슷한 모양이었다. 아무튼 예상외로 맛있는 저녁을 먹었다.

돌아오기 전 날. 일행들이 마지막 날인데 좀 제대로 먹자고 분위기를 잡길래, 다시 그 중국집엘 갔다. 역시 음식이 맛있었다. 그런데 이미 와인 몇 잔에 얼큰해진 나는 갑자기 호기심이 생겼다(난 하여간 이 호기심 때문에……). 중국집에도 'Vino della Casa' 가 있을까?

나는 다시 그 웨이터/지배인/주인을 불렀다. Vino della Casa가 있냐니까, 있단다. 어떠냐니까, 좋단다. 평소 같았으면 짱꿰의 말이니까 한번쯤은 의심을 해보았을텐데, 이미 음식맛을 확인했고, 또 몇 잔의 와인에 나의 사려깊음이 무너졌던 모양이다. 덜컥 시켰다. 그것도 piccolo도 아니고 medio로.

웨이터가 가져온 와인을 보자 불길한 예감이 들었다. 기다란 유리 주전자에 와인을 담아 왔는데……. 이 집은 와인을 독에 담아놓고 이런 식으로 퍼서 파나? 한 모금 맛을 보니……. 아! 이건 아니다. 내 아무리 와인 맛을 모르는 사람이지만, 이건 아니다. 술맛이 연속적이질 못했다.

전혀 homogeneous하지 않은 술맛. 무언가 걸리는 이 맛은 이 술이 multi-component라는 것을 의미했다. 으, 이 짱꿰……. 하나 다행이라면 그래도 물에 술을 탄 것 같지는 않고, 술에 물을 탄 것 같다는 것 정도랄까? 나는 그 선수를 다시 불렀다. 그리고 메뉴에서 고른 다른 와인을 하나 더 시켰다. 그의 Vino della Casa에 대해서는 아무 말도 하지 않았다.

고개를 절레절레 젓고 있는 나를 보고 둘리가 한다는 말.

"아빠도 참, 어떻게 중국집에서 'Vino della Casa' 를 시켜요? 그것도 로마 한복판의 중국집에서……. 저 사람이 와인을 담그겠어요? 중국사람이?"

그래! 네 말이 맞다. 중학생 자식놈만도 못한 이런 짧은 생각, 그리고 경박함! 에이, 생각할수록 괘씸하고, 그러니 아까운 마음이 들었다. 그래서 그 말도 안 되는 '밀주' 를 단숨에 들이켜버렸다. 에이, 나쁜 ㄴ.

Vino della Casa. 마시는 이도 파는 이도 다 즐거운 술이다. 그러나 중국집에서는 절대로 시도하지 말아야 한다. 중국집은 역시 고량주다.

*2001. 6. 29.*

# Maria Magdalene

〈어제 뉴스에서 보았는데……. 중국사람들이 요즘 스위스가 자랑하는 구조견 '세인트 버나드'를 즐겨 먹어서 스위스 사람들과 좀 미묘한 관계가 되어가고 있단다. '세인트 버나드'라는 개는 엄청 크고, 흰색과 갈색이 섞여 있고, 귀가 처진 개다. 착하게 생겼다. 문제는 엄청 크다는 것이었다. 중국 사람들은 고기가 많이 나온다고 그 개를 좋아한다는 것이다. 아~~ 엽기 짱꿰들! 양이 많다고 좋아한다니…….

나 또한 狗肉(구육)을 즐겨하는 사람으로서 그런 美食을 量으로 평가하는 짱꿰들을 경멸하는 바이다. 나는 개를 좋아하고, 심지어 개를 키우지만(비록 자의가 아니지만…….), 狗肉에 관한 한 나름의 규정을 지킨다. 조금만 소개하면,

1) 아는 개 안 건드린다(어째 제비족 수칙 같지만……. 꼭 명심해야 할 대목이다. 설혹 아는 개가 아니더라도 생전에 눈을 맞추지 않는다. 월매 미안타꼬…….)

2) 늘 身土不二를 우선한다(쉽게 말해서 ㄸ개를 좋아한다는 말이다. 가게에선 이럴 수 없지만 맞춤을 할 때는 꼭 신경써야 한다. 많이 다르다).

3) '만년필' 은 꼭 연장자에게 양보한다(약효 급한 사람부터……. 農心! '만년필' 이 뭔지는 아줌마에게 물어봐라)

4) 연속 세 번 '껍질' 에만 손이 가는 ㄴ과는 다시는 같이 안 먹는다(미식은 예의가 먼저다).

헛! 지금 무슨 소리를……. 하여간 스위스 사람들이 가족같이 여기는 개를 쪽쪽……. 살 발라먹는 짱꿰들의 畵面……. 나도 싫다. 스위스인들은 항변한다.

"만약 우리가 '팬더' 를 먹으면 기분 좋겠느냐고?"

그건 말이 안 된다. '팬더' 가 얼만데? 아마 그 소리를 짱꿰들이 들었다면 '먹을 수 있으면 먹어봐라' 할거다. 불쌍한 스위스 사람들.

그런데, TV 인터뷰에서 열내던 그 스위스 남자는 정말 성질나게 생겼다. 왜냐하면 그 사람 이름이 '버너드 레게' 였으니까. 同名이니 오죽 아플까?

참고로 이름이란 이렇게 묘한 인연이 있다. 언젠가 미국에서 '미스 포르노' 선발대회를 했을 때 1등한 여성의 성이 그랬다. '미스

헤퍼'〉

요즘은 여행 뒤끝을 정리하며, 부서진 몸을 추스르며, 정말 '선비' 같이 살고 있다. 물론 아내는 '저 인간이 저러다 크게 폭발하지…….' 하며 조심스러워 한다. ㅎㅎ.

오늘은 그런 이야기…….

우리는 성경에서 '마리아'를 많이 만난다. 『신약성서』에는 중요한 마리아가 셋이 있다. 성모 마리아, 막달레나 마리아, 베다니아 마리아.

성모 마리아는 말 안 해도 다 알 것이고……. 베다니아 마리아는, 죽은 걸 예수가 살려낸, 라자로의 누이이다. 귀한 손님들 시중에 언니 '마르타'는 정신이 하나도 없었는데, 철없는 마리아는 예수의 발치에 앉아 이야기를 듣느라 또 정신이 없었다.

당연히 마리아는 야단을 맞아야 하는 건데, 예수는 황당하게도 (자기 말을 열심히 듣는 것이 예뻤는지),

"마리아는 좋은 몫을 택했다" 라고 칭찬을 한다(루가 10:38~42).

(예수는 가끔 상식적 예의범절을 무시하는 파격을 보인다. 다른 곳에서도…….)

'막달레나 마리아' 또는 '막달라 마리아'는 수수께끼의 여인이다.

(수수께끼가 된 이유는 후세 사람들의 탓이 크다. — 이하는 내

주관적 생각이다. 절대 어디 가서 인용하지 말자. 큰일 난다! — 한때 이상하게 성서의 모든 것을 미화하던 때가 있었다. 그래서 아기 예수가 금빛 찬란한 곤룡포를 입고 앉아 있는 그림이 있고, 동방에서 온 세 명의 경배자가 어느 사이에 동방의 '왕' 들이 되어버리고……. 이러한 미화의 과정에서 그랬는지 『신약성서』의 세 마리아를 뒤섞어서 해석하는 일까지 생겼다. 그래서 예수의 발에 기름을 발라 머리카락으로 닦아준 베다니아의 마리아와, 가퍼르나움에서 예수의 발에 세 번 기름을 바르고 죄를 회개한 막달레나 마리아를 같은 사람으로 생각하는 일이 생겼다. 정설은 둘은 다르다는 것이다. 그러니까 예수를 팔아넘긴 가리옷 출신 유다가 '비싼' 향유로 예수의 발을 씻기는 마리아를 보고 투덜대는 장면의 마리아는 베다니아의 마리아이다. 그리고 예수가 죽는 모습을 지켜보고, 그의 무덤에 달려갔고, 최초로 부활한 예수를 본 마리아는 막달레나 마리아인 것이다.)

통설에 의하면, 막달레나 마리아는 창녀였다. 어느 설에는 빈민가 출신이지만 '고급창녀' 였다고 한다. 고급창녀는 무엇이 다른지 모르지만(아마 단골이 다를 것이고, 화대가 다르겠지……). 어쨌든 그녀는 창녀였다는 것이 정설이다. 그런데 '일곱 귀신' 이 들려서 고통을 받다가 예수가 그 귀신들을 내쫓아주어서 낫게 되고, 죄를 회개하였다고 한다(여기서 '일곱 귀신' 이라고 하는 것은 현대적 개념으로 간질이었을 것으로 보인다. 정설) 이 정도가 내가 알던 '막달레나 마리아' 였다.

피렌체의 Duomo에는 정말로… 정말로… 아름답고… 장쾌한 성당이 있다. 옛 성당은 꼭 성당, 세례당, 종탑이 한 組였다(Pisa의 경우를 보면 이해가 쉽다. 그리고 여기서 피렌체의 성당과 종탑과 세례당 이야기는 하지 않겠다. 내가 함부로 언급을 하지 않는 것이 그 시대 천재들에 대한 최소한의 예우라고 생각한다).

이 건물들에 속했던 많은 유품들을 요즘은, 좀 더 잘 보관하기 위해, 박물관에 옮겨 전시하고 있다. 'Museo dell Opera del Duomo' 라는 박물관인데, 바로 성당 앞에 있다.

겸손한 천재 조각가라는 '도나텔로' 의 작품으로 원래 세례당(산 조반니 세례당) 안에 있던 것을 지금은 이 박물관으로 옮겨 전시하고 있는 조각품 중에 바로 '막달레나 마리아' 가 있다. 옆의 그림이 그 조각이다.

나는 처음에 이 그로테스크하고, 바로크적이고(원래 의미의), (오늘날 우리말로) 엽기적인 조각을 보고……. 아찔하였다. 이 무슨 귀곡산장인가? 이 여자가 창녀란 말인가?

내 직장에서 서울의 특정한 지역엘 가거나, 또는 특정 음식점에 점심식사를 하러 가려면 '부득이' 그 유명한 '588' 골목을 지나야 할 때가 있다.

(오해 말기를 바란다. 정말로 마지못해, 할 수 없이 그 골목을 지나는 것이다! 아니다……. 더 구차하게 우기면 정말 이상하게 보겠다. 우~씨! 내가 무슨 힘이 있다고 일부러 지나다니겠나?)

지금은 많이 없어져서 몇 집 안 남았지만(어째 무지 아쉬운 듯한 어조…….), 그래도 여전히 그 골목의 언니들은 대단한 미모와 몸매를 가지고 있다. 솔직하게 말하자면 TV에 나오는 여느 여자 연기자들 보다 나으면 나았지……(점점……). 인물은 둘째 치더라도 진열장에 서 있는 그 언니들의 몸매는 기가 막히다(얼씨구……). 정말로 군살 하나 없는……(얼렐레……). 쭈악~

(우리 팀에 있던 노총각 박사 JT가 우연히 그 골목을 지나게 되었었다. 우린 차 안에 앉아 있었지만 그래도 행여 눈이라도 마주칠까 민망해서 어쩌질 못했는데, 한순간 JT의 눈에 들어온 언니가 있었나보다. 나에게 보라고 채근을 해서 '정말로 마지못해' 힐끔 보았는데, 진열장에 기대 서 있는 그 언니는 몸매는 말 할 것도 없고 미모가 정말 대단하였다. '청순하다'는 것이 바로 그 모습이었다. JT도 똑같이 느꼈는지, "너무나 청순하게 생겼죠?" 하면서 넋이 반쯤 나갔다.

그 날 JT는 '왜 그 언니가 거기에 있느냐?'는 화두를 잡고 엄청난 푸념과 한탄을 쏟아냈었다. 마치 그녀가 '588'에 있어서 자기가 노총각인 듯이. 다른 일 같았으면 내가 술이라도 사 주었을텐데, 그 일은 술이 있으면 자칫 사고가 날 것 같아서 그냥 보냈었다. 참……. 세상은 뭐가 뭔지 모를 때가 많다.)

그런 언니들만 보았던 내 눈에 도대체 이런 황당한 몰골의 여인이 창녀, 그것도 고급창녀라는 것이 이해가 될 리가 있나? 아무리 당시 유대의 服飾에 대해 내가 몰라도 그렇지, 이건 아니다. 어디 이런 여자를 보고도 무슨 일을 벌이겠다는 생각이 나겠는가? 그런 ㄴ이 있다면 그건 짐승이지…….

(사실 고급창녀라면 영화 'LA 컨피덴셜'의 '킴 베싱어' 정도는 되야 하지 않겠나? 으, 내 취향 다 드러나네……. 못 본 사람은 당장 비디오 가게로 가서…….)

나는 혼란에 빠졌다. 내가 알기론 도나텔로는 '지극히 소박하고, 주어진 환경에 만족하는 사람'이었다고 한다. 나는 이런 선입견 때문에 그를 '착한 천재'라고 생각했었다.

(원래 천재라는 사람들은 성질이 지랄 맞다. 나보고도 성질이 어떻다는 사람이 있는데……. 난 성질이 좋다.)

그런 도나텔로가……. 누구나 그리스 로마적인 '고전적' 모습을 조각하던 그 시대에……. 특히 성인성녀를 미화하던 그 15세기에……. 이런 지랄 같은 모습을 조각했다는 것이 이해가 되지 않았다. 단지 그 조각이 '막달레나 마리아'라서가 아니고, 그 시대의 조각에 이런 황당하고 단정치 못하고 기괴한 조각이 어디 있는가?

그 후의 일정을 다니면서도 가끔 그 조각

을 생각하면 마음이 무거웠다. 뭔가 있는데……. 그 천재 조각가가 그렇게 형상화했다는 것은 뭔가 있다는 뜻인데……. 결국 돌아와서 책을 찾아보고나서야 의문이 풀렸고……. 나는 나의 무식함에 질려버렸다(아예 모르던가……. 어지간히 아는 것은 아는 게 아니다).

막달레나 마리아는 고급창녀이면서 간질환자였던 모양이었다(일곱 귀신이 들렸다는 표현). 그런 그녀가 예수를 만나 병을 고쳤고……. 그 후 그녀는 그 동안의 그녀의 삶이 무의미하다는 것을 깨닫고, 그녀가 그렇게 바라던 '절대선善'을 위한 생활에 들어갔다는 것이었다. 전설에 의하면 그녀는 사막으로 가서 혼자 살면서 기도를 했다고 한다.

조각에서 그녀의 헐벗고 깡마른 모습은 사막에서 기도생활을 하던 모습이라는 것이다. 이런 걸 모르고 그 복장을 평소의 근무복인 줄 알았으니……. 나도 참 얼치기가 아닌가?

막달레나 마리아. 그녀는 수수께끼의 인물이다. 그래서 어느 책에서는 예수를 사모했던 여인, 또는 예수가 사랑했던 여인으로 묘사되기도 했던 여인이다. 그런 여인의 구도의 모습을 그렇게 그려낸 도나텔로. 그야말로 정말 천재가 아닐까? 나는 그 조각의 세세한 모습과 그 의미를 모른다. 아니, 그것은 나 같은 얼치기는 알면 안 되는 것인지도 모른다. 그러나 그 시절에 그런 破格을 조각해낸 도나텔로. 그는 경탄스럽다.

도나텔로. 그는 15세기 피렌체, 천재들의 시대에서도 단연 빛나는 천재가 아니겠는가?

(예전에 「닌자 거북이The Mutant Ninja Turtles」라는 영화를 보면서도 '도나텔로' 거북이가 잘하는지 몰랐었는데…….)

*2001. 7. 3.*

# 註 Maria Magdalene

이 '막달레나 마리아'

조각의 황량함은 제법 논란이 되었던 모양이다. 그럼 그렇지…….

도나텔로의 '막달레나 마리아'가 제작된 것은 1450년대 중반이라고 하는데, 그 시기는 피렌체의 종교적 혼란기였다고 한다. 종교적으로 신, 구세대간의 '약간의 갈등*'이 있었다는데, 그래서 이 조각도 그런 혼란상의 반영이라는 주장이 있다.

(약간의 갈등 : 그런 종교적 갈등은 일반 백성들에겐 아무 상관이 없었다고 해서 내가 그렇게 표현한 것이다.)

한편, 이렇게 바싹 마른 '금욕적 양식'(?, 이렇게 지칭하는 이도 있다)과 유사하게 기괴한 느낌을 주는 작품들이 1460년 이후의 도

나텔로 말년 작품들에 있다는 점도 흥미롭다(예 : 부조로 새긴 '그리스도를 애도함', 역시 피렌체 '산 로렌조' 성당에 있다).

이런 파격을 두고 후세의 미술사가들은 이런 평을 했다.

'미술에 定型을 제시했던 위대한 미술가가 生의 마지막 단계에서 정형을 넘어 개인적인 비전을 펼쳐 보인 것으로 보인다.'

난, 이 말을 모르겠다. 차라리 '천재의 광기' 라고 해야 하지 않을까? 더구나 '평생을 겸손하고 소박하게 지냈다' 고 하는 도나텔로……. 그런 천재의 스트레스가 터진 건 아니었을까?

*2001. 7. 4.*

# 동 행

〈한동안

글을 쓸 수가 없었다. 새해 초부터 '열정' 이니 뭐니 하면서 침을 튀겼더니……. 물론 그게 다 비디오를 잘못 빌려다 본 후유증이었지만……. 진이 빠져버렸나보다. 사실 국가와 민족을 위해 좀 바쁘기도 했었다(안 믿겠지…).

이런 바쁜 와중에도 선뜻 눈에 들어온 책 광고가 있었다. 책제목에 내가 요즘 떠들던 '열정' 이라는 단어가 들어가 있어서 쉬이 눈에 띄었는지도 모르겠다. 작가의 이름이 예전에 천재 작가라는 소리를 들었던 '전x린' 과 비슷하여서 언니/동생인가 생각해보았지만, 연배로 봐서 그럴 리는 없을 것 같았다. 어쨌든 그 여자 작가의 그리 길지 않은 '열정@%$#%' 라는 소설을 사 보았다. 참으로 오랜만에 우리 집에 들어온 '요즘 소설' 이었다.

그 책을 읽고 난 뒤, 난 어리둥절하게 며칠을 보냈다. 당연히 내 '잡글'을 쓸 내공도 모을 수 없었다. 그 책을 읽고 그런 식이나마 반응을 했다는 것은 작가가 글을 잘 썼거나, 내가 아직은 먹통이 되지는 않았다는 뜻일 거다.

내가 어리둥절했던 것은 우선 그 책의 '말'들 때문이었다. '열정…'이라는 소설은 소재가 여성의 性(성, '섹스'라고 하는 것이 더 작가의 의도에 맞을 것 같다)이다. 당연히 섹스에 대한 '말'이 많이 나온다. 그런데 그 '말'들이 내겐 너무나 '글자'들로 보였다. 너무나 거침없어서일까? 천연덕스러워서일까? 다른 사람과 같이 책을 읽고 있는 것도 아닌데, 나는 종종 놀라곤 했었다. 몰래 보던 야한 그림을 들킨 듯이. 쓰는 '글자'가 다른 세대인가?

또 다른 어리둥절함은 '있어 보임직한' 글자들의 지나친 나열 때문이었다. 한 문장을 여러 번 읽어도 무슨 소린지 그저 어리둥절하기만 한 부분이 많았다. 마치 술 취해서 끄적여놓은 내 글을 다음 날 보고 어리둥절하듯이. 너무 현란한 개인기! 리듬이 다른지…….

그런 '여러 다른 여성들의 섹스'에 대한 작품은 많이 있었다. 글도 영화도, 우리나라에도 서양에서도. 또 다시 비슷한 소재의 책을 읽으며 섹스가 사람의 삶에 무엇인가 하는 생각이 들었다. 혹시나, 작가나 극중의 주인공들 같은, 여성들에게는 '무엇'일지도 모르겠다는 생각도 해보았다. 별로 그럴 것 같지는 않았다. 그리고 어리둥절하기는 마찬가지였다.

우리가 너무 사람을 프로이드적으로 잘라보는 것이 아닐까 하는 생각이다. 특히나 '性的 무의식', '섹스의 개인적 history' 라는 잣대를 아무 데나 들이대는 것은 아닐까? 요즘 누구나 '디지털' 을 말하고 동네 개도 '나노~' 하며 울어서, 연속적이고 곡선적인 세상이 잊혀져가고 있지만, 그래도 세상은 언제나 풍성한 살집이 있지 않은가?

우리는 본능과 무의식이라는 메스로 함부로 칼질을 해대는 것이 아닐까? 사람의 삶을…….

사람의 삶이 섹스뿐일까? 사람의 삶이 섹스의 履歷(이력)에 의해서 그토록 지배를 받을까?

(사실 그럴지도 모른다. 요즘 내가 읽는 또 다른 책, super-extra-unusual 한 르네상스 시대의 여류 화가 '아르테미시아' 에 대한 책을 읽으며, 그런 생각을 해보기도 한다. 다 읽고, 정리되면 한번 떠들어볼 생각이다)

아무런 특이한 性履歷이 없는 사람은 행복한 것인가, 불행한 것인가? 한 이성뿐이 모르고 평생을 사는 것이 행복한 것인가, 무지한 것인가? 난 이렇게 어리둥절해서 며칠을 보냈다. 끝내 어리둥절의 답은 못 찾았다. 심지어 작가의 후기에서 이 책이 신문의 연재소설이었다는 것을 알고 '그럼 그렇지…….' 하는 느낌이 들었지만, 그것도 잠시였다(신문연재 소설은 아무래도 구독자를 의식한다). '동시대를 사는 여성의 성에 대한 고민' 을 했다는 것도 어리둥절했다. 그 말대로라면, 지금 30대 후반의 여성들의 성은 그토록 심리적으로 복잡하단 말인가? 단지 하나 '문란하지 않으면서, 형식에 얽매어 단념하지 말기를 바란다' 는 작가의 당부에는 고개가 끄덕거려졌다. 물론 그것이 얼마나 어려운데… 하는 조바심이 있었지만…….

그렇지만 이 책에서 깨달은 것도 있다. 책에도 체질이 있다. 세대도 있고……. 나는 늙었다!〉

* 친한 친구들끼리 기숙사의 한 방을 쓴다든가, 같이 자취를 한다든가 하면 의가 상할 때도 있다고 한다. 물론 당장은 그런 것 같지만, 훗날 돌아보면 그런 동거가 우정에 더 보탬이 된다고 한다. 이런 속설은 어디까지 적용이 가능할까?

* 지난 연말의 학회는 하와이에서 있었다. 다분히 학회 참가자들에게 보상적 휴식의 기회를 주려는 장소 선정이다. 학회의 성공 요인의 첫째는 장소(site)라고 하지 않았던가?

(사람이 공부만 하면서 살 수 있나? 경치도 보고, 때론 비디오도 보면서 살아야지……. 흠…)

이번 학회는 일정도 독특했다. 오전에 학회가 있고 오후에는 일정을 비워놓았다. 대신 다른 학회에서는 일정이 없는 저녁시간에 논문 발표를 잡아놓았다. 이렇게 오전/저녁 일정을 잡은 것은 오후 시간을 개인별로 쓰라는 배려일 것이다.

일반적으로 학회에 아내를 데리고(?) 가면 서로 피곤하다고 한다. 남편은 남편대로 학회 일정 동안 혼자 있는 아내가 신경 쓰이고(나가서 길을 잃어야 하는데……. 여간해서는 밖에 나가려고 하지 않으니, 신경 쓰이지…….), 아내는 아내대로 심심하기만 하다는 것이다. 그래서 산골짜기에서 하는 학회는 거의 지옥이라고 한다.

꼭 그래서 그런 건 아니지만 나도 학회에는 주로 혼자 다니곤 하는데(사실은 돈이 없어서……), 이번 하와이의 학회는 조금 다를 것 같았다. 오후에 학회가 없다면 아내와 같이 있을 수 있으니 아내도 심심치 않을 것 같았다. 그리고 무엇보다 아내는 아직 하와이를 가본 적이 없었다(어쩌다 그렇게 되었는지 모르겠다. 난 내 생각만 하고 아내도 가봤다고 생각했었다). 마침 올해가 결혼 20년이 되기도 하고……. 그래서 아내는 자기 직장의 휴가를 안 쓰고 꼬깃꼬깃 모아서 나의 학회 일정에 맞췄다. 나는 돈을 모으고.

잘난 남편과의 동행! ㅋㅋ……. 비록 그것이 학회지만……. 멋지지 않은가? 조각품과의 여행!

이번만큼은 아주 편안하게……. 집에 두고 가는 아이들 걱정은 접어놓고……. 연애하듯이……. 그렇게 여행을 하자고 다짐을 하였다. 아내와 둘만의 여행이 얼마만인가?

〈D-n〉

여행은 언제나 계획잡을 때와 돌아와서 사진 볼 때가 제일 좋다고들 한다. 꼭 그 말 때문은 아니지만 즐거운 여행은 '바람잡기' 에서 시작된다는 나의 평소의 지론에 따라 나는 아내를 상대로 분위기를 잡아나갔다.

사실 이번에는 혼자 또는 동료들과 가는 여느 출장이나 여행보다 훨씬 더 신경이 쓰였다. 오랜만에 '예쁜 후배' 와 둘이만 가는 거라 그렇기도 했지만, 여행 일정에 조금이라도 차질이 생긴다면 아내 앞에서 그 무슨 쪼팔림이겠는가? 최소한 여행 일정과 地圖 보는 것만큼은 틀리고 싶지 않은 내 지랄 같은 성격에다 간만에 '예쁜 후배', '허니'를 모시고 간다 생각하니 중압감마저 더 했다. 으~~ 쓰레투스~~

준비를 철저하게 한다고 했다. 숙소로 쓸 콘도도 여러 군데를 알아봤다. 위치, 전망 등등……. 렌터카도 여러 후보를 놓고 숙고했다. 숙소, 일정……. 도표를 그리고 고치고……. 그리고도 double-check, cross-check(우리 허니는 서방을 잘 만났다. 단지 인물만 좋은 게 아니다).

분위기 띄우던 그 즈음.

나 : (어깨 힘 팍 주고) 허니, 차는 뭘로 빌릴까?

아내 : (날 쳐다보지도 않고) 젤 싼 걸로 빌려. 둘뿐인데 큰 게 뭐 필요 해…….

나 : (아~ 김 새!)……. 허니, 이번에는 말야, 너무 돈 신경 쓰지 말고…….

아내 : 어디 돈 나올 데 있어?(갑자기 나를 똑바로 보며) 있구나, 그치?

나 : 아, 아니, 그런 건 아니지만……(무슨 말을 못하겠네……). 간만에 허니랑 둘이만 가는 거니까.

아내 : (마치 마지못해 가준다는 표정으로) 으응~ 그럼 알아서 빌려.

(약간 아니꼽고 치사하다는 느낌이 들었지만, 그냥 들고 있던 볼펜으로 허벅지를 콱 찔렀다. 참아야 하느니라……. 아무렴!)

나 : 응, 나한테 맡겨! 싸고도 좋은 걸로 빌릴께(싸고 좋은 게 어디 있나?).

〈D-n+1〉

( {D-(n-1)} = (D-n+1)이게 이해가 안되면 여기서 '한담'을 끊는 게 좋겠다. 인터넷까지…….)

다시 또 분위기를 띄운다. 이게 다 즐거운 여행을 위한 정지작업이다.

나 : 허니, Convertible을 빌릴까? 4WD를 빌릴까?

허니 : (역시 또 나를 보지도 않고) 4WD? 그건 왜?

나 : 보통 차는 못 가는 험로가 있거든. 그런 데를 꼭 한번 가봐야 하는데…….

아내 : 에이, 점잖치 못하게시리……. 그냥 평범하게 빌려.

아내는 찝차 타는 사람들을 우습게 본다. 점잖치 못하단다(나도 약간은 동감이다. 특히 찝차 광내는 사람은 참 이상하다. 사실 찝차는 동서울터미널까지만 들어오게 해야 한다. country용이니까). 아내는 tough한 척하는 걸 싫어한다. 그런데 왜 靈長類(영장류) 닮은 댄스가수 P는 좋아하는지 모르겠다. 내 보긴 거의 짐승이던데…….

아무래도 찝차는 포기해야겠다. 괜찮다. 값은 마찬가지니까.

〈D-n+2〉

나 : 허니, convertible로 빌렸어.

아내 : (역시 쳐다보지도 않고) 잘했어…….

나 : (오잉?! 진짠가?) 그런데 그건 you pay 야.

아내 : (화들짝 놀라며) 뭬이야? 그런 게 어딨어?

나 : (그럼 그렇지…….) 허니도 동참해야 소속감도 느끼고…… (난 왜 아내 앞에선 말이 안될까?).

아내 : 그럼, 나 안 가!(헉! 아직도 연애 때의 기백이 살아있구나.) 절대 못 내! 절대로!

나 : (깨갱…) 알…았…어…. 내 어찌 변통해 볼게(우…씨…).

다시 분위기를 띄우기 위해 난 하와이 제도에 대한 강의를 시작했다.

나 : 하와이는 북쪽 섬부터 나이를 많이 먹었다는 거야. 북쪽 섬들은 삐죽삐죽하고……. 남쪽 섬들은 좀 두루뭉실하고, 지금도 커지고 있고……. 동쪽 사면은 늘 비가 오고, 그 바람에 서쪽은 늘 건조하고, 어쩌고저쩌고…….

그런데 아까부터 가끔씩 들리던 '응' 소리가 없어졌다. 보니 아내는 자고 있다. 얼마나 피곤했으면……. 잘 자라~ 우리 허니…….(자장가 곡조가 괜히 슬프다.)

〈D-2〉

아내 : 그런데 패션이 정리가 안 되네. 거기 지금 어때? 막 더워?

둘리 : (딴에는 가봤다고 약간의 폼을 잡으며) 거기 추워.

아내 : (아니꼽다는 눈치가 휙~) 거짓말 마! 열대지방이 왜 추워?

나 : 아냐, 추워…….

아내 : (나랑 둘리를 아려본다) 그럼 어떻게 하지?

그 날 저녁 우리는 온 방에 사계절 옷을 다 늘어놓고 새로 정리했다.

〈D-1〉

짐을 싸기가 싫다. 아내도 마냥 태평이다. 아무래도 내가 분위기를 잘못 띄웠나보다. 오늘 정도면 아내는 광분해야 하는 것이 아닌가? 그런데 아내는 까르푸 가는 정도도 준비를 안 한다. 어떻게 저

리 태평일까?

(나중에 알고보니 자식을 데리고 가는 것과 아닌 것의 차이였다. 남편이란 존재는 세월이 가면서 그렇게 껍데기가 되어간다. 아내 자신도 또한 박제가 되어가고……. 어느 외계의 별에서 '동물의 왕국' 이라는 프로를 할 때 이런 우리 '지구 동물 부부' 의 자식을 위한 눈물겨운 희생도 보여줄까?

사는 게 뭔지…….)

*2002. 1. 30.*

# Human Maria

(1)

〈내가

'동행(同行)' 이란 글을 쓰는 것은 가장 가까운 사람과의 동행이 얼마나 어려운 일인가를 말하고 싶어서였다. 내 주변엔 성질 드러븐 사람만 있어서인지 몰라도 부부가 함께 여행을 하면서 마냥 즐겁고 꿈만 같았다는 커플을 본 적이 없다. 금실 좋다고 소문난 부부도 마찬가지다. 심지어 그 정신없는 신혼여행에서도 싸웠다는 커플도 보았다. 우리도…….

같이 사는 것과 같이 다닌다는 것은 정말로 다르다.

내가 아내와 함께 가장 오래 여행한 것은 미국 서부를 20일 정도 돌아다녔을 때였다. 물론 애들도 함께였지만, 어린애들이었으니까 의사 결정은 나와 아내가 하면서 여행을 했었다. 거의 대부분을 캠프장에서 텐트를 치고 잤고, 심할 때는 하루에 15시간을 운전하는 강행군이었기 때문에 신체적 피로도 심했었지만, 정작 피곤했던 것은 사소한 것으로 서로 마음 상하는 일이었다. 아내는 불같이 성질 내고 싸우는 성격이 아니다. 대신 잘 삐친다. 성격이 예민한 탓이다. 우리는 하루에도 몇 번씩 삐치고 금방 다시 풀어져서 헤헤거리고……. 그렇게 미국 서부를 휘젓고 다녔었다. 아마 남들이 봤으면 '조울증 부부' 인 줄 알았을거다.

부부가 여행할 때 싸우는 이유 가운데 큰 것이 '지도 보기' 다. 남편이 운전하고, 아내가 지도를 보게 되면 십중팔구 아니 백발백중 싸운다. 그런 경험을 한 커플을 난 숱하게 봤다.

(반대로 아내가 운전하고 남편이 지도를 보면 → 거의 이혼 직전까지 간다. 피곤해도 남편이 운전해야 그나마 가정을 지킬 수 있다.)

어느 책에선가 여자는 원래 지도를 읽는 능력이 남자보다 떨어진다고 했다. 그럴지도 모른다. 그러나 지리는 운전하는 사람이 숙지해야 편한 법이다. 옆자리에 앉아서 세상 구경하다가 갑자기 '어느 길로 가야 돼?' 하는 소릴 듣고 지도를 본들 어떻게 금방 찾겠나? 우선 자기 위치부터 어딘지 모르는데. 게다가 남편이 물어볼 때는 갈림길에서 기껏해야 2~3마일 전방이니 조금만 버벅대면 엉뚱한 길로 가기 십상이다. 그럼 대뜸 나오는 말이 있다.

"지도도 못봐?"

마치 '글씨도 못 읽어?' 하는 소리 같지 않은가? 자존심에 상처, 마음에 상처……. 다신 이 못된 서방이랑 여행 다니나봐라 하는 생각이 나게 마련이다.

(아내가 운전하는 경우는 아예 거론하지 않겠다. 이혼으로 가는 지름길!)

LA 같은 미국 대도시 도시고속도로에 들어서면 상황은 더 한심해진다. 길은 무지하게 넓은데 나가는 exit은 오른쪽, 왼쪽, 심지어 가운데……. 제한속도는 높아 차들은 미친 듯이 달리고……. 이 대목에서 지도를 놓치면 초행인 사람은 여행계획을 바꿔야 한다. 그래서 처음 이런 길에 들어서려면 운전하는 사람이 미리 지도를 딸딸 외우는 것이 속 편하다. 공연히 옆자리의 navigator 에게 신경질 내봐야 여행 분위기만 깨게 마련이니까.

부부가 함께 여행을 하다보면 싱갱이할 일이 숱하다. 오히려 남과 같이 다닐 때보다 더 힘들 때도 많다. 그만큼 허물없는 사이이기 때문에 그럴 것이다. 그러나 그런 '동행의 역경(?)' 이 지나면 더욱 친밀해지기 때문에 또 다시 기꺼이 '동행' 하는 것이다. 그렇게 티택대다가 헤헤대면서, 그러면서 마치 오래된 친구 같아지는 것……. 그것이 부부 아니겠는가?

지난번 여행은 아내와의 동행이었지만, 이번의 여행은 혼자만의 여행이었다. 물론 초반에는 다른 일행들이 있었지만 내가 거론하는 '동행' 이나 '독행(獨行)' 은 아내와의 일이니 타인은 없는 것으로 쳐도 무방하겠다. '동행' 도 '독행' 도 나름대로 독특한 맛이 있

다. 그래서 두 이야기를 함께 지껄이려고 한다. 가려서 읽는 것은 손님들의 몫이다.〉

* 지중해 연안의 남쪽 지방으로 내려오니 비로소 봄이었다. 처음 이스탄불에 내렸을 때 비가 내리고 추웠다. 나는 그것이 흔한 봄비와 꽃샘추위인 줄 알았다. 그러나 정신 못 차리게 추운 그 날씨가 요즘(3월 말)의 터키 날씨라는 것을 알고 나니 기가 막혔다. 여행 중 만난 영국 아줌마는 '런던보다 더 춥다' 고 했고, 뒤셀도르프에서 온 할머니는 '독일보다 추운 나라가 다 있네' 라고 하였다. 게다가 난 이집트 여행에 맞춰서 옷을 가져갔으니……. 이집트와 터키를 같은 시기에 여행한다는 것이 얼마나 바보 같은지를 절실히 깨달았다.

지중해 연안은 확실히 봄이었으나 비가 내리는 것은 마찬가지였다. 창 밖으로 꽤 굵은 봄비를 멍하니 바라보고 있다가 문득 내가 탄 미니버스가 산길을 구비구비 오르고 있다는 것을 깨달았다. 어라? 차는 꽤 높은 곳을 올라가고 있지 않은가? 밑으로는 hair-pin 모양의 전형적 산길이 보였다. 해발 450미터 정도라고 하던데 왜 이리 높을까? 출발지가 거의 해수면이라 그런지도 모르겠다.

정상인 듯한 곳에서 약간을 내려가니 그동안 보았던 풍광과 사뭇 다른 모습의 주차장이 나타났다. 울창한 숲, 비 속에서도 아주 명료한 새소리들, 그리고 무엇보다 나를 주춤하게 만든 것은 '적막함' 이었다. 적막……. 드디어 나는 '성모 마리아의 집' 에 온 것이다.

성모 마리아. Virgin Mary. 평생 동정이신 성모 마리아.

여기서 마리아가 평생 동정이었는지 아닌지, 예수의 동생이라고 거론되는 4 남동생과 2 이상의 여동생이 친동생들인지 이복동생인지, 아니면 친척인지 하는 그런 것들을 왈가왈부하고 싶지는 않다(형제를 나타내는 말 '아델포스' 는 이복동생이라는 뜻도 있다고 한다).

오늘만큼은 '인간 마리아' 를 생각해보고 싶다.

내가 찾아간 그 '마리아의 집' 이라는 곳은 예수가 죽음을 당하고 난 후 마리아가 여생을 보냈다고 알려진 곳이다. 예수는 죽음에 임박해서 '사도 요한' 에게 자신의 어머니 마리아를 부탁한다(요한 19:26). 예수가 죽고 난 후 예루살렘에서 살 수 없게 된 마리아는 (정치적, 종교적 이유였을 것이다. 신변의 위협을 느꼈을 것이고) 요한과 함께 피신을 한다. 사막을 건너 지금의 터키 땅인 에페스(Efes, 영어로는 에페소스, 신약성서 에베소서는 사도 바오로가 이 에페스 지방의 교인들에게 보낸 편지이다)까지 피난해온 것이었다. 그러나 이곳 에페스도 그때는 역시 로마의 지배에 있었기 때문에 결코 안전하다고 할 수 없었다. 결국 마리아는 에페스라는 도회지에 살지를 못하고 그 인근의 산 속에 혼자 살았다고 한다. 지금은 차로 금방 갈 수 있는 거리지만 당시에는 제법 접근하기 어려웠을 것 같았다.

당시 에페스인들은 여신 아르테미스를 숭배하고 있었다. 젖(유방이라고 하는 것이 더 점잖은가? 하여간 '통' 자만 안 붙여도 제법 점잖다)이 아주 많이 달린 풍요와 수렵의 여신인 아르테미스는 그 지방의 토속신과 결부되어 어느새 에페스의 유일신이 되어 있었다. 이렇게 '유일신 아르테미스' 를 믿는 이 에페스인들에게 마리아는 그렇게 존경의 대상이질 못했을 것이다. 마리아는 그곳 산 속에서 9년을 더 살다가 63인지 64세에 죽었다('돌아가셨다' 고 해야 하겠지만 오늘은 인간 마리아를 거론하는 것이라 일부러 이렇게 쓴다).

Annunciation. 수태고지(受胎告知).

나는 처음에 '수태고지' 란 말을 듣고 무슨 세금 고지서 이야기인 줄 알았다. 이게 다 한자를 그냥 한글로 써서 생기는 문제다(한자를 가르쳐야 하는데……. 아직도 한자 배우는 것을 민족의 자존심에 결부시키는 ㄴ들이 있으니…….)

유럽 문화에 정통하다는 어느 노학자는 그의 책에서 유럽문화의 뿌리와 근거로 '비너스의 탄생' 과 이 '수태고지' 를 들었다(책 이름은 말 못한다. 선전이 될까봐. 필요한 사람은 메일을 주면 알려주겠다). 비너스의 탄생은 헬레니즘을, '수태고지' 는 그리스도교를 말한 것일 게다. 그만큼 서방세계에 미친 그리스도교의 영향은 큰 것이다.

그리스도교의 성립은 절대적으로 '예수' 와 관계된다. 그러니 예수의 탄생에 관련하여 일어난 첫째 사건인 이 '수태고지' 는 정말로 중요한 사건인 것이다.

(그래서 후대의 수많은 화가들이 '수태고지'를 그렸다. 그 중에도 '프라안젤리코'가 그린 수태고지가 유명하다. 피렌체에 가면 이 그림은 꼭 봐야 한다.)

(다들 알겠지만) '수태고지'란 大천사 가브리엘이 마리아에게 찾아와 아기를 가졌음을 알리는 것을 말한다. 당연히 마리아는 놀란다. 아무리 율법이 엄했던 시절이지만, 아기가 어떻게 생기는지 정도의 생물학적 지식은 가지고 있었던 마리아는 화들짝 놀란다. 조금 왈가닥 같은 여자였으면 가브리엘 천사의 뺨이라도 때렸을 게다. '이게 어디서 수작야?' 하면서.

이 '수태고지'는 그리스도교를 믿는 사람들에게는 일대 사건이지만 마리아에게는 기구한 운명의 시작이었다.

그때 마리아는 목수 요셉과 정혼을 한 상태였다. 아마 돈이 없어서 조금 시간을 두고 돈을 모으고 있었는지도 모르겠다(현재 이집트에서도 이런다고 한다. 정혼을 하고는 돈을 모은단다. 그래도 회교국 중에서는 개방된 나라라 여자도 같이 번다고 한다).

단정한 요셉, 조신한 마리아는 정혼을 한 상태지만 손 한번 잡아본 적이 없었다. 참으로 착한 젊은이들이 아닌가? 이렇게 착한 마리아에게 웬 날개 달린 선수가 하나 나타나서는 '너 임신했다'고 하니 얼마나 황당했을 것인가? 아버지가 알면 발모가지 부러질 일이 아닌가?

마리아는 걱정에 빠졌다. 그래서 늙어서 애를 가진 사촌(또는 친척) 엘리자벳을 찾아가 위로를 받는다. 마리아와 엘리자벳, 이 두 임신녀들이 주고받는 대화 내용은 다분히 마리아가 성령으로 임신했다는 것을 강조하기 위한 것으로 보인다. 「용비어천가」와 비슷한 것이다.

임신 사실을 안 마리아에 대해 현재의 그리스도교(가톨릭이건 정교회건, 개신교이건)에는 없는 이야기가 있다. 초기 교회 시절에는 그리스도와 관련된 많은 내용들이 구전되어 전승되었는데, 이런 '설' 들은 여러 번의 공의회를 거치며 정리가 되었다. 그때 제외된 이야기들을 apocrypha, 그리스말로 apokryphos 라고 부른다.

마리아에 관련한 apocrypha에 있는 내용 가운데 이런 것이 있다.

날개 달린 선수에게서 자신의 임신 사실을 알게 된 마리아는 몹시 당황하였다. 그래서 마리아는 사제를 찾아간다. 가서 자신이 겪었던 일을 고백하자 사제는 '신비의 물' 을 먹인다. 거짓말을 한 사람이 이 물을 먹으면 어떤 일이 일어난다는 것이다(무슨 일이 일어나는지는 모르겠다). 마리아가 이물을 먹고도 아무 일이 일어나지 않자 마리아의 처녀성이 증명되었다는 내용이다. 이 구전이 정식 성경에 포함되지 않은 것은 아마 마리아가 의심을 가졌었다는 것을 후세 신학자들이 인정하지 않으려 했기 때문일 것이다.

이 apocrypha의 내용이 터키 중부, '괴레메' 에 있는 석굴교회에 프레스코로 그려져 있었다. 그 교회들은 석회암 산에 굴을 파서 지어졌는데 그 내부에 그려진 그림은 fresco 그림의 원조격이라고 한다. Fresco화들은 석굴교회 내부의 천장을 장식했는데 성경과 관련된 중요한 내용이 video 같이 장면 장면 그려져 있었다. 마리아가 엘리자벳을 만나 '여인 중에 복되시다' 라는 찬사를 받는 장면의 옆에 있는 그림이 바로 사제가 마리아에게 '거짓말 탐지약' 을 먹이는 장면이었다. 나는 생전 처음 본 그 그림의 내용에 잠시 당황했었다. 그러나, 이 얼마나 인간적인 이야기인가?

마리아는 갑자기 나타난 날개 달린 선수에게서 '너 임신했다' 는 이야기를 듣고 어떻게 그런 일이 있을 수 있느냐고 되물었다. 그러자 '날개맨' 은 마리아에게 '네 사촌 엘리자벳을 봐라. 이미 폐경이 되어버린 늙은 여인이 지금 임신 6개월이다. 그러니 네가 임신한 것이 전혀 불가능한 것이 아니다.' 하면서 설득을 하였다.

'날개맨' 이 가고 난 후에 마리아는 고민에 빠진다. 아무래도 그의 말이 믿어지지 않았다. 정말로 그 날개맨이 천사일까? 한 번도 천사의 실물을 본 적이 없으니 믿을 수가 있나? 그리고 어떻게 남자와 손목 한 번 안 잡았는데 임신을 할 수 있을까? 혹시……. 내가 아주 곤하게 자는 동안에 성폭행을 당한 것은 아닐까? 정혼자 요셉씨는 이걸 이해해줄까? 마을사람들은 뭐라고 할까? 아버지가 알면 머리를 다 뽑힐 테지……. 아~

결국 걱정에 휩싸인 마리아는 날개맨이 이야기한 엘리사벳을 찾아가 폐경이 된 그녀의 임신을 확인한다. 그러나 그런 기적(?)을 보

그림 1, 2　터키 '괴레메' 자연박물관 내에 있는 석굴교회 중 하나인 Tokali교회의 천장에 있는 프레스코 그림. 이 두 그림은 연결된 그림인데 사진이 중간 부분에서 끊겼다. [그림 1] 왼쪽부터 〈수태고지〉, 〈엘리자벳을 방문함〉, 〈처녀성의 증명〉, 〈베들레헴으로의 여행〉, 〈Nativity: 주의 탄생〉가 차례대로 그려져 있다. [그림 1]의 끝부분과 [그림 2]의 앞부분이 바로 약을 마시는 〈처녀성의 증명〉 부분이다

았어도 그녀의 걱정은 사라지지 않았다. 결국 그녀는 사제를 찾아가 그녀에게 일어난 일을 털어놓고 도움을 청한다. 이걸 보면 그녀는 정말 동정녀였다. 두려움 없이 사제를 찾아갔고, 그 약을 마신 걸 보면…….(그림 1, 2)

*2002. 4. 10.*

(2)

〈여행을

다녀오면 뭔가를 쓰고 싶다. 그런 걸 요구하는 손님들도 있고.

(예전엔 글만 읽고 가던 손님들이 이젠 글을 주문하기도 한다. 조금 이상하게 흘러가는 것 같기도 하다.)

그런데 경치나 모습이 어떻다는 것은 이미 수많은 선행자들이 다 기록을 해놓았다. 여행지의 사람들과 풍습에 대한 것도 마찬가지이다. 내가 여행담을 써봐야 그들의 전문적인 글재주를 따라갈 수도 없을 것이다. 또 내가 여행에서 느끼는 것들은 당연히 그들과 다르기 때문에 그런 식으로 쓰기도 힘들다. 그래서 난 그냥 나대로, 잡글로, 느낀 것을 적으려 한다.

터키 중부의 콘야(Konya)라는 동네에 이슬람 신비주의 교단인 '수피' 교도의 성전이 있다. 수피란 그 교도들이 입었던 풍성한 옷을 말한다고 한다. 그들의 의식 때 추는 춤이 매우 아름답다고 한다. 흰 치마 같은 것을 입고 1분에 60회전을 하는 그 춤은 여럿이 도는 데도 서로 부딪치지도 않는다고 한다. 몰아지경에 이르러야 출 수 있는 춤이다. 지금은 교단이 폐쇄가 되어서 그 아름다운 춤도 매년 12월에 열리는 정기공연에 방문해야 제대로 볼 수 있다고 한다. 그 '수피'의 창시자인 賢者 메블라나(메블라+나: 나의 스승)가 사람들에게 주었던 충고 7가지 가운데 마지막이 'Either exist as you are or be as you look'이다. 한 마디로 'Be yourself!'란 말이다.

맞다! 그 말대로 나는 나대로 여행기를 쓴다(잘났다! 현자까지 끌어다 대고…….)》

* 정혼자 요셉은 마리아에게서 이 사실을 듣고 믿지 않는다. 당연했을 거다. 약혼녀가 갑자기 찾아와서, 자기가 임신을 했는데 이건 성령으로 임신한 거라고 했을 때 그걸 믿을 남자가 어디 있을까? 아무리 종교의 시대이고 율법의 시대이지만 생전 천사라는 걸 본 적도 없고 성령은 더더욱 본적이 없는데, 무슨 봉창 두드리는 소린가 했을 것이다. 저 여자가 어디서 나쁜 짓을 하고는 날개맨, 성령 타령인가 했을지도 모른다. 요셉은 가증스럽고 기가 막혔지만 그냥 소문내지 않고 조용히 파혼하기로 한다(마태오 1:18-25).

(이걸 근거로 후세에서는 '요셉은 의로운 사람'이라고 여겼다).

그런 점잖은 요셉에게 다시 사건의 원흉인 날개맨이 꿈에 나타났다. 날개맨은 예의 성령 타령을 하며 요셉에게 찍소리 말고 결혼할 것을 강요한다. 워낙 생생한 꿈이라 요셉은 마지못해 같이 살기로 했는데……. 어찌 두 사람의 관계가 예전 같을 수 있었겠는가?

같이 살기로 한 후에도 요셉은 계속 상황을 이해하지 못한다. 비록 꿈에 천사를 만나 자초지종을 듣고, 심지어 아기의 이름까지 작명해 받았지만 아직도 그는 이해가 가지 않았다.

[그림 2] 맨 오른쪽에 앉아 있는 요셉의 모습이 있다. 잘려 안 나타난 그림의 더 오른쪽 부분에는 예수가 마굿간에서 태어난 모습이 그려져 있었다. 사진이 잘렸다. 그런데 예수의 생애를 장면/장면 그린 많은 교회 그림 중에는 이 프레스코 그림과 같이 마리아가 갓 태어난 아기 예수를 안고 있고, 조금 옆에는 요셉이 식구들을 등지고 돌아앉아서 고민을 하고 있는 모습이 많이 보인다. 손으로 턱을 괴고, 고개를 약간 삐딱하게 돌리고 마리아와 아기를 등지고 앉아서 고민을 하는 요셉의 모습. 그는 예수가 태어났을 때도 사태를 전혀 이해하지 못했고 받아들이지 못했다는 뜻이다. 아마 요셉은 매우 과학적인 사고 방식을 가지고 있었던 듯하다.

같이 사는 남편조차 이해해주지 못하는 아기의 임신과 탄생. 남편이 이런데 동네 사람들은 오죽했을까……. 그들은 마리아와 그 이상한 사생아 예수를 손가락질했을 것이다. 이 그림만 봐도 마리아가 얼마나 힘들게 살았었는지 미루어 짐작이 간다.

성경에는 요셉이 별로 많이 등장하지 않는다. 헤로데의 광기 어린 학살을 피해 갓난아기를 데리고 이집트로 피난 가는 장면(마태오 2: 13-23), 돌아오는 장면, 12살 예수를 데리고 예루살렘의 성전을 순례하는 모습(마태오 4:41-52) 등에서 잠시 나타나지만 어디에도 부자간의 친밀함을 보여주는 대목은 없다. 그리고 예수의 공생활이 시작된 후에는 요셉은 전혀 거론되지 않는다. 물론 성경이 예수의 행적 위주로 기록된 것이니 그럴 수도 있겠지만, 학자들은 요셉이 예수의 공생활 시작 이전에 죽은 것으로 해석하기도 한다. 어쨌든 요셉은 호적상의 아버지였지만, 그가 예수의 탄생과 마리아에 대해 완전한 이해를 했다고 보여지지는 않는다. 그러니 마리아는 참으로 힘든 생활을 했을 것이다.

예수는 드디어 공생활을 시작한다. 공생활의 처음에는 예수의 동생들(친동생인지 이복인지 모르지만……)조차도 미쳤다고 했다. 물론 훗날 '야고보서'와 '유다서'를 쓴 두 동생 야고보와 유다는 나중에 형 예수를 믿게 되지만 처음에는 형이 미쳤다고 생각했다. 그러니 어머니 마리아의 마음은 어떠했겠는가? 사람들의 의혹과 손가락질을 받으며, 남편조차 이해해 주지 않는 상태에서 첫 자식인 예수를 남다른 감정으로 키웠을 것이 아닌가? 더욱 남달랐을 거다. 그런 특별한 첫 자식이 미친 짓을 하고 다니니…….

동생들마저도 미쳤다고 했을 정도니 동네 사람들은 오죽했겠는가? 저 이상한 사생아란 놈이 드디어 사고를 치는구나 했을 것이다. 그때 오죽 동네 사람들이 안 먹어주었으면 예수는 '선지자는 자기 고향에서 대접받지 못한다(마태오 13:57)' 라고까지 했다.

이후 마리아는 예수를 계속 지켜보며 조바심을 내야 했다. 어쩐지 위태해 보이는 아들의 행동. 결국 예수는 잡혀서 산 채로 십자가에 못 박힌다. 그냥 태어난 자식이라도 어미의 가슴은 찢어질 텐데, 황당한 사건, 수없는 역경과 몰이해를 이겨내며 키운 자식이 산 채로 못 박히는 모습을 보면서 마리아는 어떠했을까? 못질은 마리아의 가슴에 한 것이나 마찬가지였을 것이다.

[그림 3]은 로마의 성베드로 성당에 있는 미켈란젤로의 걸작 조각 '피에타' 이다. 죽은 예수를 안고 있는 마리아의 모습을 조각한 것으로 '피에타 Pieta' 란 '자비를 베푸소서' 라는 뜻이다. 마리아가 (종교적인 이유로) 너무 젊게 묘사되었지만, 완벽한 조형미와 균형을 보여주는 참으로 대단한 걸작이다. 미켈란젤로가 이 조각을 25

그림 3

세 때 만들었다고 하니 그는 정말 천재였던 모양이다. 이 작품을 어느 미친놈이 망치로 부수려고 했던 일이 있어서 지금은 유리 상자에 넣어 보여주는데, 그런데도 보는 이를 멍하게 만드는 아름다운 조각이다. 갑자기 이 조각의 사진을 싣는 이유는 이 조각의 마리아의 모습이 너무나 처연하기 때문이다. 이 조각의 마리아를 한참 바라보면 그녀의 슬픔이 느껴진다. 아무리 로마 관광 시간이 모자라도 이 조각 앞에서는 시간을 잊어버릴 필요가 있다.

날개 달린 선수, 가브리엘을 만난 후 33년. 그 애끓는 삶을 살았던 마리아는 아들의 죽음 이후에 다시 피난생활을 해야 한다. 일부 신학자들은 하느님이 마리아에게 안전한 삶터를 만들어 주신 것이라고 해석하기도 하는데, 아무래도 그런 주장은 억지춘향인 것 같다. 안전하면 뭐하나? 어쨌든 타향이 아닌가? 지금이야 비행기로 한 시간 거리지만 그때는 예루살렘에서 에페스가 얼마나 먼길이었을까? 그 길을 사도 요한에 이끌려 피난을 가서, 사람들 많이 사는 마을에도 못 살고, 산 속에 홀로 살며 여생을 보냈을 마리아. 그녀는 그 산 속의 집에서 무슨 생각을 했을까? 주를 찬미했을까? 자신에게 일어난 기구한 일들에 가슴을 쥐어뜯지는 않았을까?

아주 작은 건물(?, 기념관?)인 그 마리아의 집을 들어서며 난 공연히 코가 찡해졌다. 이 무슨 변고일까? 아내가 공인한 '양아치 신자' 인 내가 무슨 신앙심으로 그곳에서 코가 찡해졌을까? 마리아의 힘들었을 삶이 먼저 느껴진 것일까? 주의 어머니로 공경을 받는 영광된 마리아보다 갑자기 뒤죽박죽되어버린, 몰이해와 멸시의 삶을 살았을 마리아의 고단함이 다가왔음일까?

봄비와 새소리, 평온하기는 하지만 외로웠을 그 집터를 돌아보며 인간 마리아의 말년의 쓸쓸함을 보았다. 그리고 그녀의 평온을 위해 성호를 그었다. 마리아…….

〈그러나 난 집안에서 초에 불을 붙이고 기원을 할 때 지극히 세속적인 바람만 늘어놓았다. 건물 밑에 있는 마리아가 드셨다는 물을(지금은 수도로 바뀌었다) 마시면서도 세속적 소망만 원했다. 나는 구제불능인가보다.〉

## 부 록

마리아가 이곳 에페스 남쪽의 산에 살았다는 것을 후대의 사람들이 알고는 에페스시 끝머리에 큰 성당을 짓는다. 그 성당은 지금은 폐허만 남아 있지만 에페스에서의 그리스도교의 발원지로 취급받는다(물론 성 요한의 무덤 위에 지은 성 요한 성당도 에페스에 있는데 그래도 마리아의 성당을 발원지로 취급한다고 한다). 그리고 마리아의 집도 그녀를 기리기 위해 9세기경에 작은 성당으로 바뀌었었다고 한다.

431년 에페스 공의회에서 마리아가 '신의 어머니' 임을 확인하면서 참석한 교부들은 마리아가 에페스에 살았었다는 것을 인정하였다. 또한 사도 요한도 자신이 쓴 복음서에서 '그분을 자기가 모셨다(요한 19:27)' 고 했다. 그럼에도 많은 신학자들은 마리아의 말년 거주지를 놓고 이견을 보였던 모양이다. 한 의견은 마리아가 말년을 예루살렘에서 보냈다고 하였고, 다른 의견에서는 에페스에서 말년을 보냈다고 하였다. 에페스에서 말년을 보내고, 거기서 돌아가셨다는 주장이 여러 신학자들에 의해 계속되었지만 증명이 되지 않았었다.

19세기 독일의 수녀 카타리네 엠머리히(Catherine Emmerich, 1774~1824)에게는 가끔 기적 같은 일이 일어나곤 했다. 손에 예수의 십자가 못 박힌 상흔이 나타나고, 피가 흘러내리기도 했다. 이 수녀는 전신마비 증세로 말년을 누워지냈는데, 가끔씩 의식을 잃으면 마리아가 말년에 살았던 곳과 그 무덤이 보인다고 하였다. 이러한 환상의 체험을 독일의 시인인 브렌타노(Clemens Maria Brentano)가 받아 적어서 1852년 『동정 마리아의 생애』라는 책을 펴냈다. 당연히 이 책에는 엠머리히 수녀가 환상에서 본 마리아의 집과 그 주변의 모습이 소상하게 기록되어 있었다. 1878년 이 책의 프랑스어 판이 출간되었는데, 이 책을 본 나자렛 수도회 소속의 Poulin과 Young이라는 두 신부가 1892년 에페스를 방문하여 책에 묘사된 곳을 찾아다녔다고 한다.

유적을 찾기는 쉽지 않았다. 아무리 해도 그 흔적을 못 찾은 그들이 그 근처의 주민에게 '마리아의 집' 에 대해서 물었더니, 주민은 '마리아의 집에 대해선 모르고 교회가 있었던 곳이 산 속에 있다'

고 알려주었다고 한다. 결국 그들은 그곳에서 지붕은 없어지고 벽만 남은 폐허의 건물을 발견한다. 벽난로의 재도 있었다고 한다. 지금의 건물은 1950년에 그 벽의 폐허 위에 새로 붙여지은 것인데, 너무 예스럽게 이어 만들어서 그런지 어디서부터 새로 지은 벽인지 구별을 할 수 없을 정도였다.

그 집터를 발견한 이듬해에 '이즈미르(에페스에서 가까운 터키의 대도시)' 대교구의 대주교가 이곳에서 미사를 드림으로써 세상에 집의 존재가 널리 알려지게 되었고, 순례자들이 모여들기 시작했다. 그 후 많은 교황들이 이곳을 방문했는데, 드디어 1961년 교황 요한 23세는 그 집에서 정기적으로 전례를 거행하는 것을 허락하면서 이곳을 가톨릭 교회의 성지로 선포하였다.

독일 수녀가 환상에서 보았던, 집에서 500미터쯤 떨어진 곳에 있다던, 마리아의 무덤은 결국 발견하지 못하였다. 이 무덤은 그리스도교 신자들뿐 아니라 이슬람교 신도들에게도 아주 큰 관심거리였다고 한다. 이슬람도 마리아를 아주 공경하기 때문이라고 한다. 그들의 경전인 쿠란(Quran)의 많은 Surah(chapter)에 마리아가 예수를 낳은 것이 기록되어 있고 그래서 그들도 마리아를 깊이 공경한다는 것이다.

〈인간 마리아의 기구하고 슬픈 생애를 거론하려 했었는데, 이야기가 엉뚱하게 고고학 이야기같이 되어버렸다. 내 큰 고질이다. 반

성하고 있다. 그래도 재미있지 않은가? (나만 재미있나?) 하는 김에 한마디 더!〉

마리아가 에페스에 살았을 당시에 사도 바오로도 에페스를 지나다닌다. 심지어 그곳에서 패싸움을 벌인 일도 있다. 에페스의 대형 극장(2만 4천명을 수용할 수 있는)에서 '바오로 선생 초청 특별 강연회' 를 개최하려고 하자 아르테미스 신의 상(像)을 만들어 팔던 '드미트리' 라는 장사치가 사람들을 선동해서 강연회를 깽판 놓고 패싸움이 벌어졌다. 그리스도교가 널리 퍼지면 아르테미스 조각상이 덜 팔려 수입이 줄어들까봐 그랬다나……(그리스도 조각상을 만들어 팔면 될텐데……). 이 패싸움 때문에 바오로는 추방을 당하기도 한다.

이 에페스를 지나다니던 바오로는 마리아가 그곳에 살고 있다는 것도 알았다고 추정된다. 그런데 한 번도 찾아뵌 적이 없다는 설이다. 물론 바오로야 예수의 제자가 아니니까 예수의 어머니를 잘 몰랐을 수도 있지만, 그래도 그가 믿는 메시야를 낳은 어머니인데……. 어째 좀 이상하지 않은가?

더욱 희한한 것은 이 소아시아지역(터키의 아시아쪽 지방)에는 유럽에는 흔한 성 바오로 성당이 하나도 없다는 것이다. 바오로에 바치는 성당이 없다는 사실. 이상하지 않은가? 에페스뿐이 아니라 그 인근 지방에 성 요한 성당은 아주 많은데…….

Paulism이란 말이 있다. 굳이 번역하면 '바오로 주의' 라고 해야 할까? 지금 우리가 아는 그리스도교는 바오로의 철학일 뿐이라고 주장하는 사람들이 그런 뜻에서 그리스도교를 Paulism이라고 부른다. 대부분의 신약성서가 바오로의 편지이고, 바오로가 해석한 교리를 믿고 있다는 것이고, 그래서 정말로 우리가 믿고 있는 것이 그리스도의 뜻이 맞는지 의심이 간다는 주장에서 현재의 그리스도교를 Paulism이라고 주장하는 것이다. 그것이 이 에페스의 일들과 관련이 있는지 모르지만 자꾸 꺼름칙하다. 왜 바오로는 이곳을 지나다니면서 마리아를 찾아 뵙지 않았을까? 그리고 그곳에 전도를 했음에도 왜 바오로에게 바치는 성당이 하나도 없을까? 무슨 일이 있었던 걸까……. 난 쓸데없는 호기심이 너무 많다.

〈마지막으로……. 믿음은 지식이 아니다. 명심하자.〉

*2002. 4. 14.*

# 술탄의 관용

## (1)

〈오늘도 또 재미없는 이야기다. 이러다 손님 다 떨어지겠다. 이참에 진지하고 착한 손님들만 가려낼까? 그리고 아예 '월곡진담' 으로 바꿀까? 여러 생각이다. 그런데 진짜 문제는 한동안 계속 이런 이야기일 거 같다는 예감, 불길하다……. 〉

이탈리아에 라벤나(Ravenna)라고 하는 작은 도시가 있다.
(하긴 이탈리아의 도시야 다 작지만. 로마도…….)

이 도시는 아드리아海 쪽으로 치우쳐 있어서 그런지 통상의 관광 코스에는 거의 빠져 있다. 내가 이 라벤나를 갈 수 있었던 행운은 순전히 학회 장소 덕택이었다. 그때 학회는 리미니(Rimini)라고 하는 아드리아해의 휴양도시에서 열렸었다. 학회 중 하루 시간이 비는 날이 있어서 어딘가를 돌아봐야겠다고 생각하고 학회의 안내 아주머니에게 조언을 구했다. 나는 산마리노 공화국인가 하는 小國을 가볼까 했었는데, 그 안내 아주머니는 라벤나를 적극 추천하였다. 그래서 기차로 한 시간쯤 떨어진 라벤나를 가게 되었던 것이다.

라벤나는 초기 비잔틴미술의 걸작 모자이크가 유명한 곳이다. 그렇게 된 이유는 이렇다.

로마가 기운이 다해 빌빌대자 게르만 오랑캐들이 수시로 몰려와서 약탈을 해갔다.

(그때 오랑캐 가운데 반달Vandal족이 유명했다. 그래서 반달리즘Vandalism 이라는 말은 지금도 '약탈' 을 뜻하는 말이 되었다. 다 아는 걸 가지고 잘난 척……. 내 취미다.)

이런 침략에 진저리가 난 어느 로마황제(콘스탄티누스)가 아예 멀리 떨어진 동쪽에 새로 수도를 만들어 이사를 가버렸다. 콘스탄티노플. 그리고 얼마 후, 다음 황제(테오도시우스)가 죽자 큰아들이 그쪽을 다스렸다. 오랑캐 보기 싫다고. 그래서 그 나라를 동로마라고 하기도 한다. 동쪽으로 갔다고(그럼 달마도 동쪽으로 갔으니 '동달마' 라고 해야 되나?).

황제의 둘째아들에게 남겨진 옛로마(서로마)는 한 마디로 무주공산, 아사리판이었다. 비실비실……. 계속 깨지고 뺏기고 하면서 100년 정도 버티다 476년에 아예 망해버리고 말았다. 그때부터 중세가 시작되었고, 그때부터 암흑기라고 불리게 되었다.

동로마, 즉 콘스탄티노플에 도읍을 둔 비잔틴제국은 서로마가 망한 후 아드리아海에 면한 (즉 가까운) 라벤나에 총독부를 두고 옛 영토에 어느 정도 영향력을 행사했다. 그래서 라벤나에 초기 비잔틴미술이 많이 남아 있게 된 것이다. 장황하게 떠들었지만……. 한마디로 이탈리아에서 모자이크를 보고 싶으면 라벤나에 가야 한다는 말이다.

라벤나의 엑기스(왜식 표현을 써서 죄송!)는 산 비탈레(San Vitale) 성당이다. 이 성당이 지어진 것이 548년이라고 하니까 1500년 정도 된 건축물이다. 그래서 그런지 겉은 곧 무너질 것 같은 모양이었다. 칙칙한 벽돌로 된 8각형 건물……. 산 비탈레 성당(그림 1, 내가 찍은 그림인데 스캔닝 중 필름이 긁혔다. 가능하면

그림 1

직접 찍은 사진을 쓰려고 하는데 이런 실수를……. 별도의 출전을 밝히지 않으면 내가 찍은 것이다).

그러나 '뚝배기보다 장맛' 이라는 옛말이 있듯이, 또 옛말에 그른 말이 없듯이, 그 성당 안으로 발을 들여놓으면 사람의 인생관이 바뀔 정도의 세상이 펼쳐진다.

빛의 황연! 나는 산비탈레 성당에 발을 들여놓으면서 혼이 빠져버렸다. 이런 빛의 잔치가 있다니……. 유명한 모자이크 그림을 보러 들어왔는데…….

이 성당은 팔각형의 모양을 하고 있고 가운데에 돔이 있다. 그리고 다른 성당에서도 흔히 볼 수 있듯이 돔에 창문을 여럿 달아서 자연 채광을 하였다. 팔각형의 각 꺾임에 해당되는 위치에서 안쪽으로 기둥을 들여 짓고, 2층에는 갤러리를 만들었는데 여기에도 자연 채광이 되어 있었다(그림 2). 또한 각 구석의 半쿠폴라(돔)에는 모자이크 성화가 있었다(그림 3).

내가 이런 빛의 잔치에 넋이 빠져 사진기를 든 채 멍하니 위만 바라보고 있을 때 뒤에서 작은 소리가 들렸다.

"아…빠…"

뒤를 돌아보니 둘리가 넋이 반쯤 나간 모양으로 천장을 바라보고 있었다. 그놈 역시 사진기를 들고만 있었다.

그림 2

그림 3

"아빠… 눈물이 날려고 그래요……."

둘리는 황홀한 표정으로 위를, 빛의 잔치가 펼쳐진 천장을, 하염없이 바라보고 있었다. 그렇구나! 너무 아름답고, 너무 황홀해도 눈물이 나는구나……. 나도 가슴이 벅차왔다.

(뭐든지 처음의 황홀함이 가장 충격적인 모양이다. 계속된 여행에서 더 아름답고 황홀한 모습도 있었을 텐데, 그 애는 한동안 그 성당 이야기만 했었다.)

잠시 후 정신을 차리고 성당을 돌아보았다. 많은 여행객들이 천장을 바라보고 있었다. 그들도 역시 빛의 황홀함을 느끼고 있는 모양이었다. 팔각형의 한쪽(동쪽)으로 제단이 있는 apse가 있고, 그곳의 양쪽 벽에는 낯익은 모자이크 그림 둘이 마주보고 있었다.

그림 4

'유스티니아누스 황제와 수행원들', 그리고 '테오도라 황비와 시종들'.

거기엔 책에서도 많이 보았던 그 모자이크가 마주보고 있었다. 아직도 화려하기 그지없는 두 모자이크 그림이 역시 찬란한 빛의 잔치를 벌이고 있었다(그림 4, 5).

모자이크는 그림의 방법 가운데 가장 화려하다. 그리고 영원하다. 금빛, 붉은 빛, 초록 빛……. 어느 색이건 그 색을 가진 무기물의 광채가 자랑스럽다. 그리고 그 빛의 향연은 흉기로 쪼아내지 않는다면 언제까지나 화려하다.

산 비탈레 성당. 그 허름한 성당 안에는 잘 제어된 빛이 있고, 그

그림 5

빛을 받아 더욱 찬란하게 빛나는 영원한 무기물 그림들이 있었다. 그 성당은 속이 아름다운 곳이었다.

〈그림 5〉에서 검은 옷이 유스티니아누스 황제다. 그런데 그 오른쪽으로 두 번째에 있는 머리 벗어진 사람이 흥미롭다. 복장을 보면 한눈에도 사제임을 알 수 있듯이, 그는 당시 라벤나의 주교 막시미아누스(MAXIMIANVS)이다. 내가 이상하게 생각하는 것은 유독 그의 머리 위에만 이름이 써 있다는 점이다. 황제도 이름이 안 써 있는데……. 이상하지 않은가?

내 지식으로는 해결이 안 된다. 누구 아는 사람 있으면 알려주길 바란다. 보답하겠다.〉

*2002. 4. 23.*

## (2)

〈漢나라를 세운 유방이 楚의 項羽(항우)에게 맨날 지기만 하다가 어느 사이에 제법 힘을 모았다. 유방이 잘해서라기보다 항우가 하도 지랄 같으니까 사람들이 떠나서 그리된 것이었는데, 아직도 천박함의 때를 못 벗은 유방은 그걸 모르고 자기 힘을 과신한다. 그래서 유방은 식구들까지 몽땅 다 거느리고 항우를 치러 간다. 폼 잡으려고…….

정작 전투에 들어가자 상황은 급변한다. 쌈질은 항우의 본업. 결국 유방은 월등한 군사력임에도 죽도록 깨지고 도망을 간다. 도망가는 유방의 수레를 바짝 뒤쫓는 항우의 추격부대. 유방은 좀 더 빨리 가자고 재촉을 하나 수레가 너무 무거워 여의치 않았다. 다급해진 유방은 수레에 있던 자기 아들과 딸을 밖으로 집어던진다. 수레의 무게를 가볍게 하려고. 수행한 장수가 그 자식들을 주워(?) 실으면 다시 집어던지고……. 그러기를 여러 차례…….

나는 처음 이 대목을 읽었을 때 어이가 없었다. 아무리 자기 목숨이 위태롭다고 자식들을 내버린다니. 허어! 짐승 같은 ㄴ이로고!

요즘 우리는 5년만에 '왕자의 스캔들'이라는 리메이크 희극을 보고 있다. 달라진 것은 왕자들의 수가 많아졌다는 것 정도일까? 이 희극의 캐릭터들을 살펴보자.

역시 '나쁜 놈'들은 왕자들 곁에 붙어서 챙겨먹은 ㄸ파리들이다. '어리석은 사람'들은 날아 든 ㄸ파리들과 놀아난 왕자들이다. 그럼 왕은 어떤 캐릭터일까? 그는 불쌍하다. 자식 땜에 마음이 아파야 하는 역할이니 불쌍하다. 예전에는 아들들이 자기 때문에 불행했다고 마음이 아팠고, 이제는 그 아들들이 보상 좀 받은 걸 가지고 국민이 지랄을 해대니 또 마음이 아프다. 왕은 그렇게 '마음이 아픈 역'이다. 그러나 어리석고 모자라는 그릇임은 분명하다.

천방지축 놀아난 왕자들을 챙기지 못한 것은 어리석음이다. 그리고 옛날에 불쌍했다고 왕자들의 허물을 감싸주기만 하는 것은 왕의 그릇이 아니라는 표징이다. 유방과 같이 자식을 死地에 집어던지진 않더라도 최소한 왕자들의 잘못을 가려내고 죄 값을 받도록 하는 것이 왕의 그릇이다. 유방이 훗날 漢나라의 高祖가 된 것은 그의 그릇 때문이다.

그리고 이것도 다 우리 겨레가 받는 업보다. 우리가 예전에 무슨 죄를 그리 많이 졌길래…….〉

* 이집트에서 열리는 학회에 참가하면서, 무리(?)하게 휴가를 내가며 터키를 찾은 것은 다분히 나의 조바심 때문이었다. 마치 이번에 안 가보면 무엇인가 귀한 것을 못 보게 될 것 같은 조바심. 물론 이집트까지 간 김에 터키를 들르는 것이 여러 가지로 유리한 점이 있기 때문이기도 하였지만, 나는 마치 마음에 있는 여학생을 못 볼까 조바심을 내며 정류장으로 달려가는 짝사랑 떡거머리 같았다. 조바심. 도대체 무엇이 나를 터키로 가라고 했을까?

(내가 요즘 대학생이었다면 어땠을까? 학교 안 다녔겠지…….)

비행기가 이스탄불의 아타튀르크 공항에 접근하자 난 더욱 조바심을 내며 아래를 내려다보았다. 날은 흐리고 비가 내렸지만 잘 정리된 공동주택들의 붉은 지붕이 보였고, 무엇보다 초록색이 반가웠다. 아마 내가 이집트의 카키(khaki)색 풍경에 질렸던 모양이다.

(말 나온 김에, 요즘 일부 몰지식한 사람들이 녹색계를 카키색이라고 부른다. 카키란 흙먼지란 뜻이다. 즉 황갈색을 말한다. 사막에서 전쟁하는 군인들의 군복색. 그런데 언제부터 녹색이 카키색이 되었는지……. 특히 인터넷쇼핑몰에서…….)

옆 자리에 앉은 한국아줌마들이 덩달아 창 밖을 내다보고는 한마디씩 한다.

(그 아줌마들은 부산에서 단체관광을 왔다고 한다. 비행기 옆 자리에 앉았는데 자꾸 말을 붙여서 참 힘들었다. 역시 인생을 좀 산 아줌마들이라 사람 보는 눈이 예사롭지 않다. 젊은 여성들은 명품을 잘 몰라보던데……. 세상은 왜 그렇게 불합리할까?)

"휠 낫대이……."

"지붕도 있네……."

아마 이집트 시골 마을의 지붕 없는 집들을 염두에 두고 하는 소리 같았다. 그 아줌마들은 터키를 이집트와 비슷한 수준으로 생각하고 있나 보았다. 우리 모두의 무지(無知)!

아주 깨끗하고 번듯한 공항, 비가 촉촉히 내리는 바닷가의 상쾌함, 잘 정비된 도로와 활기찬 사람들. 이런 이스탄불에 대한 나의 놀람은 떠나온 카이로와 그 공항이 대비된 점도 있겠지만, 그보다는 내가 너무 터키에 대해 모르고 있었기 때문일 거다. Turkye.

(터키인들은 이렇게 불러달라고 하였다. '튀르키에' 라고. 새의 이름으로 불리는 것이 싫다고 했다.)

차가 갑자기 좌회전하여 좁은 길로 들어갔다. 한눈에도 예스러운 길. 그곳은 이스탄불의 옛 중심지였던 '술탄 아흐메드' 地區였다. 그리고 곧 눈에 보이는 건축물. 수없이 사진에서 보아 왔던 곳. Aya Sofya. 나를 그곳으로 오도록 만든 조바심… Aya Sofia…….

(그리스말로는 Hagia Sofya다. '성스러운 지혜' 라는 뜻이다. '지혜' 는 '평화', '힘' 과 함께 그리스도교에서 하느님에게 봉헌한 세 가지라고 한다. 너무 어려워서 난 이해가 잘 안 된다. 그 중 '성스러운 평화' 를 뜻하는 '하기아 이레네' 성당은 바로 소피아 성당 근처에 있는데, 예전에는 서로 연결되었었다고 한다. 성스러운 힘을 뜻하는 '하기아 디나미스dynamis' 에 대해서는 이야기가 없다.)

건축물도 사람과 같이 '팔자' 가 있다. 어느 건축물은 오랫동안 잘 관리를 받으며, 게다가 사람들의 공경을 받는다. 또 어느 건물은 지진에 무너지고, 더욱 서럽게도 다른 건축물에 쓰인다고 이곳 저곳 살점이 뜯기기도 한다(콜로세움이 그렇던가?).

'팔자' 로 따지자면 이 Aya Sofya도 만만치 않다. 360년 그 자리에 섰던 첫 교회의 모습은 지금은 없다. 화재에 의해 부서진 첫 교회를 다시 세웠으나 다시 폭동과 방화로 없어진다. 그 두번째 교회의 토대는 지금 돌 몇 개로 남아 있다.

Aya Sofya가 지금의 모습을 갖춘 것은 537년이었다. 이 위대한 건축물은 바로 가톨릭의 성당으로 사용되었다.
(그 당시에는 아직 동서 교회가 분리되지 않았을 때였고, 교회는 로마건 그리스건 모두 '가톨릭' 이란 이름으로 불렸다고 한다. '가톨릭' 은 '보편적인' 이란 뜻이니, 당시로서는 참 합당한 명칭었으리라.)

일설에 의하면, Aya Sofya를 낙성하던 날, 황제 유스티니아누스 1세는 제단에 올라 "솔로몬, 내가 그대를 이겼노라!"라고 소리쳤다고 한다.
(라벤나의 '산 비탈레' 성당을 짓도록 한 것도 유스티니아누스 1세이며, 그 안 apse에 있는 불후의 걸작 모자이크에 그가 그려져 있다. 앞의 이야기 참조.)

그는 왜 그렇게 소리쳤을까? 당시로서는 상상이 안 되는 엄청난 성당을 지어놓고 너무 벅차서 솔로몬의 성전을 비웃은 것일까? 기록은 그렇지만……. 모를 일이다.

비록 로마 교구와 동방의 교구들 사이의 마찰은 계속 있어 왔지만, Aya Sofya는 동서 교회가 분리될 때까지 '성스러운 지혜의 가톨릭 성당'으로 공경을 받아왔었다. 1054년, 얼핏 보면 사소한 감정 대립 같아 보이는, 콘스탄티노플 총주교와 로마의 사절인 추기경 사이의 상호 파문 선언으로 동서 교회는 완전히 갈라서게 되었다.

(동서 교회의 분리는 참 흥미진진한 공부거리가 아닐 수 없다. 언제 한번 거품을 품으며 떠들어 봐야할 텐데……. 교리적이 아닌 단순 역사적으로.)

이후 이곳은 로마 '가톨릭'에 대하여 '정교(Orthodox)'라고 이름 붙여진 그리스정교회의 총본산 역할을 하게 된다(다 아는 이야기 들으려니 지루할 것이다. 인내심을 키우자!).

그 사이에도 이 성당에는 많은 곡절이 있었다. 8세기에 들어 황제(교황) 레오3세가 즉위하고, 그는 성상파괴운동(이코노클래즘, iconoclasm)을 주도한다. 그때 비잔틴제국은 이슬람군에게 시리아와 이집트를 빼앗긴 뒤였고, 콘스탄티노플 앞 바다에도 수시로 이슬람군이 나타날 때였다. 레오3세는 그런 이슬람의 약진과 비잔틴의 쇠락의 원인을 '우상숭배'에서 찾으려 했다. 비잔틴에는 많은 이콘(icon)과 성상이 있었고, 반면 이슬람은 어떠한 성상이나 이콘도 허용하지 않았다. 그는 성상과 이콘이 우상숭배이고, 그 잘못된 우상숭배 때문에 이슬람에게 판판이 깨지는 것으로 이해했던 모양이다. 결국 Aya Sofya의 모자이크를 비롯한 모든 성상이 파괴되고 말았다. 아…….

종교와 교리의 문제를 떠나 이 성상파괴운동은 인류 문화 예술의 엄청난 손실이었을 게다. 라벤나의 그 아름다운 모자이크 같은 것들이, 오히려 그 보다 더 장쾌하고 황홀했을 수많은 예술품이 사라져 버렸다. 참고로 당시 소피아 성당의 모습을 기록으로 보면,

"유스티니아누스 황제 때 소피아 성당은 중앙에 황금으로 덮어 찬란하게 빛나는 황제의 문과, 금으로 된 천장의 화려한 모자이크, 중앙 돔 가운데에 있는, 창문으로 햇살이 스며들면 더욱 찬란하게 미소 짓는, 예수의 얼굴 모자이크, 그리고 정교한 코린트식의 측면 원형 기둥과, 황금의 제기가 있는 화려한 성당이었다."

이 기록에 있는 것 가운데 최소한 중앙 돔의 예수 얼굴 모자이크는 없어졌을 것이 아닌가? 그 외에도 얼마나 많은 기막힌 모자이크들이 뽀사졌을까? 아까워라……. 라벤나의 모자이크를 기억하고 있는 나는 그 사라진 모자이크들이 찬란하였을 Aya Sofya의 모습이 너무나 아쉬웠다. 물론 지금은 박물관이 되어버린 Aya Sofya에는 아직도 많은 모자이크 그림이 있다. 이 모자이크들은 그러니까 두번째 성상파괴운동이 끝난 843년 이후에 새로 만든 모자이크들인 것이다(모자이크 그림 이야기는 뒤에 다시 하기로 하고…….)

그런데 진짜 인류로서 부끄러워해야 할 일은 그것이 아니었다.

십자군(Crusade). 처음에는 좋은 의도로 시작된 십자군이 변질되기 시작했다. 초기 십자군들이 지나면서 본 콘스탄티노플은 같은 뿌리의 그리스도교 나라가 아니라 보물창고였다. 1204년 4차

십자군이 콘스탄티노플에 입성하였다. 그들은 주로 프랑스 군인들이었는데, 그들에게 군수품을 대기로 한 베니스 상인들의 음모에 따라 콘스탄티노플에 들어와 약탈을 시작한다. 베니스인들은 아예 비잔틴제국을 무너뜨리고 '라틴 제국'을 세웠다. 1261년 다시 탈환되어 비잔틴제국으로 환원될 때까지 콘스탄티노플은 철저히 약탈당했다. 에페스를 비롯한 소아시아의 다른 도시들도 역시 철저히 약탈당하고 파괴되었다.

그리스정교를 믿는 그들은 십자군들에게 이교도 취급을 받으면서 다 빼앗겼다. 그래서 같은 그리스도교도라고 믿었던 십자군들에게 그런 약탈을 당한 비잔틴 사람들의 충격은 참으로 컸다고 한다.

이때 Aya Sofya도 철저히 망가진다. 그들은 성당 안의 모든 제기를 약탈했다. 금, 은장식까지 벗겨냈다. '황제의 문'의 금도, 모자이크의 황금 조각도 쪼아냈다. 심지어 십자군 대장 '단도로'는 여인들까지 불러들여 '성스러운 지혜의 성당'에서 술판을 벌였다고 한다.

Aya Sofya 옆 마차 경주장(히포드롬)의 '콘스탄티누스의 오벨리스크'에 입혔던 금박 청동판도 뜯어갔다. 역시 같은 경주장에 있던 4마리 말도 금박이었다는데, 그 네 마리 말들은 지금 베니스의 유명한 산 마르코 성당 위에 서 있다. 유스티니아누스 황제가 세웠다는 30미터 높이 기둥 위의 금박 동상도 베니스인들이 뜯어갔다.

〈베니스의 수호성인은 '성 마르코'다. 그래서 베니스를 대표하는 광장이 산 마르코 광장이고, 대표 성당이 그 옆의 산 마르코 성당이다. 그런데 이 성당은 대부분 도둑질/약탈질해온 것으로 지어졌다는 것으로 더 유명하다. 각종 聖像(성상)들, 조각들, 위에 언급한 청동 말상, 심지어 성당 지하에 묻혀있다는 마르코 성인의 유해도 훔쳐온 것이다.

베니스의 기록과 주장은 11세기에 어느 상인이 이집트에서 마르코 성인의 유해를 사왔다고 하는데, 이번 이집트 여행에서 확인한 바로는 훔쳐갔다는 것이다. 마르코 복음의 저자인 마르크 성인은 예수가 죽은 후 이집트로 전교를 떠났다. 그곳에서 그는 콥트족을 교화시켰고, 그로 인해 콥트 정교회의 초대 교황으로 추대되었다. 마르코 성인은 이집트에서 돌아가셨고, 당연히 그의 유해는 콥트 교도들이 모셨다. 그 유해를 베니스 사람들이 훔쳐낸 것이다. 훔쳐낼 당시의 이집트는 이슬람의 치하에 있었는데, 베니스인들은 이슬람교도들이 돼지를 극도로 싫어하는 것을 이용했다고 한다. 즉

그림 6

마르코 성인의 유해를 돼지머리들로 덮어 검문을 통과했다고 한다. 돼지머리 밑의 마르코 성인의 유해는 좋아하셨을까?

베니스 산 마르코 성당이 비잔틴 양식을 많이 따랐고 모자이크가 엄청나게 많다는 것도 그들의 약탈/도둑질과 무관치 않을 것이다. 베니스, 무서운 곳이다. 오죽하면 셰익스피어도 「베니스의 상인」을 썼을까…….〉

〈히포드럼(그림 6). 긴 타원형의 전차/말경주장이었다고 한다. 가운데에 있는 것이 '콘스탄티누스의 오벨리스크' 이다. 껍질은 다 뜯어갔고 벽돌만 남았다. 멀리 뒤 왼쪽에 보이는 둥근 지붕이 Aya Sofya이고 오른쪽의 사원은 '술탄 아흐메드 모스크', 일명 '블루 모스크' 이다.〉

1204년. 그해는 당시까지 인도 서쪽에서 가장 찬란했던 문명의 유산과 예술품이 약탈당한 원년이다. 전편의 글에서 약탈을 '반달리즘' 이라고 한다고 했었다. 그러나 나는 '약탈' 은 '반달리즘' 보다 십자군을 뜻하는 '크루세디즘(Crusadism)' 이라고 불러야 마땅하다는 생각이다. 4차 십자군, 베니스인들……. 그들은 인류 역사상 가장 치욕적인 짓을 한 것이다.

(Crusadism은 없는 단어다. 내가 만든 단어다. 함부로 쓰다간 망신당할 수 있다. 조심!)

*2002. 4. 30.*

(3)

〈글씨 크기를 조금 크게 했다. 내가 간만에 '한담'을 한번 봤더니 눈이 침침했다. 독자들의 눈 건강까지 신경 써주는 사람, 별로 없을 걸?〉

이스탄불은 모스크의 도시다. 언덕 위의 장엄한 쉴레이만 모스크, 파란빛의 향연 블루 모스크(술탄아흐메드 모스크), 에미노뉴 선착장 앞 번잡한 거리에 떡 버티고 선 예니 모스크.

(에미노뉴에는 선착장이 있고, 버스터미널이 있고 '오리엔탈 익스프레스' 열차의 종착역인 실켓지 역도 있다. 그리고 선착장 옆 바다에는 배 위에서 직접 구워 파는 고등어 샌드위치가 있다. 백오십만 리라(우리 돈 천오백원 정도). 맛이 괜찮다. 좀 비리지만.

그 동네는 교통의 요지답게 늘 사람이 많다. 출퇴근 인파에 관광객에……. 참 번잡한 거리다. 그래서 그런지 그곳을 몇 번이나 지나쳤는데도 커다란 모스크가 버티고 있다는 걸 모르고 있었다. 갈라타 다리에서 낚시하는 사람들을 구경하다 문득 돌아보니 웬 장엄한 모스크? '예니 모스크'였다. 이런 엄청난 모스크가 이스탄불에서는 그렇게 지나쳐간다.)

이런 거대한 모스크 말고도 작지만 예쁜 모스크들도 즐비하다. 한 마디로 모스크 천지다. 집 반, 호텔 반, 모스크 반…….(그럼 0.5가 남나?)

모스크는 이슬람 사원이다. 이슬람교는 태동한 곳이 사막지방, 유목민의 땅이라 그런지 무슬림들은 그들의 사원인 모스크에 돔을 씌우길 즐겨했다(일설에 의하면 '고집 또는 강요했다' 고도 한다). 유목민의 천막 모양이 그 이유일 것이라고 한다.

이스탄불은 모스크가 하도 많다보니 온통 돔과 첨탑(尖塔, 미나렛) 천지다.

(미나렛 : 모스크의 필수적인 부속건축물이 첨탑이다. 하루 다섯 번의 기도시간이 되면 목청 좋은 사람('무앗딘' 이라고 한다)이 이곳에 올라가 노래(?)를 불러 알린다. 이 낭송을 '아잔' 이라고 하는데, 이슬람 특유의 가락이 듣기 좋다. 요즘은 마이크로 한다고 한다.)

여기에도 봉긋, 저기에도 봉긋……. 불경스러운 사람들은 여인의 무엇을 상상할지도 모르겠다(난 안 그랬다). 여기에도 삐죽, 저기에도 삐죽……. 일설에 의하면, 그 첨탑들을 무선전화 기지국으로 사용하자는 의견이 있었다던가…….

돔이 하도 많이 보여서 그랬는지 Aya Sofya의 돔을 보고도 처음엔 아무런 의심이 들지 않았었다. 그리고 최근까지 모스크로 쓰였다고 하니까 더욱 돔이 당연했을 것이다. 그런데 문득, 뭔가 이상하지 않은가? 이슬람교가 성립된 것은 622년이고, 소피아 성당이 완성된 것은 537년이다. 무려 100년 전에 지어진 것이다. 그러니

Aya Sofya의 돔은 이슬람의 모스크 양식이 아니란 말인데……. 그럼 왜 '돔' 인가?

Aya Sofya가 지어졌을 당시 그 동네 건축양식은 '돔' 구조가 아니었다. 예전에는 로마에 판테온 신전과 같이 돔으로 된 건축물이 있었지만, 6세기 당시에는 별로 없었다고 한다. 오히려 그리스도교의 번성으로 신도 수가 급격히 늘자, 직사각형 평면의 바실리카 양식의 교회가 많이 지어졌다고 한다. 즉 당시 유럽에서는 돔이 얹혀진 '집중형' 정사각형 내부의 성당을 짓지 않았다. 심지어 동시대에 지어진 라벤나의 '산 비탈레 성당' 도 '집중형' 이긴 하지만 돔 구조는 아니다. 내부에서 보면 돔 같아 보이지만 외부에서 볼 때는 그냥 팔각성냥 포개놓은 것 같다(전 글 참조). 게다가 그 성당도 같은 유스티니아누스 황제의 명으로 지어진 것이다. 이상하다는 느낌을 지울 수 없었다.

Aya Sofya는 돔 형식으로 된 최초의 그리스도교 성당이었다. 그래서 Aya Sofya는 중세 건축 가운데 비잔틴 양식으로 따로 분류된다. 동서양 양식이 결합된 비잔틴 양식. 이렇게 Aya Sofya는 당시 유럽의 성당들과는 판이하게 다른 양식이었고, 훗날 르네상스 시대에 다시 나타나는 돔 형식 성당의 원형으로 여겨지고 있다.

(참고로 르네상스와 바로크시대에 들어서서 다시 돔 양식의 성당이 많이 지어졌는데, 대표적인 것으로 피렌체의 두오모 성당, 로마

그림 7

성 피에트로, 런던의 성 바오로 성당 등이다. 무지하게 큰 돔을 자랑하는 성당들이다. 그런데 Aya Sofya의 돔은 펑퍼짐한 데 비해 유럽 성당의 돔은 꽤 뾰족하다. 유럽 고딕 양식의 영향 때문인지도 모르지만……. 이런 차이를 보고 난 아무래도 돔이 여인의 무엇을 상징한 것이 아닌가 하는 생각이 들었다. 펑퍼짐한 동양의 돔, 상당히 뾰족한 유럽의 돔……. 유럽인들이 아무래도 발육이 좀… 사진 참조!)

〈왼쪽이 Aya Sofya. 오른쪽이 이탈리아 피렌체의 Duomo, '꽃의 성모' 성당이다. 소피아의 펑퍼짐한 돔에 비해 Duomo 성당의 cupola(돔)는 상당히 뾰족하다. 내 말이 맞지 않은가?〉

돔의 기원은 터키, 소아시아, 아라비아, 이집트라고 알려져 있다. 즉 유럽의 관점에서 보면 동양(?)에서 기원한 것이다. 유목민의 텐트에서 비롯되었다고도 하고, '하늘'을 뜻한다고도 하고, '신의 집'이란 뜻이라고도 한다(나의 주장은 여인의 가슴, 즉 모성과 아름다움의 상징이었을지도 모른다는 건데…….)

그럼 Aya Sofya는 왜 돔으로 지어졌을까? 그 성당을 지은 건축가들은 무슨 생각이었을까? 혹자는 Aya Sofya가 세워진 콘스탄티노플의 위치를 거론하기도 한다. 콘스탄티노플, 즉 지금의 이스탄불은 좁은 보스포러스 해협을 두고 바로 아시아와 연결되어 있다. 그래서 아시아, 특히 유목민이 많았던 소아시아의 영향을 많이 받아 돔 양식을 받아들였다는 주장이다. 그럼 직하다. 돔의 기원도 그곳이라니까. 그런데 나는 Aya Sofya가 이렇게 '돔'으로 지어진 것에 특별한 의미가 있을지도 모른다는 생각이 문득 들었다.

1453년 5월 29일. 오토만제국(오스만 터키)의 일곱번째 황제인 메흐메드 2세가 드디어 콘스탄티노플을 점령하였다. 이로써 로마는 끝이 났다.
(콘스탄티노플만큼 희한한 도시가 없다. 도시가 세워진 날, 점령당한 날, 불난 날, 이름 바뀐 날 등등이 월일까지 정확히 기록에 남아 있다. 보통은 '~경'이라고 하는데……. 이상한 도시다.)

이미 콘스탄티노플만 남겨놓고 주변의 모든 땅이 다 오토만제국의 치하에 있었긴 했지만, 그래도 메흐메드 2세의 이 점령은 큰 의미가 있는 사건이었다. 그 역사적인 의미나 콘스탄티노플 점령 전투의 기막힌 전술에 대해선 넘어가야겠다. 소피아 성당에 집중하기 위해.
(사실은… 수준 낮은 몇몇 독자들이 집단행동을 계획한다는 첩보가 있어서……. 이유는? 너무 어렵다고……. S, C, Y, K……. 그건 그렇고, 우리는 세계사에서 이쪽 이야기를 거의 못 배웠다. 너무 유럽 편향적인 공부를 당했다. 아쉽다.)

메흐메드 2세는 콘스탄티노플에 입성하자마자 Aya Sofya를 찾았다고 한다. 그리고 일설(아~ 이번 글에는 왜 이리 '일설'이 많을까?)에 의하면, 오토만제국의 오랜 전통인 '3일간의 약탈' 에서도 이 '아야 소피아' 는 제외시켰다고 한다. Aya Sofya에 대한 명성을 익히 듣고 있었고, 실제로 그 곳에 가보고 너무나 감동하여서 그랬다는 것이다.

(3일간의 약탈. 오스만 터키는 전투에 이기면 군인들에게 3일간의 약탈을 허용했다고 한다. 그런데 예상외로 이들은 사람을 별로 안 죽였다고 한다. 죽이는 것보다 노예로 팔아먹는 게 더 이익이라서 그랬다나? 대단한 사람들이다. 그 와중에서도 손익계산을…….)

점령 3일째인 1453년 6월 1일. 금요일. 이슬람의 휴일. 금요일의 두번째 기도는 이슬람의 의무 중에서도 가장 엄격한 의무이다. 이 기도회가 Aya Sofya에서 열렸고 술탄 메흐메드 2세가 직접 참가하였다. 그리고 이후로 이 Aya Sofya는 이슬람의 모스크로 쓰였다.

Aya Sofya. 아마 당시에는 온 세상에 그 명성이 자자했던 모양이었다. 지금도 세계의 5대 돔이라고 하니까 당시엔 명성이 대단했을 것이다. 그러나 아무리 세상에서 가장 위대한 건축물이라 하더라도 이교도의 사원이었던 곳을 자기네 사원으로 쓴다는 것은 쉬운 결단이 아니었을 것이다. 나는 술탄 메흐메드의 이런 결단에 큰 영향을 미친 것이 바로 '돔' 이라는 생각이다. Aya Sofya는 이슬람 모스크의 특징인 돔 양식이었기 때문에 메흐메드는 친근감을 느꼈을 것이고, 크게 무리 없이 모스크로 사용하라는 결정을 내렸을 것이다. 만약 Aya Sofya가 삐죽삐죽한 고딕양식이었다면 과연 메흐메드가 그리 쉽게 모스크로 쓰라고 했을까? 아닐 것이다.

이런 것을 곰곰 생각해보면 이미 1000년 전에, 왜, 갑자기 돔으로 지었을까에 대한 조금은 황당한 대답도 가능해진다. Aya Sofya의 낙성식날 교황 유스티나아누스가 솔로몬에게 큰 소리를 치기 전에 그는 그의 주, 하느님을 찬양한다.

"나를, 이 偉業을 이룰 만하다고, 인정하신 하느님께 영광을!"

(또는 "나에게 이 것을 완성할 능력을 주신 하느님께 영광을!" 이라고 번역한 곳도 있다.)

정말로 그가 찬양한 대로 그의 절대자의 도움으로 그 위대한 성전을 지을 수 있었다면, 돔의 형상으로 짓도록 한 것도 그 절대자의 배려가 아닐까? 먼 훗날 이교도가 성전을 점령했을 때 파괴당하지 않도록 미리 이교도들에게 친숙한 모습으로 만들게 한 것은 아닐까? 내 짧은 생각으로 무얼 더 유추할 수 있겠는가마는……. '불쑥' 돔으로 지어진 Aya Sofya를 생각하면서 그런 생각이 들었다.

메흐메드 2세는 점령 후에도 도시 이름을 그대로 '콘스탄티노플'로, Aya Sofya의 이름도 그대로 사용했다(그리스말 Hagia가 터키말 Aya로 바뀌었겠지만).

Aya Sofya의 이름을 그대로 둔 것은 '성스러운 지혜'라는 이름이 추상명사이기 때문이라고도 하는데, 그것까지는 잘 모르겠다. 그러나 어쨌든 한 건축물이 1500년을 같은 이름으로 서 있다는 것도 경이로운 것이 아닐 수 없다.

이렇게 메흐메드 2세의 명령에 의해 Aya Sofya는 버려지지 않고 모스크로 바뀐다. 이슬람의 모스크는 일체의 그림이나 像이 없다. 그저 벽만 있으면 된다.

(이슬람에서는 그림 그리거나 형상을 만드는 것을 못하게 했다고 한다. 그래서 이슬람세계에는 지금까지 훌륭한 그림이나 조각이 별로 없다. 당연히 화가도 조각가도 없다. 참 안타까운 일이다. 많은 재능 있는 이들이 그 재능을 못 폈을 테니……. 대신 그 재능있는 사람들이 쿠란Quran을 손으로 쓰거나, 가구를 만들거나 세공을 했다고 한다. 그래서 그들의 글씨가 아름답고 무늬가 현란한 모양이다.)

Aya Sofya 성당 안에 가득 찬 모자이크 성화들은 그들에게는 우상이었다. 그런데 이 대목에서 정복자 술탄 메흐메드는 그 모자이크를 파괴하라고 하지 않고 천으로 덮으라고 한다. 허~ 덮어버리면 그만이라고 생각했던 그 술탄의 아량은 참으로 대단한 것이 아닐 수 없다.

또 이슬람 모스크에는 '미흐랍'이라는 것이 꼭 있다. 그래서 어느 모스크를 들어가든 먼저 그 미흐랍을 눈 여겨 보아야 한다. 미흐랍은 벽을 파서 만든 일종의 벽감(壁龕, niche)으로 메카의 카바

신전 방향을 향하도록 만들어져, 기도할 때 모두 그 방향을 향할 수 있도록 해주는 역할을 한다. 그런데 그 시대의 그리스도교 성당은 제단이 있는 apse를 동쪽을 향해 지었다. 당연히 Aya Sofya에 미흐랍을 만들게 되면 apse의 방향과 약간 틀어지게 된다. 지도를 펴놓고 이스탄불에서 동쪽과 메카 방향을 찾아보면 금방 알 수 있다. 그래서 소피아 성당의 apse에는 약간 삐딱하게 만들어진 미흐랍을 볼 수 있다(그림 9, 10)

이방인인 내가 봐도 부자연스러운 그런 삐딱한 모습을 500년 가까이 군말 없이(?) 용인한 그들, 특히 술탄들은 참 대단한 사람들이라는 생각이 들었다.

그림 9

그림 10

(처음부터 모스크로 지어진 건물들은 미흐랍의 방향을 우선 배려해서 지어졌다. 그래서 이런 삐딱한 모습은 있을 수 없다.)

〈Aya Sofya의 apse와 미흐랍. [그림 9]에서 윗 부분의 성모자상과 그 밑의 중앙 스테인드 글래스가 원래 apse의 정중앙이다. 밑에 미흐랍이 약간 오른쪽으로 돌아앉아 있다. [그림 10]을 보면 더욱 확실하게 알 수 있다.〉

이렇게 Aya Sofya는, 1500년 동안 기구하다면 기구한 운명을 걸어왔다. 초기 그리스도교의 공통된 성당이었다가 동서교회가 분리되면서 그리스정교회의 성당이자 총본산이 되었고, 십자군의 침략에 의해 57년간 로마가톨릭의 성당이었다가 다시 그리스정교회의 성당이 되었다. 그리고 오스만 터키의 치하에서는 이슬람교의 모스크가 되었고, 터키공화국이 성립된 후에는 박물관이 되었다. Aya Sofya로서 하나 위안이 있다면, 비록 대상이 바뀌곤 했지만, 그래도 1500년이 넘도록 뭇 사람들이 경건함을 보이는 장소였다는 것이 아닐까?

*2002. 5. 4.*

## (4)

이제

다시 제쳐두었던 모자이크 이야기를 해야겠다. '역사' 다음으로 즐거운 것은 '아름다움을 즐김' 이니까. 그림의 아름다움, 조각의 아름다움, 여인의 아름다움…….(여체던가?)

메흐메드 2세의 명에 의해 파괴되지 않고 천으로 덮이는 것으로 살아남은 Aya Sofya의 모자이크 그림들. 그렇지만 성당내의 십자가 형상들은 용서될 수 없었다. 지워지기도 하고 일부는 수직선만 남게 되었다. 그래도 그게 어딘가?

이 모자이크들은 100년쯤 후에 한 번 더 위기를 맞게 된다.

Sultan Suleyman the Magnificent. 술탄 쉴레이만 1세?, 2세? 이게 좀 헷갈리는 모양이다. 조상 중에 쉴레이만이 하나 더 있었다던가? 그래서 보통 '위대한 쉴레이만' 또는 '大쉴레이만' 이라고 부른다고 한다. 오토만제국의 10대 술탄인 이 양반은 메흐메드 2세의 증손자다. 오토만제국의 최고 전성기에 46년을 술탄의 지위에 있었다.

大쉴레이만은 모든 면에서 위대했다고 한다. 일일이 열거하자니 지면도 부족하고…….

(역사가들이 평가하는 大쉴레이만의 '단 하나의 오점' 이 있다.

大쉴레이만의 둘째부인인 Roxelanne이 펼친 할렘의 권력투쟁, 바로 '여인천하'가 그것이다. 이 위대한 술탄도 그 '여인천하'를 막지못한 것을 보면 역시 여자의 아름다움이란 대단한 것이다.

롹셀란은 우크라이나 사람이었다고 한다. 우크라이나 지역을 다스리던 Khan(그때까지도 그곳은 몽골족의 땅이었나보다)이 너무나 예쁜 소녀가 있어 그녀를 오토만제국에 바친다. 9살인가 10살에 할렘에 온 그녀는 철저하게 교육을 받는다. 술탄을 모실 수준이 되려면 교육을 엄청 받아야 했다고 한다. 그리고 大쉴레이만의 눈에 들어 둘째부인이 되었다. 그녀는 파란 눈의 백인이었다고 하는데, 이런 이국적인 미모가 더 大쉴레이만을 매혹시킨 모양이었다. 록셀란은 자기 소생을 술탄에 오르도록 하기 위해 첫부인의 소생을 모함해 죽이기까지 했다. 그러나 그녀는 결국 자기 자식이 술탄에 오르는 것을 보지 못하고 죽었으며, 그녀 생전에 네 아들 중 둘이 죽는 아픔을 겪었다. 또 한 아들은 그녀가 죽은 뒤 형제간의 권력투쟁으로 죽었다. 그래도 하나는 술탄이 되었으니……. 록셀란은 저승에서나마 만족했을까?

하여간 여인의 미모는 늘 경계해야 한다. 그리고 부인은 하나로 만족하자. 過猶不及(과유불급)!)

大쉴레이만 시대의 오스만 터키는 너무나 강대했다. 동유럽에서 아랍과 아프리카 북쪽까지의 영토. 그래서 그 영토의 모습을 본따서 '초생달'을 국기에 그려 넣었다는 설도 있다. 지금의 인도네시아, 수마트라의 임금이 포르투갈이 못 살게 군다고 도와달라고 편지를 보냈을 정도로 동쪽으로도 강한 영향력을 행사했다. 하여간 엄청난 제국이었다.

이렇게 힘이 세서 그랬을까? 大쉴레이만은 Aya Sofya의 천으로 가린 모자이크를 회(灰)로 덮어버리도록 하였다. 물론 완전히 파괴하지 않은 것은 고마운 일이지만 모자이크들은 회칠 속으로 사라질 수밖에 없었고, 또 이 와중에 많은 모자이크 그림들이 피해를 보았다.

세월은 흘렀다. 그리고 사람들은 회벽 속에 모자이크 그림들이 있었다는 것을 잊었던 모양이다. 20세기에 들어서고, 터키공화국이 세워지고……. 회벽 속의 모자이크가 세상 밖으로 나오게 되었다. 설에 의하면 회칠이 벗겨진 부분에서 모자이크가 보여 발굴을 시작했다고도 하고, 또는 미국 연구팀이 Aya Sofya의 벽을 X-ray 촬영을 했더니 그 속에 그림이 들어앉아 있어서 찾아냈다고도 한다. X-ray 기사가 얼마나 놀랐을까? 사람이 나타났으니…….

이 두 가지 설이 다 맞을 수도 있을 거다. 어쨌든 미국 연구팀이 조심스레 회벽을 걷어냈고, 그때까지 살아남은 모자이크 그림들이 세상에 모습을 나타냈다. 복원작업을 마치자 '케말 아타튀르크'는 Aya Sofya를 더 이상 모스크로 사용하지 못하게 하고 박물관으로 만들어 버렸다. 이것이 모자이크들의 기구한 운명이었다.

Aya Sofya에 있는 모자이크 그림 가운데 최고의 걸작으로 치는 것은 'Deesis' 이다. 아래 그림이 그것이다. 비록 많이 파괴되어서 아쉬움이 있지만 화려함과 묘사의 탁월함은 비할 것이 없을 정도다.

Deesis는 '간청, 애원' 이라는 뜻의 그리스말인데, 위 그림 같은 성화를 일컫는 고유명사로도 쓰인다. 굳이 번역하자면 '마지막 간청' 이라고 해야 할 것 같은데, 마지막 심판의 날에 세상을 결단내려는 예수 그리스도에게, 예수를 낳았던 마리아와 예수에게 세례를 주었던 세례자 요한이, 마지막으로 한번 더 '자비를 베푸시기를' 간청한다는 내용의 그림을 말한다. 아래 그림에서 왼쪽에 많이 손상된 모습이 마리아이고 오른쪽에 세례자 요한의 모습이 보인다. 이 'Deesis' 라는 이름의 그림은 이 모자이크 말고도 세계 여러 곳에 꽤 많다. 이 모자이크를 걸작이라 하는 것은, 그 정교함과 화려함 때문이기도 하지만, 무엇보다 예수의 표정 묘사 때문일 것이다.

그림 11

[그림 12] 모자이크에서의 예수의 표정에는 먼저 단호함이 엿보인다. 세상을 결단내려는 결연한 의지의 모습이지만, 한참을 바라보고 있으면 마치 살아 있는 듯한 느낌과 인간적 따뜻함이 보인다. 모자이크 기법도 훌륭하지만 밑그림 자체도 명작이었음이 틀림없다. 또 전체적으로 금박을 많이 썼지만 천박하지 않은 분위기……. 하여튼 걸작이다.

이 Deesis는제작연도가 불분명하다. 12세기말에서 13세 초라는 설도 있고, 또는 14세기라는 설도 있다. 다른 모자이크같이 황제가 그려져 있으면 제작연도가 표기되는데, 이 그림에는 없다. 다만 작품의 완성도로 볼 때 다른모자이크들보다 늦게 제작된 것으로 추정된다. 기술이 늘었을 것이기 때문에.

또 다른 유명한 모자이크는 옆문(황제가 드나들던 문이라고 한다) 위에 있는 그림이다.

[그림 13] 모자이크는 10세기말에서 11세기초에 제작되었다고 하는데, Deesis에 비하면 제작 실력이 조금 떨어진다. 성모자가 가운데 있고 양 옆에는 두 황제가 봉헌하는 모습이다. 오른쪽에 성(城)을 바치는 사람이 콘스탄티누스 황제인데, 성은 콘스탄티노플을 상징한다. 왼쪽의 황제는 유스티니아누스로 Aya Sofya를 봉헌하고 있다.

이외에도 여러 모자이크들이 남아있지만 그걸 다 열거하기는 너무 숨이 차서 그만하겠다.

Aya Sofya와 모자이크들. 돌아나오는 기분이 아주 상쾌했다. 그리고 오토만제국의 술탄들에게 고마움을 느꼈다. 장쾌한 Aya Sofya와 걸작 그림들을 없애버리지 않아서 나도 볼 수 있게 해주었으니 고맙지 않은가?

그런데 술탄의 관용. 그것은 어디에서 비롯되는 것일까? 우리는

그림 13

이슬람을 무지하게 배타적이고 호전적이라고 알고 있는데……. 아니 그렇게 배웠다. 그런데 그들이 어떻게 이교도의 유물을 용인했는지, 알다가도 모를 일이다.

그리스는 수백년 동안 터키의 지배를 받았다. 19세기 중반에 대충 독립을, 그리고 20세기 초에야 겨우 완전 독립을 했을 정도다. 그런데 그들은 그들의 말과 종교를 유지하고 있다. 물론 그리스인들은 자기들의 투쟁과 지하운동으로 글과 종교를 지켰다고 한다. 그러나 수백년의 지배를 받았는데 그게 그렇게 투쟁으로만 될 일인가? 우리는 불과 36년 지배를 받았는데도 아직도 그 후유증을 앓고 있는데……. 왜인들이 터키인보다 독해서 그런가?

大쉴레이만시대에 제국의 수도였던 콘스탄티노플에는 이교도가 인구의 반이나 되었다고 한다. 참 이해가 안 되는 대목이다. 유일신을 믿는 배타적 종교라는 이슬람 국가의 수도에 이교도가 반이 넘게 살았다……. 내 좋은 머리로도 선뜻 이해가 안 되었다. 결국 내가 내린 결론은 '오토만제국은 아주 국제적이고 개방적이고 관용적이었다' 는 것이다.

그들은 그들의 왕가(王家)에조차 순혈(純血)주의를 고집하지 않았다. 앞서도 언급한 大쉴레이만의 둘째부인 록셀란은 외국인이다. 첫째부인도 몬테니그로 사람, 즉 외국인이다. 그들은 외국인과의 사이에서 태어난 왕자가 술탄의 자리를 이어도 거부감이 없었다. 우리 옆 나라가 그렇게 자랑하는 '萬世一家' 라는 그들의 황실과 비교해보면 확연히 다르다. 우리 옆 나라는 게다가 황실간 근친 교배까지 성행해서 황족에 바보가 지천이라고 한다(정신이상으로 왕위를 히로히토에게 물려준 다이쇼천황이 그런 예일 것이다.)

오토만제국이 외국인을 차별 없이 중용한 예는 많다. 오토만 군대의 장군으로서 이집트에서 나폴레옹이 이끄는 프랑스군을 내쫓은 '무하마드 알리'는 알바니아 사람이었다. 훗날 그는 오토만제국의 허락을 얻어 이집트의 왕에 오르고 근대 이집트의 초석을 다진 성군이 된다(이집트 알렉산드리아 시내에는 그의 기마상이 서 있다. 아주 폼 난다).

또 오스만 터키의 위대한 재상들 가운데도 외국인이 숱하다. 그렇게 외국인을 차별하지 않았고, 이교도와 공존했던 오토만제국. 아마 그리스가 그들의 글과 종교를 지킬 수 있었던 것은 그들의 투쟁도 있었겠지만 오토만제국의 그런 너그러움 덕이었을 것이다. 만약 그리스가 왜국의 지배를 수백년 받았다면 어땠을까? 파르테논 신전이 야스쿠니 신사가 되었겠지…….

제국. 제국을 경영했던 know-how와 기품은 쉽게 사라지는 것이 아니다. 그리고 제국을 경영할 그릇은 뭐가 달라도 다른 것이다. 지금은 찌그러졌지만 아직도 외국인 정책 등에서 기품을 잃지 않는 포르투갈이나 자부심 가득하고 너그러운 터키……. 이런 나라에 비해 우리 옆 나라의 행동은 그들이 제국의 그릇이 애초에 아니었다는 것을 말해준다. 우리도 마찬가지지만…….

오토만제국의 너그러움, 술탄의 관용. 잘못 배웠던 역사와 실상을 바로잡은 것도 좋았고, 덕분에 위대한 유물을 볼 수 있었던 것도 좋았다. 터키……. 꼭 다시 갈 거다.

이 지루한 글의 끝으로 '십자군'에 대한 어떤 글에서 발췌한 두 문장을 싣는다.

"유럽인은 이교문화(異教文化)에 접하면서도 최후까지 관용의 정신을 배우는 일이 없었다."

"이슬람교도는 관용의 정신이 풍부했다. 그러나 십자군의 공격을 받게 되자 그들 사이에 점차 비관용성과 민족의식이 고취되었으며, 성전(聖戰)에 대한 정열이 높아졌다."

*2000. 5. 10.*

# 겨울여행

## (1)

〈겨울여행〉이라고

하면 왠지 그럴싸해 보인다. 다른 계절에 여행을 붙이는 것보다 운치도 있어 보인다. 아마 사람은 본능적으로 호젓한 나들이를 좋아하나보다.

아내가 신문을 스크랩해서 내밀었다. 철도청에서 겨울맞이로 내놓은 몇 가지 열차여행 상품이었다. 여러 상황을 고려하여 '눈꽃열차' 를 타보기로 하였다. 당일에 돌아오는…….

청량리. 맑고 시원한 바람이 늘 불었다는 곳. 이곳이 어쩌다 서울의 동북쪽 중심이 되면서 번잡함의 상징같이 되어버렸다. 작가 공지영은 걸핏하면 청량리를 들먹이는데, 마치 도시의 모든 보기 싫은 부산물이 모인 곳으로 표현한다. 많은 사람, 혼잡, 공해, 정돈되지 않은 거리와 건물들…….

내가 보기도 이곳은 틀림없이 깔끔하고 번듯한 신도시와는 다르다. 그러나 계획되어 지어지지 않은 어설픔의 여유가 있고, 구리, 남양주와 같은 동북방 시골(?) 사람들이 드나들며 떨어뜨리는 촌스러움도 있다. 또 상계동, 이문동, 면목동 등과 같은 former-철거민촌, 상경촌의 빈한한 부스러기도 아직 보이는 듯하다. 이렇게 어설픈 촌스러움과 번잡함이 뒤섞여 있는 이곳을 '현대적 도시'의 시각으로만 본다면 공 작가와 같은 소리가 나올 것이다.

(내가 알기로 공 작가는 이 동네에서 살아보지 않은 것 같은데……. 난 대학교 다닐 때부터 이 동네를 지나다녔고, 직장도 이곳이고, 사는 곳도 이곳이다.)

청량리가 이렇게 번잡한 이유 가운데 하나는 교통이다. 일일이 거론할 필요도 없을 정도로 교통의 요지다. 이런 청량리 교통의 간판은 바로 청량리역이다. 서울의 동쪽, 동남쪽으로 가는 열차가 출발하는 곳. 봄, 가을이면 MT가는 학생들로 광장은 물론 근처 곳곳이 북적대고, 시장과 백화점 지하에는 장 보는 학생들로 그득하다.

(장이라야 주로 술이다. 그것도 PET병에 든 소주……. 난 보기만 하면 욕지기가 나오려고 하는 그 됫병 소주를 잔뜩 사가는 학생들. MT가 아니고 Drinking Training을 가는 모양이다.)

본론으로 돌아가서…….

청량리에 살게 되면서 나와 아내는 앞으로 청량리의 장점, 그 가운데에서도 청량리역을 잘 이용해보자고 했었다. 이번 '눈꽃열차'

도 그런 맥락이 작용했다고 봐야겠다.

기차에 올라 의자를 마주보게 돌려놓고, 다리를 뻗고 앉으면 여행은 시작이다.

(기차 좌석이 Abteil 식으로 되어 있지 않은 우리나라에서는 의자를 돌려놓고 일행끼리 마주 앉아 가는 재미가 있다)

기차여행의 장점은 구경이다. 바깥 경치 구경, 열차 안 사람 구경. 적당히 흔들리면서 내다보는 바깥의 경치도 좋지만, 때론 차 안의 풍경이 더욱 재미있다. 기차는 다른 교통수단과 달리 움직임이 자유로우니 돌아다니는 사람도 많고, 서 있는 사람도 있고, 술 마시는 사람도 있고……. 그래서 늘 그 안에는 약간의 흐트러짐과 번잡함이 있다.

우리의 옆으로는 남자 하나와 여자 셋의 젊은이들이 자리를 잡았다. 3:1. 아마 한 쌍의 커플과 여자의 친구들인 모양이다. 커플이 놀러가는데 여자의 친구들이 낀 건지, 여자들끼리 놀러가는데 남자 젊은이가 낀 건지 모르겠다. 어느 모로 보나 불청객이 낀 일행이다. 이들은 기차가 출발하자마자 자기 시작해서 돌아올 때까지 먹는 시간을 뺀 대부분의 시간을 잠으로 보냈다. 처음에는 아침 일찍 출발하는 기차를 타느라 잠이 모자라 그런 줄 알았다. 그런데 자도 심하게 잔다. 저렇게 잘 거면 뭐 하러 여행을 나섰을까? 그냥 집에서 쉬지. 하기는 가고 싶지 않은 나들이도 따라가야 하는 것이 연애고, 쪽팔림 무릅쓰고 친구 데이트 따라다니는 것도 젊을 때 한때다.

그 젊은이들의 앞에는 두 엄마와 네 아이가 자리를 잡았다. 애들이 '이모' 라고 하는 걸 봐서 엄마들은 언니 동생인 모양이었다. 나이는 많지 않아 보였는데, 둘 다 상당한 살집을 가지고 있는 걸 보니집안 내력이 풍성한 모양이다. 언니의 애는 초등학생 둘이고, 동생의 애는 서너 살짜리와 아직도 걸음을 뒤뚱거리는 꼬마 아가씨였다. 파마 머리를 상투 틀듯이 가운데만 묶어 놓은 모습이 귀여움을 더했는데, 하는 짓도 거의 여우 수준이었다.

기차여행을 하는 사람들에게 빼놓을 수 없는 것은 먹는 일이다. 특히 이 열차는 일상열차가 아닌 '눈꽃여행' 열차라, 승객들은 먹을 걸 많이 싸 가지고 온 모양이다. 여행이니까.

퉁퉁 아줌마네 일행은 역시 나의 예상을 저버리지 않았다. 기차가 움직이자 바로 김밥을 꺼내 애들과 한바탕 소동에 가까운 식사를 하더니, 그 후에도 계속 먹어댄다. 애들도 손이 비어 있는 적이 없다. 과자, 오징어, 귤……. 싸온 것을 먹다가는 식당차에 가서 또 뭔가를 사오고……. 아내는 '저 집은 오늘 10만원어치 이상 먹겠다' 라고 했다.

잠시 후 초등학생 남매가 틱택대기 시작한다. 내 자리니 네 자리니 하면서. 역시 잔챙이들은 30분 이상의 여행에 적합하지 않다. 징징거리며 싱갱이를 하는 그 남매를 보며 나는 속으로 이 대목에서 쟤들을 한번 패대기쳐 놔야 앞으로의 여행이 화기애애할 텐데 하는 생각을 했다. 기차여행은 여럿이 함께 하는 것이니까. 그러나 그 남매의 통통한 엄마는 나의 예상을 깨고 애들에게 먹을 것을 줘서 사태를 정리하였다. 아! 저런 방법이 있다니…….

그 통통 자매는 정말 먹는 데는 일가견이 있는 모양이었다. 본인들도 끊임없이 먹고 애들도 끊임없이 먹였다. 초등학생 딸은 이미 비만의 분류에 한 발 들이민 상태였다. 그래도 먹였다. 심지어 애들끼리 싸우는 것도 먹여서 정리할 정도니……. 갑자기 그 여자들의 남편들이 보고 싶어졌다. 그리고 그 남편들은 왜 같이 안 왔을까? 바쁜가? 바쁘고 싶었을까?

잠시 후 그 초등학생 남매가 또 싸운다. 역시 자리 싸움이다. 또 먹인다. 조금 지나자 사내 애가 왜 눈이 없느냐며 징징거린다. 눈 보러 간다고 해서 왔는데, 왜 눈이 없느냐는 것이다(엄마가 어떻게 아냐?). 오늘 농구 경기를 꼭 봐야 한다면서 징징거린다. 농구 팬인가보다. 농구 팬이건 축구 팬이건 이쯤 되면 정말 한번 차 바닥에 메다 꽂아야 여행이 즐거울 텐데……. 통통한 그 엄마는 또 먹인다. 큰 소리 한 번 안 내고. 그녀의 남편이 정말 보고 싶었다. 그리고……. 왜 안 왔을까?

동생 통통 엄마는 목장을 하는 모양이다. 애 둘을 방목하고 있다. 애들이 맨발로, 무릎으로 온 차 안을 돌아다녀도 보고만 있다. 물론 말로는 '이리 와', '맴매한다' 라고 하지만 끈기 있게 지켜만 보고 있다. 계속 뭔가를 먹으면서. 물론, 양말로, 옷으로 차 바닥을 청소하고 있는 꼬마들도 뭔가를 먹고 있다. 그 꼬마들의 아빠가 보고 싶었다. 그런데 왜 안 왔을까?

눈꽃열차인데 차창 밖으론 눈이 없다. 잔설도 없다. 창 밖으론 겨울의 색깔뿐이었다. 갈색, 회색……. 날을 잘못 잡은 것 같다. 기대했던 눈이 없으니 시선은 자꾸 다른 승객으로 간다.

열차는 담양에서 잠시 쉬었다. 내려보니 온통 술과 술안주 파는 좌판들이다. 우리의 관광상품은 왜 다 이럴까? 오뎅, 감자전, 막걸리, 소주. 음식이라야 닭도리탕, 손두부, 산채비빔밥……. 전국이 다 똑같다. 그나마 먹을 것 빼면 볼 건 뭐가 있나? 참, 그래도 왔다 갔다는 표시는 해야겠기에 사진을 몇 장 찍었다. 그중 가장 젊어 보이는 걸로 하나.

기차에 다시 올라보니 옆의 3:1 젊은이들은 아직도 자고 있다. 이 기차 탄다고 어젯밤을 새웠나보다. 집에서 편히 잘 일이지…….

잠시 후에 퉁퉁 아줌마네 일행이 올라왔다. 왜 아니겠는가? 손에 손에 오뎅이고, 떡볶이다. 저렇게 먹어도 되는 건가? 내가 다 걱정이 된다. 나는 그제야 깨달았다. 그 남편들은 바쁜 일이 있어야만 할 것 같다는 걸…….

승부(承富). '하늘도, 꽃밭도, 마당도 세 평' 이라는 곳. 그곳의 간이역에 기차가 섰다. 이 마을은 기차가 아니면 접근하기가 아주 힘들다고 한다. 식사와 휴식을 위해 열차는 여기서 한 시간 반 동안 멈춰 섰다. 안내서에는 이곳에 먹거리 장터와 토산품 판매하는 장이 서 있다고 했는데……. 장이랄 것까지는 없고 천막으로 만든 가건물이 몇 동 있었다. 음식도 전국 공통 메뉴인 육개장, 산채비빔밥, 감자전……. 우리나라가 이렇게 음식이 다양치 못했단 말인가?

역시 조그만 천막들 몇 채인 장터를 돌아보고, 몇 가지 사고, 역과 주변을 돌아보고 났는데도 시간이 남는다. 눈이 있었다면 많이 다른 여행이 되었겠지만, 눈이 없으니 이건 그냥 추운 산골 구경이 아닌가? 아~ 춥다. 그래도 사진은 찍어야 한다.

(오른손에는 방금 산 산나물, 왼손으로는 오리지날 강원도 강냉이를 꼭 껴안고 있는 아내와 둘리. 강냉이가 저리도 좋을까? 멀리 터널이 보인다.)

추전(杻田). '싸리밭골' 이라는 곳. 승부를 떠난 열차가 다시 우리를 내려놓은 곳이다. 대한민국에서 가장 높은 곳에 있다는 역. 해발 855미터. 그곳은 정말 온통 눈이었다. 지대가 높은 곳이라 눈이 녹지 않고 그대로 있는 모양이다. 승부에서 추전역까지 올라오기 시작하면서 중턱 이상에 눈이 쌓여 있는 산들이 연이어 창 밖으로 나타나 열차 이름값을 시작했었다.

추전역에 내려서 차가운 겨울 기운과 가지에 핀 눈꽃, 세상을 덮은 눈을 즐기며 그제야 눈꽃열차를 실감했다. 이번엔 열심히 사진을 찍었다. 눈꽃열차를 탔으니 눈꽃 있는 사진이 있어야 할 것 아닌가?

그곳에는 눈과 길이 있었다. 그리고 눈 사이에서 활짝 웃는 아내도 있었고(내 사진은 싣지 않겠다. '한담' 의 미관을 위해서…….)

그리고 엄마와 아들이 있었다.

그런가 하면, 사진으로는 처음 보는 아내의 모습도 있었다. 아내는 장난기가 심해서 저런 짓궂은 표정을 많이 짓는데, 사진에 잡히긴 처음이다. 귀엽기도 하지…….

추전역을 끝으로 열차는 돌아서 서울로 오는 길을 달린다. 그런데 창 밖으로는 폐광촌의 무채색 폐허가 지나간다. 바닥이 비탈이어서 그랬을까……. 언덕에 다닥다닥 붙여지었던 집들은 거의 다 폐가가 되어 있었다. 유령도시 같은 곳을 지나면서 마음이 무거워졌다. 눈이라도 많이 내렸으면 저런 아픈 모습을 조금은 가려주었을 텐데. 정말 저곳엔 희망이 없는 걸까? 폐가가 된 집들이라도 나라에서 정비를 해주면 동네 모습이라도 달라지지 않을까? 카지노를 만들어 어찌 해보겠다는 생각 말고 다른 생각은 해본 것이 있을까? 안타까운 풍경이 계속 지나갔다. 역시 겨울엔 눈이 내려야 한다.

무거운 맘으로 탄광이 있던 산을 돌아 나올 때쯤, 옆의 3:1 젊은 이들이 싸온 밥을 꺼내놓고 먹기 시작한다. 김치까지 싸가지고 온 걸 보면 단단히 준비하고 온 모양이다. 실컷 자고, 실컷 먹고……. 참 편한 시절의 젊음이다.

앞의 퉁퉁 아줌마는 초등학생 사내애의 등을 두드리고 있다. 체했단다. 그렇게 퍼 먹였으니……. 작은 퉁퉁 아줌마는 상투머리 꼬맹이를 끌어안고 자고 있고, 그 위의 꼬마는 아직도 옷으로 열차 바닥을 닦고 있다. 한 손에는 오징어를 들고.

청량리역이 가까워오자 사람들이 부산해졌다. 특히 퉁퉁 아줌마네가 그랬다. 애들 챙기기도 보통 일은 아닌 것 같았다. 전화하는 걸 들으니 큰 퉁퉁 아줌마의 남편이 마중을 나와 있는 모양이다. 봉고는 되어야 다 실을 수 있지 않을까? 열차가 역에 진입할 때 쯤 퉁퉁 아줌마의 전화가 울렸다. 남편이 왜 빨리 안 나오냐고 성화를 부리는 모양이다. 성질도 급한 사람이다. 차가 역에 들어오지도 않았는데…….

14시간의 긴 기차여행이었다. 기대했던 만큼 눈이 없었지만, 그래도 시릴 만큼 눈도 봤고, 추위도 느껴봤으니 겨울여행으로는 나뻐지 않았다. 무엇보다 열차여행이라 다른 신경 쓸 일이 없어 좋았다. 운 좋게 눈이 내리는 날이나, 눈이 많이 내린 다음에 열차를 탄다면 아주 좋은 겨울여행이 될 것 같았다.

(개찰구를 빠져 나오며 보니 오리털 파카를 입은 웬 남자가 인상을 잔뜩 쓰고 서 있다. 첫눈에 퉁퉁 아줌마의 남편임을 알 수 있었다. 아까 징징거리고, 체했다던 초등학생 사내애와 똑같이 생겼다. 그런데 왜 저렇게 인상을 쓰고 있을까? 열차도 아주 정시에 도착했는데…….)

*2002. 12. 30.*

## (2)

### 처제 수녀가

본원(本院)이 있는 프랑스로 돌아가게 되었다. 수도자란 그렇게 오라면 오고 가라면 가야 하는 삶이니 어쩌겠는가만, 가기 전에 이 나라 여행을 했으면 했다.

아내는 휴가가 남았다고 한다. 수험생인 큰애의 힘듦을 함께한다고 다니질 않아서 그렇게 되었다. 그래서 겸사겸사 떠나게 되었다.

처음 계획은 '땅끝' 까지 다녀올 생각이었으나, 내 컨디션이 시원치 않아 중간까지만 갔다 오기로 하였다.

변산까지만.

겨울여행만큼 뽀다구 나는 말이 '겨울바다' 일 거다. 사실 겨울바다는 정말로 춥고 황량하다. 대학교 3학년 겨울, 농촌봉사를 다녀온 뒤 우리 캠프의 대원들이 겨울바다가 보고 싶다고 하도 조르길래 모두 데리고 인천 앞의 용유도를 다녀온 적이 있었다. 지금이야 육지에 연결된 섬이지만, 그때는 배를 세 시간이나 타고 가야 하는 먼(?) 섬이었다. 문 닫은 민박집을 졸라 겨우 방을 얻고 불을 지폈지만 추위는 가히 살인적이었다.

열 명이 넘는 남녀학생들이 파카를 입은 채, 이불을 뒤집어쓴 채로 마구 엉켜 잠을 자야만 했다.

(혼숙의 불량함을 거론할 상황이 아니었다. 단지 살아 남기 위한 엉킴이었다.)

바다는 더했다. 파도 거품까지 얼어붙은, 살이 에는 해변에는 어디에도 낭만이란 없었다. 아울러 생각을 불러일으킬 만한 아무런 단서도 찾을 수 없었다. 아니 찾을 여유가 없었다. 너무 추워서. 늘 작은 노트를 가지고 다니며 시인지, 수필인지를 끼적거리던 여학생은 아예 노트를 꺼내지도 못했고, 불편스레 가지고 간 기타(guitar)는 아무도 거들떠보지 않았다. 그저 2박3일을 굶여 먹고, 이불 뒤집어쓰고 앉아 이야기만 했을 뿐이다. 그것도 겨울바다의 멋인지는 모르겠지만, 난 끔찍이 추웠던 여행이란 생각뿐이었다.

결혼하고 1년쯤 지났을 때. 아내와 겨울바다를 간 적이 있었다. 사진 여행을 겸해서. 만리포와 천리포, 만리포 못 미쳐서 옆길로 들어가면 바로 나오는, 작은 조약돌이 곱고, 이름도 고운 '파도리'.

그런 바닷가를 헤매며 사진을 찍는다고 소란에 가까운 여행을 했었는데 그때도 무지하게 추웠었다. 새로 산 광각렌즈 쓰는 기분에 나는 조금 추위를 잊을 수 있었지만, 아내는 내심 무지하게 내 원망을 했을 거다. 사랑도 난방이 된 후라야 제 맛인데…….

그 후 난 '겨울바다'에는 가질 않았다. 지금도 나는 가장 과장된 여행지로 '겨울바다'를 주저 없이 꼽는다. 과대 포장된 여행지다. '탐험지'라면 모를까?

이런 내가 어쨌든 이번엔 겨울바다를 가게 되었다. 그런데 겨울바다와 나는 인연이 없는 모양이다. 이번에도 요 근래 가장 추운 때에 바다엘 가게 되었다. 날은 춥고, 바람은 세고, 가는 길에는 눈까지 흩날렸다. 서해대교에는 '강풍 조심'이라는 경고 문구가 계속 나타났다. 바람에 날아갈 수 있다는 말인가보다.

변산해수욕장 못 미쳐 전망대에서 내려다본 바다는 무서울 정도였다. 일몰을 볼 수 있을지 모른다고 서둘러 달려왔는데, 일몰은 찌푸린 구름에 자취를 감추고 바람만이 거셌다. 이렇게 거칠게 밀어닥치는 파도를 내가 언제 또 보았던가? 파도가 세다는 하와이도 이렇진 않았는데……. 엄청나게 밀어붙이는 파도에 잠시 넋을 놓고 있었다. 그러나 곧… 너무 추웠다.

(인물은 플래시를 써서 약간 벌겋게 나왔다. 뒤에 보이는 흐린 겨울날의 저녁 바다와 파도는 회색이 지나쳐 퍼런 빛이 돈다. 에구, 무시라… 꼬옥 안아줬다. 무서울까봐.)

우리는 바로 밑에 있는 변산해수욕장으로 내려갔다. 간간이 젊은이들이 추위에 떨며 사진을 찍고 있었다. 우리도 젊은이들같이 그랬다.

그 추운 바다가 뭐가 그리 아쉬운지 발을 떼지 못하는 처제 수녀를 억지로 잡아끌다시피 해서 그 바람을 피할 수 있었다. 아내는 조금이라도 더 겨울바다에 있으려는 처제를 두고,

"젊은애랑 같이 다니려니 힘드네……." 라고 하였다. 젊은애라니? 처제도 어느 새 나이가 마흔이 넘었는데……. 마흔이 넘어 다시 먼 나라로 가려니 생각이 많겠지…….

변산횟집. 변산해수욕장 바로 앞에 있는 횟집.

(떠나기 전에 인터넷에서 정보를 구했다. 변산서중학교의 교장선생님이 개설한 사이트에 변산의 모든 것이 잘 소개되어 있었다. pyonsan.netian.com. 교장선생님이면 연세도 꽤 되셨을 텐데(즉, 요즘 유행하는 말로 '꼰대' 인데), 홈페이지를 잘 만들어서 관리하고 계신 걸 보고 시원한 감동을 받았다. 그리고 그 선생님의 향토 사랑에도 감명을 받았고. 그 사이트에 소개된 걸 보고 변산횟집을 찾아들었다.)

맘 좋은 주인 아저씨의 추천대로 회를 시켰다. 그런데 회가 들어오기 전에 각종 '쓰끼다시'(附出, 왜말. 말 그대로 '딸려 나오는 음식')가 나왔는데 그 내용이 기가 막혔다.

특히 조개류를 좋아하는 사람들(호색한을 말하는 게 아니다)에겐 감동적일 정도의 상차림이었다. '가이바시라'(貝住, 왜말. 조개관자)와 석유회사 SHELL의 상징인 '가리비(scallop)'가 있었고, 심지어 피조개도 있었다. 홍합, 새우, 소라, 멍게, 개불 등은 눈에 안 들어올 정도였다. 한 가운데에는 무교동 낙지볶음 집에서 8천원이나 하는 조개탕까지…….

괜찮은 안주를 보면 이성을 잃어버리는 나의 숨겨진 고질이 갑자기 도졌다. 억지로, 정말 억지로, 골짜기 손님들에게 소개하기 위해 사진을 한 장 찍고(이 짧은 동안에도 나의 본능과의 싸움은 정말 치열했었다), 나는 본격적으로 이성을 잃어갔다. 결국 나중에 나온 회는 배가 불러서 많이 남기고야 말았다. 그러나 워낙 감동적인

'쓰끼다시'에 이성을 잃었던 터라 남긴 회가 별로 아깝지 않았다. 매운탕까지 맛있게 먹고 나서 숙소로 돌아오는데, 기분이 그렇게 삼삼할 수가 없었다. 술은 알딸딸하게 오르지, 운전은 아내가 하지(이럴 때는 더 기분이 좋다)……. 겨울바다도 알고 보니 아주 나쁘진 않구나…….

변산해수욕장 앞의 변산횟집. 기회가 되면 꼭 가볼 집이다. '강추'다.

술 마신 다음 날. 속이 편한 아침식사가 있다면 더 말할 나위 없이 행복하다. 술꾼은 안다. 변산에는 그런 편안한 식사가 있다.

(마치 음식점 선전 같다. 광고 사이트! 이왕 망가진 것……. 끝까지 쓴다.)

바지락죽. 서해에 흔한 바지락으로 끓인 죽이란다. 첨 알았다. 인터넷에서 교장선생님이 일러준 집으로 바지락 죽을 먹으러 갈 때만 해도 '아무렴, 전복죽만 하겠나……. 그저 특이하니까 한번 먹어 보자구…….' 하는 심정이었다. 그런데 이 바지락죽의 맛이 범상치 않았다.

조개 특유의 냄새도 전혀 없었고, 맛 또한 전복죽 못지 않았다. 내 입맛이 무뎌서 그런지 모르겠지만, 하여간 맛있고 편안한 음식이었다.

독특하게 음식점의 이름이 '변산온천산장'이다. 이 집은 이름과 달리 온천도 산장도 하지 않고 현재는 음식점만 하고 있다. 샛길인

데다 좁은 시멘트길을 꽤 올라가야 하니(약 800미터), 중간에 포기하거나 의심하지 말고 끝까지 가야 한다. 의심은 많은 경우에 해롭다.

식사를 마치고 우린 다시 겨울바다로 향했다.

채석강. 이제는 변산국립공원 안에 있는 이곳은, 그 옆의 적벽강과 마찬가지로, 이름만으로는 어떤 곳인지를 가늠하기 힘들다. 층층이 쌓인 바위들과 절벽인데, scale은 예상했던 대로 사진에서 보다 아주 작았다. 예상은 했지만, 그래도 조금은 실망이었다.

조그만 백사장에 딸린 채석강 바위 위에서 다시 겨울바다를 보았는데, 바람과 추위는 어제 저녁과 다름이 없었다. 이번 여행은 영 협조가 안 된다. 그러거나 말거나 수녀는 먼 바다를 하염없이 바라보고 있었고, 추위 잘 타는 꼰대는 귀마개까지 하고도 와들와들 떨면서, 그러나 겨울바다 앞에서 멋있게 보이려고 용을 쓰고 있었다. 억지로 '낭만에 대하여'를 웅얼거리며…….

겨울바다. 오랜만에 다시 와보니 아주 과장된 여행지는 아니었다. 춥지만 않다면 더 괜찮았을 텐데……. 수녀에겐 이 바다여행이 어땠을까?

*2003. 1. 1.*

(3)

변산은

내변산과 외변산으로 나뉜다. 외변산은 말 그대로 바다를 따라 도는 변산반도의 외곽을 일컫고, 내변산은 내륙 쪽을 말한다. 당연히 내변산은 주로 산과 바위로 이루어져 있다. 바다에 가까운 산들이 대개 그러하듯이, 내변산의 산들도 절대 높이는 높지 않지만, 산행의 기점은 바닷가답게 near zero 인지라 산행은 결코 호락하지 않다. 특히 내변산의 산들은 낮지만, 병풍 같은 바위들이 연이어 있어 낮은 산이란 느낌이 별로 들지 않는다. 좋은 산이다. 또 산이 있으면 늘 절집이 있는 법. 변산에는 내소사가 있다.

내소사의 내력이야 누구나 쉽게 찾을 수 있으니 수준 높은 독자를 대상으로 하는 이 '한담' 에선 건너뛰기로 하겠다.

내소사는 참으로 묘한 절이다. 깊이 파고들다간 또 직무를 등한시할까봐 호기심을 대충 눌렀지만, 묘한 느낌은 이야기를 해버려야 직성이 풀리겠다.

우선 내소사를 들어서면(정확히 천왕문을 지나면), 납작하다는 느낌이 난다. '평지' 라는 느낌과는 다르게 절이 마치 땅 밑으로 약간 내려앉은 것이 아닌가 할 정도로 납작하다는 느낌이다. 다른 지방의 절집에 익숙해져 있어서 그렇겠지만, 이 전라도 바닷가의 절집은 당황스러울 정도로 낮다는 느낌이었다. 물론 실제론 비록 낮은 축대지만, 석축으로 높이를 조금씩 높이며 대웅보전으로 이끄는 형식은 여느 절과 마찬가지다. 그런데 왜 이렇게 이 절은 낮아 보이는 걸까?

내소사는 넓다. 절대적 넓이는 모르지만 절집이 옆으로 펼쳐져 있어서 여느 절보다는 더 넓어 보인다. 아무리 너른 땅 전라도지만, 이 절집도 산 속에 들어앉았는데 어떻게 이렇게 낮고 또 넓어 보일까? 이 문제는 단풍이 적당히 든 가을날에 다시 찾아 와 낮은 석축에 걸터앉아 곰곰 생각해봐야지 하고, 일단은 접어놓았다.

내소사에서는 '눈을 들어 산을 봐야' 한다. 비록 '도움'이 그곳에서 오지는 않더라도 꼭 절집을 둘러싼 산을 봐야 한다(마치 성서에 정통한 척한다. 원래 얼치기들이 이렇다).

그것도 한쪽만이 아닌 모든 방향을 봐야 한다.

아무리 수평적이고 낮은 절이지만, 어쩌면 이렇게 포~옥 파묻힐 수가 있을까? 숨어 있다고 해야 하나? 숨겨져 있다고 해야 하나? 마치 어머니의 품안에 안겨 있는 그런 편암함이 있다. 대웅보전을 등지고 절 입구 쪽을 바라보면 이쪽도 역시 산으로 싸여 있다. 탁 트여 있어야 할 것 같은데……. 이것은 절의 유도선이 휘어져 있기 때문이다.

(왜 나는 매번 휘어진 절만 다닐까? 참…)

절의 관문인 일주문(일주문인지 매표소인지 불분명한…)을 지나면 내소사의 특징인 전나무 숲길이 발길을 절집으로 인도한다. 그런

데 일주문과 전나무길의 방향이 일단 틀어져 있고, 전나무길도 중간에 한 번 더 꺾여 방향을 더 틀어놓는다. 이렇게 틀어지는 방향은 모두 시계 반대방향이다. 즉 왼쪽으로 계속 틀어 들어가는 것이다.

그러므로 당연히 절을 드나드는 방향은 절집의 중심축과는 상당히 틀어지게 되었고, 그래서 절집에서 입구 쪽을 보면 탁 트이지 않고 얕은 산이 보이는 것이다. 이렇게 방향을 튼 이유는 대웅보전 뒤의 산이 닭의 형상인 데 반해, 앞의 형국은 지네의 형상이어서 상극인 두 짐승이 정면으로 만나지 못하게 하느라 그랬다는 것이다. 으음… 까막눈으로 백날 봐봐야 닭이 보이길 하나, 지네가 보이길 하나……. 그렇다니 그런 줄 알아야지. 이런 닭/지네 이론은 가기 전에 어느 문헌에서 읽어 알고 있었기 때문에 그러려니 할 수 있었다. 그런데…….

본격적으로 절집이 시작되는 천왕문을 들어선 후에 난 내심 당황하였다. 보통 절집의 천왕문이나 금강문 등을 지나면 시야가 확 트이면서 멀리 불당까지 눈에 들어오곤 하는데, 이 절은 천왕문을 들어서니 앞이 탁 막혀있다. 당황할 밖에.

시야를 가로막는 큰 나무와 건물 때문에 잠시 당황했지만, 왼쪽으로(서쪽) 저만치 석축을 오를 수 있는 계단이 보여 자연스레 그쪽으로 발길이 흐른다. 계단을 오르면 커다란 당산나무가 서 있는데(절에 당산나무라……. 산신각과 같은 맥락이다), 다음 석축으로 오르는 계단은 한 번 더 왼쪽으로 치우쳐 있다. 결국 천왕문을 지나 대웅보전을 향해 석축을 오를 때마다 왼쪽으로 가도록 절집이 배치되어 있는 것이었다. 자연히 절집의 종점인 대웅보전은 천왕문에서 상당히 왼쪽으로 치우쳐 있다. 더욱 재미있는 것은 이 절집의 주산(主山)격인 '능가산'(뒷산 이름이다)의 제일 높은 봉우리(관음봉이라고 하던가)도 대웅보전에서 약간 왼쪽으로 있다는 것이다.

돌아와 자료를 찾아보니, 뒷산의 봉우리가 너무 크고 강해서 대웅보전을 그렇게 조금 옆으로 비껴 앉혔다는 것이다. 절집을 둘러싼 다른 산들과의 조화를 위해 그랬다는데……. 그건 나 같은 비전문가가 이해할 수 있는 수준을 넘어선 해설이라 그냥 그런가보다 하기로 했다. 어쨌든 이 절은 일주문에서부터 계속 서쪽(왼쪽)으로 휘다가, 절 안에서는 왼쪽으로 조금씩 shift 되는 재미있는 가람배치를 보여주고 있다. 너무 어려운 해설은 잊기로 하자.

그리고 마치 공예품 같은 화려한 꽃 문양의 문짝들.

그런데 이 건물은 이렇게 화사한 건축적 장식과 문양을 지녔으면서도 화려하기보다는 오히려 은은한 느낌이 든다. 이것이 내소사 대웅보전의 참맛이다. 그 이유는 아무래도 단청이 없는(지워졌는지 원래 안 했는지 모르겠지만) 나무 그대로의 색과 질감 때문일 게다. 자연 그대로인 나무의 멋과 어울리게 우리 부부도 자연 그대로 한 장 찍었다. 자세히 보면, 내 피부의 질감이 나무의 질감과 너무나 흡사하다. 슬프다. 로숀을 꼭 가지고 다녀야겠다.

대웅보전의 안을 들여다보면, 특히 천장쪽을 올려다보면 기가 막히다. 겉에는 단청이 없어 화려하지만 그래도 소박한 느낌이 드는데 비해, 안의 공포는 화려한 단청에 다섯겹 출목, 용머리 조각까지……. 도대체 이 소박한 절집에 이게 웬 파격이란 말인가?

건축학자들의 해석에 의하면, 전체적으로는 수평적인 내소사이지만 절집 뒤 능가산 주봉의 솟아오른 바위절벽에 대응하기 위해 대웅보전만은 수직적으로 화려하게 지었다는 것이다. 이런 해석은 너무 전문적이니 집착하지 말기로 하고……. 어쨌든 이 절의 대웅보전은 튄다. 그러나 아주 아름답고, 화려하고, 또 소박하고 자연스럽다. 멋진 건물이다.

다음 재미있는 건물은 설선당(說禪堂)과 무설당(無說堂)이다. 이 두 건물은 대웅보전 아래 단에서 서로 마주보고 있다. 설선당은 말 그대로 강의하고 공부하는 강당이다. 다른 절에도 설선당이 있는 곳이 있으니 그리 낯설지는 않은데, 문제는 '무설당' 이다. 맞은 편의 '설선당' 에 대비해서 지은 이름 같은데, 아주 기막힌 이름이 아닐 수 없다. '말 없는 집' 이라……. 철학이 뚝뚝 떨어지는 이름 아닌가? 절집의 건물 이름 하나에도 이런 해학이 있다니, 참으로 cool 한 스님들이었나보다.

그런데 설선당의 편액이 나 같은 까막눈에게도 예사로워 보이질 않았다.

돌아와 찾아보니, 이 편액은 조선 중후기의 유명한 양명학 집단 '강화학파'의 사상가였던 원교 이광사(李匡師, 1705~1777)의 글씨였다. 귀양왔을 때 쓴 모양이다. 앞의 사진에 보이는 '大雄寶殿'이라는 편액도 역시 그의 글씨다. 이광사는 사상가일 뿐 아니라 당대의 명필이었다고 한다. 그는 또 조선 말의 거유(巨儒) '이건창'의 5대조 할아버지이다.

내가 설선당의 편액이 '원교 이광사'의 글씨란 걸 알고 좋아한 이유는 다른 데 있다. 원교 이광사는 '전주이씨 덕천군파(德泉君派)'다. 그리고, 나도 그렇다. 원교 이광사는 김포, 강화에 뿌리를 내린 '덕천군파'이고, 우리 집도 그렇다. 이 어찌 반갑지 아니한가? 집안어른이 쓰신 글씨인데……. 게다가 잘쓴 것 같은데(잘 모르니 자신이 없어서……).

'덕천군'은 조선 2대 왕 정종의 아들이다. 덕천군이 대군(大君)이 아니고 군(君)인 것으로 봐선 후궁의 자손인 것 같은데, 언젠가 당숙어른한테 이렇게 여쭸다가 엄청 혼이 났다. 당숙의 말씀으로는, 정종의 자손이 어쩌구저쩌구 했기 때문에(정실의 자손이 없다는 뜻인 듯) 덕천군은 후궁의 자손이 아니라는 것이다. 글쎄……. 역시 전문가의 말이니 집착하지 말기로 하자.

그런데 덕천군이 아무래도 후궁의 자손일 것 같다는 느낌이 드는 이유는, 덕천군파의 후손들이 대부분 인물이 잘났기 때문이다. 굳이 나까지 들먹이진 않더라도, 우리 집 헐렁이, 둘리를 보면 쉽게 이해가 되는 사실이다. 정실왕비야 인물보고 뽑는 것이 아니니까, 그 자손인 'xx대군파(대군파)' 들은 아무래도 인물이 좀 떨어진다. 즉 인물은 당연히 군파(君派)의 자손들이 나을 수밖에 없다는 말이다. 사실이야 어쨌든, 너무 집착하지 말고 다음 이야기로 넘어가야겠다. 그런데 글씨는 참 잘썼다.

이런 차분한 절집에도 어이없는 티는 있게 마련이다. 천왕문을 지나 왼쪽으로 쏠리면서 대웅보전을 향하다 보면 갑자기 머리가 띵~해지는 건물이 하나 있다. 봉래루(蓬萊樓).

내 가슴이 탁 막힌 것은 먼저 그 건물이 막힌 누각이었기 때문이다. 벽을 다 막아 놓았다는 것은 이 건물이 누각이라기보다 너른 마루바닥이 있는 용도, 즉 강당이나 basilica 라는 뜻이다. 뒤로 돌아가보니 왜 아닐까? 각종 현수막, 간판들을 보관하는 창고로 쓰고 있었다. 절집 분위기를 깨기에는 그 정도면 충분했다. 이렇게 어이없는 건물이 있다니…….

봉래루. 이름이 그럴싸하다. 그런데 왜 뜬금 없이 '봉래' 일까? 절의 뒷산인 능가산의 또 다른 이름이 '봉래산' 이라고 한다. 그런데 흥미롭게도 봉래산은 중국에선 신선이 사는 산이라고 알려져 있다. 그러니까 대웅전 앞의 누각에 뒷산의 이름을 붙이면서, 자연스럽게 인간세상과 구분되는 신선의 세계가 시작된다는 의미를 갖고 있는 것이다.

아주 유사한 예가 부석사 안양루이다. 안양(安養)이란 뜻은 극락이다. 그러니까 안양루를 지나면서 인간세계를 벗어나 극락으로 들어선다는 의미를 갖고 있는 것이다. 다만 이 내소사의 봉래루는 부처의 세계가 아닌 '신선의 세계'를 의미하는 것이 다른데, 이는 불교와 도교의 합일이라는 측면에서 이해할 수 있다.

(절에 당산나무도 있고, 신선의 세계도 있다. 내소사의 재미다.)

문제는 이 봉래루를 지날 때는 안양루를 지날 때만큼의 '삘'이 안 온다는 것이다. 영 법당을 향한다는 느낌이 오질 않는다.

봉래루는 부석사 안양루과 같이 법당 바로 앞에 서서 누각 겸 문의 역할을 하는 건물이다. 그런데 경상도지방의 사찰같이 경사진 언덕에 지어진 경우에는 누각의 역할도, 문의 역할도 다 할 수 있다. 경사지의 사찰에서는 건물의 벽이 없이 확 트인 누각의 역할도 하고, 누각의 밑을 통과 해 법당으로 오르는 소위 '누하진입(樓下進入)'도 가능하다. 그러나 내소사와 같은 평지의 수평적 사찰에서는 누하진입이 가능한 누각은 어울리지 않는다. 사람이 드나들 수 있도록 누각의 아래층을 높이다 보면 누각이 자칫 뒤의 법당을 압도할 수 있기 때문이다. 그래서 흔히 평지의 사찰에서는 법당 앞에 단층의 낮은 건물을 지어놓고 누각이라 이름은 붙이지만, 대개 강당 등으로 사용하곤 한다.

그런데 지금 이 봉래루는 누하진입이 가능하다. 편안하게 지날 수 있는 높이는 아니지만 하여간 누각의 밑을 지나 대웅보전을 향해 오를 수는 있다. 그런데 얄궂은 건 처음부터 이런 누하진입이 가능하도록 지어졌던 게 아니고, 10여년 전에 누각 아래의 기둥을 높여서 이렇게 만들어 놓았다는 것이다. 어쩐지! 그러나 뒤의 대웅보전 때문에 그랬는지 많이 높이질 못해서 지금도 누하진입을 하기에는 옹색한 상태다.

도대체 왜 그런 짓을 했을까? 왼쪽으로 계단이 있음에도 굳이 누하진입을 할 수 있도록 무리해서 건물을 올려 세운 이유가 뭘까? 법당을 향해 경건한 맘을 가지라고 일부러 그랬을까? 대가리 숙이라고? 아니면 누각 밑으로 지나다니는 남의 절의 모습이 보기 좋아서 그랬을까? 난 이런 어거지공사를 주도한 사람의 속내를 도무지 모르겠다. 생각이 짧은 건가? 아니면 너무 많은가? 허, 참!

억지로 건물을 올려 세웠으면 차라리 건물의 벽을 없애서 정말 누각 같아 보이게 하든가, 아니면 앞쪽(대웅보전 쪽)에 벽을 치고 문을 달았어야 했다. 지금같이 사용한 간판, 목재 등을 보관하는 창고로 쓰기에는 봉래루의 위치가 너무나 중요하고, 앞이 트여 다 보이니 분위기 꽝이고, 무엇보다 무리한 공사의 의미가 없다. 그리고 또 하나 꼴불견! 누각 아래층 한 구석에 있는 경비초소 비슷한 건 또 뭔가? 그것도 무슨 樓인가? 당장 뜯어버려야 한다. 아예 그 참에 봉래루를 다시 주저앉히면 더 좋고…….

전체적으로 야트막하고, 수평적이고, 차분한 절집이 이 봉래루 하나로 완전히 망가졌다. 도대체 누가, 무슨 생각으로 이런 짓을 했을까? 명가람에도 그렇게 생각 없는 사람이 있다니……. 견성(見

性)의 길은 참으로 험한 모양이다. '본디 모습'을 보는 것이 견성의 지름길일 텐데…….

절 구경을 다 하고 나오려니 찻집이 보인다. 나는 사찰 안에 있는 찻집들(요즘 유행이다)을 못마땅해하는 편인데, 이 날은 이상하게 차가 한잔 하고 싶어졌다. 찻집 안의 장작 때는 난로 옆에 앉아 '솔바람차'라는, 첨 듣는 차를 마시고 있는데, 찻집의 주인이라는 보살님이 들어오셨다. 그분은 대뜸 처제 수녀를 보자 반색을 하면서 살갑게 대해 준다.

굳이 친절한 그 보살님 때문이 아니더라도 수녀와 절집을 다니면 기분이 좋다. 같은 수도자라고 입장료를 면해 주는 절도 있고, 자기 절에 수녀들이 피정을 왔었다고 자랑하는 절집도 봤다. 이런 존중과 어울림이 종교의 기본이 아닐까 싶다.

다시 전나무 숲길을 따라 절집을 빠져나왔다.

숲이 있는 길. 그냥 이런 길을 자주 걷기만 해도 우리는 정화(淨化) 되지 않을까……. 굳이 목 터져라 회개를 하지 않아도…….

〈마지막 부분은 아무래도 고백성사를 못 본 나의 변명 같다. 낯이 뜨겁다.〉

*2003. 1. 3.*

# 추도사

# 삼가 고 이철주 박사님의 명복을 빌면서 고인의 영전에 깊은 애도를 표합니다

하룻길은 재촉하여도, 먼 길은 여유 있게 챙기셨던 이철주 박사님을 떠나보내는 애석한 마음 금할 길이 없습니다.

이철주 박사께서는 KIST 연구원으로 사회의 첫발을 내딛으셨으며, 지난 20여년을 KIST의 가족으로 가장 모범적인 연구원의 길을 걸어오셨습니다.

연구원과 선임연구원 시절에는 KIST의 커다란 자랑거리인 아라미드 섬유를 세계 최초로 개발한 팀의 일원으로, 젊은 과학자로, 일찍이 커다란 공적을 남기셨습니다.

평소 범상을 뛰어넘는 창의력과 남다른 노력, 그리고 20여년을 거치는 경험의 축적으로, 고분자합성 분야에서 세계적인 전문가로 성장하셨습니다. 최근에는 광기록용 염료와 비선형광학재료 등 새로운 기술분야의 연구를 남보다 먼저 추진함으로써 우리나라 과학기술을 선도해온 KIST 연구원의 대표적인 표상을 보이셨습니다.

고 이철주 박사께서는 유머와 재치가 가득했으며, 주변의 마음을 끌어들이는 친화력이 뛰어나신 분이셨습니다. 이런 성품은 고인께서 책임연구원으로서 연구센터와 재료연구부의 장을 맡으시면서 강력한 리더십으로 나타났음을 우리 모두는 잘 알고 있습니다. 250여명의 재료연구부 살림을 맡는 동안에도 연구실에서처럼 궂은 일을 마다하지 않으시고 몸을 아끼지 않으셨습니다.

2주 전 건강검진을 받기 위해 입원하실 적에도, 곧 건강한 모습으로 다시 볼 기약을 하시었습니다. 지난 월요일 전화통화를 했었는데, 이렇게 유명을 달리했다는 사실이 믿어지지 않습니다. 아마도 평소에 밖으로는 긍정적이고 낙천적인 성품을 보이셨기 때문에 안으로 보듬고 있으셨던 아픔을 저희들은 눈치채지 못하였나 봅니다. 오늘 이철주 재료연구부장님을 보내면서 지난 시간 동안 다하지 못한 사연들이 안타깝기 그지없습니다.

고 이철주 박사께서는 인문사회, 예술, 역사 등 다양한 분야에 남다른 관심과 깊은 지식을 가지셨던 분으로 과학기술인들이 갖추어야 할 소양을 가지셨던 분입니다. 우리 KIST 가족들은 마음을 훈훈하게 데워주기도 하고, 때로는 따끔하게 질책했던 이철주 박사님의 맛깔스럽고 시원스러운 글들을 기억하고 있습니다.

당신이 운영하시던 '월곡한담' 이 궁금증을 풀어주고 가려운 곳을 긁어주는 줄만 알았지, 이런 글들이 당신이 개발하신 암세포를 괴사시키는 색전재료의 연구와 어떤 관계가 있는지 그때는 몰랐습니다. 당신의 아픔을 고뇌하고 넋두리하던 글이었음을 이제야 알겠습니다.

이제 생전의 어렵고 힘들었던 짐들은 훌훌 털어버리시고 평소에 귀의하고자 하셨던 하느님 곁에서 편히 쉬시기를 빕니다. 애석한 마음을 억누르면서 당신을 떠나보내는 가족들에게 무슨 말씀으로 위로를 드려야 할지 모르겠습니다. 항상 밝은 면을 보면서 생활하시던 고 이철주 박사님의 모습을 기억하시고, 평상심으로 열심히 살아가시기 바랍니다.

특히 자제분들은 아버님께서 운명하시기 전까지 Cyber대학에서 서양미술사를 공부하시던 큰뜻과 KIST의 모범적인 과학자의 모습을 깊이 새겨 훌륭한 사람으로 성장하기 바랍니다.

KIST가족을 대표하여, 고 이철주 재료연구부장의 명복을 빌며 추도사를 갈음합니다.

2004. 2. 29.

KIST장례위원회 위원장 금 동 화

# 우리의 벗 고 이철주 군의 영전에 바치는 글

1년 전 오늘 우리는 아무런 준비 없이 우리의 그리운 벗을 보냈습니다.

우리는 고인이 오랫동안 지병과 싸워온 것을 잘 알고 있었으나, 그가 그렇게 서둘러 우리의 곁을 떠날 줄은 몰랐기에, 고인과의 너무 이른 이별을 아쉬워하여 이 자리에 모였습니다.

1975년 공릉동 캠퍼스에서 고 이철주 군을 만나 우리의 우정이 시작된 후, 고인은 우리의 30년 지기였으며, 그의 짧지만 열정적인 생애 동안 그는 우리에게 매우 예측 가능한 일관적인 모습을 보여주었습니다.

그는 항상 수많은 친구와 선배와 후배에 둘러싸여 있었으며, 그는 이 모든 사람들을 사랑했으며, 또한 고인은 그 중 가장 사랑하던 서클 후배를 아내로 맞아 이룬 가족을 무한히 사랑하였습니다.

그에게는 항상 그를 보고 싶어하는 많은 이들이 있었으며, 그는 항상 소주와 노가리안주를 마다하지 않았으며, 현란한 입담과 즐거운 마음으로 이들의 삶과 마음을 풍요롭게 하여주었습니다.

그는 항상 공학도답지 않은 해박한 인문 예술 지식과 끝을 알 수 없는 해학으로 우리를 즐겁게 한 당대의 이야기꾼이었습니다.

그는 항상 산과 자연을 사랑하였으며, 권위와 형식에서 자유로웠으며, 세상의 바람에 흔들리지 않고 많은 사람을 사랑한, 정말로 아름다운 마음을 가진 모든 이의 친구였습니다.

또한 그는 항상 창조적인 학자이자 리더였습니다.

그의 리더십과 기여 없이는 그의 지병의 단초가 된 아라미드 섬유를 이야기할 수 없으며, 또한 기능성 고분자 연구에 그가 남긴 커다란 족적은 그가 진정 창조적인 학자이자 리더였음을 남은 우리에게 웅변하고 있습니다.

우리는 고인이 우리에게 보여준 크나큰 우정과 사랑의 빈 자리를 느끼며 고인을 그리워합니다.

고인은 말 없이 황망히 우리 곁을 떠났으나, 우리의 기억이 살아 있는 한, 그는 항상 우리 마음속에서 소주를 권하면서, 또 다른 유머와 입심으로 우리를 즐겁게 하면서 다음 주에 한번 산에 가자고 할 것만 같습니다.

우리는 그의 당대 최고의 입심과 순수함과 그가 우리에게 베풀고 간 사랑을 그리워하며 언젠가 그를 다시 만날 것을 믿습니다.

그때까지 이 자리에 모이신 고인을 사랑하는 모든 분들의 건강과 행복을 기원하며 고인의 명복을 빕니다.

끝으로 이 추모행사를 준비한 유가족과, 이 자리에는 없으나 많은 도움을 주신 분들께 고인의 벗으로 감사드립니다.

(저는 고인의 '월곡한담' 첫째 글에서 악어라 불렸던 그의 친구 이형구입니다.)

감사합니다.

2005. 2. 27.<br>이 형 구

## 2주기를 맞이하여

哲 **밝을 철** ㉠ 밝다 ㉡ 슬기롭다

뜻을 나타내는 입구(口☞입, 먹다, 말하다)部와 음(音)을 나타내는 折(절→철은 변음(變音))로 이루어짐. 죄를 하나하나 들어 말하며 꾸짖다가 원뜻. 전(轉)하여 잘 알다의 뜻이 되었음.

周 **두루 주** ㉠ 두루 ㉡ 둘레 ㉢ 주나라 ㉣ 두루미치다 ㉤ 찬찬하다 ㉥ 지극하다 ㉦ 미쁘다 ㉧ 두르다

用(용☞쓰다)과 口(구☞입)의 합자(合字). 본디뜻은 입을 잘 써서 말을 삼가는 일을 말함. 전(轉)하여, 周密(주밀)의 뜻을 나타냄.

이 친구의 이름을 보면 이 친구의 언변이 좋을 수밖에 없는 것을 알 수 있다. 누가 이 친구의 이름을 지어주셨는지는 알 수 없으나, 사람을 볼 줄 아는 혜안을 지니신 분이셨을 것이다. 이 친구는 엔지니어답지 않게, 명석한 두뇌로 종합화한 지식을 아주 맛깔지게 표현할 줄 아는 능력을 지녔었다.

우리가 같이한 학창시절은 흑백사진의 시기였다. 칼라는 사치였고, 사회 분위기를 비롯한 모든 것에 오로지 흑과 백 이분법만

이 존재하던 때였다. 그런 때 우리는 처음 만났었다.

외형상으로 우리는 흑과 백이었다.

나는 얼굴이 창백했고, 이 친구는 건강한 구릿빛이었다.

나는 몸이 약해서 조용히 있을 수밖에 없었고, 이 친구는 천방지축이었다. 수업시간에 자리에 앉아 있는 게 신기할 정도였다. 쉬는 시간에 이 친구는 거의 책상 위를 날아다녔다.

나의 도시락은 조그만 여자용 도시락이었고, 점심시간까지 형체를 흐트러지는 법이 없었다. 이 친구의 도시락은 2층 찬합에다가 점심시간까지 온전히 남아 있은 적이 별로 기억나지 않는다.

이 친구의 안경은 성한 날이 며칠 없었다(나는 그 당시 눈이 좋아서 안경을 끼지 않았었다). 처음에는 부러진 안경테로부터 시작하여, 빠진 안경알로, 마지막에는 깨진 안경알 조각을 안경 대용으로 사용했었다.

나는 운동을 제일 싫어했고, 이 친구는 운동이라면 사족을 쓰지 못했다.

나는 내성적이었고, 이 친구는 외형적인 면도 무지 많았다.

나에게는 공부밖에 할 게 없었고, 이 친구는 공부 말고도 할 게 너무나 많았다.

이 친구와는 이렇게 많이 달랐다. 그 당시 선생님들 기준에서 보면 나는 몸이 약하고 공부 잘하는 모범생이었고, 이 친구는 머리는 좋은데, 그 머리를 늘 딴 곳에 쓰며 주위산만한 장난꾸러기였다. 즉, 나는 백, 이 친구는 흑이었다. 과연 우리는 흑과 백이었을까? 그 당시 우리는 칼라를 가슴 속에 담아 두어야 했으니까 밖으로 표현은 안 했지만, 서로의 칼라를 알고 있었다.

[68년 중1 때 합창반에서 우린 처음 만났다. 무슨 인연인지 이후 중2 때부터(고1 때를 제외하고) 항상 같은 반을 했으며, 자리는 늘 서로 손을 뻗으면 닿는 거리에 앉아 있었다. 대학도 과만 다른, 같은 학교의 공대에 다녔었고, 심지어 서클도 같은 서클이었다. 이것만 봐도 같은 점이, 그것도 중요한 점이 상당히 같다는 것을 알 수 있을 것이다.]

이 친구는 명석한 두뇌와 그 명석함에 더해 위트와 유머, 심지어는 순발력도 갖추고 있었다. 중2 때부터 본 바로, 이 친구의 주위에는 항상 사람들이 들끓었었다. 중고 때 동창들로부터 시작해서, 대학 때 과와 대학을 불문하고, 선후배, 남자, 여자를 막론하고 다양한 무리의 사람들이 항상 이 친구의 주위에 존재했다. 덕분에 나도 상당히 많은 사람들을 알게 되었지만. 이 친구의 이 사교는 연구소에서도 여전했었고, 심지어는 미국 장기연수에서도 유감없이 발휘되었다. 그의 아내도 그의 놀라운 언변에 넘어갔었을 것이고.

그는 엔지니어로서의 능력뿐만 아니라, 그 능력을 그의 생활과 밀접한 모든 것에 관심을 갖고 적용하여, 모든 관심 있는 것에 대해 거의 전문가 수준으로 자처하였다. 이러한 것에 표현력이 더해져서 '월곡한담' 이라는 유머와 위트와 잡학이 혼합된 그 친구다운 글들이 탄생했을 것이다. 또한 자신의 병력기를 '괴질부' 라는 이름으로 남길 수 있었을 것이다.

겉으로는 '흑' 으로 보일 수밖에 없는 환경에서 칼라를 가슴 속에 품고 키워서 결국 그것을 구현해나가기 시작한 그가 이리도 빨리 저 세상을 재촉해 가지 않았더라도 우리는 아마도 더 큰 그의 작품을 볼 수 있었을 것이다. 이제 많은 사람들의 노력과 애정으로 책을 발간하게 되었다. 비록 그의 육신은 우리가 직접 대할 수 없지만, 이 책을 통해 우리들의 마음 속에, 영원히 명랑하지만 무엇인가를 가슴에 품고 살아가는 친구로 남을 것이다.

친구야, 그곳엔 뭐가 있는가? 거기서도 벌써 여러 편의 글을 남겼을 텐데, 잘 정리해 두게. 언젠가 다시 만나는 날, 술 한잔하며 모두에게 읽어주게나!

병술년 어느 날 원천골에서 친구를 그리며
유 재 석